세상이 변해도 배움의 즐거움은 변함없도록

한끝

한권으로끝내기

비상교육 교과서편

중등 국어 2-2

- **새 교육과정**과 그에 따른 **교과서의 내용**을 충실하게 담은 교재
- **다양한 유형의 문제**를 충분하게 수록한 교재
- **학습에 대한 흥미**를 돋우는 교재

교육과정이 바뀌어도 새 교육과정과 그에 따른 새 교과서의 내용을 꼼꼼하게 정리한 한끝만 있다면 문제없어!

1 교과서 내용 완벽 분석 및 정리_본책(진도 교재)

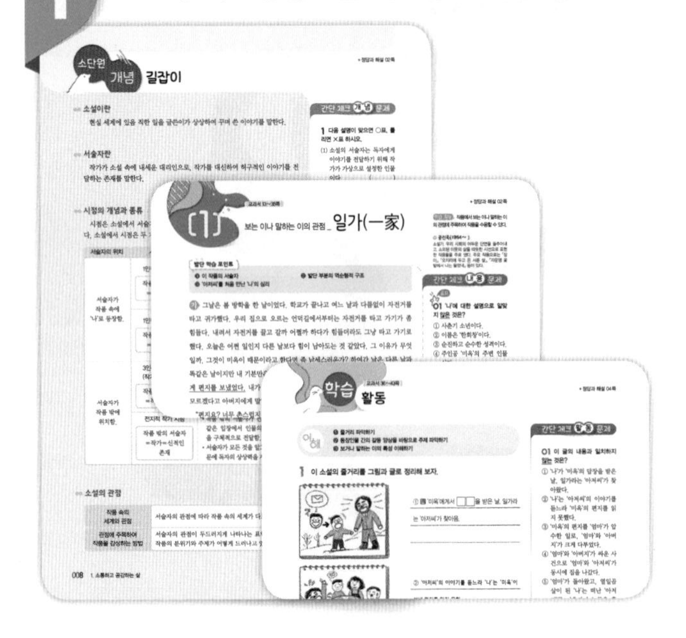

① 소단원 개념 길잡이
소단원의 학습 요소와 갈래에 대한 내용을 확인할 수 있습니다.

② 교과서 본문 학습
학습 포인트 와 학습콕 을 통해 교과서 본문을 꼼꼼하게 학습하고, 간단 체크 내용 문제, 간단 체크 어휘 문제, 간단 체크 활동 문제 를 풀어 보면서 배운 내용을 확인할 수 있습니다.

③ 학습 활동
학습 활동의 예시 답안을 확인하고, 활동을 응용한 문제를 풀어 볼 수 있습니다.

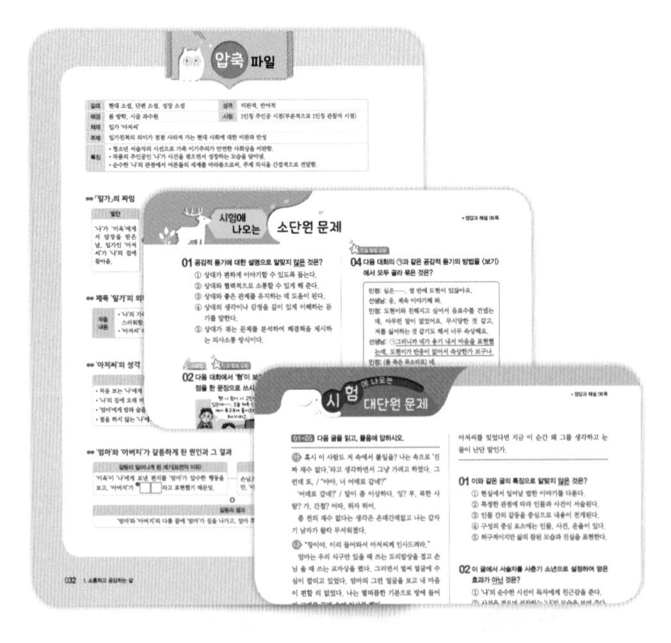

④ 압축 파일
각 소단원의 주요 내용만을 뽑아 정리하여 핵심을 한눈에 파악할 수 있습니다.

⑤ 시험에 나오는 소단원 문제 / 시험에 나오는 대단원 문제
출제 가능성이 높은 소단원 문제와 대단원 문제를 풀어 보면서 배운 내용을 확인할 수 있습니다.

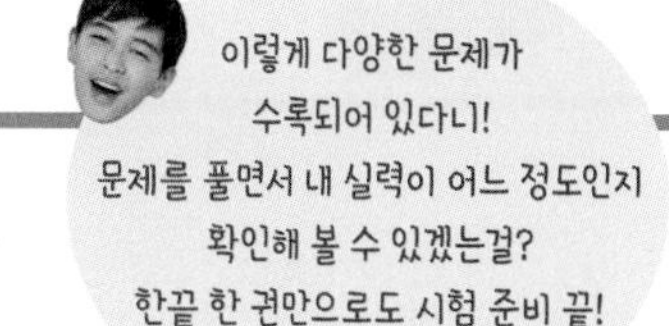

2 철저한 시험 대비_시험 대비 문제집

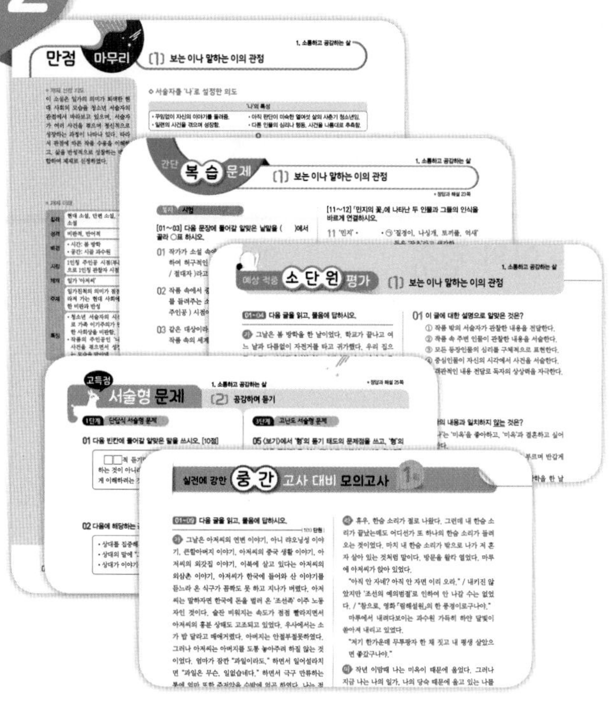

1 만점 마무리
소단원의 학습 내용을 정리한 코너로, 시험 전 핵심 정리에 유용합니다.

2 간단 복습 문제
간단한 확인 문제를 통해 스스로 복습할 수 있습니다.

3 예상 적중 소단원 평가 / 예상 적중 대단원 평가
시험에 나올 만한 문제들을 엄선하였습니다.

4 고득점 서술형 문제
단계별 서술형 문제를 통해 고득점에 한발 다가갈 수 있습니다.

5 실전에 강한 모의고사
실제 시험과 유사한 모의고사로 시험 직전 마무리 문제풀이로 사용하면 좋습니다.

한끝은 재미도 놓치지 않았어!
소설은 길어서 내용 정리가 쉽지 않았는데,
'한끝의 한 끗'과 함께라면
재미있게 공부할 수 있어.

3 공부에 대한 흥미 유발

1 한끝의 한 끗
한끝만의 특별한 '한 끗'을 제공하여 좀 더 재미있게 공부할 수 있도록 하였습니다.

- '1(1) 보는 이나 말하는 이의 관점'에서는 소설 「일가」의 중요 인물인 '아저씨'를 중심으로 사건을 재구성하고, 사건에 따른 인물들의 주요 대사와 심리를 제시하여 소설의 줄거리와 주제를 한눈에 정리해 볼 수 있도록 하였습니다.

이 책의

차례

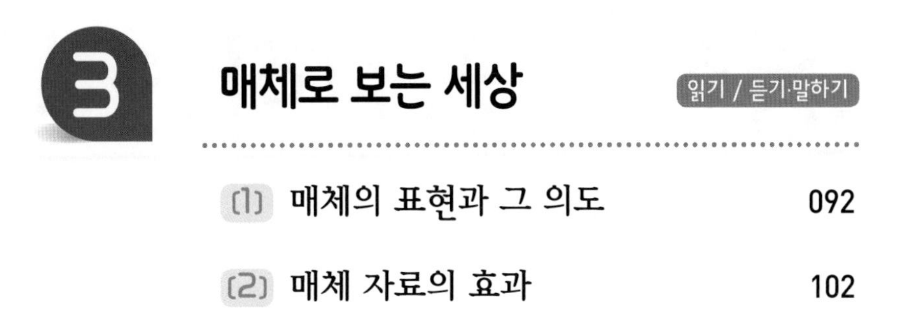

3 매체로 보는 세상

읽기 / 듣기·말하기

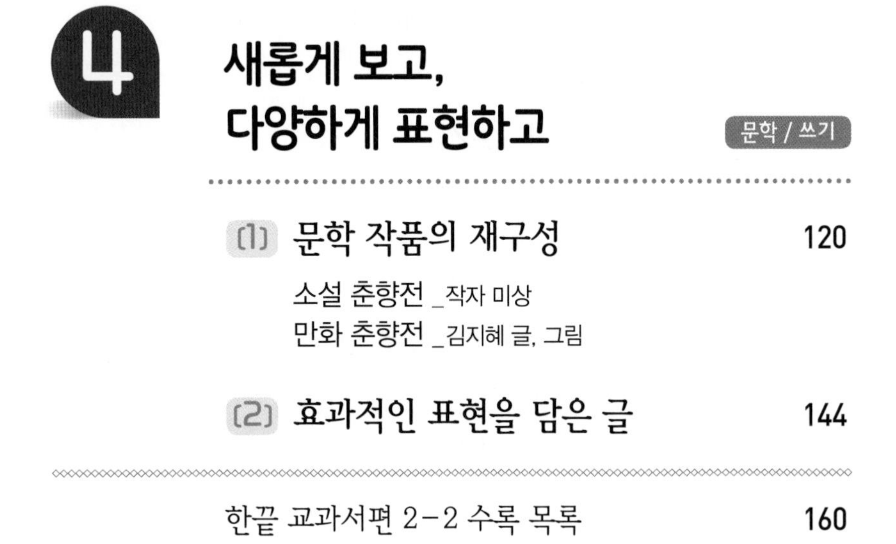

4 새롭게 보고, 다양하게 표현하고

문학 / 쓰기

공동체·대인 관계 역량

소통하고 공감하는 삶

문학

(1) 보는 이나 말하는 이의 관점

_ 일가(一家)(공선옥)

- 보거나 말하는 이의 관점이 작품에 미치는 영향 파악하기
- 같은 대상을 바라보는 두 관점 비교하기

듣기·말하기

(2) 공감하며 듣기

- 공감하며 듣는 방법 이해하기
- 상대의 감정에 공감하며 대화 나누기

듣기·말하기

(3) 책 속 인물과 대화하기

- 등장인물의 상황이나 감정에 공감하며 책 읽기
- 책을 읽고 난 후의 경험 나누기

왜 배울까?

사람들은 다양한 생각과 가치관을 지니고 있기 때문에, 같은 사건도 각자가 다르게 해석할 수 있다. 즉 누구의 눈으로 바라보느냐가 중요한 것이다. 문학 작품도 마찬가지이다. 작품에는 작가가 자기 의도를 전달하려고 설정한 '보는 이' 혹은 '말하는 이'가 있다. 그리고 그가 누구냐에 따라 작품 속의 세계는 다양한 모습으로 나타난다. 따라서 관점에 주목하여 작품을 감상하면, 작가의 생각이나 의도에 더 가깝게 접근할 수 있다. 한편 공감하며 듣기는 상대의 관점에서 의사소통하는 방식으로, 공동체 구성원의 다양한 생각과 가치관을 이해하는 밑바탕이 된다. 특히 다변화하는 공동체 안에서 얽히고설킨 관계를 현명하게 풀어 나가려면, 이처럼 다른 누군가의 입장을 진심으로 이해하고, 공감을 표현하는 능력이 필요하다.

뭘 배울까?

이 단원에서는 공동체·대인 관계 역량을 기르기 위해 문학 작품 속의 보는 이나 말하는 이의 관점에 따라 작품의 분위기와 주제가 어떻게 달라지는지 살펴볼 것이다. 또한 상대의 감정에 공감하며 표현하는 방법을 익히고, 이를 바탕으로 친구들과 깊이 있는 대화를 나누어 볼 것이다. 그리고 한 편의 책을 읽으며 등장인물의 상황이나 감정에 공감하고 자기 생각을 표현해 보는 활동을 해 볼 것이다.

길잡이

● 정답과 해설 02쪽

소설이란

현실 세계에 있음 직한 일을 글쓴이가 상상하여 꾸며 쓴 이야기를 말한다.

서술자란

작가가 소설 속에 내세운 대리인으로, 작가를 대신하여 허구적인 이야기를 전달하는 존재를 말한다.

시점의 개념과 종류

시점은 소설에서 서술자가 있는 위치나 사건을 바라보는 관점과 태도를 말한다. 소설에서 시점은 두 가지 이상으로 나타나기도 한다.

서술자의 위치	시점의 종류	특징
서술자가 작품 속에 '나'로 등장함.	1인칭 주인공 시점 작품 속의 서술자 ='나'=주인공	• 주인공이 자신의 이야기를 직접 전달하기 때문에 독자에게 친근감과 신뢰감을 줌. • 서술자인 주인공 자신의 내면 심리를 효과적으로 표현함.
	1인칭 관찰자 시점 작품 속의 서술자 ='나'=관찰자	• 주변 인물인 '나'의 눈에 관찰된 내용을 전달하기 때문에 독자에게 상상의 여지를 제공함. • 주인공의 심리나 사건의 진실이 정확히 드러나지는 않음.
서술자가 작품 밖에 위치함.	3인칭 관찰자 시점 (작가 관찰자 시점) 작품 밖의 서술자 =작가=관찰자	• 작품 밖의 서술자가 관찰한 등장인물의 대화와 행동, 사건을 객관적으로 전달함. • 겉으로 드러나는 사실만을 전달하므로 독자가 상상할 여지가 많음.
	전지적 작가 시점 작품 밖의 서술자 =작가=신적인 존재	• 작품 밖의 서술자가 전지전능한 신과 같은 입장에서 인물의 심리와 사건을 구체적으로 전달함. • 서술자가 모든 것을 알고 전달하기 때문에 독자의 상상력을 제한함.

소설의 관점

작품 속의 세계와 관점	서술자의 관점에 따라 작품 속의 세계가 다르게 나타남.
관점에 주목하여 작품을 감상하는 방법	서술자의 관점이 두드러지게 나타나는 표현을 중심으로 작품의 분위기와 주제가 어떻게 드러나고 있는지 이해함.

간단 체크 개념 문제

1 다음 설명이 맞으면 ○표, 틀리면 ×표 하시오.

(1) 소설의 서술자는 독자에게 이야기를 전달하기 위해 작가가 가상으로 설정한 인물이다. ( )

(2) 시점은 서술자의 위치나 관점 등을 가리키는 말이다. ( )

(3) 소설은 반드시 하나의 시점으로만 서술된다. ( )

2 시점에 대한 설명으로 알맞지 않은 것은?

① 1인칭 관찰자 시점은 서술자가 작품 내에 등장한다.
② 3인칭 관찰자 시점은 서술자가 작품 밖에 위치한다.
③ 전지적 작가 시점은 독자가 내용을 상상할 여지를 많이 준다.
④ 1인칭 주인공 시점은 중심인물의 내면을 그리는 데 효과적이다.
⑤ 1인칭 관찰자 시점과 3인칭 관찰자 시점은 중심인물의 심리를 구체적으로 전달하지 못한다.

3 다음 빈칸에 공통으로 들어갈 알맞은 말을 쓰시오.

> 소설 속의 세계는 서술자가 지닌 □□에 따라 다르게 나타난다. 그러므로 서술자의 □□에 주목하여 작품을 감상해야 한다.

교과서 13~35쪽

● 정답과 해설 02쪽

(1) 보는 이나 말하는 이의 관점 _ 일가(一家)

학습 목표 작품에서 보는 이나 말하는 이의 관점에 주목하여 작품을 수용할 수 있다.

공선옥(1964~)
소설가. 우리 사회의 어두운 단면을 들추어내고, 소외된 이웃의 삶을 따뜻한 시선으로 표현한 작품들을 주로 썼다. 주요 작품으로는 「장마」, 「오지리에 두고 온 서른 살」, 「자운영 꽃밭에서 나는 울었네」 등이 있다.

발단 학습 포인트

❶ 이 작품의 서술자
❷ 발단 부분의 역순행적 구조
❸ '아저씨'를 처음 만난 '나'의 심리

가 그날은 봄 방학을 한 날이었다. 학교가 끝나고 여느 날과 다름없이 자전거를 타고 귀가했다. 우리 집으로 오르는 언덕길에서부터는 자전거를 타고 가기가 좀 힘들다. 내려서 자전거를 끌고 갈까 어쩔까 하다가 힘들더라도 그냥 타고 가기로 했다. 오늘은 어쩐 일인지 다른 날보다 힘이 남아도는 것 같았다. 그 이유가 무엇일까. 그것이 미옥이 때문이라고 한다면 좀 남세스러운가(남에게 놀림과 비웃음을 받을 듯한가)? 하여간 날은 다른 날과 똑같은 날이지만 내 기분만은 특별한 날이었다. 나는 지난주 월요일에 ㉠미옥이에게 편지를 보냈었다. 내가 미옥이에게 관심이 있다는 것을 어떻게 표현해야 할지 모르겠다고 아버지에게 말했더니 아버지는 편지를 보내 보라고 했다.

"편지요? 너무 촌스럽지 않을까요?"

"그건 촌스러운 게 아니라, 오히려 정중한 거다. 봐라, 내가 너희 엄마와 결혼할 수 있었던 것도 다 편지 덕분이지."

나 나는 아버지 말대로 미옥이에게 정중하게 편지를 썼다. 나는 사실 겨울 방학 내내 미옥이만 생각했다. 나는 나중에 꼭 미옥이와 결혼하리라는 결심을 굳히고 또 굳혔다. 미옥이와 결혼할 수 있기 위해서는 나이를 빨리 먹어야 하는데, 이제 겨우 열여섯 살이라는 게 분하고 원통할 지경이었다. 그러나 편지에는 그런 말을 쏙 빼고 그저, 방학을 어떻게 보내고 있는지, 공부는 열심히 하고 있는지, 3학년에 올라가서는 더 열심히 공부하자는 말과 함께 편지 끝에 슬쩍 혹시 나 보고 싶은 마음은 없는지 물어보는 것으로 내 마음을 표현했다. 편지를 부치기 위해 면 소재지 우체국으로 자전거를 타고 가면서 미옥이가 사는 동네 앞을 지날 때는 혹시 미옥이가 골목에 나와 있지는 않은지 마을 안 골목으로 들어가 괜히 맴을 돌기도 하면서 ㉡자전거 페달을 한없이 느리게 굴렸다. 그리고 어느 순간 정말 미옥이가 나타났다. 분명 미옥이었다. 미옥이는 같은 동네 애들인 아라와 보람이와 함께 어딘가를 가고 있었다. 아라가 먼저 나를 발견했다.

다 "야, 한희창."

나는 모른 척 그냥 페달을 밟을까 말까 하다가 마지못해 돌아보는 척, 덤덤하게 웃어 보였다.

"너 어디 가냐?"

"그냥 가던 길이야."

"근데, 왜 우리 동네는 들어와서 어정거려?"

"너희 동네 오면 안 되냐?"

간단 체크 내용 문제

중요
01 '나'에 대한 설명으로 알맞지 않은 것은?

① 사춘기 소년이다.
② 이름은 '한희창'이다.
③ 순진하고 순수한 성격이다.
④ 주인공 '미옥'의 주변 인물이다.
⑤ 봄 방학 중에 일어난 사건을 전달하고 있다.

02 '나'가 ㉠과 같이 행동한 이유로 알맞은 것은?

① '미옥'의 안부를 묻기 위해서
② '아버지'가 편지를 쓰라고 시켜서
③ '미옥'에게 화낸 것을 사과하기 위해서
④ '미옥'을 좋아하는 마음을 전하기 위해서
⑤ '미옥'에게 '나'의 최근 소식을 전하기 위해서

03 ㉡에 담긴 '나'의 심리로 가장 알맞은 것은?

① 동네에서 '아라'를 마주칠 것 같은 불안함
② 혹시나 '미옥'을 볼 수 있을까 하는 기대감
③ 자전거로 높은 언덕길을 올라야 하는 부담감
④ 자신의 마음을 몰라주는 '미옥'에 대한 실망감
⑤ '미옥'에게 쓴 편지를 부칠까 말까 하는 망설임

나는 일부러 부드럽게 물었다. 내 부드러움에 아라 목소리도 금방 순해졌다.

"아니, 뭐 꼭 그런 건 아니지만. 그래, 잘 가라."

아라 옆에서 보람이는 그냥 생글거리기만 하고 정작 미옥이는 딴 곳을 바라보고만 있었다. 바보, 내가 정말 보고 싶은 얼굴은 왜 안 보여 주는 거야. 나는 아쉬움에 발걸음이 떨어지지 않는다는 말을 실감하며 그 동네를 빠져나와 우체국으로 가는 지름길인 농로(농사에 이용되는 길)를 힘차게 달려 나갔다. 열이 오른 얼굴에 티끌 하나 없이 맑은 겨울바람을 맞으며 가는 길을 나는 어쩌면 평생 잊을 수 없을 것도 같았다. 솔직히 말한다면 평생 잊지 않기를 바란 것이 잊을 수 없을 것 같다는 기분으로 바뀐 것이긴 하지만 말이다.

라 그리고 드디어 미옥이에게서 답장을 받은 것이다. 학교에 갔는데 내 책상 서랍 속에 하얀 봉투가 들어 있어서 설마 하고 보니, 분명 '옥'이라고 쓰여 있었던 것이다. 나는 누가 볼세라 얼른 편지를 가방 안에 감추었다. 나는 편지를 뜯어보고 싶었지만, 꾹 참았다. 설레는 기분을 좀 더 오래 누리고 싶어서이기도 했지만, 밤에 조용히 이불 속에서 뜯어보고 싶은 마음이 더 컸기 때문이다. 바로 이런 기분을 맛볼 수가 있어서 아버지는 내게 편지를 쓰라고 했는지도 모른다. 내가 '멋없게시리' 전자 우편을 썼더라면 미옥이도 답장을 전자 우편으로 했을 것이다. 그러면 우리는 서로의 마음을 금방 알 수는 있어도 이렇게 설레는 기분 같은 건 느낄 수 없었겠지. 바로 이런 게 어른들이 흔히 말하는 '살맛'이 아닐까, 라고 나는 막연히(뚜렷하지 못하고 어렴풋하게) 생각하며 언덕이 막 시작되는 과수원 초입(골목이나 문 등에 들어가는 어귀)에서부터 엉덩이를 힘껏 들어 올리고 페달을 힘차게 굴렸다. 그런데,

마 "아아, 그 궁뎅이두 차암."

하는 말이 들려오지 않는가. 반사적으로 소리 나는 쪽을 바라보았다. 저기 과수원 한복판에서부터 나를 향해 천천히 걸어오는 ㉠한 남자가 있었다. 처음 보는 사람이었다. 아마 과수원 속에서 소변을 보고 나오는 길임이 틀림없었다. 지나가는 사람들이 갑자기 볼일을 보고 싶을 때면 꼭 우리 과수원으로 쑥 들어가서 일을 해결한다는 것을 나는 알고 있었다. 엄마는 그것이 아주 신경질 나 죽겠다고 했고 아빠는 싱글싱글 웃으며 사람들에게는 우리 과수원이 좋은 일 하는 거고 우리 과수원에는 사람들이 좋은 일 하는 거지 뭐, 하고 대수롭지 않게 말했다.

간단 체크 내용 문제

04 (라)로 보아, '나'가 '미옥'의 편지를 곧장 뜯어보지 않은 이유로 알맞은 것은? (정답 2개)

① '엄마'가 옆에 있었기 때문에
② 편지를 받은 것이 실감 나지 않았기 때문에
③ 밤에 이불 속에서 몰래 보고 싶었기 때문에
④ 처음에는 누가 보낸 편지인지 몰랐기 때문에
⑤ 설레는 기분을 좀 더 오래 누리고 싶었기 때문에

05 ㉠에 대한 설명으로 알맞은 것끼리 묶은 것은?

보기
ㄱ. 행복한 결말을 암시한다.
ㄴ. 독자의 호기심을 유발한다.
ㄷ. '나'가 평소에 좋아했던 사람이다.
ㄹ. 앞으로 전개될 사건의 중심인물이다.

① ㄱ, ㄴ ② ㄱ, ㄷ
③ ㄱ, ㄹ ④ ㄴ, ㄹ
⑤ ㄷ, ㄹ

간단 체크 어휘 문제

다음 낱말의 뜻풀이가 맞으면 ○표, 틀리면 ×표 하시오.

(1) 막연히: 뚜렷하지 못하고 어렴풋하게 ( )

(2) 초입: 골목이나 문 등에 들어가는 어귀 ( )

(3) 농로: 예전에, 귀족 관료들의 집에서 여러 가지 잡일을 맡아 하던 나이 어린 남자 종 ( )

바 나는 어느 쪽이냐 하면 엄마 편에 속했다. 삭지 않은 인분에서는 고약한 냄새가 나기 때문이다. 더구나 가지치기나, 꽃이나 열매 솎아주기 같은 것을 할 때 발밑에서 뭔가 물커덩 밟히기라도 하는 날이면 진짜 죽을 맛이다. 그것이 무엇인 줄 뻔히 알면서도 항상 으악 비명을 지르지 않고는 견딜 수 없이 기분이 나빠진다. 혹시 이 사람도 저 속에서 볼일을? 나는 속으로 '진짜 재수 없다.'라고 생각하면서 그냥 가려고 하였다. 그런데 또,

"야야, 너 어데로 갑네?"

'어데로 갑네?'

말이 좀 이상하다. 잉? 부, 북한 사람? 가, 간첩? 어따, 뛰자 뛰어.

좀 전의 재수 없다는 생각은 온데간데없고 나는 갑자기 남자가 왈칵 무서워졌다. 나는 획 돌아서서 자전거 바퀴를 굴렸다. 그러자, 남자가 뒤에 서서 — 나에게는 분명히 비웃는 것으로 들렸다. — 킥킥 웃으며,

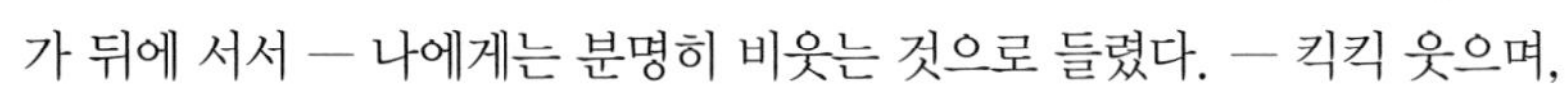

"허어, 고놈 차암."

하는 것이었다. 그 통에 오늘 특별히 좋았던 기분도 많이 사라져 버렸다. 우리 집은 따로 대문이 없다. 그냥 밭 가운데로 난 탱자나무 오솔길을 따라 쭉 들어서면 우리 집이 나온다. 나는 자전거를 오솔길 한가운데다 팽개쳐 놓고 집 안으로 달려 들어갔다.

사 "엄마아."

"엄매, 징그러운 거."

변성기가 지나서 본격적인 남자 목소리가 나기 시작하던 작년 1학년 때부터 엄마는 내가 큰 소리를 낼라치면 대뜸 징그럽다고 한다.

"엄마아, 우리 과수원에서 누가 나왔어. 누가 나왔단 말이야아."

"나오긴 누가 나왔다 그래? 잔소리 말고 씻고 밥 먹자."

"아이 씨, 그게 아니고 어떤 아저씨가 우리 과수원에서 나왔다고."

"어느 집 거위가 때꽉때꽉 허는 것이여?"

아닌 게 아니라 내 목소리는 거위가 꽥꽥하는 것 같다. 더구나 흥분을 해서 더 그런 면이 있을 것이다. 거위가 꽥꽥거리면 사람들에게도 시끄럽단 소리나 듣게 마련, 거위에서 사람으로 돌아가려면 나는 그저 조용히 입을 다물 수밖에. 그런데 바로 그 순간,

"실례하갔습네다."

바로 과수원의 그 사람이다.

"아악!" / 나는 나도 모르게 비명을 지르고 말았다.

간단 체크 내용 문제

06 (바)에서 '나'가 '아저씨'를 간첩으로 오해한 이유를 한 문장으로 쓰시오.

07 (바)~(사)에 나타난 '나'의 심정을 다음과 같이 정리할 때, 빈칸에 들어갈 말로 알맞은 것은?

'미옥'의 편지를 받고 나서 좋았던 기분이 사라짐.
⬇
집까지 따라온 낯선 아저씨 때문에 (　　　)을/를 느낌.

① 기쁨　② 호기심　③ 무서움　④ 답답함　⑤ 징그러움

08 (바)~(사)를 통해 알 수 있는 내용이 아닌 것은?

① '나'는 변성기가 지나 목소리가 굵어졌다.
② '아저씨'는 '나'가 친척임을 확신하며 말을 걸었다.
③ '나'는 '아저씨'가 과수원에서 볼일을 보았다고 생각했다.
④ '엄마'와 '나'는 평소에 사람들이 과수원에서 볼일 보는 것을 싫어했다.
⑤ '나'의 집은 과수원 오솔길을 따라 들어가다 보면 나오는 대문 없는 집이다.

(아) "첨 보는 사이도 아닌데 웬 악을 지르고 그러네?"

아저씨는 나를 향해 눈을 찡끗해 보이기까지 한다. 그때 부엌에서 밥을 차리고 있던 엄마가 내 비명에 놀라 손에 반찬 그릇을 든 채로 마루에 나왔다.

"아주마니, 안녕하십네까?" / "아, 네에. 연변에서 오신 그분이신가요?"

아니, 저 이상한 말 쓰는 아저씨가 미리 연락하고 오는 우리 집 손님이었단 말인가?

"옌벤이라니요, 어째 한국 사람들은 중국서 왔다면 고저 다아 옌벤서 왔다고 알고 있습네까? 저는 저어 랴오닝성 다롄서 왔지요."

연변: 중국 길림성 동부에 있는 자치주

대련: 중국 랴오둥반도의 남쪽 끝에 있는 항만 도시

엄마는 얼굴이 벌게져 버렸다.

"아이구, 그렇다고 뭐 그렇게 부끄러워할 필요는 없습네다. 반갑습네다, 제수씨."

"하여간 뭐어, 어서 오세요." / "자아, 기럼 올라가겠습네다."

아저씨는 신발을 벗고 마루로 턱 올라앉는다.

학습콕 소주제: '나'가 '□□'에게서 답장을 받은 날, 일가인 '아저씨'가 '나'의 집에 찾아옴.

❶ 이 작품의 서술자

'나'의 특성 (1인칭 주인공 시점)	• 이름은 '한희창'임. • □□□ 살 청소년임. • '미옥'을 좋아하고, '미옥'과 결혼하고 싶어 함.

→ 이성에게 관심과 호감을 느끼는 순수한 사춘기 소년으로, 꾸밈없이 자신의 이야기를 들려줌.

❷ 발단 부분의 역순행적 구조

봄 방학을 한 날	→	지난주 월요일	→	봄 방학을 한 날
'미옥'에게서 답장을 받은 날		'미옥'에게 □□를 보낸 날		'미옥'에게서 답장을 받은 날

❸ '아저씨'를 처음 만난 '나'의 심리

'아저씨'의 행동	→	'나'의 심리
'나'의 가족이 하는 과수원 한복판에서 나옴.		과수원에서 볼일을 보았다고 생각하여 불쾌함.
'나'에게 □□식 말투로 말을 걺.		간첩으로 오해하여 겁을 먹음.
'나'의 집에 들어옴.		□□을 지르며 무서워함.

간단 체크 내용 문제

09 (아)의 내용과 일치하는 것을 〈보기〉에서 모두 골라 기호를 쓰시오.

보기
ㄱ. '아저씨'는 중국 다롄에서 왔다.
ㄴ. '아저씨'와 '엄마'는 전에 만난 적이 있다.
ㄷ. '엄마'는 '아저씨'가 오늘 오는 것을 알고 있었다.
ㄹ. '아저씨'는 '아버지'의 초대를 받아서 오게 되었다.

10 (아)에 나타난 '아저씨'의 성격으로 알맞은 것은?

① 친절하다.
② 신중하다.
③ 속이 깊다.
④ 넉살이 좋다.
⑤ 성격이 급하다.

11 이 글의 발단 부분이 다음과 같이 진행될 때, 이와 같은 구성으로 알맞은 것은?

봄 방학을 한 날
↓
지난주 월요일
↓
봄 방학을 한 날

① 순행적 구성
② 액자식 구성
③ 역순행적 구성
④ 옴니버스식 구성
⑤ 피카레스크식 구성

전개 학습 포인트

❶ '아저씨'를 대하는 '엄마'와 '아버지'의 상반된 태도
❷ 가족들이 '아저씨'와 이야기를 나누는 태도

자 엄마는 아버지가 있는 우사(외양간)로 갔다. 나는 내 방으로 얼른 들어가 버렸다. 마루에서 아저씨가 우렁우렁한(울리는 소리가 매우 큰) 목소리로 나를 부른다.

"야야, 내가 무섭네? 무서워할 것 없다. 나는 너의 일가(「1」 한집안. 「2」 성(姓)과 본이 같은 겨레붙이)니까니."

일가니까니? 일가니까니가 뭐람. 나는 미옥이의 편지를 뜯어보고 싶었지만 마루에 있는 '일가니까니'라는 사람이 신경이 쓰여 편지를 뜯어보지도 못하고 책상 앞에 멍하니 앉아 있었다.

"오오, 형님, 어서 오세요."

"아아, 일가가 좋긴 좋구만이. 첨 보는데도 고저 피가 확 땡기는 거이."

"그러게 말입니다, 형님. 안으로 들어가시지요."

바야흐로 혈육 상봉의 감격적인 순간인가? 나가서 사진이라도 찍어 줘야 하나? 아버지와 아저씨는 방으로 들어가고 엄마는 다시 부엌으로 들어갔다. 나는 살금살금 마루를 지나 부엌으로 갔다.

차 "엄마, 누구예요?"

"누구긴 누구야, 일가지."

그러고 있는데 아버지가 나를 불렀다.

"창이야, 이리 들어와서 아저씨께 인사드려라."

엄마는 우리 식구만 있을 때 쓰는 도리밥상(어린아이용의 나지막하고 둥근 밥상)을 접고 손님 올 때 쓰는 교자상(음식을 차려 놓은 사각형의 큰 상)을 폈다. 그러면서 ㉠벌써 얼굴에 수심이 깔리고 있었다. 엄마의 그런 얼굴을 보고 내 마음이 편할 리 없었다. 나는 떨떠름한 기분으로 방에 들어가 고개를 꾸벅 숙여 인사를 했다.

"야야, 조선 민족의 인사법이 무에 그리니. 좀 정식으로 하라우."

"요새 애들이 통 버릇이 없어서요. 뭐 하니, 정식으로 하지 않고."

나는 무릎을 꿇고 아저씨한테 절을 했다.

"엎드려 절 받아먹기가 바로 요런 것이로구만그래, 이? 허허허."

아버지가 무슨 잘못이라도 저지른 사람처럼 안절부절못했다. 절만 하고 냉큼 일어서고 싶었지만 그러면 또 버릇없는 한국 아이라는 소리 들을까 무서워 가만히 앉아 있을 수밖에 없었다.

"이분이 누구시냐면, 내 큰아버지의 아드님이야. 나에게는 사촌 형님이 되니까 너에게는 당숙(종숙. 아버지의 사촌 형제로 오촌이 되는 관계)이시란다."

할아버지의 큰형님이 일제 강점기 때 만주로 가셨는데 해방이 되고도 돌아오지 않아 소식이 끊겼다는 말을 나도 언젠가 듣긴 들었다.

간단 체크 내용 문제

12 (자)에서 '아저씨'가 '아저씨'와 '나'의 관계를 표현한 말을 찾아 한 단어로 쓰시오.

13 (중요) (자)~(차)의 내용과 일치하지 않는 것은?

① '아저씨'는 예의범절을 중시한다.
② '아버지'와 '아저씨'는 사촌 형제지간이다.
③ '나'는 '아저씨'와 '아버지'의 만남에 호의적이다.
④ '나'와 '아버지'는 '아저씨'의 눈치를 살피고 있다.
⑤ '나'는 '아저씨'가 신경 쓰여서 '미옥'이 보낸 편지를 뜯어보지 못하고 있다.

14 ㉠의 이유로 적절한 것은?

① '아저씨'가 '엄마'에게 함부로 말을 해서
② '아저씨'가 오래 머무를까 봐 걱정이 되어서
③ '아저씨'가 '나'의 공부에 방해가 될 것 같아서
④ '아저씨'를 대접하기 위해 차릴 음식이 변변찮아서
⑤ '아저씨'를 무서워하는 '나'가 '아저씨'와 같이 지내야 해서

카 "그런데, 우리 집을 어떻게 알고 찾아오셨어요?"

인사만 하고 말 한마디 안 하고 일어서면 그것도 예의가 아닐 것 같아서 한 질문이다.

"으응, 고거이는 말이지, 우리 아버님께서 돌아가시기 전에 아버님 고향 얘기를 안 하는 날이 없었다이. 고래서 내가 내 본적지인 이곳 주소를 달달 외우고 있지 않았갔니."

(본적지: 호적법에서 호적이 있는 지역을 이르는 말)

"한국에 들어오기는 진작에 들어오셨는데, 그동안 경황이 없으셔서 못 오시다가 이번에 오시게 된 거야."

(경황: 정신적·시간적인 여유나 형편)

아버지의 보충 설명이었다. 드디어 밥상이 들어왔다.

"형님 많이 드시지요."

"히야아, 고향에 오니 차암, 밥상 다리 부러지갔네에! 이거이 고향의 정이라넌 거갔지? 허허허."

밥상에는 술도 올라왔다. 엄마가 지난여름에 담근 매실주였다.

"야야, 글라스 하나 가져오라우."

엄마가, 유리컵 말이야, 하고 말했다. 아저씨는 도자기로 된 조그만 술잔은 상 밑으로 싹 치워 버리고 내가 가져다준 맥주 유리컵에 넘치도록 술을 따랐다.

"자아, 동생, 이거 우리 오늘이 력사적인 형제 상봉의 날이 아니웨까. 한잔 쭉 들이키자우요."

"아이고, 형님 말씀 놓으십쇼."

타 그날은 아저씨의 연변 이야기, 아니 랴오닝성 이야기, 큰할아버지 이야기, 아저씨의 중국 생활 이야기, 아저씨의 외갓집 이야기, 이북에 살고 있다는 아저씨의 외삼촌 이야기, 아저씨가 한국에 들어와 산 이야기를 듣느라 온 식구가 꼼짝도 못 하고 지나가 버렸다. 아저씨는 말하자면 한국에 돈을 벌러 온 '조선족' 이주 노동자인 것이다. 술잔 비워지는 속도가 점점 빨라지면서 아저씨의 흥분 상태도 고조되고 있었다. 우사에서는 소가 밥 달라고 매애거렸다. 아버지는 안절부절못하였다. 그러나 아저씨는 아버지를 도통 놓아주려 하질 않는 것이었다. 엄마가 잠깐 "과일이라도." 하면서 일어설라치면 "과일은 무슨, 일없습네다." 하면서 극구 만류하는 통에 엄마 또한 주저앉을 수밖에 없곤 하였다. 나는 적당한 때를 봐서 슬쩍 일어서야지, 하고서 아저씨의 말에 귀를 기울이는 체하면서 속으로는 계속 미옥이의 편지만 생각하고 있었다.

(고조되고: 사상이나 감정, 세력 따위가 한창 무르익거나 높아지고)

간단 체크 내용 문제

중요

15 (카)~(타)에서 '아저씨'를 대하는 가족들의 태도로 알맞지 않은 것은?

① '나'는 '아저씨'의 말을 집중해서 듣는 척했다.
② '엄마'는 과일을 핑계로 자리를 피하려고 했다.
③ '아버지'는 소에게 먹이를 줄 수 없어서 안절부절못하였다.
④ '엄마'는 '아저씨'의 취향을 고려하여 미리 큰 술잔을 준비했다.
⑤ '나'는 '미옥'의 편지만 생각하며 '아저씨'의 이야기가 끝나기를 바랐다.

16 (타)를 참고하여 '아저씨'의 현재 처지를 한 문장으로 쓰시오.

간단 체크 어휘 문제

다음 뜻풀이에 해당하는 낱말을 〈보기〉에서 찾아 쓰시오.

보기: 고조되고, 본적지, 경황

(1) 정신적·시간적인 여유나 형편 (　　　)
(2) 호적법에서 호적이 있는 지역을 이르는 말 (　　　)
(3) 사상이나 감정, 세력 따위가 한창 무르익거나 높아지고 (　　　)

파 "창이야, 우사에 가서 소먹이 좀 주고 오너라."

아버지가 끝내 일어서지 못하고 내게 일을 시켰다. ㉠나는 냉큼 일어나 우사로 갔다. 이제 소먹이만 주고 나면 내 방에 들어가 미옥이의 편지를 볼 수 있을 것이다. 우리 집 소는 모두 일곱 마리다. 다들 엉덩잇살이 투실투실하고 어깨가 떡 벌어졌다.

내가 한참 소먹이를 주고 있는데 뒤에서 갑자기 아저씨 소리가 났다.

"하아, 그놈들, 궁뎅이도 차암."

그것은 내가 아저씨를 처음 만났을 때 했던 말하고 똑같은 것이었다. 나는 나도 모르게 내 엉덩이 쪽으로 손이 갔다. 그랬더니 거름 더미 쪽으로 돌아서서 소변을 보던 아저씨가 그것은 언제 봤는지 돌아선 채로 손을 저어 보였다. 안 보고도 어떻게 내 손이 엉덩이 쪽으로 갔는지 알 수 있단 말인가. 아저씨는 결코 기분 좋은 느낌 따위는 손톱만큼도 주지 않는 사람이었다.

학습콕 **소주제:** '아저씨'가 자신의 이야기를 계속하여, '나'는 '미옥'이 보낸 □□를 읽어 보지 못함.

❶ **'아저씨'를 대하는 '엄마'와 '아버지'의 상반된 태도**

'엄마'	↔	'아버지'
교자상을 펴서 '아저씨'를 손님으로 대접하지만, 얼굴에는 □□이 깔림.	↔	'아저씨'를 반갑게 맞이하고, '나'에게 '아저씨'께 □□를 갖출 것을 요구함.

→ '엄마'는 '아저씨'의 방문을 못마땅하게 생각하지만, '아버지'는 '아저씨'를 반기고 있음.

❷ **가족들이 '아저씨'와 이야기를 나누는 태도**

		↔		
'아저씨'	오랜만에 일가를 만난 반가움에 계속 자신의 이야기를 함.	↔	'아버지'	소에게 □□를 주지 못해 안절부절못함.
			'엄마'	핑계를 대며 자리를 피하고 싶어 함.
			'나'	'미옥'이 보낸 편지만 생각하며 '아저씨'의 말에 귀 기울이지 않음.

위기 학습 포인트

❶ '아저씨'를 받아들이는 가족들의 태도
❷ '미옥'의 편지에 대한 '엄마'와 '아버지'의 상반된 태도
❸ '나'의 갈등 상황

하 어쩐 일인지 다음 날이 되어도 아저씨는 떠날 기미를 보이지 않았다. 시키지도 않았는데 아침에 일어나 아버지가 평소에 우사 입구에 걸어 놓는 아버지의 작업복을 입고서 우사로 가더니 소먹이를 준다, 바닥을 청소한다, 과수원에 거름을 낸다, 분주하게 돌아치는(나대며 여기저기 다니는) 것이었다. 그리고 다음 날도, 그다음 날도 아저씨는 아버지를 따라다니며 혹은 혼자서 마치 우리 집 일꾼으로 들어온 사람처럼 구는 것이었다. 밥때가 되면, 마당을 들어서며 "제수씨 밥 안 줍네까? 뱃가죽이 아주 등가죽에 가 붙었습네다."라고 우렁우렁하게 소리를 치는 것이었다.

간단 체크 내용 문제

17 ㉠에 담긴 '나'의 심리를 표현한 말로 알맞은 것은?

① 소들이 너무 걱정돼.
② 잠시 혼자 있고 싶어.
③ '아버지'의 걱정을 빨리 덜어 주고 싶어.
④ 이제야 '미옥'의 편지를 읽을 수 있겠군.
⑤ '아저씨'의 이야기를 더 들을 수 없어 아쉽군.

18 (파)에서 '아저씨'에 대한 '나'의 평가가 드러난 문장을 찾아 첫 어절과 끝 어절을 쓰시오.

19 (하)에 나타난 '아저씨'의 말과 행동에 대한 독자의 반응으로 적절한 것은?

① '아저씨'는 참 일을 잘하시는군.
② '아저씨'는 정말 착실한 분이구나.
③ '아저씨'는 염치를 아는 사람이야.
④ '아저씨'는 돈을 벌고 싶어 하는군.
⑤ '아저씨'는 '나'의 집에 오래 머물고 싶어 하는구나.

거 나는 사실 우리 식구 말고 다른 사람이 오면 반갑기는 하지만 그것은 순전히 손님으로 왔을 때뿐이다. 손님으로 왔으니 금방 가야 할 사람이 몇 날 며칠을 가지 않고 아예 눌러앉아 살 기색을 보이니, 나는 답답해서 견딜 수가 없었다. 내가 답답한 것은 우리 식구만 있을 때처럼 말이나 행동이 자연스럽거나 자유롭지 못하기 때문이다. 더구나 내 말, 내 행동 하나하나에 '조선 사람의 예의범절'을 따지는 손님이니, 신경이 보통으로 쓰이는 것이 아니었다.

"아버지, 아저씨 언제 가요?"

나는 지나가는 말투로 슬쩍 아버지에게 물었다. 그랬는데,

"창이 너 이제 보니 아주 버릇없는 놈이구나. 손님이 오셨으면 계시는 동안 불편하지 않도록 잘 모실 생각만 해도 모자랄 판국에 뭐? 언제 가? 예끼, 이놈."

아버지에게는 손님에 관한 말은 아예 꺼내지 않는 게 좋을 것 같았다.

"엄마, 저 아저씨 언제 간대요?"

"낸들 아니?"

그러고 보니 엄마도 답답하기는 마찬가지인 것 같았다. 엄마를 답답하게 하는 것은 사실 내가 느끼는 답답함보다도 더 심각한 것이었다.

"원, 아무리 일가래도 저건 몰상식이야."
(몰상식: 상식이 전혀 없음.)

"맞아, 몰상식."

"아무리 일가래도 엄연히 손님으로 와 놓구선 날마다 술을 달래지 않나, 옷을 빨아 달래지 않나."

"맞아, 아무리 일가래도."

너 "야, 근데, 너 요새 뭐 하고 돌아댕기니?"

"내가 뭘요?"

"네 책상 위에 있던 웬 여학생한테서 온 편지, 내가 압수했다."

아차, 미옥이에게서 온 편지. 나는 엄마에게 조용히 말했다. 이럴 때 악을 쓰면 더 어린애 취급을 받을 것이 확실하기 때문에. 목소리가 변하고 나서 좋은 점은 바로 이럴 때다. 어린애 목소리로는 도저히 이런 '공포의 저음'이 나오지 않기 때문에.

"엄마, 그 편지 도로 저에게 주세요."

"자기한테 온 편지를 제대로 간수하지도 못하는 애한테 내가 왜 주냐?"

엄마는 편지 압수한 이유를 그런 식으로 눙치고 있다. 내가 간수를 못해서 압수해 간 게 아니라, 내가 공부는 안 하고 여자애한테 신경 쓸까 봐 겁나서 그랬다고 엄마가 솔직히 말했으면 나는 끝내 악을 쓰는 우를 범하진 않았으리라.
(눙치고: 어떤 행동이나 말 등을 문제 삼지 않고 넘기고 / 우: 어리석음)

"그건, 저 손님 때문이었잖아아!"

간단 체크 내용 문제

중요

20 (거)로 보아, '아저씨'를 보며 느끼는 '나'의 마음으로 알맞지 않은 것은?

① '아저씨'가 예의범절을 따져 신경이 쓰인다.
② '아저씨'가 눌러앉아 살 기색을 보여 답답하다.
③ '아저씨'와 '아버지'의 사이가 어색해서 불편하다.
④ '아저씨' 때문에 말과 행동이 자유롭지 못해 불편하다.
⑤ '아저씨'가 몰상식하다는 '엄마'의 평가에 공감한다.

21 〈보기〉에 해당하는 소재를 (너)에서 찾아 3어절로 쓰시오.

보기
'나'와 '엄마' 사이의 외적 갈등을 일으킴.

간단 체크 어휘 문제

다음 문장에 들어갈 적절한 낱말을 〈보기〉에서 찾아 쓰시오.

보기
우, 몰상식, 눙치고

(1) 민수는 지금까지 한 말을 없었던 것으로 (   ) 바삐 떠났다.

(2) 주의를 게을리하여 중요한 것을 놓치는 (   )을/를 되풀이하지 않도록 해라.

(3) 그는 함부로 결점을 늘어놓아 상대방의 기분을 해치는 것만큼 (   )은/는 없다고 생각했다.

악을 써 놓고 나서 나는 내 발등을 내가 찍는 것 같은 아픔을 느꼈다.
"편지하고 손님하고 무슨 상관이야?"
"하여간, 그 편지 돌려줘요."
"싫다면?"
㉠"왜 싫은 건데요?"
나는 될 대로 되라는 심정으로 다시 한번 악을 꽥 쓰고 말았다.
"너 공부에 지장 있으니까 그렇다, 왜. 이제 3학년인데, 괜히 이성 문제에 휩쓸리다 보면 바닥으로 떨어지는 거 순식간이야. 건넛집 순길이 봐라, 약국집 애랑 사귄다고 돌아댕기다가 지난번에 성적이 꼴등이 났잖아."
"아아, 진짜."

(더) 처음에는 엄마의 솔직하지 않은 말에, 그리고 지금은 늦게야 실토하는 엄마의 이실직고에 나는 그만 '돌아' 버릴 것만 같았다. 며칠 사이에 내 기분은 ⓐ최고에서 ⓑ최악으로 곤두박질치고 말았다. 나는 정신없이 안방으로 들어가 엄마가 숨긴 편지를 찾아 사방을 뒤지기 시작했다. 내 눈에는 거의 아무것도 보이지 않고 오직 미옥이의 편지만이 눈앞에 어른거렸다. 엄마가 방문 앞에서 낮고 조용히, 으르렁거리듯이 한마디를 내뱉었다.
"완전 미쳐 버렸구만."

(러) 내가 부르르 떨고 있듯이, 엄마 목소리도 왠지 떨려 나오는 것이 어쩌면 엄마도 떨고 있는지도 몰랐다. 과수원에 거름을 내고 있던 아버지가 장화를 신고 저벅저벅 마당으로 들어섰다.
"여보, 뭐해. 술 내오잖고."
아버지는 사실 술도 못 마시면서 순전히 아저씨 때문에 술을 가지러 온 것이다.
"당신 아들 좀 보소. 여자애한테서 온 편지 찾는다고 눈에 불이 붙었소."
"아, 드디어 편지가 오긴 왔구나. 축하한다야."
"편지가 오면 뭐해요. 엄마가 뺏어 가서 돌려주지 않는걸."
"뭐야? 여보, 당신 왜 그래? 창이한테 온 편지를 왜 당신이 가져?"
"그걸 몰라서 물어요? 지금 쟤 나이가 몇 살이야? 이제 겨우 열여섯 살짜리한테 무슨 놈의 연애편지야? 딱 사 년만 참아라. 스무 살만 되면 그때부터는 연애편지가 아니라, 누구하고 연애를 하든 결혼을 하든, 내가 간섭하지 않을 테니."
"여보, 당신 이제 보니 참 야만인이군그래. 아니, 어떻게 자식한테 온 편지를 갈취해?"
(갈취: 남의 것을 강제로 빼앗아)
"가, 갈취? 당신 지금 나보고 갈취했다고 했어요?"
"그럼 그것이 갈취한 것이 아니고 뭐야?"

간단 체크 내용 문제

22 (너)~(더)로 보아, ㉠에 대해 '엄마'의 속마음을 담은 대답으로 알맞은 것은?

① "미옥이가 마음에 들지 않으니까."
② "네가 엄마 말을 잘 안 들으니까."
③ "네가 아저씨께 예의 없이 행동하니까."
④ "네가 편지 하나도 제대로 간수를 못하니까."
⑤ "여자 친구가 생기면 네 공부에 지장이 생기니까."

중요

23 ⓐ와 ⓑ의 이유를 빈칸에 각각 3어절로 쓰시오.

〈'나'의 기분 변화〉

ⓐ [   ]
↓
ⓑ [   ]

24 (러)에 대한 설명으로 알맞지 않은 것은?

① '나'는 '엄마'가 한 행동에 분노를 느낀다.
② '엄마'는 '나'와 사이가 멀어지게 될 것을 걱정한다.
③ '아버지'는 '나'에게 여자 친구가 생긴다는 것에 긍정적이다.
④ '엄마'와 '아버지'는 연애편지에 대해 상반된 태도를 보인다.
⑤ '아버지'의 '갈취'라는 표현 때문에 부모님의 갈등이 심화된다.

(머) 아버지, 엄마의 언성이 점점 높아지고 있었다. 나는 그 순간 어떻게 해야 할지 알 수가 없었다. 내 문제 때문에 싸우는 것이 틀림없으니 내게도 책임이 있는 것은 분명했다. 책임 있는 사람이 할 일은 오직 하나, 이 싸움을 말려야 한다. 그러나 나는 그 순간 그냥 도망치고만 싶었다. 두 양반이 싸우든지 말든지, 나는 그냥 어디론가 사라져 버리고만 싶었다. 무엇보다도 나는 그 상황이 무서웠다. 아버지는 내 편지를 엄마가 '갈취했다'고 한 부분을 결코 취소하지 않았다. 그런데 '갈취했다'는 말이 뭐가 어쨌다고 그 말에 그렇게 엄마는 분개하는(몹시 분하게 여기는) 것일까. 나는 내 방으로 들어가 문을 잠가 버렸다. 이 싸움이 끝나더라도 당분간 집 안에는 냉기가 돌 것이다. 아버지, 엄마의 싸움이 있고 난 후면 언제나 그랬듯이. 어렸을 때는 막연히 공포스럽던 그 냉기가 이젠 넌더리가 날 것이 뻔했다. 나는 이제 열여섯 살이다. 공포스러움을 그저 참고만 있어야 했던 시절은 지났다는 얘기다. 나도 이제 내 생활이 있고 내 생각이 있고 내 인격이 있다. 나는 내 생활과 내 생각과 내 인격을 존중받지 못하더라도 무시당하며 살고 싶지는 않다. 무시당하고 살아도 그것이 무시당하는 건지 아닌지조차도 분간 못 할 나이는 아니다. 아니, 나는 언제나 분간은 했었다. 다만 힘이 없었을 뿐. 그런 생각을 하다 보면 입술이 저절로 지그시 깨물어진다. 무시당하고 있음을 알지만 내가 아직 힘이 없어서 어떻게 해 보지도 못하고 지났던 내 어린 시절이 원통하고 불쌍해서 그런 것이다.

(버) 나는 벽에 등을 기대고 가만히 있었다. 그러고 있으니 고독감이 밀려들었다. 엄마 앞에서 사춘기도 못 벗어난 아이처럼 굴 때는 언제고 또 ㉠이럴 때는 꼭 누구도 나를 책임져 줄 수가 없는, 이 세상에서 오직 나만이 나를 책임져야 하는 나이를 먹어 버린 것 같은 기분이 들었다.

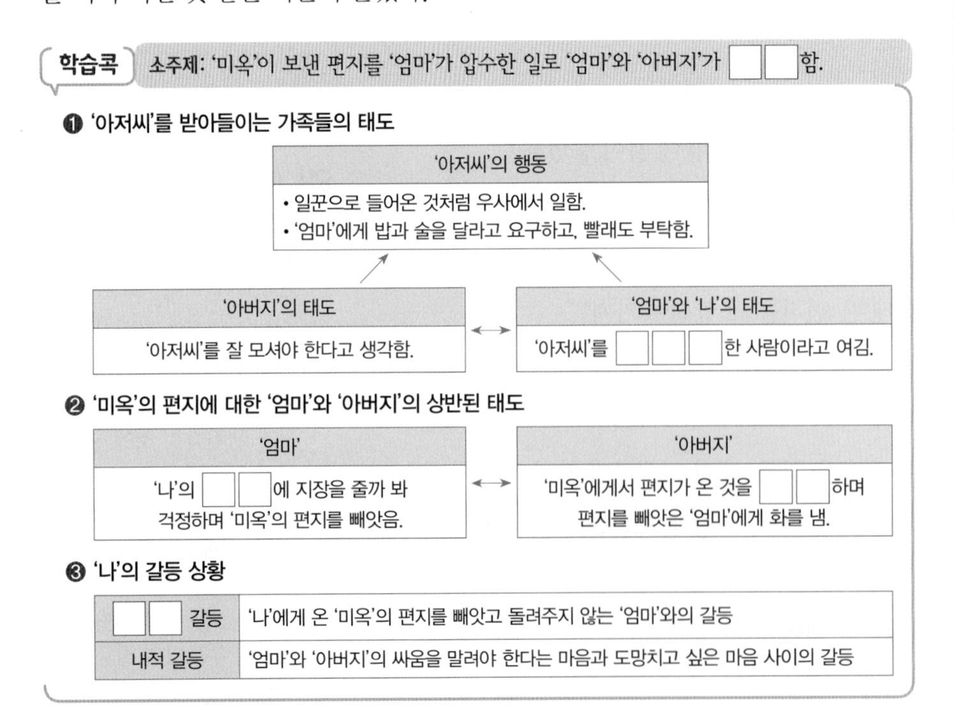

간단 체크 내용 문제

25 (머)에 나타난 '나'의 내적 갈등을 다음과 같이 정리할 때, 빈칸에 들어갈 내용을 쓰시오.

〈'나'의 내적 갈등〉

자신 때문에 일어난 싸움을 말려야 한다는 마음

↕

(　　　　　　　　)

26 ㉠의 구체적인 의미를 30어절로 쓰시오.

중요

27 (머)~(버)를 통해 알 수 있는 '나'의 생각으로 알맞지 않은 것은?

① 내 생각과 인격을 무시당하고 싶지 않다.
② '나'의 어린 시절에 대해 안타까운 마음을 느낀다.
③ 부모님이 싸운 후의 냉기가 이젠 지긋지긋하고 싶다.
④ '엄마'가 화를 내는 진짜 이유가 따로 있다고 생각한다.
⑤ 어릴 때와는 달리 이제는 사태를 분간할 수 있다고 생각한다.

절정 학습 포인트

❶ '엄마'와 '아버지'의 갈등에 대한 '나'의 생각
❷ 이 작품에 드러난 성장 소설의 특성
❸ '눈물 한 줄기'의 의미

(서) 엄마, 아버지의 싸움은 쉽게 끝날 것 같지 않았다. 싸움은 그놈의 '갈취했다'는 부분에 막혀서 타협점이라곤 찾을 수 없는 극한으로 치닫고 있는 형국이었다.

타협점: 어떤 일을 서로 양보하는 마음으로 협의할 수 있는 점
형국: 어떤 일이 벌어진 형편이나 국면

"갈취라고요?" / "그래, 갈취."

"아니, 어떻게 '가로챘다'도 아니고 '갈취'라는 말을 나한테 할 수가 있어? 그건 그러니까 사기꾼들한테나 할 수 있는 말이지 않나? 당장 취소해요."

"갈취."

"당신, 이쯤 되면 이제 막 나가자는 거야, 뭐야?"

엄마는 흥분을 가라앉힐 기미를 보이지 않았다. 은근히 겁이 나기 시작했다. 엄마 말대로 이쯤 되면 엄마야말로 막 나가 보자는 것일지도 모른다. 나는 슬그머니 방문을 열고 마루로 나갔다.

엄마도 엄마지만 아버지도 참 대단하긴 대단한 사람인 것 같았다. 싸움의 와중에도 직접 주전자에 매실주를 담고 냉장고에서 안주 할 만한 것을 찾다가 적당한 것이 없는지 냉장고 문을 꽝 닫고 찬장에서 멸치 한 주먹과 고추장을 꺼내 쟁반에 담아 들고 나가며 다시 한번 쐐기를 박듯이 중얼거렸다. / "갈취."

쐐기를 박듯이: 뒤탈이 없도록 미리 단단히 다짐을 두듯이

(어) 아버지는 집으로 들어올 때 그랬던 것처럼 나갈 때도 쟁반을 들고 저벅저벅 과수원으로 나갔고 엄마는 마루에 주저앉아 한숨을 몰아쉬고 있었다. 말없이 한숨만 몰아쉬고 있는 엄마가 왠지 두려웠다. 나는 걸음아, 날 살려라, 하고 과수원 쪽으로 뺑소니를 쳤다. 그래야 엄마가 그때쯤, 자존심 때문에라도 꾹 참고 있었던 눈물을 마음껏 흘릴 수 있을 것이 아닌가. 누가 보면 절대로 눈물 따위 흘리고 싶지 않은 것은 애나 어른이나 마찬가지일 테니까.

(저) 나는 알고 있었다. 사실 엄마, 아버지가 저렇게 대립할 수밖에 없는 밑바닥 감정에는 분명 아저씨의 존재가 작용하고 있다는 것을. 그러나 ㉡엄마도, 아버지도 아저씨에 대한 말은 입 끝에도 올리지 않았다. 그 이유는 아저씨가 바로 지척에 있는 우사에서 거름을 내는 척하면서 집 안의 상황에 낱낱이 귀를 기울이고 있을지도 모르기 때문이었을 것이다.

지척: 아주 가까운 거리

간단 체크 내용 문제

28 (서)~(어)에 나타난 갈등 양상으로 알맞지 않은 것은?

① '엄마'와 '아버지'는 서로 타협점을 찾지 못하고 있다.
② '엄마'는 '아버지'의 말꼬리를 잡으며 양보하지 않고 있다.
③ '아버지'는 '엄마'와 다투는 데 몰두하며 하려던 일을 잊고 있다.
④ '아버지'가 '갈취했다'는 말을 취소하지 않아 싸움은 극한으로 치닫고 있다.
⑤ '아버지'와의 싸움이 점차 심해지자 '엄마'는 흥분을 가라앉히지 못하고 있다.

29 ㉡의 이유로 알맞은 것은?

① '아저씨'가 들을 수도 있어서
② '아저씨'를 편히 모시기 위해서
③ 싸움이 '아저씨'와는 관계없어서
④ '아저씨'까지 화나게 할 수도 있어서
⑤ '아저씨'에게 싸우는 모습을 보이기 싫어서

중요

30 '나'가 판단할 때, 부모님이 다투고 대립하는 근본 원인을 (저)에서 찾아 2어절로 쓰시오.

처 아버지와 아저씨는 배나무 아래서 술을 마시는 중이었다. 괜히 어색해서 전지 가위를 들고 가지를 치는 척하면서 배나무 사이를 왔다 갔다 하는 나를 아버지가 불렀다. 나는 ㉠아버지가 부르는데도 못 들은 척했다. 실은 아버지한테 내가 보내는 모종의 반항의 몸짓이라고나 할까. 그것은 그러니까, 엄마를 지나치게 슬프게 만든 것에 대해 아버지가 지금쯤 고통을 좀 느껴야 하지 않겠느냐는 무언의 압력 같은 것이었다. 내 감정은 정말 나도 잘 모르겠다. 엄마가 나한테 온 편지를 가져간 것을 아버지가 '갈취'했다고 했을 때는 일면 통쾌함까지 느껴졌던 것이 사실이었다. 그런데 아버지가 끝내 그놈의 '갈취'라는 말을 고집하는 모습은 사람을 질리게 하기에 충분했다. 내가 질릴 정도면 엄마는 오죽했겠는가. 가만 생각해 보면 엄마, 아버지의 싸움이란 게 늘 그런 식이었다. 어느 한쪽이 그냥 대충 넘어가 주면 유야무야 끝날 수도 있는 문제를 가지고 두 양반은 그렇게 이따금 팽팽히 고집을 부리는 것이다. 그러고 나서 얼마간 냉기와 해빙 분위기와 함께 백화가 만발했다가 다시 공포의 고집 부리는 날이 그동안 깜빡 잊고 있었다는 듯이 찾아오고.

유야무야: 있는 듯 없는 듯 흐지부지함.
해빙: 얼음이 녹아 풀림. 서로 대립 중이던 세력 사이의 긴장이 완화됨을 비유적으로 이르는 말

커 "창이야, 마침 잘 왔다. 아저씨께 술 한잔 따라 드려라."

나는 한참을 머뭇거리다가 쭈뼛쭈뼛 다가갔다.

쟁반은 좀 초라했다. 너무 오래되어서 소금기가 버석버석 올라온 멸치 한 주먹과 밥풀이 섞여 있는 지저분한 고추장 종지. 사실, 아저씨는 우리 집에 온 첫날과 그다음 날 정도만 손님 대접을 받았다. 엄마는 엄마대로 마을 부녀회에서 하는 한과 공장에 다니느라 바쁜 몸이긴 했다. 손님도 하루 이틀이지 날마다 손님 대접할 수는 없는 처지였던 것이다. 그래도 멸치 안주만 달랑 놓인 쟁반이 좀 민망하긴 했다. 나는 술을 따랐다. 아저씨가 술을 들이켜고 나서 말했다.

"캬아, 조카가 따라 준 술이 역시 최고구만. 조카도 한잔하갔네?"

그러더니 사이가 벌어진 커다란 앞니를 드러내 보이며 나를 향해 벌쭉 웃는 것이었다.

터 '거참, 속도 편하십니다.'

내가 속으로 무슨 말을 했는지도 모르는 아저씨가 내게 술을 주었다. 아버지도 아저씨가 주시는 것이니 받으라고 했다. 정직하게 말한다면, 술을 처음 먹어 보는 것은 아니었다. 지난봄 수학여행 때 아이들하고 여관방에서 선생님 몰래 맥주를 마셔 본 적이 있었다. 내가 막 아저씨의 술잔을 받는 순간, 엄마가 부르는 소리가 났다.

엄마도 분명 아저씨가 나에게 술을 준 것을 보았을 것이다. 그러나 엄마는 아무 말도 않고 조용히 편지를 내밀었다.

"내가 네 편지를 갈취했다면 정말 미안하구나."

간단 체크 내용 문제

31 '나'가 ㉠과 같이 행동한 이유로 알맞은 것은?

① 가지를 치는 일에 집중하고 싶기 때문이다.
② '엄마'를 슬프게 만든 '아버지'가 불만스럽기 때문이다.
③ '엄마'가 '아버지'를 모르는 척하라고 시켰기 때문이다.
④ '아버지'가 '엄마'에게서 편지를 받아다 주기를 바라기 때문이다.
⑤ '아버지'가 '나'에게 좀 더 적극적으로 관심을 보이기를 바라기 때문이다.

중요

32 (처)~(터)의 서술상 특징으로 알맞은 것을 〈보기〉에서 모두 골라 기호를 쓰시오.

보기
ㄱ. 작품의 주제를 '나'의 입을 통해 직접 드러낸다.
ㄴ. 인물의 심리, 사건의 속사정까지 상세히 드러낸다.
ㄷ. '나'의 순수한 시선으로 어른들의 세계를 전달한다.
ㄹ. 상황이나 사건에 대한 '나'의 주관적인 생각을 표현한다.

간단 체크 어휘 문제

다음 뜻풀이에 알맞은 낱말에 ○ 표 하시오.

(1) 얼음이 녹아 풀림. (해빙 , 결빙)

(2) 있는 듯 없는 듯 흐지부지함. (유명무실 , 유야무야)

나는 그저 편지가 되돌아온 것만이 황송해서, '아니에요, 어머니.' 소리가 절로 나올 뻔했다.

"오늘은 미안하지만 네가 저녁 준비를 해야겠다."

"어디 가시게요?"

㉡엄마는 말없이 집을 나갔다. 탱자나무 울타리를 돌아 나가는 엄마의 뒷모습은 결코 쓸쓸한 분위기는 아니었다. 그런데 엄마의 그 '결코 쓸쓸하지도 않은' 뒷모습이 왜 그리도 내 마음을 아프게 하는지 알 수 없었다.

(퍼) 엄마는 이튿날도, 그 이튿날도 돌아오지 않았다. 전에 없던 일이었다. 전에는 아버지하고 싸워서 나갔든 그냥 나갔든, 꼭 하루면 돌아오곤 했던 것이다. 그리고 엄마가 집을 나가 간 곳이 어딘지도 아버지나 나나 알 수 있었다. 그곳은 고모 집이거나 내가 이모라고 부르는 엄마의 친구 집이었다. 이번에도 둘 중 한 곳에 갔겠거니, 하고 아버지나 나나 안심하고 엄마가 돌아오길 기다리며 남자 셋이서 밥을 해 먹고 낮에는 일하고 밤에는 텔레비전을 보다가 잠을 잤다. 밥하는 것은 주로 내가 하고 국은 아버지가 끓이고 반찬은 그냥 있는 대로 먹었다. 아저씨는 여전히 밥 먹을 때도 술 한 잔, 일할 때도 술 한 잔, 쉴 참에도 술 한 잔, 하루에 매실주 석 잔 이상을 마셨다.

"나 때문에 제수씨가 집을 나간 게라면 정말 동생한테 미안하오."

"아이고 형님, 그게 무슨 말씀이십니까. 그건 전혀 그렇지 않습니다. 부부가 살다 보면 부부 싸움이란 것도 가끔 하게 되는 거고 애 엄마가 집을 나간 것도 결코 형님 때문이 아니라……."

"참말 미안하오, 동생."

"형님 자꾸 그러시면 제가 들 낯이 없습니다."

"하아, 내가 죄인이오."

"아니라니까요, 형님."

(허) 자기가 죄인이라고 하는 아저씨도 힘들고 그것이 아니라고 하는 아버지도 참견디기 힘든 상황임에 틀림없었다. 그러나 ㉢무엇보다 힘든 사람은 바로 나였다. 나로 말할 것 같으면 미옥이에게서 내 의지, 내 감정과는 상관없이 끝종 선고를 받은 참이었기 때문이다. 모든 것은 엄마의 소원대로 되어 가는 셈이었다. 엄마가 집을 나가는 강수를 써야만 아버지가 아버지의 중국 형님을 이제 그만 내보낼 것이라고 계산했을 것이다. 또한 내 편지는 이미 시효가 지난 편지임을 확인하고 돌려준 것임이 틀림없었다. 미옥이는 그 편지에 썼던 것이다. 네가 정말 나를 좋아한다면 오늘 학교 끝나고 교회 뒤 느티나무 밑으로 와. 그러면 네 마음을 받아 줄게. 오늘도 안 나온다면 너완 이제 끝종이야. 그러나 '오늘'은 이미 한참이나 지난 뒤다. 끝종은 나도 모르게 울려 버렸다.

간단 체크 내용 문제

33 ㉡에 담긴 '엄마'의 의도로 적절한 것은? (정답 2개)

① '아버지'가 화를 낸 것에 대한 불만을 표시하려고
② '나'에 대한 불만으로 '나'에게 집안일을 시키려고
③ '아저씨'가 그만 떠나 주기를 바라는 마음을 표현하려고
④ '아버지'와 떨어져 살고 싶었던 평소의 마음을 표현하려고
⑤ '아버지'와 '아저씨'의 관계가 회복되는 계기를 마련하려고

34 (퍼)에서 다음 설명에 해당하는 단어를 찾아 2음절로 쓰시오.

> 자신 때문에 '엄마'가 집을 나갔다고 생각하는 '아저씨'의 미안함과 자책이 드러난 표현

35 '나'가 ㉢과 같이 생각하는 이유로 알맞은 것은?

① 집을 나간 '엄마'가 너무 걱정되기 때문에
② '엄마'가 편지를 먼저 열어 본 것이 분하기 때문에
③ '아저씨'를 대하는 일이 날이 갈수록 힘들어졌기 때문에
④ '미옥'의 편지 내용대로 실행하려면 시간이 촉박하기 때문에
⑤ 편지를 늦게 확인해서 '미옥'에게서 끝종 선고를 받았기 때문에

고 그러나 정말 그런 것인가. 생각해 보면 엄마는 사실 아저씨한테 그렇게 많은 불만을 가졌던 것은 아니었던 것도 같다. 아버지와 싸울 때도 아저씨에 관한 말은 한마디도 안 하지 않았나. 아저씨라는 존재가 엄마, 아버지의 싸움에 영향을 미친다고 여겼던 것은 순전히 나 혼자만의 생각이었을 수도 있었다. 그리고 엄마가 정말 내 편지를 뜯어보지 않았을 수도 있지 않은가. 유효 기간이 끝난 줄은 모르고, 그저 엄마가 잘못했다 싶어 돌려준 것인지도 모른다. 그런 생각을 하고 있자니, 엄마 없는 집 안이 사람 사는 집 같지가 않았다. 엄마가 집을 나간 지 사흘째 되는 날 밤에는 하도 잠이 안 와서 어둠 속에서 벽에 등을 기대고 앉아 있는데 ㉠눈물 한 줄기가 주르르 볼을 타고 흘러내렸다. 이제 나는 누구와의 결혼을 꿈꿀 수 있을까. 미옥이가 없는 빈자리를 채워 줄 여자애는 도무지 떠오르지 않았다. 막막하기 짝이 없었다.

학습콕 소주제: 부부 싸움 끝에 '☐☐'가 집을 나가고, '아저씨'는 '아버지'에게 미안해함.

❶ '엄마'와 '아버지'의 갈등에 대한 '나'의 생각

표면적인 갈등의 원인	'나'가 생각하는 갈등의 원인
'엄마'가 '나'의 편지를 ☐☐한 행동을 보고, '아버지'가 '갈취'라고 표현했기 때문에	'아저씨'가 우리 집에 오래 머무르는 상황 때문에

❷ 이 작품에 드러난 성장 소설의 특성

'나는 이제 열여섯 살이다. 〈중략〉 이 세상에서 오직 나만이 나를 책임져야 하는 나이를 먹어 버린 것 같은 기분이 들었다.' → 자기 존재와 ☐☐☐을 깊이 있게 생각하고 있음.

❸ '눈물 한 줄기'의 의미

'엄마'의 빈자리가 커서 외롭고, '엄마'가 그리움. + '미옥'과의 관계가 끝나 버린 것이 아쉽고 막막함.

결말 학습 포인트

❶ '한숨 소리'의 의미
❷ '나'의 변화와 성장
❸ 이 작품의 서술자 특성과 효과
❹ 제목 '일가'의 반어성

노 휴우, ⓐ한숨 소리가 절로 나왔다. 그런데 내 한숨 소리가 끝났는데도 어디선가 ⓑ또 하나의 한숨 소리가 들려오는 것이었다. 마치 내 한숨 소리가 밖으로 나가 저 혼자 살아 있는 것처럼 말이다. 방문을 왈칵 열었다. 마루에 아저씨가 앉아 있었다.

"아직 안 자네? 아직 안 자면 이리 오라."

내키진 않았지만 '조선의 예의범절'로 인하여 안 나갈 수는 없었다.

"참으로, 영화 「림해설원」의 한 풍경이로구나야."

림해설원: 바다처럼 보이는 큰 숲과 눈이 덮인 벌판이라는 뜻으로, 중국 영화의 제목을 일컬음.

마루에서 내려다보이는 과수원 가득히 하얀 달빛이 쏟아져 내리고 있었다.

"저기 한가운데 무투팡자 한 채 짓고 내 평생 살았으면 좋갔구나야."

무투팡자: 통나무로 만든 집

안방에서는 아버지의 코 고는 소리가 들려왔다. 림해설원이니, 무투팡자니, 나는 그저 그런 영화가 있는가 부다, 그런 집이 있는가 부다, 짐작만 할 뿐이다.

간단 체크 내용 문제

36 ㉠에 담긴 '나'의 심정을 다음과 같이 정리할 때, 빈칸에 들어갈 말을 차례대로 쓰시오.

'엄마'의 (   )이/가 커서 외로움.
+
'미옥'과의 관계가 끝나 버린 것이 아쉽고 (   ).

37 ⓐ와 ⓑ에 대한 설명으로 적절하지 않은 것은?

① ⓐ의 주체는 '나'이다.
② ⓐ는 '미옥'과 관계가 깊다.
③ ⓑ는 '아저씨'의 한숨 소리이다.
④ ⓑ의 원인은 '나'와의 관계에서 비롯된다.
⑤ ⓐ와 ⓑ는 모두 인물의 답답한 심정을 드러낸다.

지식 사전

영화 「임해설원」
소설가 곡파(曲波)가 쓴 소설 「임해설원」을 원작으로 한 영화이다. 국공 내전(중국에서 항일 전쟁이 끝난 후 중국 재건을 둘러싸고 중국의 국민당과 공산당 사이에 벌어진 내전) 초기, 북쪽 지방의 '임해 설원'에서 일어난 전투를 배경으로 하고 있다.

도 "우리 외할아부지가 동북 지방 최고의 포수였넌덴, 너 고거 알간? 한번 산에 들어가면 열흘이고 보름이고 산에서 묵어 오는데 내려올 때는 포획한 사냥물을 한 짐씩 메고 와서는 온 동네 사람들한테 나눠 줘 버리군 하셨데누나야."

짐승이나 물고기를 잡은

나는 졸음이 쏟아지기 시작하는 걸 억지로 참고 아저씨 말을 들었다.

"우리 외삼춘은 말이지 함자가 영 자 봉 자야, 영봉이 삼촌이 신의주 어데 살고 있지 않간? 왜 그케 됐냐 하면은, 그때 내 막내 이모가 먹을 게 없어 죽지 않았간? 바람벽 흙을 파먹다 말이지. 그래 외삼춘이 분연히 떨쳐 일나 말하길, 누이 난 여기서 더는 못 살겠소, 나는 강 건너로 갑네다, 하구선 떠났단 말이지, 내 한국 오기 전 북선이 아주 곤란을 겪고 있을 적인데, 단둥에서 외삼춘을 만났지 않았갔어? 아주 기적이었지. 수십 차례 보낸 편지 중에 한 편지가 드디어 외삼춘한테 닿았던 거야. ㉡아, 우리 외삼춘두 차암."

떨쳐 일어서는 기운이 세차고 꿋꿋하게

북조선. 곧 북한을 가리키는 말

단둥. 중국 랴오둥반도에 있는 도시

나는 눈을 떴다 감았다 했다. 아저씨가 아, 우리 외삼춘두 차암, 하는 소리에 눈이 번쩍 떠졌다. 문득, 아저씨가 내게 처음 했던 말, 그놈 궁뎅이도 차암, 하는 소리와 비슷한 느낌 때문이었을 것이다.

나는 속으로 말했다.

㉢'거, 아저씨도 차암.'

로 그러고 나서 나는 깜빡 잠이 들어 버렸다. 아침에 눈을 떠 보니, 부엌에서 낯익은 소리가 났다. 똑같이 달그락거려도 어쩐지 부드러운 달그락거림. 그것은 바로 엄마가 왔다는 소리였다. 나는 부엌문을 열고 슬며시 부엌 안을 들여다보았다. 피차 쑥스러워 말은 할 수 없었지만 그래도 엄마가 돌아왔으니, 행복한 아침인 것은 틀림없었다. 마침 아버지가 아침 일을 마치고 마당으로 들어서며,

㉣"형님도 차암."

하는 것이었다. 아저씨와 며칠 살더니 아버지도 아저씨 말투를 닮아 가는 모양이었다.

간단 체크 내용 문제

38 (도)에서 알 수 있는 내용이 아닌 것은?

① '아저씨'의 '외삼촌'은 누이가 죽자 강 건너로 떠났다.
② '아저씨'의 '외할아버지'는 동북 지방 최고의 포수였다.
③ '아저씨'는 '외삼촌'을 만나려고 수십 차례 편지를 보냈다.
④ '아저씨'가 북선에 있을 때는 먹고살기가 괜찮은 편이었다.
⑤ '아저씨'는 한국에 오기 전, 단둥에서 '외삼촌'을 만날 수 있었다.

중요

39 ㉡~㉣에서 알 수 있는 내용을 다음과 같이 정리할 때, 빈칸에 들어갈 말을 쓰시오.

> '아저씨'의 (　　　　)을/를 따라 하는 것을 통해 '나'의 가족들이 어느새 '아저씨'와 지내는 것에 익숙해지고, '아저씨'와 가까워졌음을 알 수 있다.

간단 체크 어휘 문제

다음 뜻풀이에 해당하는 낱말을 〈보기〉에서 찾아 쓰시오.

보기: 포획한, 분연히, 북선

(1) 짐승이나 물고기를 잡은 (　　　)

(2) 북조선. 곧 북한을 가리키는 말 (　　　)

(3) 떨쳐 일어서는 기운이 세차고 꿋꿋하게 (　　　)

"왜요, 아버지?"

"아, 글쎄, 가실 거면 정식으로 아침이라도 드시고 갈 일이지, 부득불 새벽차를 타야 한다고 하구서 결국 떠나셨잖니."

부득불: 하지 아니할 수 없어. 또는 마음이 내키지 않으나 마지못하여

"아저씨 가셨다구요?"

"그렇잖구."

나는 엄마를 돌아보았다. 시원한 표정일까, 섭섭한 표정일까가 궁금해서는 결코 아니었다. 단지 그냥 얼떨떨한 기분에 그런 것일 뿐.

"그러게 말예요. 내가 막 역에 들어서니까 시숙님이 개찰구를 빠져나가고 있지 뭐예요. 시숙님도 차암."

시숙: 남편과 항렬이 같은 사람 가운데 남편보다 나이가 많은 사람을 이르는 말

엄마는 기차를 타고 어디를 갔다 왔던 것일까. 궁금하긴 했지만 나는 엄마에게 끝내 아무것도 묻지 않았다. 물으면 피차 쑥스러울 것 아닌가.

모 나는 이제 곧 고등학생이 된다. 중학교 삼 년을 돌아본다. 그중에 잊을 수 없는 사람이나 사건이 무엇일까. 벽에 등을 기대고 생각해 본다. 사람이라면 단연코 미옥이가 떠오른다. 나는 언젠가 미옥이 때문에 지금처럼 벽에 등을 기대고 앉아서 굵은 눈물을 흘린 적이 있다. 나는 그것을 아직 똑똑히 기억하고 있다. 그런데 참 이상하다. 똑같이 미옥이를 생각하는데도 지금은 왜 눈물이 나지 않는 걸까. 내가 큰 것일까? 아니면 내가 마음이 변한 것일까. 아니면……. 알 수 없는 일이다. 아버지 말씀마따나 알려고 하지 않아도 언젠간 저절로 알게 되는 날이 올 것이다. 사건이라면? 물론 부부 싸움으로 인한 어머니의 가출 건일 것이다. 그때, 일가라는 사람이 있었지. 중국에서 온 아저씨, 나의 당숙. 나는 왜 그를 까맣게 잊고 있었던 것일까. 그러나 ㉠나는 맹세코 아저씨를 한 번도 잊은 적이 없다. 내가 아저씨를 잊었다면 지금 이 순간 왜 그를 생각하고 눈물이 난단 말인가.

보 아침에 밥을 먹으면서 나는 아버지한테 물었다.

"아버지, 일가라는 분요."

"누구?"

"아니, 아버지도 잊으셨어요?"

"아, 그 형님 말이야?"

"네. 지금도 연락하시나요?"

"글쎄다. 워낙에 형님들이 많아서 말이지."

"그런데 아버지, 정말 그분이 아버지 사촌 형님이 맞아요?"

"이 세상에 사촌 아닌 사람이 어디 있니?"

간단 체크 내용 문제

중요

40 '나'가 ㉠과 같이 말할 수 있는 근거로 알맞은 것은?

① '아저씨'와 같이 살고 싶기 때문에
② 매일 '아저씨'를 떠올리며 그리워했기 때문에
③ 여전히 '아저씨'와 연락을 주고받고 있기 때문에
④ 지금도 '아저씨'를 생각하면 눈물이 나기 때문에
⑤ 여전히 '아저씨'의 말투를 따라 하고 있기 때문에

41 (보)에 나타난 '아버지'의 태도로 알맞은 것은?

① '아저씨'를 이미 잊고 지낸다.
② '아저씨'의 성품을 못마땅해한다.
③ '아저씨'의 안부를 알고 싶어 한다.
④ '아저씨'를 일가로 인정하지 않는다.
⑤ '아저씨'를 다른 사촌보다 특별한 존재로 인식한다.

간단 체크 어휘 문제

다음 문장에 들어갈 적절한 낱말을 <보기>에서 찾아 쓰시오.

보기: 시숙, 부득불

(1) 나는 여러 번 청탁이 들어와서 (   ) 원고를 쓰게 되었다.

(2) 남편이 오늘은 큰집에 가서 (   )님을 만나고 온다.

소 갈수록 오리무중이었다. 그런데 나야말로 왜 새삼스럽게 그 아저씨를 궁금해
오 리나 되는 짙은 안개 속에 있다는 뜻으로, 무슨 일에 대하여 방향이나 갈피를 잡을 수 없음을 이르는 말
하는 것일까. 내가 정말 크기는 큰 것일까? 이제야말로 누군가에 대해서 알고 싶어 하는 것을 보니 말이다. 국어 선생님이 그랬다.

"내가 내 외로움 때문에 울 때는 아직 그가 덜 컸다는 증거고 나와 상관없는 남의 외로움 때문에 울 수 있다면 이미 그가 다 컸다는 것을 의미한다. 그는 이제 더 이상 어린애가 아니다."

선생님이 그 말을 할 때는 무슨 뜻인 줄 정말 몰랐다. 그러나 나는 어둠 속에서 벽에 등을 기대고 앉아 있을 때 알게 되었다. 작년 이맘때 나는 미옥이 때문에 울었다. 그러나 지금 나는 나의 일가, 나의 당숙 때문에 울고 있는 나를 종종 발견하게 된다. 미옥이를 생각하며 울 때는 미옥이가 내 마음을 알아주지 않은 게 원통해서 울었던 것임을 나는 알고 있다. 그런데 지금 이 눈물은 왜 나오는 것일까. 이것도 나중에 저절로 알아지는 눈물일까. 그것은 아직 알 수 없었다. 다만, 한 가지 내가 알 수 있는 것은 어떤 한 사람의 외로움이 이제사 내게로 전해져 왔다는 것뿐. 나는 이제 열일곱 살이다. ㉡더는 어린애가 아닌 것이다.

학습콕 **소주제:** '아저씨'가 떠난 날 '엄마'가 돌아오고, 이후 열일곱 살이 된 '나'는 '☐☐☐'를 생각하며 눈물을 흘림.

❶ '한숨 소리'의 의미

'나'의 한숨 소리	'엄마'와 '미옥'을 생각하며 한숨을 쉼.
'아저씨'의 한숨 소리	현재의 상황이 답답하고, '나'의 가족에게 미안함을 느껴서 한숨을 쉼.

❷ '나'의 변화와 성장

일 년 전의 '나'		☐☐의 '나'
• '미옥'과의 관계가 끝난 것에 눈물을 흘림. • '아저씨'를 못마땅하게 생각함.	➡	• '미옥'을 생각하는데도 눈물이 나지 않음. • '아저씨'를 생각하며 눈물을 흘림.

❸ 이 작품의 서술자 특성과 효과

'나'의 특성
아직 판단이 미숙한 열여섯 살의 ☐☐☐으로서, 사건을 겪으면서 성장함.

⬇

서술자 설정의 효과
• 사춘기 청소년의 시선으로 사건을 전달함으로써 일가친척의 의미가 사라져 가는 현대 사회를 간접적으로 비판하고, 반성을 유도함. • 청소년인 '나'는 점차 '아저씨'의 ☐☐☐에 공감하며 정신적으로 성장하게 되는데, 이를 통해 현대 사회에 만연한 가족 이기주의의 극복 가능성을 열어 둠.

❹ 제목 '일가'의 반어성

• '나'의 가족은 중국에서 찾아온 친척인 '아저씨'를 부담스러워함.
• '아저씨' 때문에 가족 구성원끼리 갈등을 겪음.

⬇

'일가'답지 않은 모습을 보이는 가족을 통해 '일가'라는 제목의 반어성을 드러내고, ☐☐☐☐의 의미를 잃어버린 현대 사회의 모습을 비판함.

간단 체크 내용 문제

42 '나'가 ㉡처럼 생각한 이유를 다음과 같이 정리할 때, 빈칸에 들어갈 말을 2어절로 쓰시오.

과거	'미옥'과 관계가 끝나서 눈물을 흘림.

⬇

현재	( )이/가 느껴져서 눈물을 흘림.

43 이 글의 제목 '일가'에 대한 반응으로 적절하지 않은 것은?

① '나'의 일가친척인 '아저씨'를 가리키는구나.
② 핵가족화로 그 가치가 점점 사라져 가고 있는 말이지.
③ '엄마', '아버지'가 '나'에게 전해 주고자 하는 가치를 지니고 있어.
④ '아저씨'가 '일가'로서 대접받지 못하는 현실 상황을 부각하는 것 같아.
⑤ 일가친척의 의미가 사라져 가고 있는 현대 사회를 비판하기 위한 소재라고 생각해.

한끝의 한 끗

◆ '아저씨'의 고향 방문기

1 '아저씨'의 등장

2 '아저씨'와 일가의 역사적 상봉

3 일가의 분란 - 편지 갈취 사건

4 일가를 떠나는 '아저씨'

학습 활동

교과서 36~43쪽

• 정답과 해설 04쪽

이해
❶ 줄거리 파악하기
❷ 등장인물 간의 갈등 양상을 바탕으로 주제 파악하기
❸ 보거나 말하는 이의 특성 이해하기

1 이 소설의 줄거리를 그림과 글로 정리해 보자.

① 답 '미옥'에게서 □□을 받은 날, 일가라는 '아저씨'가 찾아옴.

② '아저씨'의 이야기를 듣느라 '나'는 '미옥'이 보낸 편지를 읽지 못함.

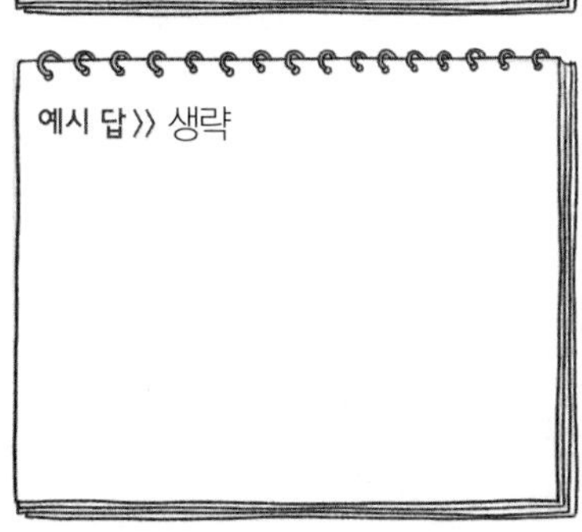

③ '미옥'이 '나'에게 보낸 편지를 '엄마'가 압수해 간 일로 '엄마'와 '아버지'가 크게 다툼.

④ 답 '아버지'와 다툰 사건으로 '엄마'가 집을 나감.

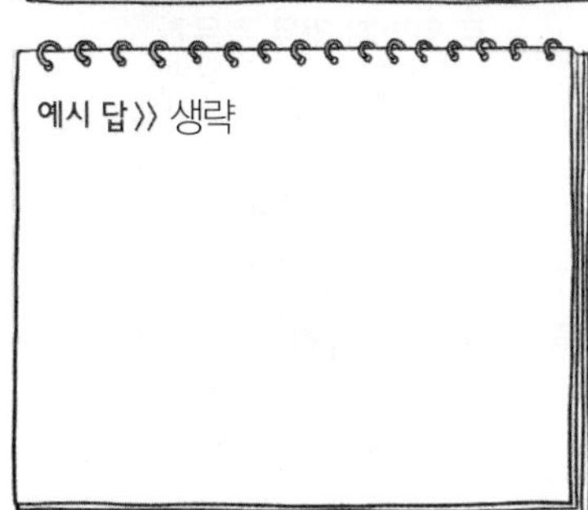

⑤ '엄마'가 돌아오던 날, '아저씨'가 떠남. 열일곱 살이 된 '나'는 떠나간 '아저씨'를 떠올리며 눈물을 흘림.

간단 체크 활동 문제

01 이 글의 내용과 일치하지 않는 것은?

① '나'가 '미옥'의 답장을 받은 날, 일가라는 '아저씨'가 찾아왔다.
② '나'는 '아저씨'의 이야기를 듣느라 '미옥'의 편지를 읽지 못했다.
③ '미옥'의 편지를 '엄마'가 압수한 일로, '엄마'와 '아버지'가 크게 다투었다.
④ '엄마'와 '아버지'가 싸운 사건으로 '엄마'와 '아저씨'가 동시에 집을 나갔다.
⑤ '엄마'가 돌아왔고, 열일곱 살이 된 '나'는 떠난 '아저씨'를 떠올리며 눈물을 흘렸다.

02 이 글에서 '나'에게 가장 먼저 일어난 사건으로 알맞은 것은?

① '나'가 봄 방학을 했다.
② '나'가 '미옥'에게 편지를 썼다.
③ '나'가 과수원 초입에서 '아저씨'를 만났다.
④ '나'가 학교 책상 서랍 속에서 하얀 봉투를 발견했다.
⑤ '나'가 '미옥'에게 편지를 부치러 우체국에 가기 위해 자전거를 타고 나갔다.

2 이 소설의 주제를 파악해 보자.

(1) '엄마'와 '아버지'가 갈등하게 된 원인을 정리해 보자.

갈등이 일어나게 된 계기
'미옥'이 '나'에게 보낸 편지를 '엄마'가 압수한 것을 가리켜 '아버지'가 '답 □□ '라고 표현함.

'나'가 생각하는 갈등의 진짜 원인
답 '아저씨'가 우리 집에 오래 머묾.

(2) (1)의 사건이 어떠한 결과를 불러왔는지 써 보자.

'엄마'와 '아버지'의 다툼 끝에 엄마가 집을 나감. → '아저씨'가 답 '아버지'한테 미안하다고 말하고, 새벽에 집을 떠남.

(3) (1)과 (2)를 바탕으로 작가가 전달하고자 하는 바를 소설의 제목과 연관 지어 말해 보자.

답 '일가'인 '아저씨'를 부담스러워하고, '아저씨' 때문에 갈등을 겪는 등 일가답지 않은 가족의 모습을 보여 줌으로써, 일가친척의 의미가 퇴색하고 있는 현대 사회의 모습을 □□하고자 한 것이다.

3 이 소설에서 보거나 말하는 이에 대해 알아보자.

(1) '나'의 특성으로 알맞은 것에 표시해 보자.

답

- ✓ '나'는 사춘기 청소년이다.
- '나'는 자신의 심리를 드러내지 않는다.
- ✓ '나'는 '엄마'와 '아버지'의 심리를 나름대로 추측한다.
- '나'는 '아저씨'를 계속 몰상식한 사람이라고만 생각한다.

(2) '나'가 성장하면서 겪는 변화를 파악해 보자.

열여섯 살의 '나'	열일곱 살의 '나'
• '아저씨'가 오래 머무는 것이 불만스러움. • '엄마'와 '아버지'가 '아저씨' 때문에 싸웠다고 생각함.	답 '아저씨'의 외로움에 공감하였기 때문에 눈물을 흘림.

간단 체크 활동 문제

03 이 글에서 '나'가 생각하는, '엄마'와 '아버지'가 갈등하게 된 근본 원인을 한 문장으로 쓰시오.

04 이 글의 주제를 다음과 같이 정리할 때, 빈칸에 들어갈 알맞은 내용을 3어절로 쓰시오.

작품 「일가」를 통해 작가는 일가친척의 의미가 퇴색하고 있는 (　　　　)을/를 비판하고 있다.

05 이 글의 '나'에 대한 설명으로 알맞지 않은 것은?

① 사춘기 청소년이다.
② 작품의 서술자에 해당한다.
③ 자신의 심리를 직접 표현하지 않는다.
④ 성장하면서 '아저씨'에 대한 인식이 변한다.
⑤ '엄마'와 '아버지'의 심정을 나름대로 추측한다.

(3) **(1)**과 **(2)**를 바탕으로 작가가 보거나 말하는 이를 '나'로 설정한 까닭이 무엇일지 말해 보자.

예시 답》 청소년인 '나'가 사건을 전달함으로써 현대 사회를 간접적으로 비판하고, '나'의 정신적 성장을 보여 줌으로써 가족 이기주의의 극복 가능성을 제시한 것이다.

4 다음 카드 중 하나를 골라, 보거나 말하는 이를 바꾸어 이 소설의 일부를 써 보자.

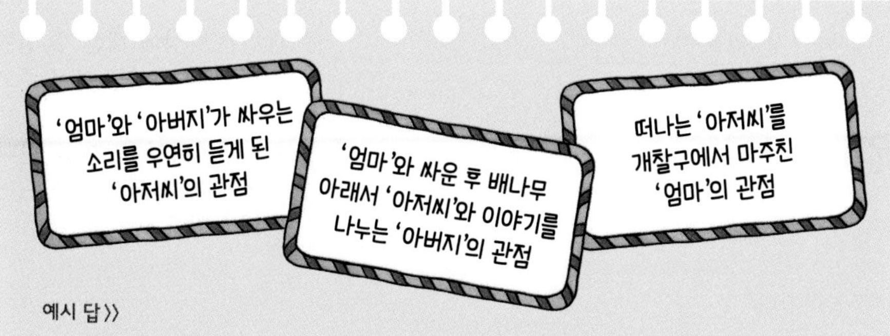

예시 답》

- '엄마'와 '아버지'가 싸우는 소리를 우연히 듣게 된 '아저씨': 하, 이 집에 너무 오래 있었나 보다. 격의 없이 지내면서 일가의 정을 더 나누고 싶었는데, 내 욕심이 지나쳤다. 섭섭한 마음이 크지만, 이 집의 화목을 위해 내가 떠나야 할 때가 온 것 같다.
- '엄마'와 싸운 후 배나무 아래서 '아저씨'와 이야기를 나누는 '아버지': 형님과 대화하는 내내 마음이 불편했다. 아내의 마음을 모르는 것은 아니지만, '□□'라며 찾아온 형님을 박대할 수는 없다. 우리 부부의 싸움을 들었는지 술을 들이켜는 형님의 모습이 더욱 쓸쓸해 보인다.
- 떠나는 '아저씨'를 개찰구에서 마주친 '엄마': 집에 돌아오는 길에 '일가'라는 손님이 개찰구를 빠져나가는 것을 보았다. 나 때문에 떠나는 것 같아 잠깐 미안하기도 했지만, 그간의 고생을 생각하면 시원한 마음이 더욱 컸다.

학습콕

❶ 소설의 '보는 이'와 '말하는 이'의 개념과 특성

개념	• 보는 이: 특정 대상이나 작품에서 벌어지는 사건을 관찰하는 존재 • 말하는 이: 이야기를 읽는 이에게 전달해 주는 존재 → 보는 이와 말하는 이를 서술자라고도 함.
특성	• 서술자는 작품 안에 존재할 수도 있고, 작품 밖에 존재할 수도 있음. • 보는 이와 말하는 이는 동일한 존재일 수도 있고, 전혀 다른 존재일 수도 있음.

❷ 보는 이와 말하는 이의 관점을 고려한 작품 수용

같은 대상이라고 하더라도 보는 이와 말하는 이가 누구인지에 따라 작품의 세계는 다르게 나타남. ➡ 보는 이나 말하는 이의 관점이 두드러지게 나타난 표현을 중심으로, 작품의 분위기와 주제가 어떻게 드러나고 있는지를 파악하며 작품을 깊이 있게 수용해야 함.

간단 체크 활동 문제

06 이 글에서 서술자를 '나'로 설정한 이유가 아닌 것은? (정답 2개)

① 인물 간의 갈등을 중재하는 역할을 할 수 있다.
② '나'의 성장 과정을 통해 주제를 부각할 수 있다.
③ 순수한 시선으로 인물이나 사건을 전달할 수 있다.
④ 소년의 목소리로 현대 사회를 직접 비판할 수 있다.
⑤ 작가가 전달하고자 하는 중심 생각을 강조할 수 있다.

07 <보기>는 이 글의 일부를 서술자를 바꾸어 쓴 것이다. <보기>의 서술자로 알맞은 것은?

보기
집에 돌아오는 길에 '일가'라는 손님이 개찰구를 빠져나가는 것을 보았다. 나 때문에 떠나는 것 같아 잠깐 미안하기도 했지만, 그간의 고생을 생각하면 시원한 마음이 더욱 컸다.

① '나' ② 작가
③ '엄마' ④ '아버지'
⑤ '아저씨'

적용
❶ 말하는 이와 '민지'의 관점 차이 파악하기
❷ 말하는 이가 '민지'에게 하지 못한 말을 찾고 그 이유 추측하기
❸ 말하는 이의 태도가 시의 주제와 분위기에 미치는 영향 이해하기

「민지의 꽃」은 같은 대상을 바라보는 두 사람의 관점이 대조적으로 나타난 시이다. 이 시에 나타난 서로 다른 관점에 주목하여 작품을 감상해 보자.

갈래	현대시, 자유시, 서정시	성격	체험적, 반성적, 향토적
운율	내재율	제재	풀, 산골에 사는 '민지'
주제	순수한 '민지'를 통한 삶의 성찰		
특징	• '민지'를 만난 일상적인 경험을 형상화함. • '민지'와 말하는 이의 대화를 그대로 제시하여 생동감을 줌.		

민지의 꽃

정희성

강원도 평창군 미탄면 청옥산 기슭
덜렁 집 한 채 짓고 살러 들어간 제자를 찾아갔다
거기서 만들고 거기서 키웠다는
다섯 살배기 딸 민지
민지가 아침 일찍 눈 비비고 일어나
저보다 큰 물뿌리개를 나한테 들리고
질경이 나싱개 토끼풀 억새……
이런 풀들에게 물을 주며
잘 잤니, 인사를 하는 것이었다
그게 뭔데 거기다 물을 주니?
꽃이야, 하고 민지가 대답했다
그건 잡초야, 라고 말하려던 내 입이 다물어졌다
내 말은 때가 묻어
천지와 귀신을 감동시키지 못하는데
꽃이야, 하는 그 애의 말 한마디가
풀잎의 풋풋한 잠을 흔들어 깨우는 것이었다

나싱개: '냉이'의 방언

1 말하는 이와 '민지'가 다음 대상을 표현한 시어를 찾아 써 보자.

간단 체크 활동 문제

08 이 시에 대한 설명으로 적절하지 않은 것은?

① 일상의 경험을 시로 형상화하고 있다.
② 인물 간의 대화를 그대로 제시하고 있다.
③ 순수한 시선을 지닌 '민지'를 시적 화자로 설정하고 있다.
④ 같은 대상에 대한 두 인물의 관점 차이를 보여 주고 있다.
⑤ 어린아이인 '민지'를 만나 얻게 된 삶의 성찰을 드러내고 있다.

09 이 시에 등장하는 인물과 시적 화자의 관점을 보여 주는 시어를 다음과 같이 정리할 때, 빈칸에 들어갈 말을 각각 쓰시오.

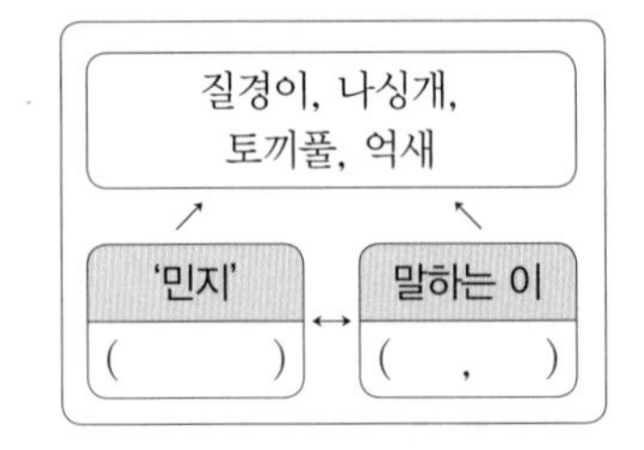

2 말하는 이가 '민지'에게 하지 못한 말이 무엇인지 적어 보고, 그 까닭을 짐작해 보자.

예시 답 〉〉

그건 꽃이 아니라
잡초 야.

'민지'에게 말하지 못한 까닭

'민지'의 순수함을 지켜 주고 싶고, 세속적인 때가 묻은 자신의 생각이 부끄러웠기 때문일 것이다.

3 말하는 이의 태도가 이 시의 주제와 분위기에 미치는 영향을 말해 보자.

예시 답 〉〉 • 말하는 이와 비교하여 '민지'의 □□한 성격을 더욱 강조한다.
• 말하는 이의 깨달음을 제시하여 독자의 성찰을 이끈다.
• '민지'를 바라보는 말하는 이의 따뜻한 시선이 이 시의 분위기를 따뜻하게 만들어 준다.

간단 체크 활동 문제

10 이 시에서 '나'가 다음과 같이 행동하게 된 이유로 알맞은 것은? (정답 2개)

> 그건 잡초야, 라고 말하려던 내 입이 다물어졌다.

① 어린아이가 이해하기는 어려워서
② '민지'의 순수함을 지켜 주고 싶어서
③ '민지'와의 사이가 멀어질 것을 염려해서
④ 세속적인 때가 묻은 '나'의 생각이 부끄러워서
⑤ '민지'가 상처받지 않도록 '민지'의 실수를 감싸 주고 싶어서

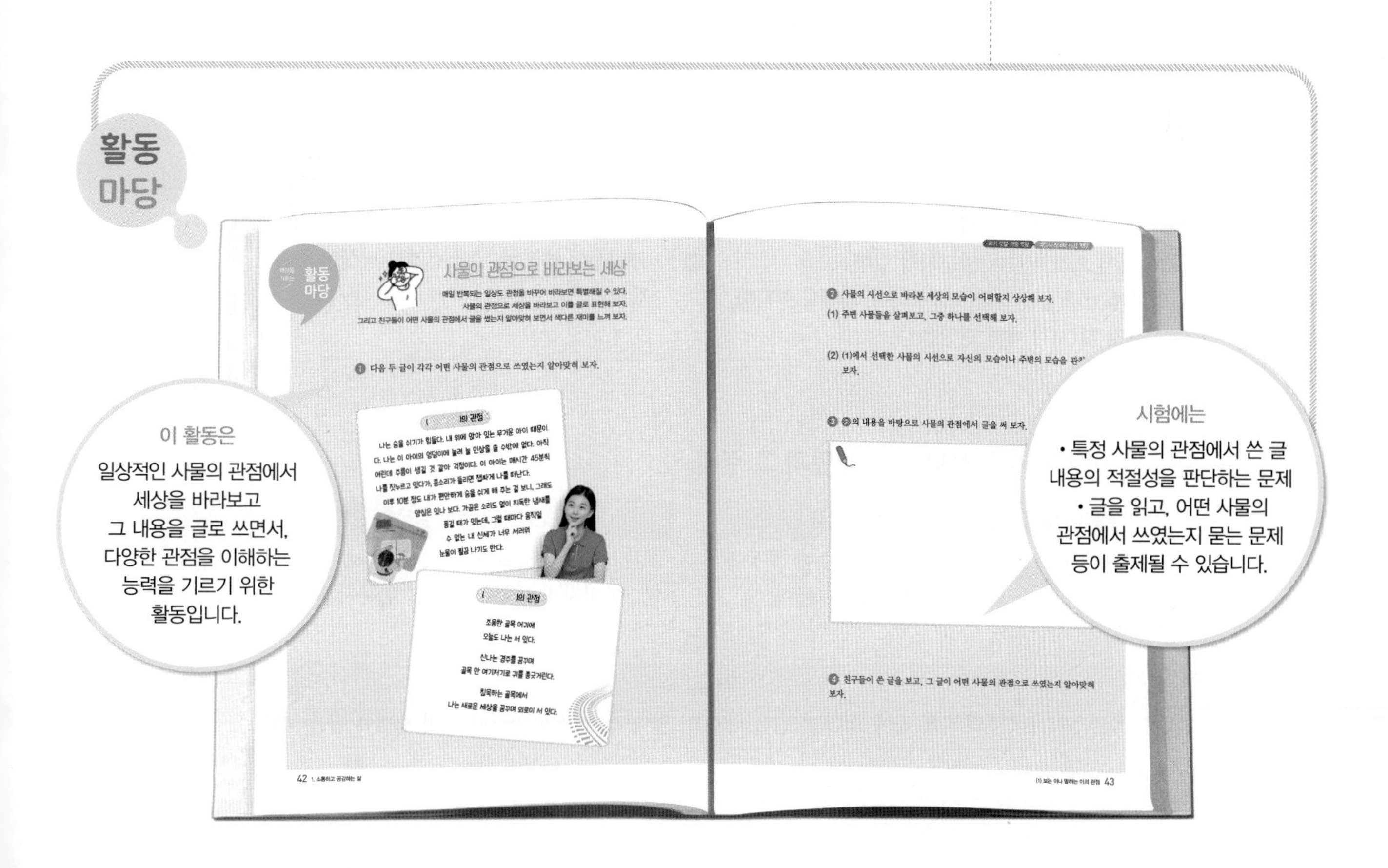

갈래	현대 소설, 단편 소설, 성장 소설	성격	비판적, 반어적
배경	봄 방학, 시골 과수원	시점	1인칭 주인공 시점(부분적으로 1인칭 관찰자 시점)
제재	일가 '아저씨'		
주제	일가친척의 의미가 점점 사라져 가는 현대 사회에 대한 비판과 반성		
특징	• 청소년 서술자의 시선으로 가족 이기주의가 만연한 사회상을 비판함. • 작품의 주인공인 '나'가 사건을 겪으면서 성장하는 모습을 담아냄. • 순수한 '나'의 관점에서 어른들의 세계를 바라봄으로써, 주제 의식을 간접적으로 전달함.		

「일가」의 짜임

발단		전개		위기		절정		결말
'나'가 '미옥'에게서 답장을 받은 날, 일가인 '아저씨'가 '나'의 집에 찾아옴.	➡	'아저씨'가 자신의 이야기를 계속하여, '나'는 '미옥'이 보낸 편지를 읽어 보지 못함.	➡	'미옥'이 보낸 ❶ □□를 '엄마'가 압수한 일로 '엄마'와 '아버지'가 갈등함.	➡	부부 싸움 끝에 '엄마'가 집을 나가고, '아저씨'는 자신 때문이라며 '아버지'에게 미안해함.	➡	'아저씨'가 떠난 날 '엄마'가 돌아오고, 이후 열일곱 살이 된 '나'는 '아저씨'를 생각하며 눈물을 흘림.

제목 '일가'의 의미

작품 내용		의미
• '나'의 가족은 중국에서 찾아온 친척인 '아저씨'를 부담스러워함. • '아저씨' 때문에 가족 구성원끼리 ❷ □□을 겪음.	➡	'일가'답지 않은 모습을 통해 일가친척의 의미가 사라져 가는 현대 사회의 모습을 비판함.

'아저씨'의 성격

'아저씨'의 행동		'아저씨'의 성격
• 처음 보는 '나'에게 눈을 찡긋함. • '나'의 집에 오래 머물며 일꾼처럼 일함. • '엄마'에게 밥과 술을 달라고 요구하며, 빨래도 부탁함. • 절을 하지 않는 '나'에게 핀잔을 줌.	➡	• 붙임성이 좋으며, 스스럼없고 넉살이 좋음. • 혈연과 ❸ □□□□을 중시함.

'엄마'와 '아버지'가 갈등하게 된 원인과 그 결과

갈등이 일어나게 된 계기(표면적 이유)	'나'가 생각하는 갈등의 근본적 이유
'미옥'이 '나'에게 보낸 편지를 '엄마'가 압수한 행동을 보고, '아버지'가 ❹ □□라고 표현했기 때문임.	손님으로 온 '아저씨'가 '나'의 집에 오래 머물고 있지만, '아버지'가 아무런 조치를 취하지 않기 때문임.

⬇

갈등의 결과
'엄마'와 '아버지'의 다툼 끝에 '엄마'가 집을 나가고, 얼마 후 '아저씨'가 자책하며 새벽에 집을 떠남.

●● '아저씨'를 받아들이는 가족들의 태도

	'나'	'아버지'	'엄마'
'아저씨'가 집에 찾아옴.	낯선 '아저씨'에 대해 기분 나빠하다가, 북한 말투를 듣고는 ❺☐☐으로 오해하며 무서워함.	'아저씨'를 반갑게 맞이하지만, 예의범절을 중시하는 '아저씨'의 눈치를 봄.	'아저씨'를 손님으로 대접하지만, 얼굴에는 수심이 깔림.
'아저씨'가 집에 오래 머묾.	'아저씨'가 불편하고 못마땅함.	'아저씨'가 계시는 동안 불편함 없이 잘 모시려고 하지만, 점점 소홀해짐.	'아저씨'를 몰상식한 사람이라고 생각하며, 빨리 집을 떠나기를 바람.
'아저씨'가 집을 떠남.	'아저씨'의 ❻☐☐☐을 이해하고 눈물을 흘림.	'아저씨'가 집을 떠난 것에 미안함을 느끼지만, 금세 '아저씨'를 잊음.	'아저씨'가 떠나던 날 집에 돌아와 여느 때처럼 부엌일을 함.

●● 서술자의 특성 및 서술자 설정의 의도

'나(서술자)'의 특성

- 아직 판단이 미숙한 사춘기 청소년임.
- '미옥'을 좋아하고 '미옥'과 ❼☐☐하고 싶어 함.
- 일련의 사건을 겪으며 정신적으로 성장함.

➡

서술자 설정의 의도

- 청소년의 시선으로 사건을 전달함으로써 현대 사회를 간접적으로 비판함.
- '나'가 '아저씨'의 외로움에 공감하는 정신적 성장을 보여 줌으로써, 현대 사회의 ❽☐☐ 이기주의의 극복 가능성을 열어 둠.

●● '나'의 변화와 성장

일 년 전의 '나'

- '미옥'과의 관계가 끝난 것에 눈물을 흘림.
- '아저씨'를 못마땅하게 생각함.
  → '나' 자신의 슬픔과 외로움 때문에 눈물을 흘리고 아저씨를 이해 못함.

성장 →

현재의 '나'

- '미옥'을 생각하는데도 눈물이 나지 않음.
- '아저씨'를 생각하며 눈물을 흘림.
  → '아저씨(타인)'의 외로움에 ❾☐☐하며 눈물을 흘릴 정도로 성숙함.

●● 「민지의 꽃」에서 시적 화자의 태도가 주제와 분위기에 미치는 영향

'민지'

흔한 풀을 '꽃'이라고 여기며 가치를 부여함. → 세상의 때가 묻지 않은 순수하고 맑은 마음을 가진 아이

↔

시적 화자

흔한 풀을 '풀, ❿☐☐'라고 여기며 사소한 것으로 생각함. → 세상의 때가 묻은 사람

⬇

- '민지'와 시적 화자를 비교하여 '민지'의 순수한 성격을 강조하고, 독자의 성찰을 이끌어 냄.
- '민지'를 따뜻한 시선으로 바라봄으로써 시의 분위기를 따뜻하게 만듦.

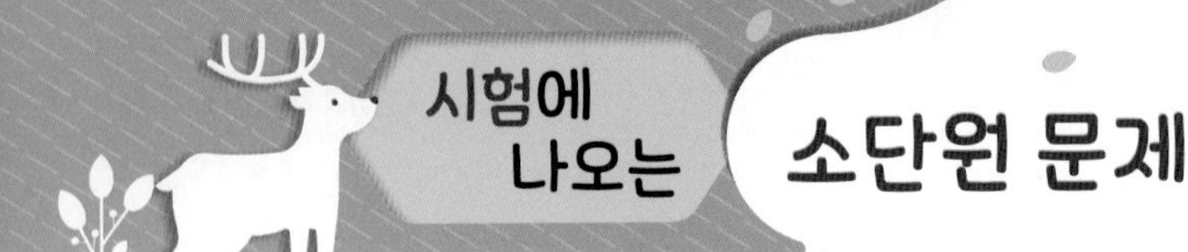

01~04 다음 글을 읽고, 물음에 답하시오.

가 그날은 봄 방학을 한 날이었다. 학교가 끝나고 여느 날과 다름없이 자전거를 타고 귀가했다. 우리 집으로 오르는 언덕길에서부터는 자전거를 타고 가기가 좀 힘들다. 내려서 자전거를 끌고 갈까 어쩔까 하다가 힘들더라도 그냥 타고 가기로 했다. 오늘은 어쩐 일인지 다른 날보다 힘이 남아도는 것 같았다. 그 이유가 무엇일까. 그것이 미옥이 때문이라고 한다면 좀 남세스러운가? 하여간 날은 다른 날과 똑같은 날이지만 ㉠내 기분만은 특별한 날이었다. 나는 지난주 월요일에 미옥이에게 편지를 보냈었다.

나 그리고 드디어 미옥이에게서 답장을 받은 것이다. 학교에 갔는데 내 책상 서랍 속에 하얀 봉투가 들어 있어서 설마 하고 보니, 분명 '옥'이라고 쓰여 있었던 것이다. 나는 누가 볼세라 얼른 편지를 가방 안에 감추었다. 나는 편지를 뜯어보고 싶었지만, 꾹 참았다. 설레는 기분을 좀 더 오래 누리고 싶어서이기도 했지만, 밤에 조용히 이불 속에서 뜯어보고 싶은 마음이 더 컸기 때문이다.

다 "야야, 너 어데로 갑네?" / '어데로 갑네?'

말이 좀 이상하다. 잉? 부, 북한 사람? 가, 간첩? 어따, 튀자 튀어.

좀 전의 재수 없다는 생각은 온데간데없고 나는 갑자기 남자가 왈칵 무서워졌다. 나는 휙 돌아서서 자전거 바퀴를 굴렸다. 그러자, 남자가 뒤에 서서 — 나에게는 분명히 비웃는 것으로 들렸다. — 킥킥 웃으며,

"허어, 고놈 차암." / 하는 것이었다.

라 "첨 보는 사이도 아닌데 웬 악을 지르고 그러네?"

아저씨는 나를 향해 눈을 찡긋해 보이기까지 한다. 그때 부엌에서 밥을 차리고 있던 엄마가 내 비명에 놀라 손에 반찬 그릇을 든 채로 마루에 나왔다.

"아주마니, 안녕하십네까?"

"아, 네에. 연변에서 오신 그분이신가요?"

아니, 저 이상한 말 쓰는 아저씨가 미리 연락하고 오는 우리 집 손님이었단 말인가?

"옌볜이라니요, 어째 한국 사람들은 중국서 왔다면 고저 다아 옌볜서 왔다고 알고 있습네까? 저는 저어 랴오닝성 다롄서 왔지요."

엄마는 얼굴이 벌게져 버렸다.

"아이구, 그렇다고 뭐 그렇게 부끄러워할 필요는 없습네다. 반갑습네다, 제수씨."

학습 활동 응용

01 이 작품에 대한 설명으로 알맞지 않은 것은?

① 반어적 제목을 통해 주제를 드러낸다.
② 봄 방학, 시골 과수원을 배경으로 한다.
③ 청소년이 정신적으로 성장하는 과정을 그리고 있다.
④ 서술자가 일가친척 집에 방문하여 겪은 사건을 다루고 있다.
⑤ 일가친척의 의미가 사라져 가는 세태에 대한 비판을 담고 있다.

학습 활동 응용

02 이 글에서 알 수 있는 '나'의 특성으로 알맞지 않은 것은?

① 작품의 주인공이자 서술자이다.
② 순수한 시선으로 인물과 사건을 바라본다.
③ 주변 인물들의 구체적인 심리를 제시한다.
④ 이성에게 호감을 느끼는 사춘기 소년이다.
⑤ '아저씨'에 대해 부정적인 태도를 지니고 있다.

03 (다)~(라)에서 알 수 있는 '아저씨'의 성격과 거리가 먼 것은?

① 솔직하다. ② 스스럼없다.
③ 넉살이 좋다. ④ 붙임성이 없다.
⑤ 부끄러움을 안 탄다.

서술형

04 (가)~(나)를 참고하여, ㉠의 이유를 한 문장으로 쓰시오.

05~08 **다음 글을 읽고, 물음에 답하시오.**

(가) 아저씨는 말하자면 ㉠한국에 돈을 벌러 온 '조선족' 이주 노동자인 것이다. 술잔 비워지는 속도가 점점 빨라지면서 아저씨의 흥분 상태도 고조되고 있었다. 우사에서는 소가 밥 달라고 매애거렸다. 아버지는 안절부절못하였다. 그러나 아저씨는 아버지를 도통 놓아주려 하질 않는 것이었다. 엄마가 잠깐 "과일이라도." 하면서 일어설라치면 "과일은 무슨, 일없습네다." 하면서 극구 만류하는 통에 엄마 또한 주저앉을 수밖에 없곤 하였다. 나는 적당한 때를 봐서 슬쩍 일어서야지, 하고서 아저씨의 말에 귀를 기울이는 체하면서 속으로는 계속 미옥이의 편지만 생각하고 있었다.

(나) "뭐야? 여보, 당신 왜 그래? ㉡창이한테 온 편지를 왜 당신이 가져?" / "그걸 몰라서 물어요? 지금 재 나이가 몇 살이야? 이제 겨우 열여섯 살짜리한테 무슨 놈의 연애편지야? 딱 사 년만 참아라. 스무 살만 되면 그때부터는 연애편지가 아니라, 누구하고 연애를 하든 결혼을 하든, 내가 간섭하지 않을 테니."

"여보, 당신 이제 보니 참 ㉢야만인이군그래. 아니, 어떻게 자식한테 온 편지를 갈취해?"

"가, 갈취? 당신 지금 나보고 갈취했다고 했어요?"

"그럼 그것이 갈취한 것이 아니고 뭐야?"

(다) 나는 알고 있었다. 사실 엄마, 아버지가 저렇게 대립할 수밖에 없는 밑바닥 감정에는 분명 아저씨의 존재가 작용하고 있다는 것을. 그러나 엄마도, 아버지도 ㉣아저씨에 대한 말은 입 끝에도 올리지 않았다. 그 이유는 아저씨가 바로 지척에 있는 우사에서 거름을 내는 척하면서 집 안의 상황에 낱낱이 귀를 기울이고 있을지도 모르기 때문이었을 것이다.

(라) "나 때문에 제수씨가 집을 나간 게라면 정말 동생한테 미안하오." / "아이고 형님, 그게 무슨 말씀이십니까. 그건 전혀 그렇지 않습니다. 부부가 살다 보면 부부 싸움이란 것도 가끔 하게 되는 거고 ㉤애 엄마가 집을 나간 것도 결코 형님 때문이 아니라……."

"참말 미안하오, 동생."

"형님 자꾸 그러시면 제가 들 낯이 없습니다."

"하아, 내가 죄인이오." / "아니라니까요, 형님."

학습 활동 응용

05 **'엄마'와 '아버지'의 갈등 양상을 다음과 같이 정리할 때, ⓐ~ⓔ에 들어갈 내용으로 알맞지 않은 것은?**

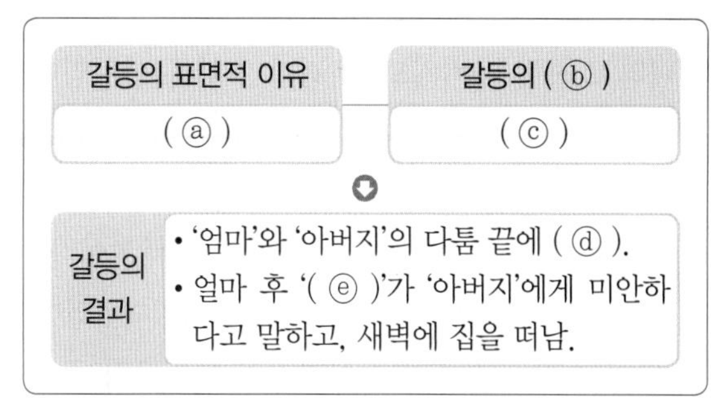

① ⓐ: '나'의 성적 하락 ② ⓑ: 근본적 이유
③ ⓒ: '아저씨'의 존재 ④ ⓓ: '엄마'가 집을 나감.
⑤ ⓔ: '아저씨'

06 **(가)에 나타나는 등장인물들의 태도로 알맞지 않은 것은?**

① '아버지'는 우사에 가지 못해 안절부절못했다.
② '엄마'는 핑계를 만들어 자리를 벗어나려고 했다.
③ '나'는 '아저씨'의 이야기가 흥미로웠지만 관심 없는 척했다.
④ '아저씨'는 술 마시는 속도가 빨라지면서 감정도 고조되었다.
⑤ '아저씨'는 모처럼 일가를 만난 반가움에 '나'의 가족들을 붙잡고 말을 계속했다.

서술형 학습 활동 응용

07 **(라)를 다음과 같이 바꾸어 썼을 때, 누구의 관점으로 쓴 것인지 쓰시오.**

> 전에 부부끼리 싸우는 소리를 들었는지 미안해하는 형님의 모습이 쓸쓸해 보인다.

08 **㉠~㉤에 대한 이해로 알맞지 않은 것은?**

① ㉠: '아저씨'의 현재 처지가 드러나는군.
② ㉡: '아버지'는 '나'의 이성 교제에 긍정적이군.
③ ㉢: '아버지'는 '엄마'를 비상식적이라고 보는군.
④ ㉣: '아저씨'가 알아주길 바라고 하는 행동이군.
⑤ ㉤: '아저씨'의 탓이 아님을 부정하지 못하는군.

• 정답과 해설 04쪽

09~12 다음을 읽고, 물음에 답하시오.

가 자기가 죄인이라고 하는 아저씨도 힘들고 그것이 아니라고 하는 아버지도 참 견디기 힘든 상황임에 틀림없었다. 그러나 무엇보다 힘든 사람은 바로 나였다. 나로 말할 것 같으면 미옥이에게서 내 의지, 내 감정과는 상관없이 끝종 선고를 받은 참이었기 때문이다. 모든 것은 엄마의 소원대로 되어 가는 셈이었다. 엄마가 집을 나가는 강수를 써야만 아버지가 아버지의 중국 형님을 이제 그만 내보낼 것이라고 계산했을 것이다. 또한 내 편지는 이미 시효가 지난 편지임을 확인하고 돌려준 것임이 틀림없었다. 미옥이는 그 편지에 썼던 것이다. 네가 정말 나를 좋아한다면 오늘 학교 끝나고 교회 뒤 느티나무 밑으로 와. 그러면 네 마음을 받아 줄게. 오늘도 안 나온다면 너완 이제 끝종이야.

나 작년 이맘때 나는 미옥이 때문에 울었다. 그러나 지금 나는 나의 일가, 나의 당숙 때문에 울고 있는 나를 종종 발견하게 된다. 미옥이를 생각하며 울 때는 미옥이가 내 마음을 알아주지 않은 게 원통해서 울었던 것임을 나는 알고 있다. 그런데 지금 이 눈물은 왜 나오는 것일까. 이것도 나중에 저절로 알아지는 눈물일까. 그것은 아직 알 수 없었다. 다만, 한 가지 내가 알 수 있는 것은 어떤 한 사람의 외로움이 이제사 내게로 전해져 왔다는 것뿐. 나는 이제 열일곱 살이다. 더는 어린애가 아닌 것이다.

다 강원도 평창군 미탄면 청옥산 기슭
덜렁 집 한 채 짓고 살러 들어간 제자를 찾아갔다
거기서 만들고 거기서 키웠다는
다섯 살배기 딸 민지
민지가 아침 일찍 눈 비비고 일어나
저보다 큰 물뿌리개를 나한테 들리고
질경이 나싱개 토끼풀 억새……
이런 풀들에게 물을 주며
잘 잤니, 인사를 하는 것이었다
그게 뭔데 거기다 물을 주니?
꽃이야, 하고 민지가 대답했다
그건 잡초야, 라고 말하려던 내 입이 다물어졌다
내 말은 때가 묻어
천지와 귀신을 감동시키지 못하는데
꽃이야, 하는 그 애의 말 한마디가
풀잎의 풋풋한 잠을 흔들어 깨우는 것이었다

09 (가)~(나)에서 알 수 있는 내용이 아닌 것은?

① '나'는 이제 '미옥'을 생각하며 울지는 않는다.
② 현재의 '나'는 자신이 어린애가 아니라고 생각한다.
③ '미옥'이 보낸 답장에는 '나'에게 관심이 없다는 내용이 담겨 있었다.
④ '나'는 '엄마'가 '아저씨'가 떠나기를 바라며 집을 나갔을 것이라고 생각한다.
⑤ '나'는 '엄마'가, 시효가 지난 것을 확인하고 '미옥'의 편지를 돌려준 것이라고 생각한다.

학습 활동 응용

10 (가)의 '나'와 비교할 때, (나)의 '나'에게 생긴 인식의 변화로 알맞은 것은?

① '미옥'을 생각하며 우는 횟수가 줄어들었다.
② 이제 '아저씨'의 외로움에 공감하게 되었다.
③ '아저씨'가 '나'의 가족에게 한 잘못을 알았다.
④ 일가친척이란 관계가 부질없는 것임을 깨달았다.
⑤ '엄마'가 집을 나간 상황에서 '아버지'가 얼마나 견디기 힘들었을지 이해하게 되었다.

학습 활동 응용

11 (다)의 시적 화자가 시의 주제와 분위기에 미치는 영향이 아닌 것은?

① 깨달음을 제시하여 독자의 성찰을 이끈다.
② '꽃'이 주는 기쁨에 더욱 주목하게 만들어 준다.
③ 대상에 대한 '민지'와의 관점 차이를 잘 드러낸다.
④ 자신을 '민지'와 비교하여 '민지'의 순수성을 강조한다.
⑤ '민지'를 바라보는 시선을 통해 시의 분위기를 따뜻하게 만든다.

서술형 학습 활동 응용

12 (다)에서 시적 화자가 '민지'에게 하지 못한 말이 무엇인지 찾아 2어절로 쓰시오.

교과서 45~53쪽

(2) 공감하며 듣기

• 정답과 해설 05쪽

학습 목표 상대의 감정에 공감하며 적절하게 반응하는 대화를 나눌 수 있다.

이해

❶ 다른 사람과 대화할 때 필요한 태도 파악하기
❷ 공감적 듣기의 개념과 그 효과 파악하기
❸ 공감적 듣기의 구체적 방법 이해하기

학습 포인트

❶ 공감적 듣기의 개념과 효과
❷ 공감적 듣기의 방법

1 다음 대화 상황에 나타난 문제를 파악하고, 다른 사람과 대화할 때 어떤 태도가 필요할지 생각해 보자.

(1) 이 대화가 잘 이루어지지 않은 까닭을 말해 보자.

답 • 동생이 말을 꺼냈는데, 형은 고개도 들지 않고 딴짓을 했다.
• 형이 동생의 심정을 이해하지 않고 제 생각만 말했다.
• 형이 동생의 □□을 고려하지 않고, 동생을 비난하는 듯한 태도로 말했다.

(2) 이와 비슷한 경험을 떠올려 보고, 다른 사람과 대화할 때 어떤 태도를 지녀야 할지 생각해 보자.

예시 답 » • 대화가 잘 이루어지지 않았던 경험: 어제 친구와 대화하는데 친구가 내 말을 듣는 도중에 자꾸 휴대 전화를 들여다보더라고. 휴대 전화로 다른 친구와 대화하는 것 같았어. 친구가 내 이야기에 집중하지 않으니 기분이 나빠서 더 대화할 수가 없었어.
• 다른 사람과 대화할 때 지녀야 할 태도: 상대의 말을 □□하여 듣는다. / 고개를 끄덕이거나 눈을 맞추는 것처럼 내가 상대의 말을 잘 듣고 있다는 표현을 해 준다. / 상대의 감정이나 상황을 이해하려고 노력한다. 등

간단 체크 활동 문제

01 1의 대화 상황을 다음과 같이 정리할 때, 빈칸에 들어갈 말을 쓰시오.

> 동생은 □□□에 들어가는 것에 대해 형의 의견과 조언을 듣고 싶어 했다.

02 1의 대화가 잘 이루어지지 않은 이유로 알맞은 것은?

① 형이 축구에 대해 잘 몰랐기 때문이다.
② 동생이 바쁜 형을 귀찮게 했기 때문이다.
③ 형이 동생의 축구 실력을 질투했기 때문이다.
④ 형이 동생의 고민이 무엇인지 알지 못했기 때문이다.
⑤ 형이 비난하는 듯한 태도로 동생에게 말했기 때문이다.

중요

03 다른 사람과 대화할 때 지녀야 할 태도로 알맞지 않은 것은?

① 상대의 말을 집중하며 듣는다.
② 상대의 감정이나 상황을 이해하려고 노력한다.
③ 상대의 말에 맞장구를 치며 계속 말을 할 수 있도록 돕는다.
④ 상대가 조언을 구할 때는 자신의 관점을 중심으로 조언한다.
⑤ 상대의 말에 고개를 끄덕이며 잘 듣고 있다는 표현을 해 준다.

(2) 공감하며 듣기

2 다음은 '황희 정승'의 일화이다. 일화를 살펴보면서 공감적 듣기가 무엇인지 이해하고, 그 효과를 파악해 보자.

(1) '황희 정승'이 두 사람의 질문에 다르게 대답한 까닭을 추측해 보자.

예시 답 ›› '황희 정승'이 두 사람의 처지와 심정을 헤아렸기 때문이다. / '황희 정승'이 처음 온 사람은 □□를 지내기를 원하고, 나중에 온 사람은 그렇지 않다는 것을 파악했기 때문이다.

(2) '황희 정승'의 듣기 태도를 참고하여 '윤하'에게 조언해 보자.

예시 답 ›› '황희 정승'이 이웃 사람들의 마음을 헤아렸듯이, 너도 친구의 상황이나 감정을 이해해 줄 수 있어야 해. 지금 '민재'는 노력했는데도 시험 결과가 좋지 않아서 속상해하고 있어. 그러니 '민재'의 슬픈 마음을 이해해 주고, '민재'를 위로해 주는 건 어떨까? "열심히 했는데 결과가 좋지 않아서 아쉽겠다. 하지만 노력한 만큼 다음 시험은 더 잘 볼 수 있을 거야. 기운 내."라고 말하면, '민재'의 슬픔을 덜어 줄 수 있을 거야.

간단 체크 활동 문제

04 '황희 정승'의 일화에 대한 설명으로 적절하지 않은 것은?

① '황희 정승'은 자신을 찾아온 사람에 따라 각각 다른 대답을 하였다.
② '황희 정승'은 두 사람의 처지와 심정을 고려하며 공감적 듣기를 하였다.
③ '황희 정승'에게 처음 온 사람은 제사를 지내고 싶은 마음으로 질문하였다.
④ '황희 정승'에게 찾아온 두 사람은 모두 '황희 정승'의 대답에 만족하여 돌아갔을 것이다.
⑤ '황희 정승'은 나중에 온 사람이 개를 소중히 여긴다는 것을 알고 이를 헤아려 대답하였다.

중요

05 (2)의 '윤하'에게 조언할 내용으로 적절하지 않은 것은?

① 네 대답은 '민재'의 속상한 마음을 고려하지 않은 거야.
② 대화를 할 때는 상대의 상황이나 감정을 이해해 줄 수 있어야 해.
③ '민재'의 슬픈 마음을 이해해 주고, '민재'를 위로해 주는 게 좋겠어.
④ "노력한 만큼 다음 시험은 더 잘 볼 수 있을 거야. 기운 내."라고 말해 주렴.
⑤ '민재'가 다음 시험을 잘 볼 수 있도록 '민재'의 잘못된 공부 방법을 구체적으로 지적해 주렴.

(3) (2)에서 '윤하'가 다음처럼 대답했다면, 대화가 어떻게 이어졌을지 추측해 보자. 그리고 이러한 대화가 둘의 관계에 어떤 영향을 미칠지 말해 보자.

예시 답 》 • 이어질 대화: '민재'가 어떤 과목이 가장 어려웠는지 이야기하고, '윤하'도 그 말에 동감하면서 '민재'뿐만 아니라 다른 친구들도 그 과목을 어렵게 느꼈다고 말해 준다. / '민재'가 수학 과목이 가장 어려웠다고 이야기하고 '윤하'는 다음에는 시험 기간 한 달 전부터 함께 공부하는 게 어떠냐고 제안한다. / '민재'가 '윤하'에게 고맙다고 말한다. 등

• 둘의 관계에 미칠 영향: '민재'와 '윤하'가 더 친해질 것이다.

3 다음 대화를 살펴보면서 공감적 듣기의 방법을 알아보자.

우울한 표정의 민정, 옆에는 선생님이 서 있다. 민정을 바라보는 선생님.

선생님: 민정아! 너 얼굴이 안 좋아 보이는데, 무슨 일 있니?

민정: 아니에요. 아무 일도 없어요. 그냥 답답하고 그래서…….

선생님: ㉠(민정이의 눈을 부드럽게 바라보며) 아니긴, 얼굴에 다 쓰여 있는데? 무슨 일인지 말해 봐. 혹시 선생님이 도와줄 수 있는 일인지도 모르잖아.

민정: 실은……. 옆 반에 도현이 있잖아요.

선생님: ㉡응, 계속 이야기해 봐.

민정: 도현이와 친해지고 싶어서 음료수를 건넸는데, 아무런 말이 없었어요. 무시당한 것 같고, 저를 싫어하는 것 같기도 해서 너무 속상해요.

선생님: ㉢그러니까 네가 용기 내서 마음을 표현했는데, 도현이가 반응이 없어서 속상한가 보구나.

민정: (풀 죽은 목소리로) 네.

선생님: 민정이가 도현이에게 좋은 감정이 있나 보다.

민정: 네. 어젯밤에는 잠도 설쳤어요.

선생님: (안타까운 표정으로) 저런, 정말 신경이 많이 쓰였구나. ㉣그런데 민정아. 혹시 도현이가 어떤 성격인지 생각해 봤니?

민정: 도현이요? 음……. 차분하고 조용한 성격인 것 같아요. 부끄러움도 많은 것 같고요.

선생님: 그렇지? 혹시 네가 음료수를 건넬 때, 다른 친구들도 있었니?

민정: 네. 청소 시간이었거든요. 아, 도현이 성격이라면 친구들이 있는 자리에서 저한테 음료수를 잘 받았다고 말하기가 쑥스러웠을 것 같아요.

선생님: 맞아. 내 생각도 그래.

민정: 그럼 다음에 둘만 있을 때 다시 말을 걸어 봐야겠어요.

선생님이 고개를 끄덕이고, 얼굴에 웃음이 번지는 민정.

간단 체크 활동 문제

06 '민재'에게 '윤하'가 〈보기〉와 같이 대답했을 때, 이어질 대화 내용으로 적절하지 않은 것은?

보기
"그랬구나. 너무 속상했겠다. 어떤 과목이 제일 어려웠는데? 같이 고민해 보자."

① 민재: 나는 수학 과목이 가장 어려웠어.
② 윤하: 다른 애들도 수학이 가장 어려웠다고 하더라.
③ 민재: 그래? 다들 그랬구나. 네 말을 들으니 좀 위안이 된다.
④ 윤하: 그런데 난 수학 시험이 다 배운 곳에서 나와서 쉬웠거든. 다음 시험 때는 우리 같이 공부해 볼까?
⑤ 민재: 그래, 좋아. 네가 나와 함께 공부해 준다니 고마워.

07 **3**의 대화에 대한 설명으로 알맞지 않은 것은?

① 선생님은 '민정'이 한 말을 요약정리해 주고 있다.
② '민정'은 선생님이 제시해 준 해결책에 감사해하고 있다.
③ 선생님은 "계속 이야기해 봐."라는 말로 '민정'이 계속 말하도록 돕고 있다.
④ '민정'은 선생님과 대화하며 객관적인 관점에서 문제를 생각해 보게 되었다.
⑤ 선생님은 관심을 보이는 눈빛과 말로 '민정'에게 공감적 태도를 드러내고 있다.

(2) 공감하며 듣기

(1) '민정'이 선생님과 대화한 후, 생각이 어떻게 바뀌었는지 말해 보자.

답 '도현'이 반응하지 않았던 것이 자신('민정')을 무시하거나 싫어해서가 아니라, 쑥스러워서 그랬을 수도 있음을 깨달았다.

(2) '민정'의 생각이 (1)처럼 바뀐 것은 공감적 듣기와 관련 있다. 보기를 읽고 ㉠~㉣이 공감적 듣기의 방법 중 무엇에 해당하는지 말해 보자.

> 보기
>
> 소극적 들어 주기란 상대에게 관심을 드러내어 말하는 이가 자연스러운 분위기에서 자기 생각과 느낌을 이어 갈 수 있도록 대화 맥락을 조절해 주는 격려하기 기술이 중심을 이룬다. "좀 더 얘기해 봐.", "이를테면?"과 같은 말로 계속 대화를 이끌어 간다거나 적절하게 맞장구치는 방법이 있다.
>
> 적극적 들어 주기란 "그러니까 네 말은 ……구나."와 같이 말하는 이의 말을 요약 정리하고 반영하여, 말하는 이가 객관적인 관점에서 문제에 접근하고 스스로 문제를 해결할 수 있도록 도와주는 것이다.
>
> – 임칠성 외, 『말꽝에서 말짱되기』

답 ㉠, ㉡: □□적 들어 주기 / ㉢, ㉣: □□적 들어 주기

(3) 공감적 듣기의 방법을 활용하여, 다음 '윤하'의 말에 적절히 대답해 보자.

예시 답 ›› (시선을 맞추며) 노래 대회에서 네가 기대했던 결과가 나오지 않아 속상했다는 말이구나. 그렇지만 윤하야, 나는 네가 노래 부를 때마다 감탄하는걸! 다만 이번 대회에서는 노래 실력이 쟁쟁한 친구들이 많이 나와서, 네가 떨었던 것은 아닐까? 네 노래 실력을 제대로 발휘할 수 있도록 같이 연습해 보는 건 어때?

학습콕

❶ 공감적 듣기의 개념과 효과

개념	상대의 생각이나 감정을 깊이 있게 □□하는 것을 목적으로 하는 듣기
효과	• 상대가 편하게 이야기할 수 있도록 함. • 상대와 긍정적인 관계를 맺거나 유지하는 데 도움을 줌. • 상대의 관점에서 문제를 바라보며 □□적으로 소통할 수 있게 함.

❷ 공감적 듣기의 방법

□□□ 들어 주기	상대가 대화를 계속할 수 있도록 상대와 눈을 맞추면서 고개를 끄덕이거나, 적절하게 맞장구치기
□□□ 들어 주기	상대가 객관적인 관점에서 문제를 바라볼 수 있도록 상대의 말을 요약정리하기

간단 체크 활동 문제

중요 **08** 다음 빈칸에 들어갈 알맞은 말을 쓰시오.

> 공감적 듣기의 방법 중 □□□ □□□ □□□란, 상대에게 관심을 드러내어 말하는 이가 자연스러운 분위기에서 자기 생각과 느낌을 이어 갈 수 있도록 대화 맥락을 조절해 주는 격려하기 기술이 중심을 이룬다.

중요 **09** 공감적 듣기의 방법이 나머지와 다른 것은?

① "그래, 계속 얘기해 보렴."
② "저런, 무척 당황스러웠겠다."
③ (고개를 끄덕이며) "네 맘은 충분히 이해가 돼."
④ (상대의 눈을 지긋이 바라보며) "무슨 일 있니?"
⑤ "그러니까 네 말은 기대했던 결과가 나오지 않아 속상했다는 거구나."

10 공감적 듣기의 효과를 〈보기〉에서 골라 바르게 묶은 것은?

> 보기
>
> ㄱ. 상대와 서로 협력하며 대화할 수 있다.
> ㄴ. 상대와 긍정적인 관계를 맺을 수 있다.
> ㄷ. 자신의 관점에서 문제를 생각할 수 있다.
> ㄹ. 자신이 하고 싶은 말을 마음껏 할 수 있다.

① ㄱ, ㄴ ② ㄱ, ㄷ
③ ㄱ, ㄹ ④ ㄴ, ㄷ
⑤ ㄷ, ㄹ

적용

❶ 상대의 감정에 공감하며 대화하기
❷ 다른 사람과 대화할 때 갖추어야 할 듣기·말하기 태도 파악하기

그림 카드를 활용하여 상대의 감정에 공감하며 대화를 나누어 보고, 자신의 듣기·말하기 태도를 점검해 보자.

1 감정을 표현한, 다음 그림 카드를 활용하여 공감을 나누는 대화를 해 보자.

(1) 그림 카드의 빈칸에 감정을 나타내는 말을 적어 보자.

간단 체크 활동 문제

11 1의 그림 카드와 그에 어울리는 감정의 연결이 적절하지 않은 것은?

① ❷ – 절망
② ❸ – 흥겨움
③ ❻ – 무서움
④ ❼ – 만족감
⑤ ❽ – 비통함

12 ❹의 카드를 나타내는 상황으로 가장 적절한 것은?

① 평소 좋아하던 친구와 짝이 된 상황
② 친구가 약속 시간을 한참 지나 나타난 상황
③ 학교 체육 대회에서 우리 반이 우승을 한 상황
④ 버스를 타야 하는데 교통 카드를 집에 두고 온 상황
⑤ 충치 치료를 받아야 하지만 용기가 나질 않아서 치과 앞에 서 있는 상황

13 카드 ⓬의 감정을 느끼는 사람에게 공감하며 대화한다고 할 때, 그 내용으로 알맞지 않은 것은?

① (걱정스러운 표정으로) 왜 혼자 있니? 나랑 얘기하자.
② 친구와 싸웠다면 내키지 않더라도 먼저 사과하는 것이 좋아.
③ 그러니까 네 말은 진정한 친구가 없다고 느껴졌다는 거구나.
④ 나도 너처럼 가끔 세상에 나 혼자뿐인 것 같다고 느낄 때가 있어.
⑤ 가만히 떠올려 보면 너를 사랑하는 많은 사람들이 있다는 걸 깨닫게 될 거야.

(2) 공감하며 듣기

(2) 그림 카드 중 하나를 선택하여 이와 연관된 경험을 떠올려 보고, 그때의 상황과 감정을 정리해 보자.

• 내가 뽑은 그림 카드 5

• 그때의 상황과 감정 나는 원래 수영을 할 줄 몰랐다. 그러다가 요즘에 언니와 함께 수영을 배우기 시작했는데, 자다가도 허공에 팔을 허우적거릴 정도로 수영에 푹 빠져 버렸다. 차가운 물을 가르며 앞으로 나아갈 때면 성취감을 느꼈고, 고민까지 씻어 내 줄 것 같은 물의 촉감도 정말 좋았다. 그래서 수영을 배우러 가기 전날 밤만 되면 설레고, 가슴이 두근거린다.

• 내가 뽑은 그림 카드 예시 답 ❽

• 그때의 상황과 감정

예시 답 지난주 일요일은 내 생일이었는데, 엄마께서 동생의 피아노 대회에 가시느라 내 생일을 잊어버리셨다. 너무 슬펐다.

(3) 두 명씩 짝을 짓고, 역할을 정하여 대화를 나누어 보자.

역할 1	역할 2
(2)를 바탕으로 자신의 상황과 감정을 말하는 사람	공감적 듣기 방법을 활용하여 상대의 이야기를 듣는 사람

예시 답

[A]
역할 1: 지난주 일요일은 내 생일이었는데 너무 우울했어.
역할 2: (따뜻한 목소리로) 무슨 일이 있었어?
역할 1: 엄마께서 동생의 피아노 대회 때문에 내 생일을 잊으셨어.
역할 2: 가족들이 네 생일을 잊어서 속상했구나. / 역할 1: 응. 온종일 울었어. 아직도 엄마가 미워.
역할 2: (고개를 끄덕이며) 네 맘 이해해. 그런데 가끔 어떤 일에 몰두하다 보면 중요한 문제를 깜빡하기도 하더라.
역할 1: 동생한테 중요한 대회라서 엄마께서 신경을 많이 쓰시긴 했어.
역할 2: 응. 그래서 그러셨나 봐. 엄마와 이야기해 봤어?
역할 1: 아직. 내가 이야기하면 엄마께서 미안해하실까?
역할 2: 그럼. 아마 깜짝 놀라서 너에게 사과하실걸? / 역할 1: 그러면 말씀드려 봐야겠다. 고마워.

2 1에서 나눈 대화를 평가해 보자.

(1) 다음 기준에 따라 **1**의 대화가 잘 이루어졌는지 평가해 보자.

예시 답

평가 기준			
• 부드러운 시선으로 서로를 바라보며 대화하였는가?	그렇다 ☑	보통이다 ☐	아니다 ☐
• 서로를 존중하며 대화하였는가?	그렇다 ☑	보통이다 ☐	아니다 ☐
• 서로의 감정을 깊이 있게 이해하려고 노력하였는가?	그렇다 ☑	보통이다 ☐	아니다 ☐

간단 체크 활동 문제

14 [A]에 대한 설명으로 알맞지 않은 것은?

① '역할 1'의 감정은 그림 카드 ❽번에 해당한다.
② '역할 1'은 자신의 상황과 감정을 말하는 역할을 하고 있다.
③ '역할 2'는 '역할 1'의 상황을 이해하며 대화를 나누고 있다.
④ '역할 2'는 '역할 1'이 엄마의 입장을 이해하고 사과하도록 설득하였다.
⑤ '역할 1'은 '역할 2'의 이야기를 듣고 엄마와 대화를 나누어 보기로 했다.

중요

15 상대의 감정에 공감하며 대화하는 태도로 알맞지 않은 것은?

① 서로를 존중하는 태도로 대화한다.
② 부드러운 시선으로 서로를 바라보며 대화한다.
③ 서로의 감정을 깊이 있게 이해하려고 노력한다.
④ 서로의 가치관을 수용하며 우호적인 태도를 보인다.
⑤ 자신의 입장과 처지에 따라서 상대가 하는 말을 받아들인다.

(2) 다음 공감적 듣기의 방법 중 '역할 2'를 맡은 사람이 대화 과정에서 활용한 것을 표시해 보자.

예시 답〉〉

- ✓ 상대를 집중해서 바라보고 고개를 끄덕이기
- ✓ 상대의 말에 "그래?", "맞아."와 같이 맞장구치기
- ☐ "계속 말해 봐."와 같이 상대가 이야기를 이어 갈 수 있도록 돕기
- ✓ "네 말은 ……라는 말이구나."와 같은 표현으로 상대의 말을 요약정리하기
- ✓ 상대가 객관적으로 문제에 접근하고, 스스로 문제를 해결할 수 있도록 돕기

3 1~2를 바탕으로 자신의 평소 듣기·말하기 태도를 돌아보고, 앞으로 다른 사람과 대화할 때 어떤 자세를 갖추어야 할지 말해 보자.

예시 답〉〉 나는 다른 사람과 대화할 때 그 사람의 상황이나 감정을 이해하지 않고, 내 감정만 앞세운 적이 많아. 하지만 이제는 공감과 ☐☐가 먼저라는 것을 알았어. 앞으로는 상대를 먼저 이해하려고 노력할 거야.

간단 체크 활동 문제

16 〈보기〉의 '역할 2'가 활용한 공감적 듣기의 방법으로 알맞은 것은?

보기
역할 1: 엄마께서 동생의 피아노 대회 때문에 내 생일을 잊으셨어. 역할 2: 가족들이 네 생일을 잊어서 속상했구나.

① 상대의 말에 맞장구치기
② 상대의 말을 요약정리하기
③ 상대를 집중해서 바라보고 고개를 끄덕이기
④ 상대가 객관적으로 문제에 접근할 수 있도록 돕기
⑤ 상대가 이야기를 이어 갈 수 있도록 돕는 말 하기

활동 마당

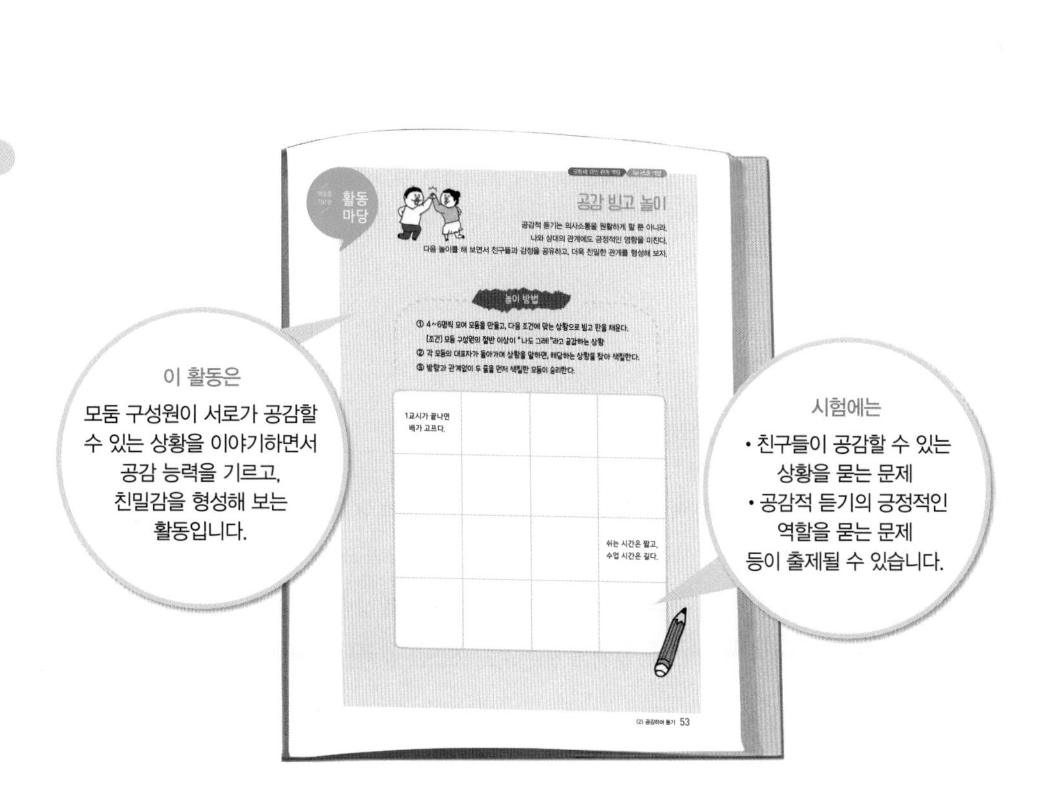

• 정답과 해설 06쪽

바람직한 대화 태도

잘못된 대화 태도		문제점		바람직한 대화 태도
상대의 말을 집중하지 않고, 자기 생각만 말하거나 상대를 비난하는 태도	➡	말하는 이의 마음을 상하게 하여 대화가 잘 이루어지지 않음.	➡	상대에게 ❶☐☐하고, 상대를 배려하는 대화하기

'황희 정승'의 말하기 방식

처음 온 사람의 말	"오늘이 제삿날인데 아내가 아이를 낳았습니다. 그래도 제사를 지내야겠지요?"	➡	'황희 정승'의 대답	"그렇지, 지내야지."
나중에 온 사람	"오늘이 제삿날인데 키우는 개가 새끼를 낳았지 뭡니까? 개가 새끼를 낳았으니 제사를 지내면 안 되겠지요?	➡	'황희 정승'의 대답	"그래, 안 지내야지."

⬇

상대의 처지와 ❷☐☐을 헤아리며 대화함.
제사를 지내고 싶어 하는 사람에게는 제사를 지내야 한다고 말하고, 제사를 지내고 싶지 않은 사람에게는 제사를 안 지내야 한다고 말함.

공감적 듣기의 개념과 효과

개념	상대의 생각이나 감정을 깊이 있게 이해하는 것을 목적으로 하는 듣기를 말함. → 상대의 말을 분석하거나 ❸☐☐하는 것이 아니라, 말하는 이를 이해하기 위해 노력하고 있음을 보여 주는 의사소통 방식임.
효과	• 상대가 편하게 이야기할 수 있도록 함. • 상대와 ❹☐☐☐인 관계를 맺거나 유지하는 데 도움을 줌. • 상대의 관점에서 문제를 바라보며 협력적으로 소통할 수 있게 해 줌.

공감적 듣기의 방법과 효과

소극적 들어 주기	방법	• 상대를 집중해서 바라보고 고개를 끄덕이기 • 상대의 말에 "그래?", "맞아."와 같이 ❺☐☐☐치기 • "계속 말해 봐."와 같이 상대가 이야기를 이어 갈 수 있도록 돕기
	효과	말하는 이가 자연스러운 분위기에서 자기 생각과 느낌을 이어 갈 수 있음.
적극적 들어 주기	방법	"네 말은 ……라는 말이구나."와 같은 표현으로 상대의 말을 ❻☐☐☐☐하기
	효과	상대가 객관적으로 문제에 접근하고, 스스로 문제를 해결할 수 있음.

시험에 나오는 소단원 문제

• 정답과 해설 06쪽

01 공감적 듣기에 대한 설명으로 알맞지 않은 것은?

① 상대가 편하게 이야기할 수 있도록 돕는다.
② 상대와 협력적으로 소통할 수 있게 해 준다.
③ 상대와 좋은 관계를 유지하는 데 도움이 된다.
④ 상대의 생각이나 감정을 깊이 있게 이해하는 듣기를 말한다.
⑤ 상대가 겪는 문제를 분석하여 해결책을 제시하는 의사소통 방식이다.

02 다음 대화에서 '형'이 보이고 있는 대화 태도의 문제점을 한 문장으로 쓰시오.

학습 활동 응용

03 다음 일화에서 '황희 정승'이 각기 다른 대답을 한 이유로 알맞은 것은?

① 상대가 모두 논리적으로 말하였기 때문에
② 사람과 동물의 일은 구분되어야 하기 때문에
③ '황희 정승'의 기분이 그때그때 달랐기 때문에
④ 상대가 무엇을 바라고 있는지를 파악하였기 때문에
⑤ 준비가 안 된 사람에게 제사를 지내게 할 수 없기 때문에

학습 활동 응용

04 다음 대화의 ㉠과 같은 공감적 듣기의 방법을 〈보기〉에서 모두 골라 묶은 것은?

> 민정: 실은……. 옆 반에 도현이 있잖아요.
> 선생님: 응, 계속 이야기해 봐.
> 민정: 도현이와 친해지고 싶어서 음료수를 건넸는데, 아무런 말이 없었어요. 무시당한 것 같고, 저를 싫어하는 것 같기도 해서 너무 속상해요.
> 선생님: ㉠ 그러니까 네가 용기 내서 마음을 표현했는데, 도현이가 반응이 없어서 속상한가 보구나.
> 민정: (풀 죽은 목소리로) 네.

보기

> ㄱ. "이를테면 어떻다는 거지?"
> ㄴ. "그런데 혹시 그 사람이 어떤 입장일지 생각해 봤니?"
> ㄷ. "(안타까운 표정으로) 저런, 정말 신경이 많이 쓰였구나."
> ㄹ. "네 말은 네가 기대했던 대로 잘 되지 않아 실망스럽다는 거구나."

① ㄱ, ㄴ　② ㄱ, ㄹ　③ ㄴ, ㄷ
④ ㄴ, ㄹ　⑤ ㄷ, ㄹ

학습 활동 응용

05 〈보기〉의 '윤하'의 말을 '민재'의 입장에 공감하는 말로 고칠 때 가장 적절한 것은?

보기

> 민재: 윤하야, 나 진짜 열심히 공부했는데, 이번 시험 너무 못 봤어. 어떡하지?
> 윤하: 아이참, 너 때문에 나까지 우울해진다. 민재야, 우리 떡볶이나 먹으러 가자!

① 좌절하지 말고 지금 상황을 받아들이는 것이 어떨까?
② 시험이 네 인생의 전부니? 그깟 시험 때문에 너무 낙담하지 마.
③ 너무 속상했겠다. 어떤 과목이 제일 어려웠는데? 같이 고민해 보자.
④ 결과는 노력한 만큼 나타나게 되어 있어. 다음에 더 열심히 노력해 보렴.
⑤ 목표를 너무 높게 잡은 것 같아. 네 실력을 고려해서 만족하는 게 좋을 것 같아.

교과서 55~59쪽

(3) 책 속 인물과 대화하기

학습 목표 책 속 인물의 상황이나 감정에 공감할 수 있다.

즐겁게 책 읽기 모둠별로 책을 선정하여 읽고, 책 읽기 경험을 나눌 수 있다.

1단계 읽기 전 활동 친구와 함께 읽을 책 고르기

친구와 함께 읽을 문학 작품을 고르고, 어떤 인물의 이야기가 담겨 있을지 예측한다.

(1) 다음 질문에 답해 보면서, 읽고 싶은 문학 작품을 찾아보자.

예시 답 〉〉

- **내 주변 사람이 감명 깊게 읽은 문학 작품은 무엇인가?**
  내 친구가 감명 깊게 읽은 책은 은희경의 『소년을 위로해 줘』이다.
- **학교나 도서 관련 전문 기관에서 추천하는 문학 작품은 무엇인가?**
  우리 학교 추천 도서 목록에 김려령의 『우아한 거짓말』, 권정생의 『몽실 언니』, 미하엘 엔데의 『모모』 등이 올라와 있다.
- **자신이 좋아하는 작가는 누구이며, 그 작가가 쓴 문학 작품에는 무엇이 있는가?**
  김혜정의 『판타스틱 걸』과 『하이킹 걸즈』, 히가시노 게이고의 『나미야 잡화점의 기적』과 『라플라스의 마녀』 등이 있다.
- **예전에 읽은 문학 작품 중 다시 읽거나 누군가에게 추천하고 싶은 문학 작품은 무엇인가?**
  이금이의 『유진과 유진』, 포리스트 카터의 『내 영혼이 따뜻했던 날들』이다.

(2) (1)에서 찾은 문학 작품 중 모둠 구성원과 함께 읽을 문학 작품을 골라 보자.

예시 답 〉〉

- 책 제목 『우아한 거짓말』
- 글쓴이 김려령

(3) (2)에서 고른 문학 작품을 훑어보고, 어떤 인물의 이야기가 담겨 있을지 예측하여 말해 보자.

예시 답 〉〉 책의 제목은 『우아한 거짓말』이야. 거짓말이 우아할 수도 있을까? 역설적인 표현인지 아니면 반어적인 표현인지 궁금해. 역설적인 표현이라면 거짓말을 해서 누군가에게 도움을 주었다든지, 아름답다고 말해도 손색이 없을 어떤 까닭이 있겠지? 반어적인 표현이라면 전혀 우아하지 않고 끔찍한 거짓말과 관련한 이야기일 것 같아. 표지에는 나비 사진이 있어. 나비의 우아함을 제목과 연관 지은 걸까? 아니면 나비의 날갯짓이 가볍듯이 '우아한 거짓말'도 무척 가볍다는 뜻일까? 궁금하다. 책을 훑어보니 주인공은 우리 또래의 여자아이네. 이 아이가 학교에서 겪는 사건과 갈등이 담겨 있겠다. 아마 우리와 비슷한 고민을 하고 있겠지?

책 읽기 활동

책 읽기의 주제가 '책 속 인물과 대화하기'인 점을 고려하여 소설류 중심으로 책을 찾아본다.

도움말

책의 제목과 차례, 삽화 등을 가볍게 훑어보면서, 이 책에 어떤 인물의 이야기가 담겨 있을지 짐작해 봐.

지식 사전

『우아한 거짓말』의 내용
평범한 열네 살 소녀 '천지'가 갑자기 세상을 떠나고, '천지'의 죽음을 이해할 수 없었던 언니 '만지'는 동생이 남긴 흔적을 좇는다. 그 과정에서 '천지'와 가까웠던 친구 '화연'이 '천지'를 이용했고, 그 때문에 '천지'가 많이 고민했다는 것을 알게 된다. 그러나 '만지'는 '천지'가 자신이 미워했거나 사랑했던 이들에게 남긴 마지막 편지를 보고 '화연'을 용서하고 감싸 안는다.

읽는 중 활동 **등장인물에 집중하여 책 읽기**

등장인물의 상황 및 말이나 행동, 등장인물을 보며 느낀 점과 등장인물에게 하고 싶은 말을 중심으로 그날그날 읽은 부분의 내용을 일지에 정리해 둔다.

작품 제목	『바다소』에 수록된 「빨간 호리병박」	
회 차	읽은 날짜	쪽수
1회	20○○년 ○○월 ○○일	○○~○○쪽

(1) 등장인물의 상황

'완'은 혼자 수영을 하거나 작은 섬에서 놀면서 늘 외롭게 지낸다. 이러한 '완'에게 '뉴뉴'라는 친구가 생긴다. '완'이 '뉴뉴'에게 수영을 가르쳐 주면서 둘은 가까워진다. '뉴뉴'는 수영을 잘하게 되었는데도 여전히 빨간 호리병박이 없으면 수영하지 못한다. '완'은 그런 '뉴뉴'에게 자신감을 주려고 '뉴뉴'가 안고 있던 빨간 호리병박을 빼앗는다. 그런데 '뉴뉴'는 '완'이 자신을 속이고 괴롭히려고 했다고 오해하고, '완'을 멀리한다.

(2) 등장인물이 한 말이나 행동 중 인상 깊은 것

- 인상 깊은 말: '완'이 자신은 매일 섬에 와서 우리 반 친구들과 논다고 말한 것
- 인상 깊은 행동: '완'이 친구들의 이름을 붙인 나무들과 놀았던 것

(3) 등장인물을 보며 느낀 점

'완'은 늘 혼자 외롭게 지내야 했다. 얼마나 외로웠으면 작은 섬에서 나무에 친구들의 이름을 붙여 놓고 혼자 놀았을까. 그 생각을 하니 너무 마음이 아팠다. 그런 '완'에게 '뉴뉴'라는 좋은 친구가 생겨서 참 다행이라고 생각했는데, '뉴뉴'가 '완'을 오해하여 둘의 관계가 멀어져서 너무 속상했다. 다시 혼자가 된 '완'은 얼마나 슬펐을까? '완'의 마음을 헤아려 보니 나도 모르게 눈물이 났다.

(4) 등장인물에게 하고 싶은 한마디

완아! 순수하고 고운 마음을 가진 네게 진정한 친구가 생기면 얼마나 좋을까? 뉴뉴와 대화해서 오해도 풀고, 다시 좋은 친구가 되었으면 좋겠어.

책 읽기 활동

책을 읽기 전에 먼저 일지의 전체 구성을 살펴보고, 일지에 무엇을 어떻게 써야 할지를 염두에 두고 책을 읽어 본다.

지식 사전

「빨간 호리병박」의 내용

중국의 어느 큰 강에 사는 사춘기 소녀 '뉴뉴'와 소년 '완'은 서로를 의식하면서 지켜보기만 한다. 그러다가 '완'의 도움으로 '뉴뉴'가 물에 들어가 물놀이를 하게 되고 이후 둘은 가까워진다. 그러나 '뉴뉴'는 강 한가운데에서 자신이 의지하던 호리병박을 뺏은 일로 '완'과 사이가 멀어진다. 우연한 계기로, '완'이 자신의 수영 실력을 깨닫게 해 주려 했음을 알게 된 '뉴뉴'는 '완'을 만나러 강으로 갔지만 '완'은 이미 이사를 가 버린 후이다. '뉴뉴'는 개학 전날 갈대숲에서 '빨간 호리병박'을 풀어 준다.

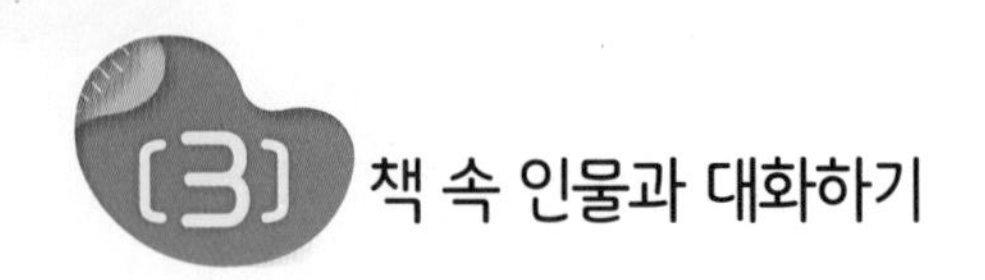

(3) 책 속 인물과 대화하기

예시 답〉〉

작품 제목	『우아한 거짓말』	
회 차	읽은 날짜	쪽수
1 회	20○○년 ○○월 ○○일	9 ~ 129 쪽

(1) 등장인물의 상황

이 책의 주인공은 '천지'다. '천지'는 가정 형편 때문에 이사를 자주 다녀서 친한 친구가 없다. 그러던 중 '천지'는 '화연'과 친해진다. 그런데 시간이 지날수록 '화연'은 '천지'를 따돌리고 교묘하게 괴롭힌다. 술래잡기를 할 때 '천지'가 계속 술래가 되게 하고, '천지'에게만 시간이 잘못 적힌 생일 초대 카드를 주기도 했다. 다른 친구들은 이런 상황을 알고 있지만 방관한다. '천지'는 가족들에게 이 사실을 알리지 못하고 혼자 괴로워하다가, 결국 극단적인 선택을 한다.

(2) 등장인물이 한 말이나 행동 중 인상 깊은 것

- 인상 깊은 말: "조잡한 말이 뭉쳐 사람을 죽일 수도 있습니다. 당신은 혹시 예비 살인자는 아닙니까?" / "공기 청정기는 있는데 왜 마음 청정기는 없을까?"
- 인상 깊은 행동: '천지'가 암묵적으로 '화연'을 노려 '선입견'이라는 주제로 발표하는 행동

(3) 등장인물을 보며 느낀 점

친구들의 괴롭힘과 외로움을 못 이겨 내고 극단적인 선택을 한 '천지'가 너무 안타깝다. 내가 '천지'라면 용기를 내서 어떻게든 주위에 도움을 요청했을 것이다. 물론 가족들에게 걱정 끼치고 싶지 않았던 '천지'의 마음은 충분히 이해할 수 있다. 하지만 가족들을 사랑한다면 그런 선택은 하지 말아야 했다. 가족들에게 자신의 상황을 더욱 솔직하게 말하고 도와 달라고 해야 했다.

(4) 등장인물에게 하고 싶은 한마디

천지야, 그동안 많이 아프고 슬펐지? 가족들에게도 말하지 못하고 혼자 견디느라 더 힘들었을 거야. 그때 네 곁에 내가 있었다면 얼마나 좋았을까. 나라면 네 편에 서서 너를 따뜻하게 안아 주고, 위로해 줄 수 있었을 텐데. 그리고 너의 선택을 말렸을 텐데……. 많이 힘들어했을 너의 모습이 떠올라서 마음이 먹먹해.

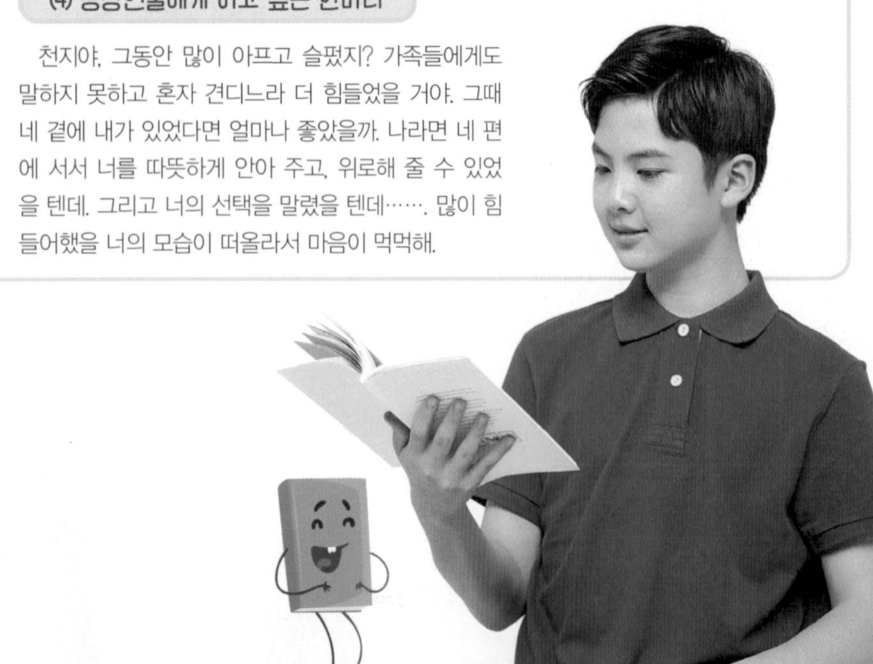

책 읽기 활동

도움말

등장인물 중에서 사건을 이끌어 가는 중심인물을 찾아보고, 그 인물을 중심으로 일지를 써 봐.

도움말

등장인물과 자기 자신을 동일시해 봄으로써 느낀 감정을 일지에 써 봐. 제삼자로서 등장인물의 고민을 파악하고, 그에 공감하거나 반대하는 내용을 쓸 수도 있어.

지식 사전

독후 활동 – 등장인물 카드 만들기
독후 활동으로 작품을 다 읽은 후에, 그동안 쓴 일지를 참고하여 등장인물의 특징을 카드로 정리해 보는 활동을 할 수 있다. 등장인물의 이름과 성격, 가치관 등을 적으면서 등장인물의 삶을 깊이 있게 이해해 볼 수 있다.

읽은 후 활동 책 읽기 경험 나누기

책을 모두 읽은 후, 다음 질문을 중심으로 모둠별로 대화를 나눈다.

(1) 각 등장인물을 짧게 소개한다면, 어떻게 소개할 수 있을까?

예시 답》 • '천지': 열네 살의 중학생. 성숙하고 섬세한 아이이다. '화연'의 괴롭힘 때문에 극단적인 선택을 한다.
• '만지': '천지'의 언니로, 무뚝뚝하지만 '천지'를 무척 아낀다. '천지'가 죽은 후, 진실을 찾으려 사건을 파헤친다.
• '화연': '천지'의 친구였지만 '천지'를 괴롭힌다. 매우 이기적이고, '친구'가 어떤 존재인지 제대로 알지 못한다.

(2) 등장인물 중 가장 공감 가는 인물은 누구였는가? 그리고 그렇게 생각한 까닭은 무엇인가?

예시 답》 가장 공감 가는 인물은 '천지'이다. 나도 '천지'와 같은 중학생이어서인지 '천지'가 학교생활을 하면서 친구들에게 상처받는 상황에 공감이 되었고, 그 때문에 책을 읽는 내내 마음이 아팠다.

(3) 등장인물 중 가장 공감할 수 없었던 인물은 누구였는가? 그리고 그렇게 생각한 까닭은 무엇인가?

예시 답》 가장 공감할 수 없었던 인물은 반 아이들이다. '화연'이 '천지'를 따돌릴 때에는 그 상황을 지켜보기만 하더니, '천지'가 죽자 '화연'을 따돌렸기 때문이다.

책 읽기 활동

주어진 질문에 답하면서 생각을 정리해 보고, 모둠 구성원과 대화하면서 문학 작품을 읽은 감상을 공유해 본다.

활동 마당

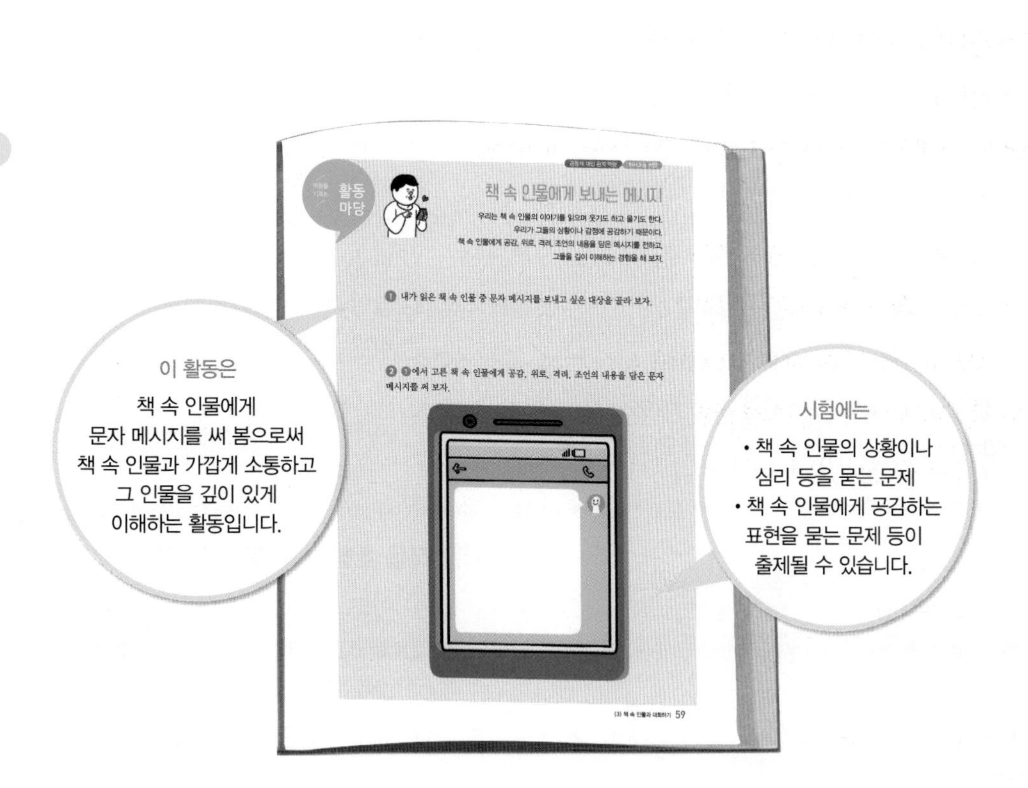

어휘력 키우기

교과서 60~61쪽

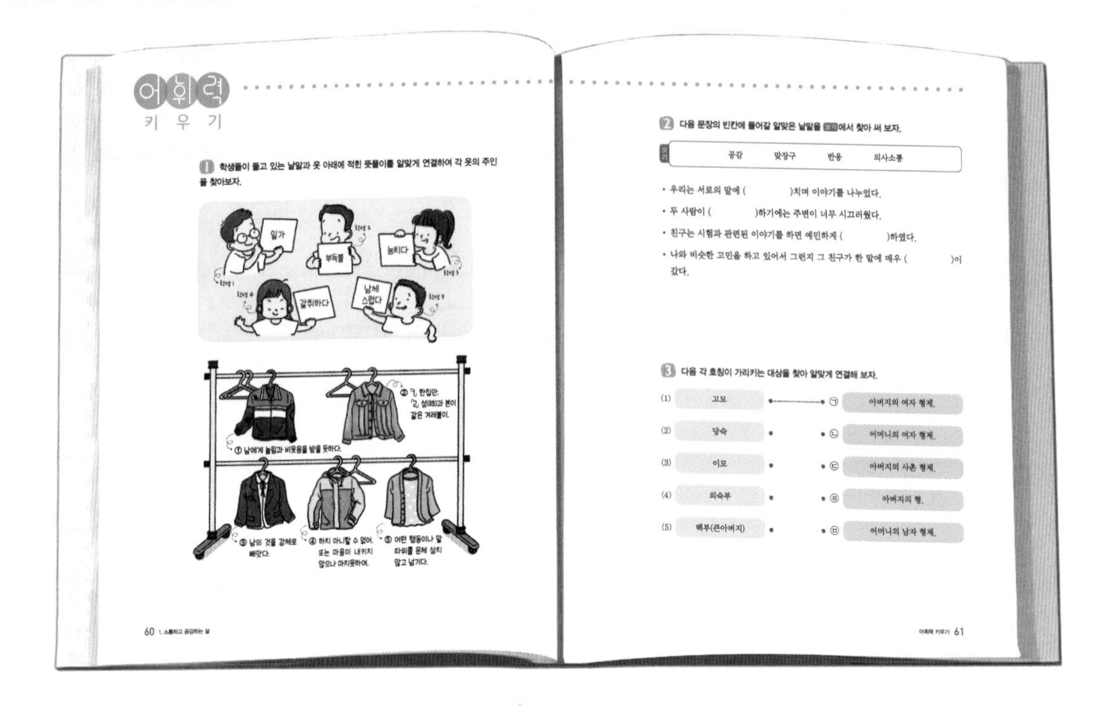

어휘력 키우기

1. 학생들이 들고 있는 낱말과 옷 아래에 적힌 뜻풀이를 알맞게 연결하여 각 옷의 주인을 찾아보자.

60 1. 소통하고 공감하는 삶

2. 다음 문장의 빈칸에 들어갈 알맞은 낱말을 보기에서 찾아 써 보자.

보기: 공감 맞장구 반응 의사소통

- 우리는 서로의 말에 (　　　)치며 이야기를 나누었다.
- 두 사람이 (　　　)하기에는 주변이 너무 시끄러웠다.
- 친구는 시험과 관련된 이야기를 하면 예민하게 (　　　)하였다.
- 나와 비슷한 고민을 하고 있어서 그런지 그 친구가 한 말에 매우 (　　　)이 갔다.

3. 다음 각 호칭이 가리키는 대상을 찾아 알맞게 연결해 보자.

(1) 고모 • • ㉠ 아버지의 여자 형제.
(2) 당숙 • • ㉡ 어머니의 여자 형제.
(3) 이모 • • ㉢ 아버지의 사촌 형제.
(4) 외숙부 • • ㉣ 아버지의 형.
(5) 백부(큰아버지) • • ㉤ 어머니의 남자 형제.

어휘력 키우기 61

1.

- ① 남에게 놀림과 비웃음을 받을 듯하다. → 남세스럽다
- ② 「1」 한집안. 「2」 성(姓)과 본이 같은 겨레붙이. → 일가
- ③ 남의 것을 강제로 빼앗다. → 갈취하다
- ④ 하지 아니할 수 없어. 또는 마음이 내키지 않으나 마지못하여. → 부득불
- ⑤ 어떤 행동이나 말 따위를 문제 삼지 않고 넘기다. → 눙치다

2.

- 우리는 서로의 말에 (맞장구)치며 이야기를 나누었다.
- 두 사람이 (의사소통)하기에는 주변이 너무 시끄러웠다.
- 친구는 시험과 관련된 이야기를 하면 예민하게 (반응)하였다.
- 나와 비슷한 고민을 하고 있어서 그런지 그 친구가 한 말에 매우 (공감)이 갔다.

3.

(1) 고모 → ㉠ 아버지의 여자 형제.
(2) 당숙 → ㉢ 아버지의 사촌 형제.
(3) 이모 → ㉡ 어머니의 여자 형제.
(4) 외숙부 → ㉤ 어머니의 남자 형제.
(5) 백부(큰아버지) → ㉣ 아버지의 형.

확인 문제

01 밑줄 친 낱말의 사용이 바르지 않은 것은?

① 그 옷은 남세스러워서 못 입겠다.
② 그의 집안은 일가가 모두 뿔뿔이 흩어져 살았다.
③ 영재는 자신이 쏟아 낸 비난을 없었던 것으로 눙치려고 했다.
④ 탐관오리들은 백성들이 피땀을 흘리며 지은 일 년 농사를 갈취했다.
⑤ 집안 사정이 넉넉해지자 아버지는 부득불 세가 비싼 집으로 이사를 결정했다.

02 다음 호칭과 그 뜻의 연결이 바르지 않은 것은?

① 이모 – 어머니의 여자 형제를 이르는 말
② 고모 – 아버지의 여자 형제를 이르는 말
③ 당숙 – 어머니의 사촌 형제를 이르는 말
④ 외숙부 – 어머니의 남자 형제를 이르는 말
⑤ 백부 – 아버지의 형, 즉 큰아버지를 이르는 말

• 정답과 해설 06쪽

01~05 **다음 글을 읽고, 물음에 답하시오.**

(가) 혹시 이 사람도 저 속에서 볼일을? 나는 속으로 '진짜 재수 없다.'라고 생각하면서 그냥 가려고 하였다. 그런데 또, / "야야, 너 어데로 갑네?"

'어데로 갑네?' / 말이 좀 이상하다. 잉? 부, 북한 사람? 가, 간첩? 어때, 뛰자 뛰어.

좀 전의 재수 없다는 생각은 온데간데없고 나는 갑자기 남자가 왈칵 무서워졌다.

(나) "창이야, 이리 들어와서 아저씨께 인사드려라."

엄마는 우리 식구만 있을 때 쓰는 도리밥상을 접고 손님 올 때 쓰는 교자상을 폈다. 그러면서 벌써 얼굴에 수심이 깔리고 있었다. 엄마의 그런 얼굴을 보고 내 마음이 편할 리 없었다. 나는 떨떠름한 기분으로 방에 들어가 고개를 꾸벅 숙여 인사를 했다.

"야야, 조선 민족의 인사법이 무에 그리니. 좀 정식으로 하라우." / "요새 애들이 통 버릇이 없어서요. 뭐 하니, 정식으로 하지 않고."

나는 무릎을 꿇고 아저씨한테 절을 했다.

(다) 엄마는 흥분을 가라앉힐 기미를 보이지 않았다. 은근히 겁이 나기 시작했다. 엄마 말대로 이쯤 되면 엄마야말로 막 나가 보자는 것일지도 모른다. 나는 슬그머니 방문을 열고 마루로 나갔다.

엄마도 엄마지만 아버지도 참 대단하긴 대단한 사람인 것 같았다. 싸움의 와중에도 직접 주전자에 매실주를 담고 냉장고에서 안주 할 만한 것을 찾다가 적당한 것이 없는지 냉장고 문을 꽝 닫고 찬장에서 멸치 한 주먹과 고추장을 꺼내 쟁반에 담아 들고 나가며 다시 한 번 쐐기를 박듯이 중얼거렸다. / "갈취."

(라) 그런데 참 이상하다. 똑같이 미옥이를 생각하는데도 지금은 왜 눈물이 나지 않는 걸까. 내가 큰 것일까? 아니면 내가 마음이 변한 것일까. 아니면……. 알 수 없는 일이다. 아버지 말씀마따나 알려고 하지 않아도 언젠가 저절로 알게 되는 날이 올 것이다. 사건이라면? 물론 부부 싸움으로 인한 어머니의 가출 건일 것이다. 그때, 일가라는 사람이 있었지. 중국에서 온 아저씨, 나의 당숙. 나는 왜 그를 까맣게 잊고 있었던 것일까. 그러나 ㉠<u>나는 맹세코 아저씨를 한 번도 잊은 적이 없다.</u> 내가 아저씨를 잊었다면 지금 이 순간 왜 그를 생각하고 눈물이 난단 말인가.

01 **이와 같은 글의 특징으로 알맞지 <u>않은</u> 것은?**

① 현실에서 일어날 법한 이야기를 다룬다.
② 특정한 관점에 따라 인물과 사건이 서술된다.
③ 인물 간의 갈등을 중심으로 내용이 전개된다.
④ 구성의 중심 요소에는 인물, 사건, 운율이 있다.
⑤ 허구적이지만 삶의 참된 모습과 진실을 표현한다.

02 **이 글에서 서술자를 사춘기 소년으로 설정하여 얻은 효과가 <u>아닌</u> 것은?**

① '나'의 순수한 시선이 독자에게 친근감을 준다.
② 사건을 겪으며 성장하는 '나'의 모습을 보여 준다.
③ '나'의 눈에 비친 외부 세계를 객관적으로 전달한다.
④ 미성숙한 '나'의 관점에서 서술된 정보를 해석하는 재미를 준다.
⑤ 청소년의 시선으로 사건을 전달함으로써 현대 사회를 간접적으로 비판한다.

03 **이 글의 인물에 대한 설명으로 알맞지 <u>않은</u> 것은?**

① '엄마'는 '아저씨'가 방문하자 근심에 쌓인다.
② '아저씨'는 '나'가 큰절로 인사하기를 바란다.
③ '나'는 '아저씨'가 떠난 이후로 '미옥'을 잊는다.
④ '나'는 '아저씨'의 말투 때문에 두려움을 느낀다.
⑤ '아버지'는 '갈취'라는 표현을 계속 쓰며 '엄마'와 대립한다.

04 **'아저씨'에 대한 가족들의 대접이 소홀해졌음이 드러나는 소재를, (다)에서 찾아 4어절로 쓰시오.**

05 **'나'가 ㉠과 같이 생각하는 이유로 알맞은 것은?**

① '아저씨'를 매일 생각하기 때문에
② '아저씨'를 떠올리면 눈물이 나기 때문에
③ '아저씨'에 대한 안 좋은 추억이 많기 때문에
④ 일가친척의 소중함을 깨닫게 되었기 때문에
⑤ '아저씨'를 다시 만나고자 노력하고 있기 때문에

06~09 다음 글을 읽고, 물음에 답하시오.

가 그날은 아저씨의 연변 이야기, 아니 랴오닝성 이야기, 큰할아버지 이야기, 아저씨의 중국 생활 이야기, 아저씨의 외갓집 이야기, 이북에 살고 있다는 아저씨의 외삼촌 이야기, 아저씨가 한국에 들어와 산 이야기를 듣느라 온 식구가 꼼짝도 못 하고 지나가 버렸다. 아저씨는 말하자면 한국에 돈을 벌러 온 '조선족' 이주 노동자인 것이다.

나 아차, 미옥이에게서 온 편지. 나는 엄마에게 조용히 말했다. 이럴 때 악을 쓰면 더 어린애 취급을 받을 것이 확실하기 때문에. 목소리가 변하고 나서 좋은 점은 바로 이럴 때다. 어린애 목소리로는 도저히 이런 '공포의 저음'이 나오지 않기 때문에.

"엄마, 그 편지 도로 저에게 주세요."

"자기한테 온 편지를 제대로 간수하지도 못하는 애한테 내가 왜 주냐?"

엄마는 편지 압수한 이유를 그런 식으로 눙치고 있다.

다 "아이고 형님, 그게 무슨 말씀이십니까. 그건 전혀 그렇지 않습니다. 부부가 살다 보면 부부 싸움이란 것도 가끔 하게 되는 거고 애 엄마가 집을 나간 것도 결코 형님 때문이 아니라……."

"참말 미안하오, 동생."

"형님 자꾸 그러시면 제가 들 낯이 없습니다."

"하아, 내가 죄인이오."

"아니라니까요, 형님."

자기가 죄인이라고 하는 아저씨도 힘들고 그것이 아니라고 하는 아버지도 참 견디기 힘든 상황임에 틀림없었다. 그러나 무엇보다 힘든 사람은 바로 나였다. 나로 말할 것 같으면 미옥이에게서 내 의지, 내 감정과는 상관없이 끝종 선고를 받은 참이었기 때문이다. 모든 것은 엄마의 소원대로 되어 가는 셈이었다.

라 휴우, ㉠한숨 소리가 절로 나왔다. 그런데 내 한숨 소리가 끝났는데도 어디선가 또 하나의 한숨 소리가 들려오는 것이었다. 마치 내 한숨 소리가 밖으로 나가 저 혼자 살아 있는 것처럼 말이다. 방문을 왈칵 열었다. 마루에 아저씨가 앉아 있었다.

"아직 안 자네? 아직 안 자면 이리 오라."

내키진 않았지만 '조선의 예의범절'로 인하여 안 나갈 수는 없었다.

"참으로, 영화 「림해설원」의 한 풍경이로구나야."

마루에서 내려다보이는 과수원 가득히 하얀 달빛이 쏟아져 내리고 있었다.

"저기 한가운데 무투팡자 한 채 짓고 내 평생 살았으면 좋갔구나야."

마 그런데 ㉡지금 이 눈물은 왜 나오는 것일까. 이것도 나중에 저절로 알아지는 눈물일까. 그것은 아직 알 수 없었다. 다만, 한 가지 내가 알 수 있는 것은 어떤 한 사람의 외로움이 이제사 내게로 전해져 왔다는 것뿐. 나는 이제 열일곱 살이다. 더는 어린애가 아닌 것이다.

06 이 글에서 알 수 있는 '아저씨'의 처지로 알맞지 않은 것은?

① 한국에 오기 전 중국에 살았다.
② 한국 내에 기거할 곳이 마땅치 않다.
③ '나'의 가족과 평생 살기 위한 집을 지으려 한다.
④ 돈을 벌기 위해 한국에 온 조선족 이주 노동자이다.
⑤ '엄마'가 집을 나간 것을 자신의 탓으로 여기며 '아버지'에게 미안해한다.

07 (나)로 보아, '나'와 '엄마'가 갈등하게 된 원인으로 알맞은 것은?

① '나'가 어린애처럼 행동해서
② '엄마'가 '나'에게 온 편지를 압수해서
③ '나'가 공부는 하지 않고 놀기만 해서
④ '아저씨'가 집에 계속 머무르고 있어서
⑤ '미옥' 때문에 '나'가 '엄마'의 말을 듣지 않아서

08 (다)로 보아, ㉠에 담긴 심리로 가장 알맞은 것은?

① 집을 떠난 '엄마'에 대한 미안함
② '엄마'의 소원을 이룬 '나'에 대한 자부심
③ 집에 계속 머무르는 '아저씨'에 대한 미움
④ '미옥'과의 관계가 끝난 것에 대한 안타까움
⑤ '엄마'를 그리워하는 '아버지'에 대한 애틋함

고난도 서술형

09 ㉡에 대해 친구의 입장에서 해 줄 수 있는 적절한 대답을 쓰시오.

> **조건**
> ① '~이야.' 형식의 한 문장으로 쓸 것
> ② '성장'이란 단어를 포함하여, '눈물'의 의미가 드러나도록 쓸 것

10~11 다음 시를 읽고, 물음에 답하시오.

강원도 평창군 미탄면 청옥산 기슭
덜렁 집 한 채 짓고 살러 들어간 제자를 찾아갔다
거기서 만들고 거기서 키웠다는
다섯 살배기 딸 민지
민지가 아침 일찍 눈 비비고 일어나
저보다 큰 물뿌리개를 나한테 들리고
질경이 나싱개 토끼풀 억새……
이런 풀들에게 물을 주며
잘 잤니, 인사를 하는 것이었다
그게 뭔데 거기다 물을 주니?
꽃이야, 하고 민지가 대답했다
그건 잡초야, 라고 말하려던 ㉠내 입이 다물어졌다
내 말은 때가 묻어
천지와 귀신을 감동시키지 못하는데
꽃이야, 하는 그 애의 말 한마디가
풀잎의 풋풋한 잠을 흔들어 깨우는 것이었다

10 이 시의 화자에 대한 설명으로 알맞지 않은 것은?

① 경험에서 얻은 깨달음을 전하고 있다.
② 깊은 산속에서 자연과 더불어 살고 있다.
③ 따뜻한 시선으로 '민지'를 바라보고 있다.
④ '민지'와 나눈 대화를 그대로 전하고 있다.
⑤ 자신과 관점이 다른 어린아이의 마음을 존중하고 있다.

서술형

11 ㉠의 이유를 한 문장으로 쓰시오.

12 다음 대화 상황에서 '형'에게 해 줄 수 있는 조언으로 알맞은 것은?

① 자신의 말에 책임을 지려는 태도를 갖춰야 해.
② 비속어나 욕설을 사용하는 것은 적절하지 않아.
③ 상대의 말을 중간에 끊지 말고 끝까지 들어야 해.
④ 상대의 감정이나 상황을 이해하려고 노력해 보렴.
⑤ 상대에게 자신의 의견을 내세우려면 객관적 근거를 대야 해.

13 공감적 듣기 방법에 대한 설명으로 알맞지 않은 것은?

① 소극적 들어 주기는 격려하기 기술이 중심을 이룬다.
② 적절하게 맞장구를 치는 것은 적극적 들어 주기에 해당한다.
③ 말하는 이의 말을 요약정리하고 반영하는 것은 적극적 들어 주기이다.
④ 말하는 이가 자기 생각과 느낌을 이어 갈 수 있도록 돕는 것은 소극적 들어 주기이다.
⑤ 적극적 들어 주기는 말하는 이가 객관적인 관점에서 문제에 접근할 수 있도록 돕는 것이다.

14 공감하며 대화하기의 평가 항목으로 알맞지 않은 것은?

① 상대를 존중하는 태도로 대화했는가?
② 상대가 처한 입장과 상황을 고려했는가?
③ 상대가 자신의 생각에 동의하도록 설득했는가?
④ 부드러운 시선으로 상대를 바라보며 대화했는가?
⑤ 상대의 감정을 깊이 있게 이해하려고 노력했는가?

15~16 다음을 읽고, 물음에 답하시오.

선생님: 민정아! 너 얼굴이 안 좋아 보이는데, 무슨 일 있니? / 민정: 아니에요. 아무 일도 없어요. 그냥 답답하고 그래서…….

선생님: ㉠(민정이의 눈을 부드럽게 바라보며) 아니긴, 얼굴에 다 쓰여 있는데? 무슨 일인지 말해 봐. 혹시 선생님이 도와줄 수 있는 일인지도 모르잖아.

민정: 실은……. 옆 반에 도현이 있잖아요.

선생님: ㉡응, 계속 이야기해 봐.

민정: 도현이와 친해지고 싶어서 음료수를 건넸는데, 아무런 말이 없었어요. 무시당한 것 같고, 저를 싫어하는 것 같기도 해서 너무 속상해요.

선생님: ㉢그러니까 네가 용기 내서 마음을 표현했는데, 도현이가 반응이 없어서 속상한가 보구나.

민정: (풀 죽은 목소리로) 네.

선생님: 민정이가 도현이에게 좋은 감정이 있나 보다.

민정: 네. 어젯밤에는 잠도 설쳤어요.

선생님: (안타까운 표정으로) 저런, 정말 신경이 많이 쓰였구나. ㉣그런데 민정아. 혹시 도현이가 어떤 성격인지 생각해 봤니?

민정: 도현이요? 음……. 차분하고 조용한 성격인 것 같아요. 부끄러움도 많은 것 같고요.

선생님: 그렇지? 혹시 네가 음료수를 건넬 때, 다른 친구들도 있었니?

민정: 네. 청소 시간이었거든요. 아, 도현이 성격이라면 친구들이 있는 자리에서 저한테 음료수를 잘 받았다고 말하기가 쑥스러웠을 것 같아요.

선생님: ㉤맞아. 내 생각도 그래.

민정: 그럼 다음에 둘만 있을 때 다시 말을 걸어 봐야겠어요.

15 이 대화에 나타난 '민정'의 생각 변화를 다음과 같이 정리할 때, 빈칸에 들어갈 알맞은 내용을 쓰시오.

16 ㉠~㉤에 대한 설명으로 알맞지 않은 것은?

① ㉠: '민정'에게 관심을 보임으로써 자연스러운 대화 분위기를 만들고 있다.
② ㉡: '민정'이 이야기를 계속 이어 나갈 수 있도록 격려하는 말에 해당한다.
③ ㉢: '민정'의 말을 듣고 객관적 판단을 하고 있다.
④ ㉣: '민정'이 문제에 대해 생각해 보고 스스로 해결할 수 있도록 돕고 있다.
⑤ ㉤: '민정'의 말에 맞장구를 치면서 동조하고 있다.

17 노래 대회에서 탈락해 속상해하는 친구에게 해 줄 말로 적절하지 않은 것은?

① 내가 도와줄게. 다시 한번 힘을 내 보자.
② 떨려서 네 실력이 제대로 나오지 않은 것뿐이야.
③ 너무 낙담하지 마. 나는 네 노래가 제일 좋은걸!
④ 기대했던 결과가 나오지 않아 무척 속상했겠구나.
⑤ 네가 탈락한 대신, 다른 사람이 합격해서 행복해졌으니 긍정적으로 생각해 봐.

18 친구와 함께 읽을 문학 작품을 찾아보기 위한 질문으로 적절하지 않은 것은?

① 다른 사람들이 많이 읽지 않은 문학 작품은 무엇인가?
② 내 주변 사람이 감명 깊게 읽은 문학 작품은 무엇인가?
③ 학교나 도서 관련 전문 기관에서 추천하는 문학 작품은 무엇인가?
④ 예전에 읽은 문학 작품 중 다시 읽고 싶은 문학 작품은 무엇인가?
⑤ 자신이 좋아하는 작가는 누구이며, 그 작가가 쓴 문학 작품에는 무엇이 있는가?

19 책 속의 등장인물을 깊이 있게 이해하기 위해, 일지에 정리할 항목으로 알맞지 않은 것은?

① 등장인물의 상황
② 등장인물의 등장 횟수
③ 등장인물을 보며 느낀 점
④ 등장인물에게 하고 싶은 한마디
⑤ 등장인물이 한 말이나 행동 중 인상 깊은 것

교과서 64~65쪽

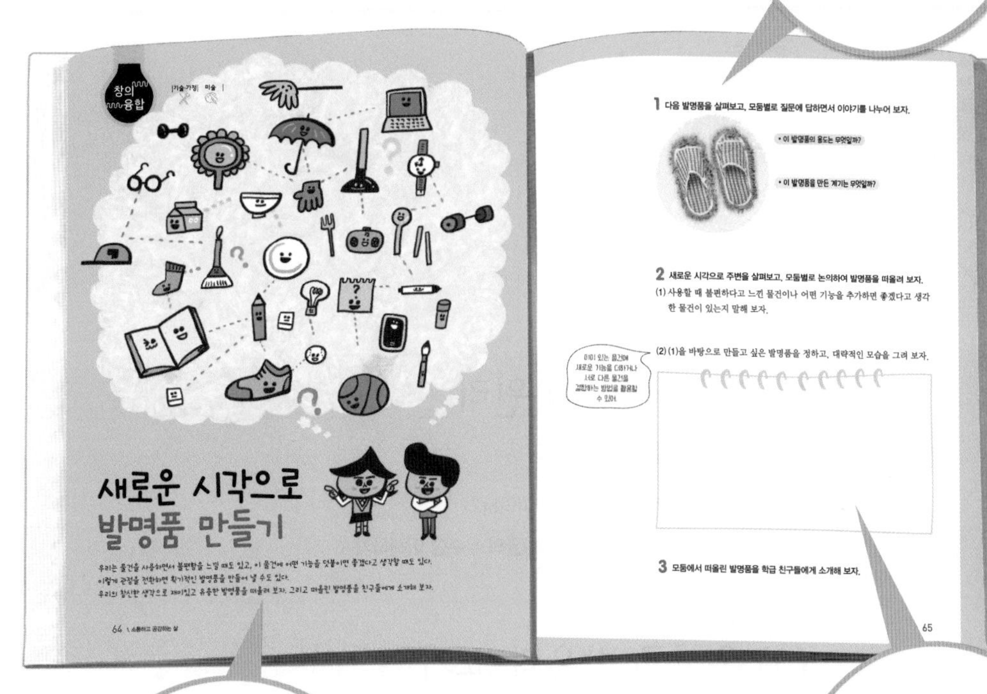
창의·융합

새로운 시각으로
발명품 만들기

우리는 물건을 사용하면서 불편함을 느낄 때도 있고, 이 물건에 어떤 기능을 덧붙이면 좋겠다고 생각할 때도 있다.
이렇게 관점을 전환하면 획기적인 발명품을 만들어 낼 수도 있다.
우리의 참신한 생각으로 재미있고 유용한 발명품을 떠올려 보자. 그리고 떠올린 발명품을 친구들에게 소개해 보자.

64

1 다음 발명품을 살펴보고, 모둠별로 질문에 답하면서 이야기를 나누어 보자.

• 이 발명품의 용도는 무엇일까?

• 이 발명품을 만든 계기는 무엇일까?

2 새로운 시각으로 주변을 살펴보고, 모둠별로 논의하여 발명품을 떠올려 보자.

(1) 사용할 때 불편하다고 느낀 물건이나 어떤 기능을 추가하면 좋겠다고 생각한 물건이 있는지 말해 보자.

(2) (1)을 바탕으로 만들고 싶은 발명품을 정하고, 대략적인 모습을 그려 보자.

이미 있는 물건에 새로운 기능을 더하거나 서로 다른 물건을 결합하는 방법을 활용할 수 있어.

3 모둠에서 떠올린 발명품을 학급 친구들에게 소개해 보자.

65

제시된 발명품의 용도를 생각해 보고, 그 물건을 발명한 사람의 입장에서 발명품을 만든 의도를 생각해 보세요.

이 활동은

관점을 전환하여 새로운 발명품을 만들어 보는 활동입니다. 사물의 보완할 부분을 함께 생각해 보고, 발명품을 만들어 봄으로써, 서로 협력하는 능력과 창의력을 기를 수 있습니다.

모둠 친구들과 브레인스토밍을 활용하여 새로운 발명품을 구상해 보고, 이를 그림으로 표현하여 친구들에게 소개해 보세요.

2

의사소통 역량

놀라운 한글, 바른 말글살이

문법

(1) 한글의 창제 원리

_ 세종 대왕을 만나다

- 한글의 창제 원리와 특성 파악하기
- 정보화 시대에 부각되는 한글의 우수성 이해하기

문법

(2) 올바른 발음과 표기

- 단어를 올바르게 발음하고 표기하는 방법 익히기
- 정확하게 발음하고 표기하는 태도 기르기

왜 배울까?

만약 한글이 없다면 우리의 문자 생활은 어떠할까? 다른 문자를 빌려 써야 한다면 우리말을 온전히 표현할 수 있을까? 중국 문자를 빌려 썼던 우리 민족은 한글이 창제되고 나서야 비로소 우리의 생각을 글 속에 온전히 담아 자유롭게 표현할 수 있게 되었다. 더불어 우리말과 우리글은 우리의 정신을 담는 그릇이므로, 우리는 이들을 소중히 여기고 가꾸어야 한다. 한편 우리말을 발음하거나 표기할 때에는 여러 사람이 원활하게 의사소통할 수 있도록 정해 놓은 규칙이 있다. 이러한 규칙에 따라 정확하게 발음하고 표기하는 것은 우리말과 우리글을 사랑하는 방법이자, 바른 말글살이를 위해 우리가 반드시 지녀야 할 태도이다.

뭘 배울까?

이 단원에서는 의사소통 역량을 기르기 위해 한글의 창제 원리와 특성을 이해하고, 한글의 우수성을 탐구해 볼 것이다. 그리고 일상생활에서 자주 틀리는 발음이나 표기를 바로잡아 보면서 단어를 올바르게 발음하고 표기하는 태도를 기를 것이다.

길잡이

• 정답과 해설 08쪽

한글 창제의 배경과 창제 정신

우리말을 표기할 문자가 없어 중국의 한자를 사용함. 백성들 대부분이 어려운 한자를 배우지 못하여 글을 읽지 못함.

⬇ 한글 창제

자주정신	우리말과 중국어가 달라 한자로 우리말을 표기하는 데에 한계가 있음을 인식함.
애민 정신	글자를 배우지 못하는 백성의 처지를 가엾게 여겨 백성들을 위한 글자를 만들고자 함.
실용 정신	누구나 쉽게 배우고 편히 쓸 수 있는 글자를 만들고자 함.

한글 자음자를 만든 기본 원리

상형의 원리	가획의 원리	
발음 기관의 움직임이나 모양을 본떠 기본자를 만듦.	자음 기본자에 획을 더하여 새 글자를 만듦. 획이 더해지면 소리가 더 세짐을 나타냄.	기본자 'ㅇ, ㄴ, ㅅ'에 획을 더해 'ㆁ, ㄹ, ㅿ'을 만들었으나 소리가 세지지는 않음.

자음 기본자			가획자	이체자
혀뿌리가 목구멍을 막는 모양	ㄱ	➡	ㅋ	
혀가 윗잇몸에 붙는 모양	ㄴ		ㄷ, ㅌ	ㄹ
입의 모양	ㅁ		ㅂ, ㅍ	
이의 모양	ㅅ		ㅈ, ㅊ	ㅿ
목구멍의 모양	ㅇ		ㆆ, ㅎ	ㆁ

한글 모음자를 만든 기본 원리

상형의 원리	합성의 원리	
	초출자	재출자
하늘, 땅, 사람의 모양을 본떠서 기본자를 만듦.	기본자끼리 한 번만 합성하여 만듦.	초출자에 'ㆍ'를 다시 합성하여 만듦.

모음 기본자			초출자	재출자
하늘의 둥근 모양	ㆍ	➡	ㅗ, ㅏ, ㅜ, ㅓ	ㅛ, ㅑ, ㅠ, ㅕ
땅의 평평한 모양	ㅡ			
사람이 서 있는 모양	ㅣ			

간단 체크 개념 문제

1 다음 설명이 맞으면 ○표, 틀리면 ×표 하시오.

(1) 한글이 창제되기 전에는 중국의 글자인 한자를 빌려 썼다. (　　)

(2) 세종 대왕은 글자를 모르는 백성들의 처지를 가엾게 여겨 한글을 만들었다. (　　)

(3) 한글의 자음 기본자는 상형의 원리를, 한글의 모음 기본자는 합성의 원리를 바탕으로 만들었다. (　　)

2 다음 빈칸에 들어갈 알맞은 말을 각각 쓰시오.

(1) 한글의 자음 기본자는 소리를 내는 □□ □□의 움직임이나 모양을 본떠서 만들었다.

(2) 한글의 모음자는 모음 기본자를 한 번만 합성하여 초출자를 만들고, 그 초출자에 '□'를 합성하여 재출자를 만들었다.

3 자음 기본자에 획을 더했지만 소리의 세기에 변화가 생기는 글자가 아닌 것은?

① ㅋ　② ㄹ　③ ㅂ　④ ㅈ　⑤ ㅎ

교과서 72~77쪽

• 정답과 해설 08쪽

(1) 한글의 창제 원리_세종 대왕을 만나다

학습 목표 한글의 창제 원리를 이해할 수 있다.

전에 없던 것을 처음으로 만들거나 제정함.

학습 포인트

❶ 한글의 창제 배경 ❷ 한글의 창제 정신

학생 1 세종 대왕님, 안녕하세요? 저희는 미래에서 온 학생들입니다. 이렇게 뵐 수 있어서 영광입니다.

학생 2 저희는 한글이 만들어지고 600년 정도 후의 미래에서 왔습니다. 한글에 궁금한 점이 많은데 세종 대왕님께 직접 여쭈어보고 싶어서요.

세종 대왕 600년 후에도 한글이 쓰이고 있다니 정말 뿌듯하군요. 미래의 학생들이 한글을 알고 싶어 과거로 오다니 대견하기도 하네요.

학생 1 후손들은 세종 대왕님께서 남겨 주신 한글을 매우 자랑스럽게 여기고 있답니다. 정말 고맙습니다.

학생 2 그런데 세종 대왕님, 한 나라의 군주가 직접 글자를 만든 것은 특별한 경우라고 하던데……. 세종 대왕님께서 한글을 만드신 까닭은 무엇인가요?

(군주: 세습적으로 나라를 다스리는 최고 지위에 있는 사람)

[A] **세종 대왕** 학생들도 알고 있겠지만 한글을 만들기 전에는 우리말을 표기하는 글자가 없어서 중국의 글자인 한자를 빌려 쓸 수밖에 없었어요. 그러나 우리말과 중국어는 말소리와 문장 구조가 달라서, 한자로 우리말을 표기하는 데에는 근본적으로 한계가 있었지요.

(표기하는: 문자 또는 음성 기호로 언어를 표시하는)

학생 1 정말 그랬겠네요. 다른 나라의 문자로는 우리의 생각을 자유롭게 표현하기가 어려웠을 것 같아요.

학생 2 더욱이 한자는 글자 수가 수만 자에 이르잖아요. 이를 모두 익히는 것도 쉽지 않았겠어요.

세종 대왕 그렇지요. 양반이 아니고서야 그 어려운 한자를 배울 기회가 없었지요. 특히 가난한 일반 백성은 온종일 일하느라 한자를 배울 시간조차 낼 수 없었어요. 그러다 보니 백성 대부분이 글을 읽지 못했고, 그 때문에 억울한 일을 당하는 적도 많았어요.

간단 체크 내용 문제

01 한글 창제와 관련된 내용으로 알맞지 않은 것은?

① 세종 대왕이 한글을 만들었다.
② 한글은 중국의 문자를 본떠서 만들었다.
③ 한글이 창제된 지는 약 600년 정도 되었다.
④ 한자 사용의 문제점을 해결하기 위해 만들었다.
⑤ 한글이 창제되기 전 백성들 대부분이 글을 몰랐다.

중요

02 [A]에 드러난 한글 창제의 이유를 다음과 같이 정리할 때, 빈칸에 들어갈 말을 쓰시오.

> 중국의 한자를 빌려 쓰지 않고 우리말에 맞는 글자를 만들고자 한 □□ 정신이 드러난다.

간단 체크 어휘 문제

다음 뜻풀이에 해당하는 낱말을 <보기>에서 찾아 쓰시오.

보기: 군주, 창제, 표기

(1) 문자 또는 음성 기호로 언어를 표시함. ( )

(2) 전에 없던 것을 처음으로 만들거나 제정함. ( )

(3) 세습적으로 나라를 다스리는 최고 지위에 있는 사람 ( )

학생 1 아, 위와 같은 일이 자주 일어났군요.

세종 대왕 맞아요. 또한 ㉠글자를 모르니 평생 책을 한 권도 읽지 못한 백성도 많았어요. 나는 모든 백성이 책을 읽으면서 삼강오륜과 같은 유교의 기본적인 도리를 배우고, 지혜로워지길 바랐어요. 그래서 ㉡누구나 쉽게 배우고 편히 쓸 수 있는 글자를 만들기로 결심한 것입니다.

학생 2 세종 대왕님의 의견에 신하들도 찬성했나요?

세종 대왕 그렇진 않아요. 신하 중 일부는 중국의 반발을 염려했어요. 또 백성이 글을 알고 지식을 쌓게 되면, 그들을 통치하기 어려울 것이라고 생각하기도 했지요. 그러나 나는 백성이 나라를 이루는 바탕이라고 생각했기 때문에, 백성이 글자를 깨우치고 지혜로워져야 나라도 튼튼해질 수 있다고 믿었어요.

학생 1 그래서 '백성을 가르치는 바른 소리'라는 뜻의 '훈민정음'을 만드셨군요. 백성을 사랑하시는 세종 대왕님의 마음 덕분에 훈민정음이 탄생한 것이네요.

세종 대왕 허허, 나뿐만 아니라 정인지, 최항, 신숙주 등을 비롯한 훌륭한 학자들이 함께 노력했어요. 그 덕분에 훈민정음을 완성하고 백성에게 반포할 수 있었습니다.

반포할: 세상에 널리 퍼뜨려 모두 알게 할

학습콕

❶ 한글의 창제 배경

- 우리말은 중국어와 말소리, 문장 구조가 달라 한자로는 제대로 표현하기 어려움.
- 한자는 글자 수가 많아 백성들이 배우기 어려움.
- 백성이 지혜로워지려면 누구나 쉽게 배울 수 있는 글자가 필요함.

→ 우리 문자의 필요성 인식

❷ 한글의 창제 정신

자주정신	우리말과 다른 중국 글자인 한자를 빌려 우리말을 표기하는 데 한계가 있음을 인식함.
애민 정신	백성이 글자를 몰라 억울한 일을 당하는 것이나, 책을 한 권도 읽지 못하는 것을 가엾게 여김.
□□ 정신	누구나 쉽게 배우고 편하게 쓸 수 있는 글자를 원함.

↓

'□□□□(訓民正音)'의 창제	'백성을 가르치는 바른 소리'라는 의미의 '훈민정음'을 만듦.

간단 체크 내용 문제

03 ㉠과 ㉡에서 알 수 있는 한글의 창제 정신을 바르게 연결한 것은?

	㉠	㉡
①	애민 정신	자주정신
②	애민 정신	실용 정신
③	평등 정신	실용 정신
④	실용 정신	애민 정신
⑤	자주정신	평등 정신

04 세종 대왕의 한글 창제 정신이 담겨 있는 '훈민정음'의 뜻을 4어절로 쓰시오.

05 훈민정음 창제 당시 신하들의 태도로 알맞지 않은 것은?

① 일부 신하는 중국의 반발을 염려했다.
② 훈민정음 창제를 도운 학자들도 있었다.
③ 백성들이 글을 아는 것을 원하지 않는 신하가 있었다.
④ 백성이 지혜로워져야 나라가 튼튼해진다고 믿는 신하들이 많았다.
⑤ 통치의 어려움을 이유로 훈민정음 창제를 반대하는 신하들도 있었다.

학습 포인트

❶ 자음자의 창제 원리 ❷ 모음자의 창제 원리
❸ 그 외의 글자를 만든 원리

❶ 상형의 원리

학생 1 세종 대왕님, 한글은 자음자와 모음자로 구성되어 있잖아요. 이 글자들을 어떤 원리로 만드셨는지 궁금합니다.

세종 대왕 한글의 자음자는 소리를 내는 기관의 움직임이나 모양을 본뜨려고 했어요. 그래서 왕자들과 공주들을 불러 소리를 내게 하고, 이를 관찰하고 연구했답니다. 심지어 의원까지 불러 확인했지요. 그 결과, '가락', '곱다'와 같은 말을 할 때 공통적으로 나는 첫소리는 혀뿌리가 목구멍을 막으면서 난다는 것을 알아냈어요. 이 모양을 본떠 어금닛소리 'ㄱ'을 만들었죠. 다른 글자도 이러한 과정을 거쳤어요. 그래서 혀가 윗잇몸에 붙는 모양을 본떠 혓소리 'ㄴ'을, 입의 모양을 본떠 입술소리 'ㅁ'을, 이[齒]의 모양을 본떠 잇소리 'ㅅ'을, 목구멍의 모양을 본떠 목구멍소리 'ㅇ'을 만들었어요. 자음자의 기본 다섯 글자는 이렇게 '상형의 원리'를 이용하여 완성했습니다.

상형: 어떤 물건의 형상을 본뜸.

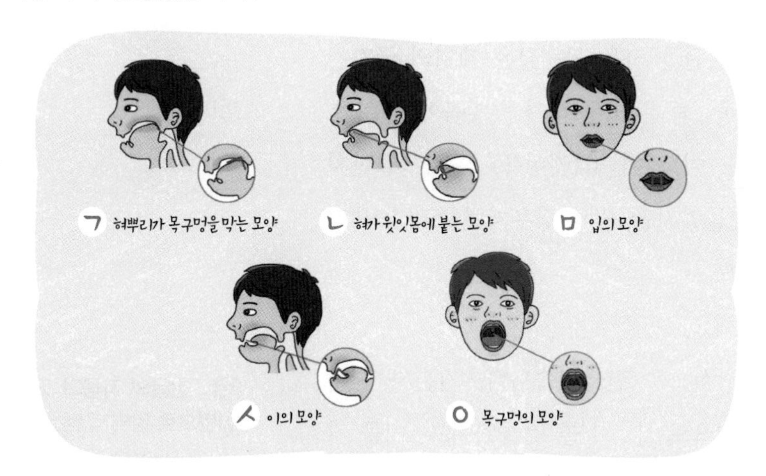

학생 2 와, 그림을 보니 더 쉽게 이해가 돼요. 그래서 한글은 발음 기관을 상형하여 만든 유일한 글자라고 하는군요. 그럼 모음자의 기본 글자는 어떻게 만드셨어요?

세종 대왕 모음자도 '상형의 원리'를 따랐지요. 하늘과 땅, 사람의 모양을 본떴습니다. 하늘의 둥근 모양을 본떠 'ㆍ(아래아)'를, 땅의 평평한 모양을 본떠 'ㅡ'를, 사람이 서 있는 모양을 본떠 'ㅣ'를 만들었지요. 'ㆍ'는 혀가 오그라들고 깊게 나는 소리, 'ㅡ'는 혀가 조금 오그라들고 깊지도 얕지도 않게 나는 소리, 'ㅣ'는 혀가 오그라들지 않고 얕게 나는 소리를 표현한 글자입니다.

간단 체크 내용 문제

중요

06 한글 자음자에 대한 설명으로 알맞지 않은 것은?

① 입 모양을 본떠 입술소리를 만들었다.
② 'ㄱ, ㄴ, ㅁ, ㅅ, ㅇ'이 자음 기본자이다.
③ 발음 기관의 움직임이나 모양을 본떠 만들었다.
④ 혀가 윗잇몸에 붙는 모양을 본떠 혓소리를 만들었다.
⑤ 목구멍의 움직임을 관찰하여 목구멍소리를 만들었다.

07 세종 대왕의 말을 참고하여, 한글 자음자를 만들기 위한 세종 대왕의 노력 두 가지를 쓰시오.

08 자음 기본자 중, 혀뿌리가 목구멍을 막는 모양을 본떠서 만든 글자는?

① ㄱ ② ㄴ
③ ㅁ ④ ㅅ
⑤ ㅇ

중요

09 다음 빈칸에 들어갈 말을 차례대로 쓰시오.

> 한글의 모음 기본자 'ㆍ, ㅡ, ㅣ'는 상형의 원리에 따라 각각 (   ), (   ), (   )의 모양을 본떠 만들었다.

학생 1 그렇군요. 한글이 왜 독창적인 글자인지 이제야 알겠어요!

❷ 가획의 원리

학생 2 세종 대왕님, 그럼 기본자를 제외한 나머지 글자들은 어떻게 만드셨나요?

세종 대왕 자음자는 기본자에 획을 하나씩 더해서 만들기도 했어요. 이를 '가획의 원리'(원글자에 획을 더함.)라고 합니다. 'ㄱ'에 획을 더해서 'ㅋ'을, 'ㄴ'에 획을 더해서 'ㄷ, ㅌ'을, 'ㅁ'에 획을 더해서 'ㅂ, ㅍ'을, 'ㅅ'에 획을 더해서 'ㅈ, ㅊ'을, 'ㅇ'에 획을 더해서 'ㆆ(여린히읗), ㅎ'을 만들었는데, 획을 하나씩 더할 때마다 소리가 더 세지는 특성이 있지요.

학생 1 '울걱'보다 '울컥'이 더 거센 느낌이 들어요. 그럼 글자 모양과 소리가 관련이 있는 거네요?

세종 대왕 그렇지요. 그래서 비슷한 발음 기관을 사용하는 같은 계열의 글자는 모양도 비슷해요. 예를 들어, 혓소리 'ㄴ, ㄷ, ㅌ'은 모두 혀가 윗잇몸에 붙는 소리이니 모양도 비슷하게 만든 것이랍니다. 이 외에 'ㆁ(옛이응)', 'ㄹ', 'ㅿ(반치음)'도 각각 'ㅇ', 'ㄴ', 'ㅅ'에 획을 더하여 만들었지만, 앞의 경우처럼 소리가 세지는 것은 아니랍니다. 이를 '이체자'라고 해요.

학생 2 다른 모음자를 만드신 방법도 궁금해요.

세종 대왕 모음자는 기본자를 합성하는 방식으로 만들었습니다. 기본자 'ㆍ'와 'ㅡ'의 합성으로 'ㅗ, ㅜ'를, 'ㆍ'와 'ㅣ'의 합성으로 'ㅏ, ㅓ'를 만들었어요. 이를 기본자를 한 번만 합성하여 첫 번째로 만든 것이라 하여 '초출자(初出字)'라 하였습니다. 초출자 'ㅗ, ㅏ, ㅜ, ㅓ'에 'ㆍ'를 다시 합성하여 'ㅛ, ㅑ, ㅠ, ㅕ'를 만들었는데, 이는 두 번 합성하여 거듭 생겨난 것이니 '재출자(再出字)'라 했지요.

학생 1 우아! 한글이 체계적인 글자로 평가받는 까닭이 여기에 있군요.

세종 대왕 나는 이러한 원리를 이용하면 모든 백성이 한글을 쉽게 배울 것이라고 생각했습니다.

학생 2 그래서 한글을 슬기로운 이는 하루아침에, 어리석은 이라도 열흘이면 깨칠 수 있다고 하는군요!

간단 체크 내용 문제

10 자음 기본자에 획을 더하여 만든 글자가 아닌 것은?

① ㅂ ② ㅌ
③ ㅆ ④ ㅈ
⑤ ㆆ

11 자음 기본자에 획을 더하여 만들었지만 소리가 세지는 것이 아닌 이체자를 모두 쓰시오.

12 모음자 중, 재출자를 만들 때 사용하는 기본자는?

① ㆍ ② ㅑ
③ ㅣ ④ ㅛ
⑤ ㅡ

중요

13 한글의 자음과 모음에 대한 설명으로 알맞지 않은 것은?

① 모양이 비슷한 'ㄴ'과 'ㄷ'은 발음하는 위치가 동일하다.
② 'ㄱ'에 획을 더하여 만든 'ㅋ'은 'ㄱ'보다 더 센 느낌을 준다.
③ 'ㅕ'는 초출자 'ㅓ'에 'ㆍ'를 합성하여 만들었다.
④ 기본 모음자 'ㆍ'와 'ㅡ'를 합성하여 'ㅗ'를 만들었다.
⑤ 재출자 'ㅠ'는 기본 모음자 'ㅡ'에 획을 더하여 만들었다.

③ 그 외의 글자를 만든 방법

학생 1 세종 대왕님, 지금까지 말씀하신 글자들 외에 다른 글자들은 어떻게 만드신 건가요?

세종 대왕 일단 자음자 둘을 위아래로 잇대어 쓰는 방법으로 'ㅸ, ㅸ, ㆄ, ㅹ'을 만들었어요. 그리고 자음자 둘 이상을 옆으로 나란히 쓰는 방법으로 'ㄲ, ㄸ, ㅃ, ㅆ, ㅉ'과 'ㅳ, ㅴ, ㅺ'과 같은 글자도 만들었습니다.

학생 2 그러면 다른 모음자들은 어떻게 만드셨나요?

세종 대왕 아, 그러한 모음자는 모음자끼리 글자를 더하여 쓰는 방법을 사용하였어요. 'ㅗ'와 'ㅏ', 'ㅜ'와 'ㅓ'를 더하여 'ㅘ, ㅝ'를 만들고, 'ㆍ, ㅡ, ㅗ, ㅏ, ㅜ, ㅓ'에 'ㅣ'를 더하여 'ㆎ, ㅢ, ㅚ, ㅐ, ㅟ, ㅔ'를 만들었지요. 그리고 'ㅛ, ㅑ, ㅠ, ㅕ'와 'ㅘ, ㅝ'에 다시 'ㅣ'를 더하여 'ㆉ, ㅒ, ㆌ, ㅖ, ㅙ, ㅞ' 등과 같은 글자를 만들어 썼어요.

학생 1 우아! 이렇게 조합하면 엄청나게 많은 글자를 만들어 낼 수 있군요.

세종 대왕 그렇지요. ㉠<u>한글은 필요에 따라 얼마든지 더 많은 글자를 만들어 쓸 수 있어요.</u>

학습콕

❶ 자음자의 창제 원리
- **상형**: 자음 기본자를 발음 기관의 움직임이나 모양을 본떠 만듦.
- ☐☐: 자음 기본자에 획을 더하여 글자를 만듦(획을 더할 때마다 소리의 ☐☐가 세짐.). 이체자인 'ㄹ, ㅿ, ㆁ'은 기본자에 획을 더하였지만 소리가 세지지 않음.

기본자	ㄱ	ㄴ	ㅁ	ㅅ	ㅇ
가획자	ㅋ	ㄷ, ㅌ	ㅂ, ㅍ	ㅈ, ㅊ	ㆆ, ㅎ
이체자		ㄹ		ㅿ	ㆁ

❷ 모음자의 창제 원리
- ☐☐: 모음 기본자를 하늘(ㆍ), 땅(ㅡ), 사람(ㅣ)의 모양을 본떠 만듦.
- **합성**: 모음 기본자를 한 번만 합성하여 초출자를 만듦. 초출자에 'ㆍ'를 합성하여 재출자를 만듦.

기본자	초출자	재출자
ㆍ, ㅡ, ㅣ	ㅗ, ㅏ, ㅜ, ㅓ	ㅛ, ㅑ, ㅠ, ㅕ

❸ 그 외의 글자를 만든 원리
- 자음자 둘을 위아래로 잇대어 씀. 예 ㅸ, ㅹ
- 자음자 둘 이상을 옆으로 나란히 씀. 예 ㄲ, ㅳ
- 모음자끼리 글자를 더하여 씀. 예 ㅢ, ㅙ

3. 모아쓰기

학습 포인트
❶ 모아쓰기의 특성

학생 1 세종 대왕님, 그런데 한글은 다른 문자와 다르게 '강'이라는 단어를 'ㄱㅏㅇ'이라고 풀어쓰지 않고 '강'처럼 모아쓰는데, 이렇게 하신 특별한 의도가 있나요?

간단 체크 내용 문제

14 글자를 만든 방법이 나머지와 <u>다른</u> 것은?

① ㅱ ② ㅳ ③ ㅸ ④ ㅹ ⑤ ㆄ

15 모음자를 만든 방법이 〈보기〉와 같을 때, 빈칸에 들어갈 모음을 쓰시오.

보기
'ㆍ, ㅡ, ㅗ' + (　　　) → 'ㆎ, ㅢ, ㅚ'

16 (중요) ㉠을 위한 방법으로 이 면담에서 설명하지 <u>않은</u> 것은?

① 자음자를 위아래로 잇대어 쓴다.
② 같은 자음자를 옆으로 나란히 쓴다.
③ 비슷한 모양의 모음자를 연결하여 쓴다.
④ 모음자끼리 글자를 더하여 새 모음자를 만들어 쓴다.
⑤ 서로 다른 자음자를 옆으로 붙여 써서 새 자음자를 만든다.

17 모음자끼리 더하여 만든 모음자로 바르지 <u>않은</u> 것은?

① ㅗ + ㅏ → ㅘ
② ㅜ + ㅓ → ㅝ
③ ㅓ + ㅣ → ㅔ
④ ㅕ + ㅣ → ㅙ
⑤ ㅛ + ㅣ → ㆉ

세종 대왕 말소리의 특성을 문자에 담고 싶었어요. 사람의 말소리는 자음과 모음으로 나눌 수 있는데, 실제로 말을 할 때는 이것들이 한 덩어리로 소리 납니다. 그래서 글자는 음소 단위로 만들었지만, 적을 때에는 소리를 내는 단위인 음절로 모아쓰게 한 것입니다.

음소: 더 이상 작게 나눌 수 없는 음운론상의 최소 단위
음절: 하나의 종합된 느낌을 주는 말소리의 단위

학생 2 아하, 그렇군요! 이런 한글의 특성 덕분에 현재 사용되는 24개의 자모만으로도 일만 개 이상이나 되는 글자를 만들 수 있다고 하더라고요. 한글은 참 실용적이고 효율적인 글자예요. 세종 대왕님께 한글 이야기를 들을수록 한글이 정말 대단한 글자라는 생각이 들어요.

학습콕

❶ **모아쓰기의 특성**
- 한글은 자음과 모음을 합쳐서 음절 단위로 모아씀.
- 소리를 내는 단위인 ☐☐ 단위로 모아씀으로써 글자의 이해와 해석이 빠르고 편리함.

간단 체크 내용 문제

18 모아쓰기에 대한 설명으로 알맞지 않은 것은?

① 말소리의 특성을 문자에 반영한 것이다.
② 글자를 적을 때 음소 단위로 적는 것이다.
③ 실제로 말할 때 소리 나는 단위대로 쓰는 것이다.
④ 풀어쓰는 것보다 글자를 효율적으로 읽을 수 있다.
⑤ 적은 수의 자음자, 모음자로 많은 글자를 만들 수 있다.

학습 포인트

❶ 한글의 가치

세종 대왕 훈민정음을 창제한 후, 나는 이 글자를 백성에게 보급하기 위해 힘썼어요. 다양한 책을 훈민정음으로 번역하고, 책으로 만들어 배포하기도 했지요. 미래에는 내 바람대로 한글이 널리 사용되고 있나요?

보급하기: 널리 펴서 많은 사람들에게 골고루 미치게 하여 누리게 하기
배포하기도: 신문이나 책자 따위를 널리 나누어 주기도

학생 1 그럼요, 세종 대왕님. 우리나라 국민이면 누구나 한글을 사용해요. 글자를 못 읽는 사람도 거의 없답니다.

학생 2 세계에서 가장 과학적이고 훌륭한 문자라는 평도 자자해요.

세종 대왕 중국 문자에 기대어 살았던 우리가, 우리만의 고유한 문자로 언어생활을 하면서 자긍심을 갖고 살아가고 있다니 참으로 대견합니다. 이게 다 여러분이 한글을 아끼고 사랑해 주었기 때문이겠지요. 앞으로도 우리의 문자인 한글을 소중히 여기고 가꾸면서, 한글이 세계 속에서 당당하게 우뚝 설 수 있도록 도와주세요.

자긍심: 스스로 자신의 능력을 믿음으로써 가지는 당당한 마음

학생 1, 2 네, 세종 대왕님!

학습콕

❶ **한글의 가치**
- 현재 많은 사람들이 쉽게 배우고 활용함.
- 세계에서 가장 ☐☐적이고 훌륭한 문자라는 평을 받음.

19 세종 대왕이 훈민정음을 백성에게 보급하기 위해 한 노력을 쓰시오.

20 이 면담을 통해 알 수 있는 내용이 아닌 것은?

① 한글의 고유성
② 한글의 효율성
③ 한글에 대한 평가
④ 현재 한글의 보급 상황
⑤ 세종 대왕의 한글 세계화 노력

간단 체크 어휘 문제

다음 뜻풀이에 알맞은 낱말에 ○표 하시오.

(1) 신문이나 책자 따위를 널리 나누어 주다. (배포하다, 번역하다)

(2) 널리 펴서 많은 사람들에게 골고루 미치게 하여 누리게 하다. (보급하다, 대견하다)

• 정답과 해설 09쪽

이해
❶ 한글의 창제 원리와 창제 정신 이해하기
❷ 모아쓰기의 특성과 장점 파악하기
❸ 한글의 우수성 이해하기

1 한글의 창제 원리를 정리해 보자.

(1) 다음 자음 표를 완성해 보자.

본뜬 모양	상형 →	기본자	가획 →	가획자
혀뿌리가 목구멍을 막는 모양		ㄱ		답 ☐
답 혀가 윗잇몸에 붙는 모양		답 ㄴ		ㄷ, ㅌ, ㄹ
답 입의 모양		답 ㅁ		답 ㅂ, ㅍ
이의 모양		답 ☐		답 ㅈ, ㅊ, ㅿ
답 ☐☐☐의 모양		답 ㅇ		ㆆ, ㅎ, ㆁ

(2) 다음 모음 표를 완성해 보자.

본뜬 모양	기본자	초출자	재출자
하늘의 둥근 모양	·	ㅗ, ㅏ, ㅜ, ㅓ	답 ㅛ, ㅑ, ㅠ, ㅕ
답 ☐의 평평한 모양	답 ㅡ		
답 사람이 서 있는 모양	답 ☐		

(기본자: 상형 / 초출자·재출자: 합성)

(3) 다음 방법에 따라 만들어진 글자를 써 보자.

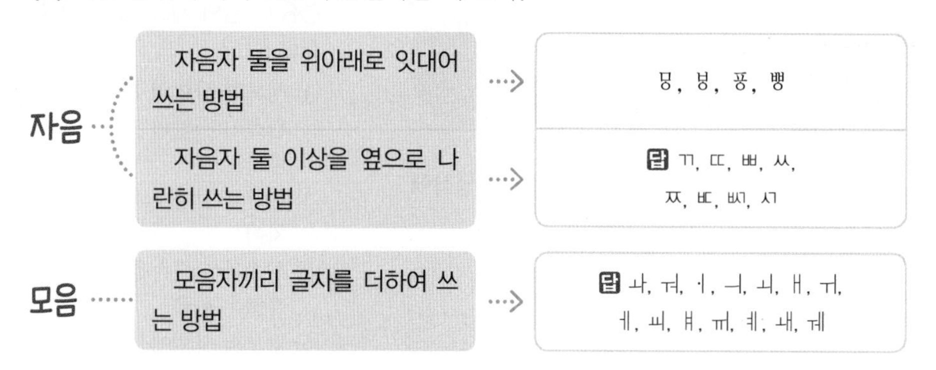

2 한글의 창제 정신을 정리해 보자.

자주정신	우리말과 중국어는 말소리와 문장 구조가 달라 우리말을 한자로 표기하는 데에는 한계가 있기 때문에 한글을 만듦.
애민 정신	답 백성이 글자를 몰라 억울한 일을 당하거나, 배우지 못하는 것을 가엾게 여겨 ☐☐을 위해 글자를 만듦.
실용 정신	답 누구나 쉽게 배우고 쓰기 편한 글자를 만듦.

간단 체크 활동 문제

01 자음 기본자와 본뜬 대상의 연결이 바르지 않은 것은?
① ㅅ – 이의 모양
② ㅁ – 입의 모양
③ ㅇ – 목구멍의 모양
④ ㄴ – 잇몸과 이의 모양
⑤ ㄱ – 혀뿌리가 목구멍을 막는 모양

02 모음자가 만들어진 원리에 따라 다음 표를 정리할 때, 빈칸에 들어갈 모음자를 모두 쓰시오.

기본자	초출자	재출자
·, ㅡ, ㅣ	(　　)	ㅛ, ㅑ, ㅠ, ㅕ

03 한글의 모음자와 자음자를 만든 원리를 잘못 설명한 것은?
① 모음자끼리 글자를 더하여 쓴다.
② 자음자 두 자를 위아래로 잇대어 쓴다.
③ 자음 기본자에 획을 하나씩 더하여 쓴다.
④ 모음자와 자음자를 위아래로 잇대어 쓴다.
⑤ 자음자 두 자 이상을 옆으로 나란히 쓴다.

04 〈보기〉와 관련 있는 한글의 창제 정신을 쓰시오.

보기
누구나 쉽게 배우고 쓰기 편한 글자를 만들겠다.

3 다음 활동을 통해 한글 표기 방식의 특성과 장점을 파악해 보자.

(1) 다음 문장을 읽어 보자.

ㄴㅏㄴㅡㄴ ㅎㅏㄱㄱㅛㅇㅔ ㅇㅣㄹㅉㅣㄱ ㅇㅘㅆㄷㅏ.

답 나는 학교에 일찍 왔다.

(2) (1)의 문장을 모아쓰기 방식으로 다시 써 보자. 그리고 모아쓰기의 장점을 말해 보자.

예시 답 》 • 모아쓰기 방식으로 쓴 문장: 나는 학교에 일찍 왔다.
• 모아쓰기의 장점: 단어나 문장의 뜻을 □□□ 이해할 수 있다. / 문장을 읽기가 편하다. 등

4 다음 질문 중 하나를 고르고, 친구에게 그 질문의 답을 설명해 보자.

- ☐ 한글이 독창적인 까닭은 무엇인가?
- ☐ 한글이 체계적인 글자로 평가받는 까닭은 무엇인가?
- ✓ 한글이 필요에 따라 얼마든지 더 많은 글자를 만들 수 있는 까닭은 무엇인가?
- ☐ 한글이 실용적이고 효율적인 까닭은 무엇인가?

예시 답 》 한글은 자음자 둘을 위아래로 잇대어 쓰는 방법, 자음자 둘 이상을 옆으로 나란히 쓰는 방법, 모음자끼리 글자를 더하여 쓰는 방법 등을 활용하여 필요에 따라 얼마든지 더 많은 글자를 만들어 쓸 수 있어.

적용
❶ 한글이 정보화 사회에 적합한 까닭 파악하기
❷ 한글을 아끼고 사랑하는 방법 알아보기

다음 활동을 통해 한글의 우수성을 파악하고, 한글을 사랑하고 아끼는 방법을 생각해 보자.

갈래	설명하는 글	성격	해설적, 예시적
주제	정보화 사회에서 더욱 빛나는 한글의 우수성		
특징	한글이 정보화 사회에서 유리한 까닭을 구체적인 예를 들어 설명함.		

1 다음 글을 읽고, 한글이 정보화 사회에 적합한 까닭을 알아보자.

공개된 정보를 누가 더 빠르고 정확하게 검색하고 사용하느냐가 중요한 정보화 사회에서, 한글의 우수성은 더욱 빛난다. 한글은 자음자와 모음자의 수가 비슷하여 컴퓨터 자판에서 왼쪽과 오른쪽에 자음자와 모음자를 적절히 배치할 수 있다. 그리하여 왼손과 오른손을 번갈아 가며 글자를 입력할 수 있어서 타자 속도가 알

간단 체크 활동 문제

05 〈보기〉에서 모아쓰기의 장점을 골라 바르게 묶은 것은?

보기
ㄱ. 실제 말을 하는 단위로 표현된다.
ㄴ. 글자를 보고 발음 기관을 알 수 있다.
ㄷ. 풀어쓰기에 비해 문장을 읽기가 편하다.
ㄹ. 단어나 문장의 뜻을 빨리 파악할 수 있다.
ㅁ. 실제로 말하는 소리가 아닌 이상적인 소리를 반영한다.

① ㄱ, ㄴ, ㄷ
② ㄱ, ㄷ, ㄹ
③ ㄴ, ㄷ, ㄹ
④ ㄴ, ㄹ, ㅁ
⑤ ㄷ, ㄹ, ㅁ

06 이 글의 제목으로 가장 적절한 것은?

① 정보화 사회의 특징
② 컴퓨터 자판의 자음과 모음 배치
③ 한글과 알파벳의 타자 속도 차이
④ 왼손과 오른손을 적절히 사용하는 한글
⑤ 정보화 사회에서 빛나는 한글의 우수성

파벳보다 훨씬 빠르다. 마치 컴퓨터를 염두에 두고 만든 것처럼 한글은 컴퓨터와 궁합이 잘 맞는다.

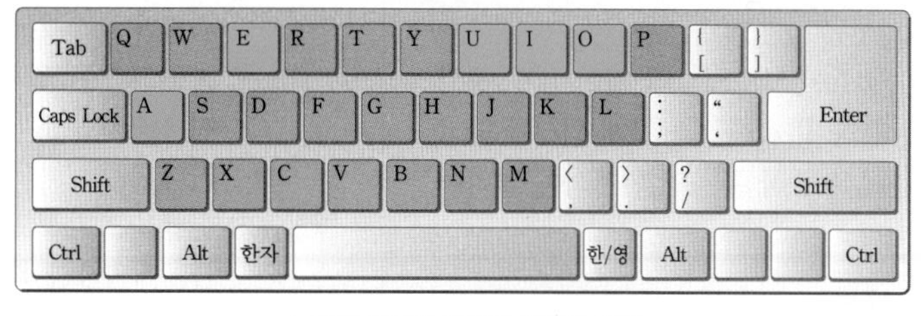

▲ 한글 자판과 로마자 자판의 배열

휴대 전화에서 문자 메시지를 입력할 때도 한글은 8개의 기본자를 바탕으로 12개의 조작 단추 안에 자모를 배열하므로 입력 속도가 다른 문자보다 훨씬 빠르다.

또한 모음자의 경우 한 가지 소리로만 발음되고, 소리 나지 않는 글자가 거의 없다. 문자와 소리의 일치성은 기계 번역이나 음성 인식 컴퓨터 등 한글 정보화에도 매우 유리하게 작용한다.

– 김형배, 「한글, 모든 문자의 꿈」

(1) 한글과 로마자를 컴퓨터에 입력할 때 어떤 차이가 있을지 정리해 보자.

예시 답 〉〉

한글	로마자
왼손과 오른손을 번갈아 가며 글자를 입력할 수 있어서 타자 속도가 빠르다.	자음자와 모음자를 분리하지 않고 배치하여 한글에 비해 타자 속도가 느린 편이다.

(2) 다음 표를 보고, 한글이 기계 번역이나 음성 인식 등에 유리한 까닭을 말해 보자.

'ㅏ'의 발음	
	가족[가족]
	나비[나비]
	박수[박쑤]
	자전거[자전거]

'a'의 발음	
	almond[아몬드]
	about[어바웃]
	apple[애플]
	able[에이블]

예시 답 〉〉 한글 모음은 거의 한 글자가 하나의 소리로 발음되는 반면, 로마자의 모음은 한 글자가 다양한 소리로 발음된다. 이처럼 한글은 문자와 소리가 ☐☐하여 기계 번역이나 음성 인식 등에 유리하다.

(3) (1)~(2)를 바탕으로 정보화 시대에 한글이 유리한 까닭을 써 보자.

예시 답 〉〉 한글은 자음자와 모음자의 수가 비슷하여 컴퓨터 자판 배열에 유리하다는 점, 문자와 소리가 거의 같다는 점에서 정보의 신속성과 정확성을 중시하는 정보화 사회에 유리하다.

간단 체크 활동 문제

07 이 글로 보아, 한글이 정보화 사회에 적합한 이유로 알맞은 것은? (정답 2개)

① 다른 문자보다 입력 속도가 빠르다.
② 글자와 그 의미가 직접적으로 연결된다.
③ 한 손을 사용하여 글자를 입력할 수 있도록 자판이 구성된다.
④ 모음이 대체로 한 가지 소리로 발음되어 문자와 소리가 일치한다.
⑤ 다른 문자와 달리 입력할 때 실수가 생기지 않도록 자판이 배열된다.

08 다음 'ㅏ' 발음을 통해 알 수 있는 한글 모음자의 특징으로 알맞은 것은?

'ㅏ'의 발음	
	가족[가족]
	나비[나비]
	박수[박쑤]
	자전거[자전거]

① 한 글자가 하나의 소리로 발음된다.
② 한 글자가 다양한 소리로 발음된다.
③ 음절의 위치에 따라 다르게 발음된다.
④ 조합되는 자음에 따라 소리가 달라진다.
⑤ 한글 모음 중에는 발음되지 않는 것도 있다.

2 다음 글을 읽고, 한글을 사랑하고 아끼는 방법을 생각해 보자.

‘21세기 세종 대왕 프로젝트’의 목적은 세계인들에게 더 적극적으로 한글을 알리는 것이다. 먼저 대한민국 누리꾼들을 세계 속 한글 바로 알림이, 즉 ‘21세기 세종 대왕’으로 양성한다. 이를 통해 세계의 유명 누리집, 교과서, 백과사전 등에 잘못 알려진 한글에 대한 정보를 바로잡고, 세계인들에게 더 정확한 정보를 제공하려고 노력하고 있다.

잘못된 설명	수정 내용
한글은 중국 문자를 모방한 것이다. – 해외 ○○ 누리집	『훈민정음』 해례본은 조선 왕조의 4대 왕인 세종 대왕이 발행한 것으로, 한글의 창제 배경과 창제 원리를 담고 있다. 이에 따르면 한글은 중국 문자인 한자와 구별하여 새롭게 창제된 글자이다.

▲ 잘못된 내용을 수정한 예

– 21세기 세종 대왕 프로젝트 누리집(http://sejong.prkorea.com)

예시 답〉〉 나는 블로그에 한글을 소재로 한 예술 작품을 소개하는 글을 쓸 거야. 외국인 친구들도 볼 수 있도록 영어로도 써야지. 그러면 많은 사람이 □□의 아름다움을 느낄 수 있을 거야.

간단 체크 활동 문제

09 한글을 아끼고 사랑하는 방법으로 적절하지 않은 것은?

① 한글에 대해 잘못 알려진 정보를 바로잡는다.
② 한글의 우수성을 누리 소통망 활동을 통해 알린다.
③ 관련 책을 읽고 한글의 창제 원리와 우수성을 알아본다.
④ 한글의 창제 방법을 상상하여 창의적으로 만들어 소개한다.
⑤ 한글을 소재로 만든 생활용품, 예술품을 소개하여 한글의 아름다움을 알린다.

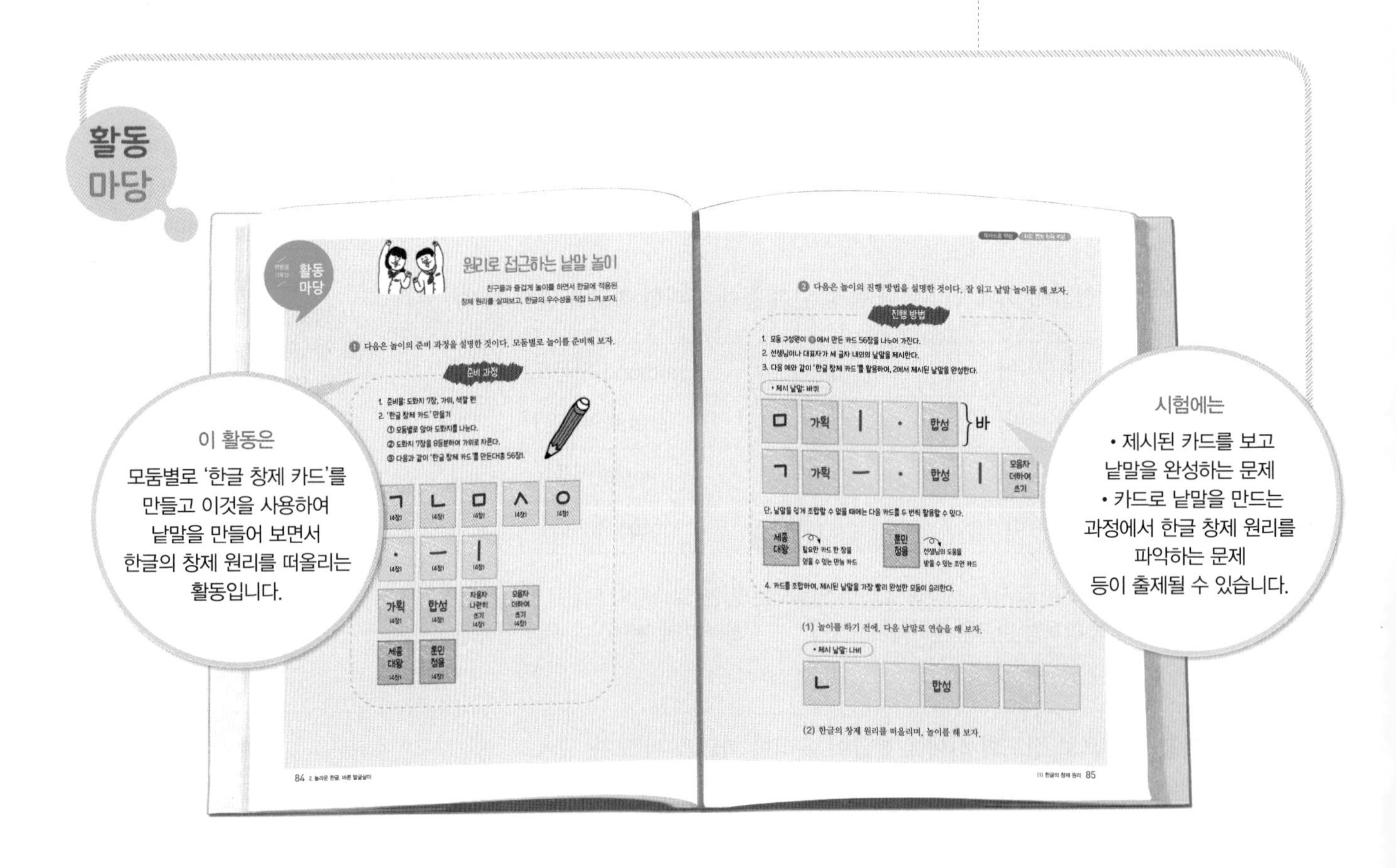

• 정답과 해설 09쪽

한글의 창제 정신

자주정신	우리말과 중국어는 달라 ❶ □□를 빌려 우리말을 표기하는 데에 한계가 있음을 인식함.
❷ □□ 정신	백성이 글자를 몰라 억울한 일을 당하지 않고, 책을 읽어 지혜로워지기를 바람.
실용 정신	누구나 쉽게 배우고 편하게 쓸 수 있는 글자를 만들고자 함.

한글의 창제 원리

자음자	❸ □□	자음 기본자를 발음 기관의 움직임이나 모양을 본떠 만듦.
	가획	• 자음 기본자에 획을 더하여 글자를 만듦(획을 더하면 소리의 세기가 세짐.). • 이체자인 'ㄹ, ㅿ, ㆁ'은 기본자에 획을 더하였지만 소리가 세지지 않음.

본뜬 모양	혀뿌리가 목구멍을 막는 모양	혀가 윗잇몸에 붙는 모양	입의 모양	이의 모양	목구멍의 모양
기본자	ㄱ	ㄴ	❹ □	ㅅ	ㅇ
가획자	ㅋ	ㄷ, ㅌ	ㅂ, ㅍ	ㅈ, ㅊ	ㆆ, ㅎ
이체자		ㄹ		ㅿ	ㆁ

모음자	상형	모음 기본자를 하늘, 땅, 사람의 모양을 본떠 만듦.
	합성	• 모음 기본자를 한 번만 합성하여 ❺ □□□를 만듦. • 초출자에 'ㆍ'를 합성하여 재출자를 만듦.

기본자(본뜬 모양)	초출자	재출자
ㆍ(하늘의 둥근 모양), ㅡ(땅의 평평한 모양), ❻ □(사람이 서 있는 모양)	ㅗ, ㅏ, ㅜ, ㅓ	ㅛ, ㅑ, ㅠ, ㅕ

한글의 '모아쓰기'의 특성

방법	실제로 말을 할 때를 고려하여 음소 단위인 자음자와 모음자를 합쳐 ❼ □□ 단위로 모아쓰기함. 예 로마자: school / 한글: 학교(ㅎㅏㄱㄱㅛ(×))	➡	장점	단어나 문장의 뜻을 빠르게 이해할 수 있고, 문장을 읽기 편함.

한글의 우수성

창제 원리가 과학적, 체계적인 문자	• 발음 기관의 움직임이나 모양을 본떠서 기본 글자를 만듦. • 소리의 관련성을 ❽ □을 더함으로 표시하고, 같은 위치에서 소리 나는 글자는 모양이 비슷함.
실용적이고 효율적인 문자	적은 수의 자모만으로 일만 개 이상의 글자를 만들 수 있음.
정보화 사회에 유용한 문자	• 컴퓨터나 휴대 전화 사용 시 문자 ❾ □□ 속도가 빠름. • 문자와 소리의 일치성이 뛰어나 기계 번역과 음성 인식 컴퓨터에 유용함.

01~05 다음을 읽고, 물음에 답하시오.

가 세종 대왕 한글의 자음자는 소리를 내는 기관의 움직임이나 모양을 본뜨려고 했어요. 그래서 왕자들과 공주들을 불러 소리를 내게 하고, 이를 관찰하고 연구했답니다. 심지어 의원까지 불러 확인했지요. 그 결과, '가락', '곱다'와 같은 말을 할 때 공통적으로 나는 첫소리는 혀뿌리가 목구멍을 막으면서 난다는 것을 알아냈어요. 이 모양을 본떠 어금닛소리 'ㄱ'을 만들었죠. 다른 글자도 이러한 과정을 거쳤어요.

나 세종 대왕 모음자도 '상형의 원리'를 따랐지요. 하늘과 땅, 사람의 모양을 본떴습니다. 하늘의 둥근 모양을 본떠 'ㆍ(아래아)'를, 땅의 평평한 모양을 본떠 'ㅡ'를, 사람이 서 있는 모양을 본떠 'ㅣ'를 만들었지요.

다 세종 대왕 자음자는 기본자에 획을 하나씩 더해서 만들기도 했어요. 이를 '가획의 원리'라고 합니다. 'ㄱ'에 획을 더해서 'ㅋ'을, 'ㄴ'에 획을 더해서 'ㄷ, ㅌ'을, 'ㅁ'에 획을 더해서 'ㅂ, ㅍ'을, 'ㅅ'에 획을 더해서 'ㅈ, ㅊ'을, 'ㅇ'에 획을 더해서 'ㆆ(여린히읗), ㅎ'을 만들었는데, 획을 하나씩 더할 때마다 소리가 더 세지는 특성이 있지요.

라 학생 2 다른 모음자를 만드신 방법도 궁금해요.

세종 대왕 모음자는 기본자를 결합하는 방식으로 만들었습니다. 기본자 'ㆍ'와 'ㅡ'의 합성으로 'ㅗ, ㅜ'를, 'ㆍ'와 'ㅣ'의 합성으로 'ㅏ, ㅓ'를 만들었어요. 이를 기본자를 한 번만 합성하여 첫 번째로 만든 것이라 하여 '초출자(初出字)'라 하였습니다. 초출자 'ㅗ, ㅏ, ㅜ, ㅓ'에 'ㆍ'를 다시 합성하여 'ㅛ, ㅑ, ㅠ, ㅕ'를 만들었는데, 이는 두 번 합성하여 거듭 생겨난 것이니 '재출자(再出字)'라 했지요.

학생 1 우아! 한글이 체계적인 글자로 평가받는 까닭이 여기에 있군요.

세종 대왕 나는 이러한 원리를 이용하면 모든 백성이 한글을 쉽게 배울 것이라고 생각했습니다.

마 학생 1 세종 대왕님, 지금까지 말씀하신 글자들 외에 다른 글자들은 어떻게 만드신 건가요?

세종 대왕 일단 자음자 둘을 위아래로 잇대어 쓰는 방법으로 'ㅱ, ㅸ, ㆄ, ㅹ'을 만들었어요. 그리고 자음자 둘 이상을 옆으로 나란히 쓰는 방법으로 'ㄲ, ㄸ, ㅃ, ㅆ, ㅉ'과 'ㅲ, ㅴ, ㅺ'과 같은 글자도 만들었습니다.

01 이 면담을 읽고 답할 수 있는 질문이 아닌 것은?

① 가획의 원리로 만든 글자는 무엇인가?
② 한글의 모음자는 어떤 원리로 만들었는가?
③ 한글 창제 후 백성의 생활은 어떻게 변했는가?
④ 한글이 체계적인 문자로 인정받는 이유는 무엇인가?
⑤ 세종 대왕은 한글을 창제하기 위해 어떤 노력을 했는가?

학습 활동 응용

02 다음 글자의 제자 원리를 잘못 설명한 것은?

① ㅁ: 발음 기관의 모양을 본뜸.
② ㅗ: 기본자 'ㆍ'와 'ㅡ'를 합성함.
③ ㅸ: 자음자 둘을 위아래로 잇대어 씀.
④ ㅉ: 자음자 둘 이상을 옆으로 나란히 씀.
⑤ ㅌ: 기본자 'ㄷ'에 가획의 원리를 적용함.

학습 활동 응용

03 (가)와 (나)로 보아, 자음 기본자와 모음 기본자를 만들 때 공통적으로 사용한 원리는?

① 글자끼리 더하여 만들었다.
② 상형의 원리에 따라 만들었다.
③ 글자를 나란히 써서 만들었다.
④ 자연의 모습을 본떠 만들었다.
⑤ 발음 기관의 움직임을 본떠 만들었다.

04 (다)에 대한 학생의 반응으로 적절한 것은?

① 'ㅇ'과 'ㅎ'은 소리에 연관성이 없구나.
② '울걱'보다 '울컥'이 더 센 느낌이 드는구나.
③ '종종걸음'과 '총총걸음'은 아무런 차이가 없구나.
④ 'ㅊ'과 'ㅈ'은 서로 다른 위치에서 소리가 나는구나.
⑤ '똑똑'과 '뚝뚝'은 음절 수에 따라 느낌의 세기가 다른 거구나.

05 (라)를 참고하여 재출자를 만든 방법을 한 문장으로 쓰시오.

06~09 다음을 읽고, 물음에 답하시오.

가 **학생 1** 세종 대왕님, 그런데 한글은 다른 문자와 다르게 '강'이라는 단어를 'ㄱㅏㅇ'이라고 풀어쓰지 않고 '강'처럼 모아쓰는데, 이렇게 하신 특별한 의도가 있나요?

세종 대왕 말소리의 특성을 문자에 담고 싶었어요. 사람의 말소리는 자음과 모음으로 나눌 수 있는데, 실제로 말을 할 때는 이것들이 한 덩어리로 소리 납니다. 그래서 글자는 음소 단위로 만들었지만, 적을 때에는 소리를 내는 단위인 음절로 모아쓰게 한 것입니다.

학생 2 아하, 그렇군요! 이런 한글의 특성 덕분에 현재 사용되는 24개의 자모만으로도 일만 개 이상이나 되는 글자를 만들 수 있다고 하더라고요. 한글은 참 실용적이고 효율적인 글자예요.

나 **세종 대왕** 훈민정음을 창제한 후, 나는 이 글자를 백성에게 보급하기 위해 힘썼어요. 다양한 책을 훈민정음으로 번역하고, 책으로 만들어 배포하기도 했지요. 미래에는 내 바람대로 한글이 널리 사용되고 있나요?

학생 1 그럼요, 세종 대왕님. 우리나라 국민이면 누구나 한글을 사용해요. 글자를 못 읽는 사람도 거의 없답니다.

학생 2 세계에서 가장 과학적이고 훌륭한 문자라는 평도 자자해요.

다 공개된 정보를 누가 더 빠르고 정확하게 검색하고 사용하느냐가 중요한 ㉠정보화 사회에서, 한글의 우수성은 더욱 빛난다. 한글은 자음자와 모음자의 수가 비슷하여 컴퓨터 자판에서 왼쪽과 오른쪽에 자음자와 모음자를 적절히 배치할 수 있다. 그리하여 왼손과 오른손을 번갈아 가며 글자를 입력할 수 있어서 타자 속도가 알파벳보다 훨씬 빠르다. 마치 컴퓨터를 염두에 두고 만든 것처럼 한글은 컴퓨터와 궁합이 잘 맞는다.

서술형

06 (가)를 참고하여 모아쓰기의 뜻을 쓰시오.

조건
① '모아쓰기는 ~것이다.'의 형식으로 쓸 것

학습 활동 응용

07 (가)를 통해 알 수 있는 한글의 우수성으로 알맞은 것끼리 묶은 것은?

ㄱ. 말소리의 특성이 담겨 있다.
ㄴ. 실제 말하는 방식에 따라 표기할 수 있다.
ㄷ. 풀어쓰는 다른 문자보다 훨씬 쓰기 편하다.
ㄹ. 적은 수의 글자로 많은 글자를 만들 수 있다.

① ㄱ, ㄴ ② ㄴ, ㄷ ③ ㄱ, ㄴ, ㄹ
④ ㄱ, ㄷ, ㄹ ⑤ ㄴ, ㄷ, ㄹ

학습 활동 응용

08 (다)를 바탕으로 할 때, 다음 자판과 관련한 한글의 특징으로 알맞은 것은?

① 자판 중앙에 두고 쉽게 쓸 수 있는 기본자가 있다.
② 타자의 혼란을 줄일 수 있도록 모음자의 초출자와 재출자의 구분이 쉽다.
③ 사용 빈도에 따라 자판을 배열할 수 있도록 자주 쓰는 글자가 정해져 있다.
④ 비슷한 글자를 자판에 나란히 배치할 수 있도록 자음자에 가획의 원리가 적용되었다.
⑤ 양손으로 번갈아 입력하여 타자 속도를 높일 수 있도록 자음자와 모음자의 수가 비슷하다.

학습 활동 응용

09 다음 표를 참고하여 한글이 ㉠과 같은 평가를 받을 수 있는 이유를 바르게 설명한 것은?

'ㅏ' 발음	가족[가족]	'a' 발음	almond[아몬드]
	나비[나비]		about[어바웃]
	박수[박쑤]		apple[애플]
	자전거[자전거]		able[에이블]

① 소리와 발음 기관의 관련성이 높다.
② 제자 원리가 과학적이고 체계적이다.
③ 다른 문자보다 글자를 빨리 입력할 수 있다.
④ 문자와 소리가 일치하여 음성 인식에 유리하다.
⑤ 기본자를 알면 다른 글자를 쉽게 익힐 수 있다.

길잡이

• 정답과 해설 10쪽

표준 발음법의 원칙

표준 발음법은 표준어의 실제 발음을 따르되, 국어의 전통성과 합리성을 고려하여 정함을 원칙으로 한다.

여러 가지 표준 발음

받침의 발음	우리말은 받침소리로 'ㄱ, ㄴ, ㄷ, ㄹ, ㅁ, ㅂ, ㅇ'의 7개의 자음만 발음함. 나머지 받침 'ㄲ, ㅋ', 'ㅅ, ㅆ, ㅈ, ㅊ, ㅌ', 'ㅍ'은 어말 또는 자음 앞에서 각각 대표음 [ㄱ, ㄷ, ㅂ]으로 발음함. 예 밖[박], 있다[읻따], 앞[압]
겹받침의 발음	• 겹받침 중 첫 번째 받침의 대표음으로 발음하는 경우 예 몫[목] • 겹받침 중 두 번째 받침의 대표음으로 발음하는 경우 예 칡[칙]
이중 모음 'ㅢ'의 발음	• [ㅢ]로 발음함을 원칙으로 함. • 자음을 첫소리로 가지고 있는 음절의 'ㅢ'는 [ㅣ]로 발음함. 예 띄어쓰기[띠어쓰기/띠여쓰기] • 단어의 첫음절 이외의 '의'는 [ㅣ]로, 조사 '의'는 [ㅔ]로 발음함도 허용함. 예 협의[혀븨/혀비], 사랑의[사랑의/사랑에]

한글 맞춤법의 원리

한글 맞춤법은 표준어를 소리대로 적되, 어법에 맞도록 함을 원칙으로 한다.

표기는 다른데 발음이 같은 단어

다치다	발을 다쳤다.	마치다	집에 가서 과제를 마쳤다.
닫히다	문이 닫혔다.	맞히다	퀴즈 문제 중 세 개만 맞혔다.
반드시	그는 반드시 온다.	부치다	책을 소포로 부친다.
반듯이	선을 반듯이 그어라.	붙이다	포스터를 교실 벽에 붙인다.

'안'과 '않'의 표기

'안' → '아니'가 줄어든 말	'않' → '아니하-'가 줄어든 말
밥을 안 먹었다.	밥을 먹지 않았다.

'되'와 '돼'의 표기

'되' → '되어'로 풀 수 없는 말	'돼' → '되어'로 풀 수 있는 말
그거 사도 되니?	그거 사도 돼요(되어요)?

간단 체크 개념 문제

1 다음 설명이 맞으면 ○표, 틀리면 ×표 하시오.

(1) 우리말은 받침소리로 'ㄱ, ㄴ, ㄷ, ㄹ, ㅁ, ㅂ, ㅅ'의 7개 자음만 발음된다. (　　)

(2) '성의'는 [성의] 또는 [성이]로 발음한다. (　　)

(3) 한글 맞춤법은 표준어를 소리대로만 적는 것을 원칙으로 한다. (　　)

2 다음 문장의 빈칸에 들어갈 알맞은 말을 〈보기〉에서 골라 쓰시오.

보기: 반드시, 반듯이

(1) 이번 방학에는 (　　) 책을 매일 읽을 것이다.

(2) 자를 (　　) 놓은 후 선을 그어야 선이 비뚤어지지 않는다.

3 다음 빈칸에 들어갈 알맞은 말을 차례대로 쓰시오.

'□'은 '아니'를 줄여서 쓴 말이고 '□'은 '아니하-'를 줄여서 쓴 말이다.

교과서 87~99쪽

(2) 올바른 발음과 표기

• 정답과 해설 10쪽

학습 목표 단어를 정확하게 발음하고 표기할 수 있다.

이해
❶ 올바른 발음의 필요성과 원칙을 알고 정확하게 발음하기
❷ 올바른 표기의 필요성과 방법을 알고 실생활에 적용하기

1 올바른 발음

학습 포인트
❶ 표준 발음법의 원칙과 필요성
❷ 올바른 발음 원칙

1 다음 활동을 해 보면서, 표준 발음법의 원칙과 필요성을 알아보자.

(1) 다음 글을 읽고, 표준 발음법의 원칙을 말해 보자.

표준 발음법은 표준어를 발음할 때의 표준을 정한 규범이다. 표준 발음법은 표준어의 실제 발음을 따르되, 국어의 전통성과 합리성을 고려하여 정함을 원칙으로 한다. 표준어의 실제 발음을 따른다는 것은, 교양 있는 사람들이 두루 쓰는 현대 서울말의 발음을 표준어의 실제 발음으로 여긴다는 뜻이다.

예시 답〉〉 표준 발음법은 실제 발음을 따른다. 다만 여러 형태로 발음하는 경우에는 국어의 전통성과 합리성을 고려하여 표준 발음을 정한다.

(2) 다음 상황에 나타난 여학생의 반응을 살펴보고, 표준 발음법이 필요한 까닭을 말해 보자.

[A]

예시 답〉〉 '빛을'은 [비츨]이라고 발음해야 하는데, 남학생이 [비슬]이라고 잘못 발음하였다. 그래서 여학생이 이를 '빗을'로 이해하였다. 이처럼 ☐☐을 잘못하면, 상대에게 자기 생각을 명확하게 전달할 수 없다. 따라서 올바른 발음의 기준으로 삼을 수 있는 표준 발음법이 필요하다.

(3) (2)의 남학생의 발음을 바르게 고쳐 써 보자.

빛을[비슬] → 빛을[답 ☐☐]

간단 체크 활동 문제

01 표준 발음법에 대한 설명으로 알맞은 것을 〈보기〉에서 골라 바르게 묶은 것은?

보기
ㄱ. 표준어의 실제 발음을 따른다.
ㄴ. 표준어를 발음할 때의 표준을 정한 규범이다.
ㄷ. 표준어의 발음은 전국에서 가장 많이 쓰는 말을 기준으로 한다.
ㄹ. 여러 형태로 발음하는 경우에는 국어의 전통성과 합리성을 고려하여 표준 발음을 정한다.

① ㄱ, ㄴ, ㄷ ② ㄱ, ㄴ, ㄹ
③ ㄱ, ㄷ, ㄹ ④ ㄴ, ㄷ, ㄹ
⑤ ㄱ, ㄴ, ㄷ, ㄹ

02 [A]에서 대화가 원활하게 이루어지지 않은 이유는?

① 남학생이 발음을 잘못했다.
② 여학생의 발음이 어색했다.
③ 남학생이 여학생을 배려하지 않았다.
④ 남학생이 상황에 맞지 않는 말을 사용했다.
⑤ 여학생이 남학생의 말을 집중해서 듣지 않았다.

중요
03 〈보기〉를 참고할 때, 빈칸에 들어갈 알맞은 발음을 쓰시오.

보기
홑받침이나 쌍받침이 모음으로 시작되는 조사나 어미와 결합할 경우, 제 음 그대로 뒤 음절 첫소리로 옮겨 발음한다.
예 빛을[비츨] 주소서!

밭에[　　　] 곡식이 자란다.

올바른 발음과 표기

2 다음 활동을 해 보면서, 받침소리의 원칙을 알아보자.

(1) 다음 단어들을 소리 나는 대로 써 보고, 받침소리의 원칙을 정리해 보자.

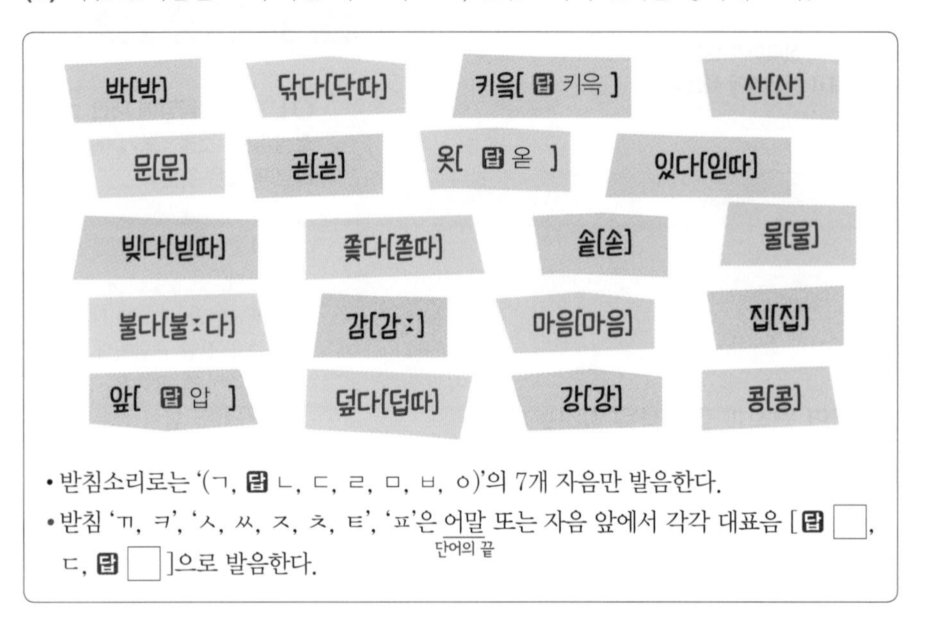

- 받침소리로는 '(ㄱ, 답 ㄴ, ㄷ, ㄹ, ㅁ, ㅂ, ㅇ)'의 7개 자음만 발음한다.
- 받침 'ㄲ, ㅋ', 'ㅅ, ㅆ, ㅈ, ㅊ, ㅌ', 'ㅍ'은 어말(단어의 끝) 또는 자음 앞에서 각각 대표음 [답 ☐, ㄷ, 답 ☐]으로 발음한다.

(2) (1)에서 정리한 원칙에 따라, 다음 밑줄 친 단어의 올바른 발음을 써 보자.

- 오늘은 낮(답 낟) 밤의 기온 차가 크네요.
- 상대편은 우리 편의 실력에 무릎(답 ☐☐) 꿇고 말았어.
- 밭(답 받) 한 뙈기 돌멩이 하나라도 함부로 해서는 안 돼.

3 다음 활동을 해 보면서, 겹받침을 어떻게 발음해야 하는지 알아보자.

(1) 겹받침에 유의하여 다음 단어를 소리 나는 대로 발음해 보고, 자기가 한 발음이 맞는지 확인해 보자.

예시 답 〉〉

	넋	앉다	여덟	외곬	훑다	값
내 발음:	(넉)	(안다)	(여덥)	(외곧)	(훋따)	(갑)
올바른 발음:	(넉)	(안따)	(여덜)	(외골/웨골)	(훌따)	(갑)

(2) 다음 ◯ 표시된 단어를 올바르게 발음해 보자.

> 흙장난을 하던 꼬마는
> 사랑을 읊조릴 줄 아는,
> 젊고 아름다운 청년으로 자랐어요.

답 흙[흑], 읊조릴[읍쪼릴], 젊고[점ː꼬]

간단 체크 활동 문제

04 우리말에서 받침소리로 발음되는 7개의 자음을 쓰시오.

05 다음 단어의 받침소리가 나머지와 다른 것은?

① 솥 ② 곧
③ 빛 ④ 앞
⑤ 옷

06 다음 단어의 겹받침이 두 번째 받침의 대표음으로 발음되는 것은?

① 넋 ② 값
③ 닭 ④ 여덟
⑤ 훑다

중요

07 다음 단어의 발음이 바르지 않은 것은?

① 몫[목]
② 앎[암ː]
③ 읊다[을따]
④ 외곬[외골]
⑤ 짧다[짤따]

4 다음 활동을 해 보면서, 이중 모음 'ㅢ'의 올바른 발음을 알아보자.

입술 모양이나 혀의 위치를 처음과 나중이 서로 달라지게 하여 내는 모음. ㅑ, ㅒ, ㅕ, ㅖ, ㅘ, ㅙ, ㅛ, ㅝ, ㅞ, ㅠ, ㅢ

(1) 다음 대화를 보고, '서우'의 대답을 완성해 보자.

서우: 삼촌, 이 숙제 좀 도와주실 수 있어요?
삼촌: 그럼. 숙제가 뭔데?
서우: '민주주의의 의의'를 어떻게 발음해야 하는지 조사하는 거예요.
삼촌: 'ㅢ' 발음에 관한 숙제인가 보구나. 'ㅢ'는 발음할 때 입술 모양이나 혀의 위치가 변하는 이중 모음 중 하나야. 그렇지만 발음하기가 너무 어려워서 자음을 첫소리로 가지고 있는 음절의 'ㅢ'는 [ㅣ]로 발음해야 한단다. 그리고 단어의 첫음절 이외의 '의'는 [ㅣ]로, 조사 '의'는 [ㅔ]로 발음하는 것도 허용하고 있단다.
서우: 아, 그러면 '(답 [민주주의의 의의], [민주주의의 의이], [민주주이에 의의], [민주주이에 의이], [민주주이의 의의], [민주주이의 의이], [민주주의에 의의], [민주주의에 의이])' 라고 발음해도 되는 건가요?
삼촌: 그렇지.

(2) 다음 각 단어의 올바른 발음을 모두 골라 보자.

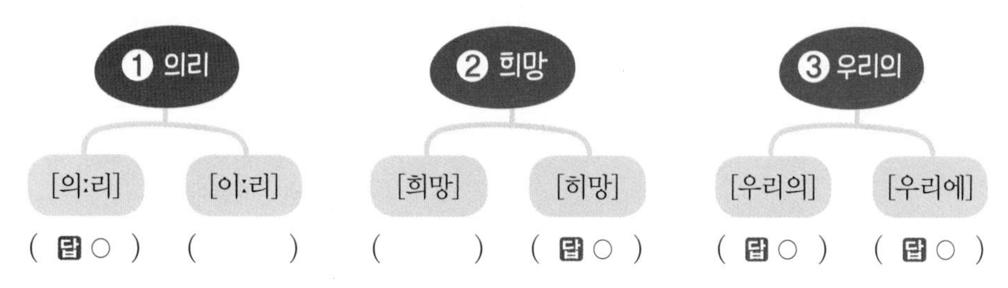

학습콕

❶ 표준 발음법의 원칙과 필요성
- **원칙:** 표준어의 실제 발음을 따르되, 국어의 전통성과 합리성을 고려하여 정함.
- **필요성:** 발음을 잘못하면 상대에게 생각을 명확하게 전달할 수 없어 올바른 발음의 기준이 필요함.

❷ 올바른 발음 원칙
- **받침의 발음:** 우리말에서는 받침소리로 'ㄱ, □, ㄷ, ㄹ, □, ㅂ, ㅇ'의 7개의 자음만 발음함. 받침 'ㄴ, ㄹ, ㅁ, ㅇ'은 변화 없이 본음대로 각각 [ㄴ, ㄹ, ㅁ, ㅇ]으로 발음함.

받침		환경		발음
ㄱ, ㄲ, ㅋ	+	어말 또는 자음 앞	➔	[ㄱ] 예 밖[박], 키읔[키윽]
ㄷ, ㅌ, ㅅ, ㅆ, ㅈ, ㅊ				[ㄷ] 예 솥[솓], 옷[옫], 꽃[꼳]
ㅂ, ㅍ				[ㅂ] 예 앞[압]

- **겹받침의 발음**

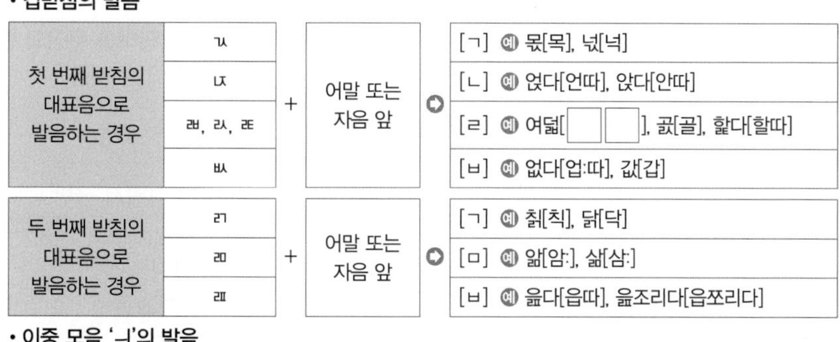

구분	겹받침		환경		발음
첫 번째 받침의 대표음으로 발음하는 경우	ㄳ	+	어말 또는 자음 앞	➔	[ㄱ] 예 몫[목], 넋[넉]
	ㄵ				[ㄴ] 예 얹다[언따], 앉다[안따]
	ㄼ, ㄽ, ㄾ				[ㄹ] 예 여덟[□□], 곬[골], 핥다[할따]
	ㅄ				[ㅂ] 예 없다[업:따], 값[갑]
두 번째 받침의 대표음으로 발음하는 경우	ㄺ	+	어말 또는 자음 앞	➔	[ㄱ] 예 칡[칙], 닭[닥]
	ㄻ				[ㅁ] 예 앎[암:], 삶[삼:]
	ㄿ				[ㅂ] 예 읊다[읍따], 읊조리다[읍쪼리다]

- **이중 모음 'ㅢ'의 발음**
  - [ㅢ]로 발음함을 원칙으로 함. 예 의리[의:리]
  - 자음을 첫소리로 가지고 있는 음절의 'ㅢ'는 [□]로 발음함. 예 띄어쓰기[띠어쓰기/띠여쓰기]
  - 단어의 첫음절 이외의 '의'는 [ㅣ]로 발음함도 허용함. 예 주의[주의/주이]
  - □□ '의'는 [ㅔ]로 발음함도 허용함. 예 사랑의[사랑의/사랑에]

간단 체크 활동 문제

08 다음 밑줄 친 부분의 발음을 모두 쓰시오.

(1) 청소년은 우리의 희망이다.
(2) 의사 선생님이 주의 사항을 말씀해 주셨다.

중요
09 다음 밑줄 친 부분의 발음이 바르지 않은 것은?

① 그 무늬[무니]가 너에게 잘 어울린다.
② 협의[혀비]를 거쳐서 그 일을 의논하자.
③ 너의 의지[너에 으지]가 가장 중요하다.
④ 하늬바람[하니바람] 때문에 곡식이 여문다.
⑤ 띄어쓰기[띠어쓰기]가 바르지 않은 문장이 많다.

지식 사전

겹받침의 예외 발음
- '밟-'은 자음 앞에서 [밥]으로 발음함. 예 밟다[밥:따], 밟지[밥:찌]
- '넓-'은 다음과 같은 경우 [넙]으로 발음함. 예 넓죽하다[넙쭈카다], 넓둥글다[넙뚱글다]
- 용언의 어간 끝소리 'ㄺ'은 'ㄱ' 앞에서 [ㄹ]로 발음함. 예 맑게[말께], 묽고[물꼬]

2 올바른 표기

학습 포인트

❶ 한글 맞춤법 규정　❷ 틀리기 쉬운 표기

1 다음 활동을 해 보면서, 한글 맞춤법의 필요성을 알아보자.

(1) 다음 문장을 소리 나는 대로 써 보자.

나는 길을 걷다가 본 하얀 꽃의 이름이 궁금했다.

→ (답 나는 기를 걷따가 본 하얀 꼬칙/꼬체 이르미 궁금핻따)

(2) (1)에서 표기와 소리가 일치하는 것과 그렇지 않은 것을 나누어 보자.

표기와 소리가 일치하는 것	나는, 답 본, 하얀
표기와 소리가 일치하지 않는 것	길을, 답 걷다가, 꽃의, 이름이, 궁금했다

(3) (1)~(2)를 바탕으로 한글 맞춤법이 필요한 까닭을 말해 보자.

예시 답 ›› 모든 말을 □□ 나는 대로만 쓰면 의사소통이 원활하게 이루어지지 않기 때문에 한글 맞춤법이 필요하다.

2 틀리기 쉬운 단어들을 바르게 표기하는 방법을 알아보자.

(1) 다음 대화에서 '선호'가 잘못 표기한 단어를 찾아 바르게 고쳐 보자.

잘못 표기한 단어
답 다쳐서

↓

바르게 고친 단어
답 □□□

(2) 다음은 표기는 다른데 발음이 같아 헷갈리는 단어들이다. 각 단어의 뜻을 고려하여 이를 활용한 문장을 만들어 보자.

① 마치다[마치다]	우리 수업 마치고 간식 먹으러 갈래?
맞히다[마치다]	나는 친구가 낸 수수께끼의 정답을 맞혔다.
② 반드시[반드시]	예시 답 ›› 이번 축제에는 반드시 흥미로운 행사를 준비할 거야.
반듯이[반드시]	예시 답 ›› 자를 반듯이 놓은 후 칼로 잘라야 종이가 비뚤어지지 않게 잘리지.

간단 체크 활동 문제

10 〈보기〉의 문장에서 표기와 소리가 일치하는 것은?

보기
나는 길을 걷다가 본 하얀 꽃의 이름이 궁금했다.

① 길을　② 걷다가
③ 하얀　④ 꽃의
⑤ 궁금했다

중요
11 다음 밑줄 친 내용을 규정한 이유로 알맞은 것은?

〈제1항〉 한글 맞춤법은 표준어를 소리대로 적되, 어법에 맞도록 함을 원칙으로 한다.

① 어법에 맞지 않는 표준어가 있기 때문에
② 발음과 표기가 일치하는 단어가 많기 때문에
③ 어법에 따라 문장의 띄어쓰기가 달라지기 때문에
④ 발음이 다르지만 표기가 같은 단어들이 구분이 안 되기 때문에
⑤ 소리 나는 대로만 쓰면 정확한 의미를 파악할 수 없는 경우가 생기기 때문에

12 다음 단어를 문장의 빈칸에 사용할 수 없는 것은?

마치다

① 일이 쉬워서 금방 (　　).
② 수업을 (　　) 농구를 하러 갔다.
③ 고등학교를 (　　) 대학교에 갔다.
④ 내 친구는 1학기를 (　　) 전학을 갔다.
⑤ 나는 열 문제 중에서 겨우 세 개밖에 못 (　　).

3	부치다[부치다]	예시 답 》 선물을 택배로 부치지 않고, 직접 갖다주려고 해.
	붙이다[부치다]	예시 답 》 친구에게 보낼 편지에 깜박하고 우표를 붙이지 않았어.

3 다음은 '민재'가 개인 누리집에 올린 글의 일부이다. 선생님이 남긴 댓글을 보고, '민재'가 틀리게 쓴 단어를 고쳐 보자.

고마운 친구

나는 덜렁거리는 것을 않 좋아하는데, 그날은 이상했다. 발을 헛디뎌 옆에 있던 선호에게 음식을 쏟아, 선호의 옷이 엉망이 되 버린 것이다. 나는 얼른 물휴지로 얼룩을 닦아 보았지만, 지워지지 안았다. 무척 난처했다. 그런데 선호가 체육복을 입고 있으면 됀다며, 내게 싱긋 웃어 주는 것이 아닌가! 선호에게 정말 미안하고 고마웠다.

비밀 댓글 민재의 글을 재미있게 읽었어. 그런데 이 글을 읽다 보니 민재가 몇 가지 표기를 헷갈려 하네. 먼저 '안'은 '아니'가 줄어든 말이고, '않'은 '아니하–'가 줄어든 말이야. '안'과 '않' 대신 '아니', '아니하–'를 넣어 보면 둘 중에 어떤 표기가 옳은지 쉽게 알 수 있을 거야. ^^

그리고 '돼'는 '되어'가 줄어든 말이므로 '되어'로 쓸 수 있으면 '돼'로 적고, 그렇지 않으면 '되'로 적어.

(1) 않 좋아하는데 → 답 안 좋아하는데

(2) 엉망이 되 버린 → 답 엉망이 돼/되어 버린

(3) 지워지지 안았다 → 답 지워지지 않았다.

(4) 입고 있으면 됀다며 → 답 입고 있으면 된다며

학습콕

❶ **한글 맞춤법 규정**

표준어를 소리대로 적되, ☐☐에 맞도록 함. → 모든 말을 ☐☐ 나는 대로만 적을 경우 정확한 뜻을 파악할 수 없어 이것을 보완하기 위해 어법에 맞도록 써야 한다는 원칙을 더함.

❷ **틀리기 쉬운 표기**

• **발음이 같아서 헷갈리는 단어의 표기**

다리를 다치다.	… [다치다] …	문이 닫히다.
수업을 마치다.	… [마치다] …	정답을 맞히다.
약속을 반드시 지키다.	… [반드시] …	선을 반듯이 긋다.
짐을 택배로 부치다.	… [부치다] …	상처에 반창고를 ☐☐☐.

• **'안/않', '되/돼'의 표기**

안	부사 '아니'의 준말 예 그곳에 안 갔다.
않	'아니하–'의 준말 예 그곳에 가지 않았다.

☐	동사 '되다'의 어간. '되어'로 쓸 수 없음. 예 그거 먹어도 되니?
돼	어간 '되–'와 어미 '–어'가 결합한 '되어'의 준말. '되어'로 쓸 수 있음. 예 그거 먹어도 돼요?

간단 체크 활동 문제

13 〈보기〉를 참고하여 다음 대화에서 올바른 표기를 골라 차례로 쓰시오.

보기
'안'은 '아니'가 줄어든 말이고, '않'은 '아니하–'가 줄어든 말이다.

은지: 오늘 깜빡하고 편지를 (않, 안) 부쳤어.
우영: 지금 우체국에 가 봐. 아직 문을 닫지 (않았을, 안았을) 거야.

14 다음 문장에서 밑줄 친 부분의 표기가 바른 것은?

① 그걸 먹으면 되.
② 삼촌 댁에 놀러 가도 되요?
③ 식탁이 엉망이 돼 버렸잖아?
④ 내 꿈은 심리 상담사가 돼는 것이다.
⑤ 시냇물이 얼어서 금세 얼음이 됬어.

(2) 올바른 발음과 표기

❶ 발음 및 표기와 관련한 질문을 찾고 답하며 정확한 발음과 표기 연습하기

모둠 구성원과 국립 국어원 누리집 '온라인 가나다' 게시판에 올라온 질문에 답변해 보자. 그리고 일상생활에서 정확하게 발음하고 바르게 쓰는 태도를 길러 보자.

1 국립 국어원 누리집의 '온라인 가나다' 게시판에 올라온 질문 중 발음 및 표기와 관련된 내용을 찾아 써 보자.

'맑다'는 [막따]로, '맑아'는 [말가]로 발음하는 것이 맞나요?

답 겹받침 'ㄺ'은 어말 또는 자음 앞에서 [ㄱ]으로 발음합니다. '맑다'에서 'ㄺ'이 자음 'ㄷ' 앞에 있으므로 [ ]라고 발음합니다. '-아'는 모음으로 시작된 어미이므로 'ㄺ'에서 뒤엣것인 'ㄱ'만 뒤 음절의 첫소리로 옮겨 [말가]라고 발음합니다.

'무릎이'의 올바른 발음이 [무르피]인지, [무르비]인지 알려 주세요.

답 표준 발음법에 따르면 홑받침이 모음으로 시작된 조사와 결합할 경우에는 제 음 그대로 뒤 음절 첫소리로 옮겨 발음해야 해요. 그래서 '무릎이'는 [무르피]라고 발음해야 합니다.

'낳다', '낳아'는 어떻게 발음해야 하나요?

답 받침 'ㅎ'은 그 뒤에 'ㄷ'이 결합될 경우에, 뒤 음절 첫소리와 합쳐서 [ㅌ]으로 발음해요. 그래서 '낳다'는 [나ː타]라고 발음해야 해요. 그런데 받침 'ㅎ' 뒤에 모음으로 시작된 어미가 오면 'ㅎ'을 발음하지 않아요. 그러니까 '낳아'는 [나아]라고 발음하면 돼요.

'무늬'를 [무늬]로 발음하면 안 되나요?

답 자음을 첫소리로 갖는 'ㅢ'는 항상 [ㅣ]로 발음해야 하므로 [ ]가 올바른 발음입니다.

'어떡해', '어떻해' 어떤 것이 맞는 표기인가요?

답 '어떡해'는 '어떻게 해'가 줄어든 말이므로 '어떡해'로 표기해야 합니다.

'웬지, 왠지', '웬일, 왠일'을 구별하기가 너무 어려워요. 도와주세요.

답 '왠지'는 '왜인지'가 줄어든 말로, '왜 그런지 모르게' 또는 '뚜렷한 이유도 없이'라는 뜻을 나타냅니다. '웬지'는 잘못된 표기입니다. '웬일'은 '어찌 된 일'이라는 뜻을 나타내는 말입니다. '왠일'은 '웬일'의 방언이며 올바른 표준어 표기가 아닙니다.

예시 답 ›› '넓죽하다'와 '넓둥글다'는 어떻게 발음하나요?

답 겹받침 'ㄼ'은 어말 또는 자음 앞에서 [ㄹ]로 발음함을 원칙으로 하지만, '넓죽하다'와 '넓둥글다'는 예외로 [넙쭈카다], [넙뚱글다]로 발음합니다.

예시 답 ›› '일어날게'와 '일어날께' 중 옳은 표현은 무엇인지, 잘못된 표현은 왜 잘못되었는지 궁금해요!

답 '-(으)ㄹ게'는 된소리로 발음되어도 예사소리로 적어요. '-(으)ㄹ거나', '-(으)ㄹ걸'도 마찬가지예요.

2 모둠 구성원이 서로 겹치지 않게 질문을 하나씩 고른 후, 답변을 준비해 보자.

질문 : '맑다'는 [막따]로, '맑아'는 [말가]로 발음하는 것이 맞나요?

↳ 답변 : 표준 발음법에 따르면 겹받침 'ㄺ'은 어말 또는 자음 앞에서 [ㄱ]으로 발음합니다. '맑다'에서 'ㄺ'이 자음 'ㄷ' 앞에 있으므로, '맑다'는 [막따]라고 발음합니다. 그런데 겹받침이 모음으로 시작된 조사나 어미, 접미사와 결합되는 경우에는 뒤엣것만을 뒤 음

간단 체크 활동 문제

15 〈보기〉의 내용을 고려할 때 정확한 발음이 아닌 것은?

보기
표준 발음법에 따르면 홑받침이 모음으로 시작된 조사와 결합할 경우에는 제 음 그대로 뒤 음절 첫소리로 옮겨 발음한다.

① 꿈을[꾸믈]
② 답에[다페]
③ 낮이[나지]
④ 부엌을[부어클]
⑤ 무릎이[무르피]

16 다음 단어의 표준 발음을 바르게 나열한 것은?

읽다, 쌓다

① [익따], [싸타]
② [익따], [쌉다]
③ [일따], [싸타]
④ [일따], [쌉다]
⑤ [읽다], [싸타]

절 첫소리로 옮겨 발음합니다. '-아'는 모음으로 시작된 어미이므로, 'ㄺ'에서 뒤엣것인 'ㄱ'만을 뒤 음절 첫소리로 옮겨 발음합니다. 따라서 '맑아'는 [말가]로 발음합니다.

예시 답〉〉

질문 : '무릎이'의 올바른 발음이 [무르피]인지, [무르비]인지 알려 주세요.

↳ **답변** : 표준 발음법에 따르면 홑받침이 모음으로 시작된 조사와 결합할 경우에는 제 음 그대로 뒤 음절 첫소리로 옮겨 발음해야 해요. 그래서 '무릎이'는 [무르피]라고 발음해야 합니다.

3 2에서 마련한 답변을 모둠 구성원에게 설명해 보고, 다른 질문에 답변한 친구들의 설명도 들어 보자.

예시 답〉〉 〈생략〉

4 다른 질문에 답변한 친구들의 설명을 간략하게 정리해 보자.

예시 답〉〉

이름	질문 내용	답변 내용
민재	'맑다'와 '맑아'의 발음	'맑다'는 [막따]로, '맑아'는 [말가]로 발음함.
○○	'무늬'를 [무늬]로 발음하면 안 되는 까닭	자음을 첫소리로 갖는 'ㅢ'는 [ㅣ]로만 발음해야 함.
△△	'어떡해'와 '어떻해' 중 바른 표기는?	'어떡해'는 '어떻게 해'가 줄어든 말이므로, '어떡해'가 맞는 표기임.

간단 체크 활동 문제

중요

17 생활 속에서 한 발음이나 표기가 잘못된 것은?

① "내 얼굴은 넓둥글어[넙뚱그러]."라고 발음했다.
② '왠지 떡볶이가 먹고 싶은 날'이라고 일기를 썼다.
③ 친구가 걱정되어 "그렇게 아파서 어떻해."라고 말했다.
④ "내가 그 영화를 예약할게."라고 친구에게 이야기했다.
⑤ "여기 좋지[조:치]? 저쪽은 더 좋아[조:아]."라고 말했다.

활동 마당

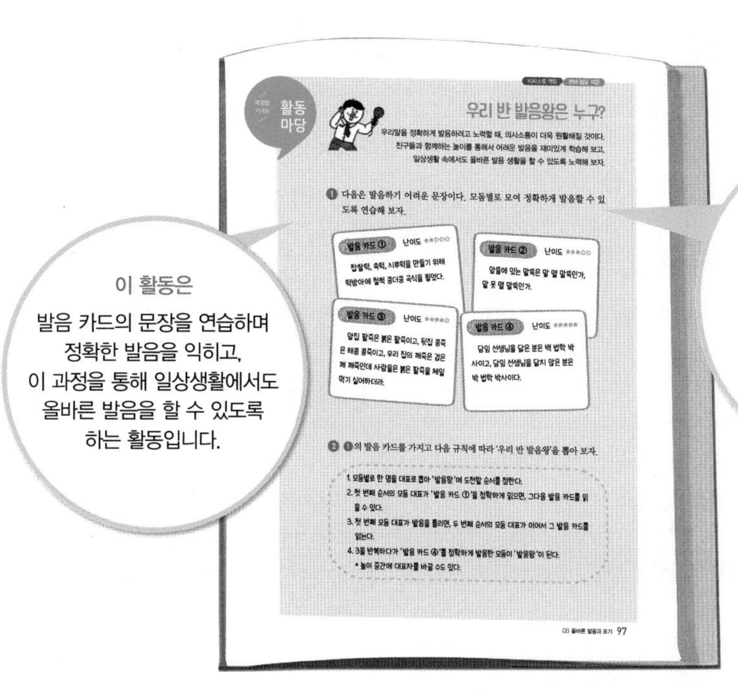
활동 마당

우리 반 발음왕은 누구?

우리말을 정확하게 발음하려고 노력할 때, 의사소통이 더욱 원활해질 것이다. 친구들과 함께하는 놀이를 통해서 어려운 발음을 재미있게 학습해 보고, 일상생활 속에서도 올바른 발음 생활을 할 수 있도록 노력해 보자.

❶ 다음은 발음하기 어려운 문장이다. 모둠별로 모여 정확하게 발음할 수 있도록 연습해 보자.

발음 카드 ① 난이도 ★★☆☆☆
찹쌀떡, 쑥떡, 시루떡을 만들기 위해 떡방아에 철썩 쿵더쿵 곡식을 찧었다.

발음 카드 ② 난이도 ★★★☆☆
앞뜰에 있는 말뚝은 말 맬 말뚝인가, 말 못 맬 말뚝인가.

발음 카드 ③ 난이도 ★★★★☆
앞집 팥죽은 붉은 팥죽이고, 뒷집 콩죽은 해콩 콩죽이고, 우리 집의 깨죽은 검은깨 깨죽인데 사람들은 붉은 팥죽을 제일 먹기 싫어하더라.

발음 카드 ④ 난이도 ★★★★★
담임 선생님을 닮은 분은 백 법학 박사이고, 담임 선생님을 닮지 않은 분은 박 법학 박사이다.

❷ ❶의 발음 카드를 가지고 다음 규칙에 따라 '우리 반 발음왕'을 뽑아 보자.

1. 모둠별로 한 명을 대표로 뽑아 '발음왕'에 도전할 순서를 정한다.
2. 첫 번째 순서의 모둠 대표가 '발음 카드 ①'을 정확하게 읽으면, 그다음 발음 카드를 읽을 수 있다.
3. 첫 번째 모둠 대표가 발음을 틀리면, 두 번째 순서의 모둠 대표가 이어서 그 발음 카드를 읽는다.
4. 3을 반복하다가 '발음 카드 ④'를 정확하게 발음한 모둠이 '발음왕'이 된다.
* 놀이 중간에 대표자를 바꿀 수도 있다.

(2) 올바른 발음과 표기 97

이 활동은

발음 카드의 문장을 연습하며 정확한 발음을 익히고, 이 과정을 통해 일상생활에서도 올바른 발음을 할 수 있도록 하는 활동입니다.

시험에는

• 발음 카드에 제시된 단어의 정확한 발음을 묻는 문제
• 발음 카드에 제시된 단어의 발음과 관련된 어문 규정을 찾는 문제

등이 출제될 수 있습니다.

압축 파일

표준 발음법의 개념과 원칙

개념	표준어를 발음할 때의 표준을 정한 규범
원칙	표준어의 ❶☐☐ 발음을 따르되, 국어의 전통성과 합리성을 고려하여 정함을 원칙으로 함. → 교양 있는 사람들이 두루 쓰는 현대 서울말의 발음을 표준어의 실제 발음으로 여김.

받침의 발음

- 우리말에서는 받침소리로 'ㄱ, ㄴ, ㄷ, ㄹ, ㅁ, ㅂ, ㅇ'의 7개의 자음만 발음함.
- 받침 'ㄴ, ㄹ, ㅁ, ㅇ'은 변화 없이 본음대로 각각 [ㄴ, ㄹ, ㅁ, ㅇ]으로 발음함.

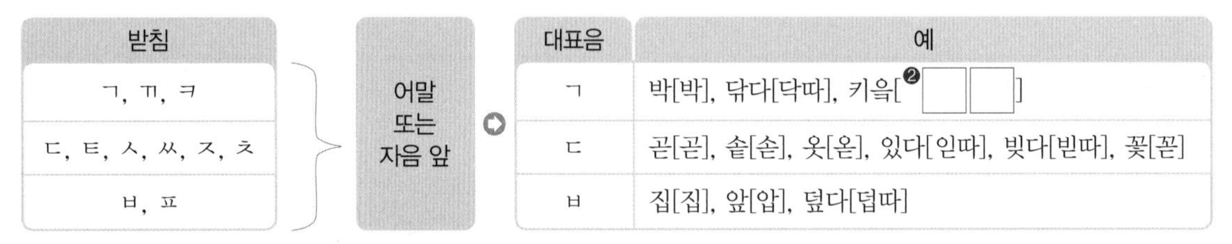

받침		대표음	예
ㄱ, ㄲ, ㅋ	어말 또는 자음 앞	ㄱ	박[박], 닦다[닥따], 키읔[❷☐☐]
ㄷ, ㅌ, ㅅ, ㅆ, ㅈ, ㅊ		ㄷ	곧[곧], 솥[솓], 옷[옫], 있다[읻따], 빚다[빋따], 꽃[꼳]
ㅂ, ㅍ		ㅂ	집[집], 앞[압], 덮다[덥따]

겹받침의 발음 ① _ 겹받침 중 첫 번째 받침의 대표음으로 발음하는 경우

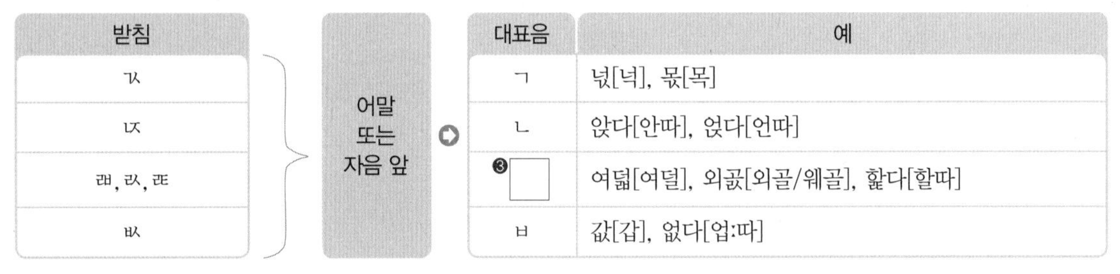

받침		대표음	예
ㄳ	어말 또는 자음 앞	ㄱ	넋[넉], 몫[목]
ㄵ		ㄴ	앉다[안따], 얹다[언따]
ㄼ, ㄽ, ㄾ		❸☐	여덟[여덜], 외곬[외골/웨골], 핥다[할따]
ㅄ		ㅂ	값[갑], 없다[업:따]

[예외 발음] • '밟-'은 자음 앞에서 [밥]으로 발음함. 예 밟다[밥:따], 밟지[밥:찌]
• '넓-'은 다음과 같은 경우 [넙]으로 발음함. 예 넓죽하다[넙쭈카다], 넓둥글다[넙뚱글다]

겹받침의 발음 ② _ 겹받침 중 두 번째 받침의 대표음으로 발음하는 경우

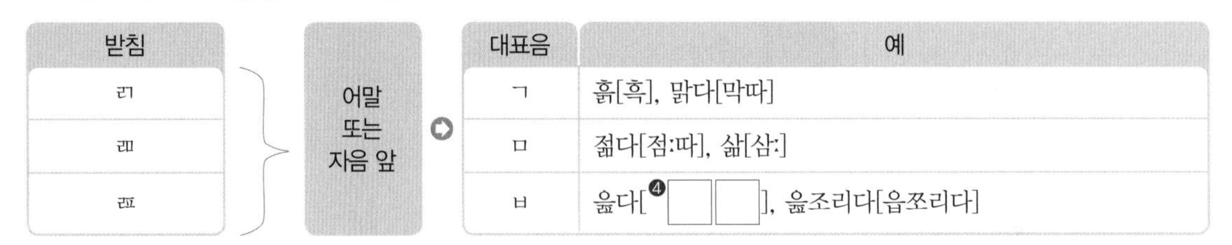

받침		대표음	예
ㄺ	어말 또는 자음 앞	ㄱ	흙[흑], 맑다[막따]
ㄻ		ㅁ	젊다[점:따], 삶[삼:]
ㄿ		ㅂ	읊다[❹☐☐], 읊조리다[읍쪼리다]

[예외 발음] 용언의 어간 끝소리 'ㄺ'은 'ㄱ' 앞에서 [ㄹ]로 발음함. 예 맑게[말께], 묽고[물꼬]

이중 모음 'ㅢ'의 발음

- 이중 모음 [ㅢ]로 발음하는 것이 원칙임. 예 의리[의:리]
- 자음을 첫소리로 가지고 있는 음절의 'ㅢ'는 [ㅣ]로 발음함. 예 희망[히망], 늴리리[닐리리], 무늬[무니]
- 단어의 첫음절 이외의 '의'는 [❺☐]로 발음함을 허용함. 예 민주주의[민주주의/민주주이]
- 조사 '의'는 [ㅔ]로 발음함을 허용함. 예 사랑의[사랑의/사랑에], 우리의[우리의/우리에]

한글 맞춤법

원칙	한글 맞춤법은 표준어를 소리대로 적되, ❻☐☐에 맞도록 함을 원칙으로 함. 모든 말을 소리 나는 대로만 쓰면 의미를 정확히 파악할 수 없어서, 이를 보완하기 위해 어법에 맞도록 써야 한다는 원칙이 더해짐.
예	나는 길을 걷다가 본 하얀 꽃의 이름이 궁금했다. • 소리 나는 대로 쓴 것: '나는, 본, 하얀' • 어법에 맞게 적은 것: '길을, 걷다가, 꽃의, 이름이, 궁금했다'

발음이 같아서 헷갈리는 표기

[다치다]	다치다	부딪혀서 상하다. 예 발을 다쳤다.
	닫히다	'닫다'의 피동사 예 문이 닫혔다.

[마치다]	마치다	어떤 일이나 과정, 절차 따위가 끝나다. 예 우리 수업 마치고 간식 먹으러 갈래?
	맞히다	문제에 대한 답을 틀리지 않게 하다. 예 나는 친구가 낸 수수께끼의 정답을 맞혔다.

[반드시]	반드시	틀림없이 꼭 예 이번 축제에는 반드시 흥미로운 행사를 준비할 거야.
	반듯이	비뚤어지거나 기울거나 굽지 않고 바르게 예 자를 반듯이 놓은 후 종이를 칼로 잘라야 해.

[부치다]	부치다	편지나 물건을 상대에게로 보내다. 예 선물을 택배로 부치지 않고 직접 갖다주려고 해.
	붙이다	맞닿아 떨어지지 않게 하다. 예 친구에게 보낼 편지에 깜박하고 우표를 붙이지 않았어.

틀리기 쉬운 맞춤법

안 / 않	'❼☐☐'의 준말 → '안'으로 적음. 예 나는 학교에 안 갔다.
	'아니하-'의 준말 → '❽☐'으로 적음. 예 나는 학교에 가지 않았다.

되 / 돼	'되어'로 풀어 쓸 수 없는 말 → '되'로 적음. 예 그거 먹어도 되니?
	'되어'로 풀어 쓸 수 있는 말 → '돼'로 적음. 예 그거 먹어도 돼요?

어떡해(○) / 어떻해(×)	'어떡해'는 '❾☐☐☐ 해'가 줄어든 말이므로 '어떡해'로 표기함.
왠지(○) / 웬지(×)	'왠지'는 '❿☐☐☐'가 줄어든 말로, '왜 그런지 모르게' 또는 '뚜렷한 이유도 없이'의 뜻을 나타냄. '웬지'는 올바른 표기가 아님.
웬일(○) / 왠일(×)	'웬일'은 '어찌 된 일'을 뜻하는 말. '왠일'은 '웬일'의 방언이며 올바른 표기가 아님.
일어날게(○) / 일어날께(×)	'-(으)ㄹ게'는 된소리로 발음이 되어도 예사소리로 적음.

시험에 나오는 소단원 문제

01 다음 상황을 통해 알 수 있는 것은?

① 표준어를 사용해야 원활하게 의사소통할 수 있다.
② 발음을 바르게 해야 자신의 의사를 제대로 전달할 수 있다.
③ 여러 가지로 발음되는 단어를 들을 때는 주의 깊게 들어야 한다.
④ 듣는 이의 수준에 맞는 단어를 사용해야 대화의 목적을 이룰 수 있다.
⑤ 듣는 이의 상황을 고려해서 말해야 자신의 의도를 바르게 전달할 수 있다.

02 다음 글자의 받침소리가 나머지와 다른 것은?

① 문　② 곧　③ 옷　④ 솥　⑤ 갖

학습 활동 응용

03 다음 단어의 겹받침 소리가 '앞'의 받침소리와 같은 것은?

① 앉다　② 여덟　③ 외곬
④ 훑다　⑤ 없다

04 ⓐ~ⓔ 중, 겹받침 'ㄺ'의 발음이 <보기>의 규정에 해당하는 것끼리 묶인 것은?

보기
〈표준 발음법 제14항〉 겹받침이 모음으로 시작된 조사나 어미, 접미사와 결합되는 경우에는, 뒤엣것만을 뒤 음절 첫소리로 옮겨 발음한다.(이 경우, 'ㅅ'은 된소리로 발음함.)

꼬마는 ⓐ흙장난을 시작했습니다. ⓑ흙은 부드러웠고 따뜻했습니다. ⓒ흙을 파기도 하고, 신발을 벗고 ⓓ흙에서 구르기도 했습니다. 그러다 꼬마는 ⓔ흙 속에서 뭔가를 꺼냈습니다.

① ⓐ, ⓑ, ⓒ　② ⓐ, ⓒ, ⓓ　③ ⓑ, ⓒ, ⓓ
④ ⓑ, ⓓ, ⓔ　⑤ ⓒ, ⓓ, ⓔ

05 다음 밑줄 친 부분의 발음이 바르지 않은 것은?

① 잔디를 밟지[발:찌] 마시오.
② 표정이 밝고[발꼬] 즐거워 보인다.
③ 그는 은퇴하기에는 아직 젊다[점:따].
④ 내 동생은 얼굴이 넓죽하다[넙쭈카다].
⑤ 소년이 작은 목소리로 시를 읊조린다[읍쪼린다].

06~07 다음을 읽고, 물음에 답하시오.

서우: 삼촌, 이 숙제 좀 도와주실 수 있어요?
삼촌: 그럼. 숙제가 뭔데?
서우: '민주주의의 의의'를 어떻게 발음해야 하는지 조사하는 거예요.
삼촌: 'ㅢ' 발음에 관한 숙제인가 보구나. 'ㅢ'는 발음할 때 입술 모양이나 혀의 위치가 변하는 이중 모음 중 하나야. 그렇지만 발음하기가 너무 어려워서 자음을 첫소리로 가지고 있는 음절의 'ㅢ'는 [ㅣ]로 발음해야 한단다. 그리고 단어의 첫음절 이외의 '의'는 [ㅣ]로, 조사 '의'는 [ㅔ]로 발음하는 것도 허용하고 있단다.
서우: 아, 그러면 '(　㉠　)'라고 발음해도 되는 건가요?
삼촌: 그렇지.

06 이 대화를 참고할 때, 다음 밑줄 친 부분의 'ㅢ'가 [ㅣ]로 발음되는 것은?

① 의리를 지켜야 진짜 친구지.
② 아픈 친구의 가방을 들어 주었다.
③ 띄어쓰기를 해야 의사소통이 원활하다.
④ 어서 병원에 가서 의사에게 진찰을 받아야 해.
⑤ 무대 의상을 입으니 연극을 하는 게 실감이 났다.

학습 활동 응용

07 ㉠에 들어갈 발음으로 알맞지 않은 것은?

① [민주주의의 의의]　② [민주주의의 의이]
③ [민주주이에 의의]　④ [민주주의 이의]
⑤ [민주주이의 의이]

학습 활동 응용

08 다음 문장에서 표기와 소리가 일치하는 것과, 일치하지 않는 것을 바르게 나눈 것은?

> 나는 하얀 꽃의 이름이 궁금했다.

	일치하는 것	일치하지 않는 것
①	나는, 하얀	꽃의, 이름이, 궁금했다
②	나는, 이름이	하얀, 꽃의, 궁금했다
③	나는, 궁금했다	하얀, 꽃의, 이름이
④	나는, 이름이, 하얀	꽃의, 궁금했다
⑤	나는, 꽃의, 이름이	하얀, 궁금했다

서술형 학습 활동 응용

09 다음 메시지 내용에서 표기가 틀린 부분을 찾아 바르게 고쳐 쓰시오.

10 다음 밑줄 친 부분의 표기가 바르지 않은 것은?

① 어른 앞에서는 자세를 반듯이 해라.
② 우리 수업 마치고 간식 먹으러 갈래?
③ 아이에게 예방 주사를 마치기 힘들어.
④ 나는 친구가 낸 수수께끼의 정답을 맞혔다.
⑤ 이번 축제는 반드시 흥미로운 행사를 준비할 거야.

11 빈칸에 '부치다'로 표기할 말이 들어갈 문장은?

① 선물을 택배로 (　　　).
② 편지에 우표를 (　　　).
③ 공부에 흥미를 (　　　).
④ 작은 초에 불을 (　　　).
⑤ 책장 옆에 책상을 (　　　).

학습 활동 응용

12 다음 밑줄 친 부분의 수정이 잘못된 것은?

> 나는 덜렁거리는 것을 않 좋아하는데, 그날은 이상했다. 발을 헛디뎌 옆에 있던 선호에게 음식을 쏟아, 선호의 옷이 엉망이 되 버린 것이다. 나는 얼른 물휴지로 얼룩을 닦아 보았지만, 지워지지 안았다. 무척 난처했다. 그런데 선호가 체육복을 입고 있으면 된다며, 내게 싱긋 웃어 주는 것이 않인가! 선호에게 정말 미안하고 고마웠다.

① 않 → 안　　② 되 → 돼
③ 안았다 → 않았다　　④ 된다며 → 됀다며
⑤ 않인가 → 아닌가

서술형

13 다음 문장에서 표기가 틀린 부분을 찾아 고치고, 그 이유를 쓰시오.

> 약속 시간에 1시간이나 늦으면 어떻해. 어떻게 이렇게 오래 기다리게 할 수 있어.

14 다음 밑줄 친 부분의 발음이 바르지 않은 것은?

① 마음이 놓여. → [노여]
② 실력을 쌓아. → [싸아]
③ 정말 괜찮다. → [괜찬타]
④ 닭이 알을 낳았다. → [난앗다]
⑤ 우리 사이좋게 지내자. → [사이조케]

학습 활동 응용

15 표기와 발음에 대한 설명으로 바르지 않은 것은?

① '왜인지'가 줄어든 말은 '웬지'가 아니라 '왠지'로 표기한다.
② '어찌 된 일'이라는 의미를 나타내는 말은 '웬일'이 아니라 '왠일'로 적는다.
③ 용언의 어간 끝소리 'ㄺ'은 'ㄱ' 앞에서 [ㄹ]로 발음하므로 '맑게'는 [말께]로 발음한다.
④ '-(으)ㄹ게'는 된소리로 소리 나도 예사소리로 적으므로 '일어날께'가 아닌 '일어날게'로 적는다.
⑤ 홑받침이 모음으로 시작된 조사나 어미와 결합하면 제 음 그대로 뒤 음절 첫소리로 옮겨 발음하므로 '못이'는 [모시]로 발음한다.

어휘력 키우기

교과서 100~101쪽

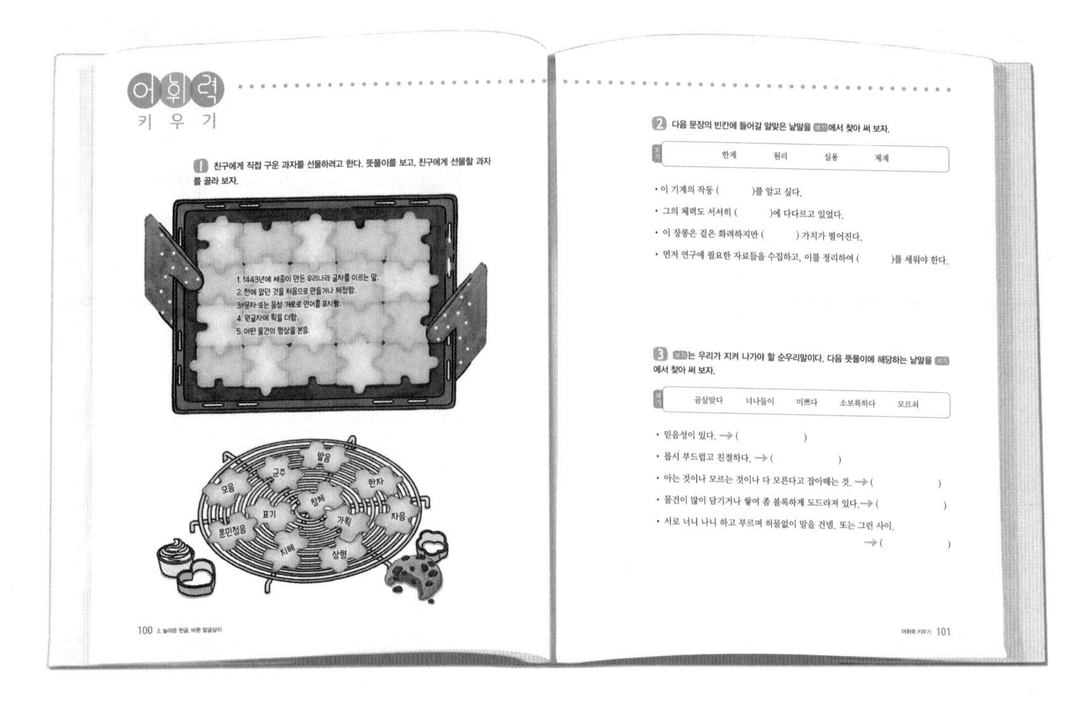
어휘력 키우기

1 친구에게 직접 구운 과자를 선물하려고 한다. 뜻풀이를 보고, 친구에게 선물할 과자를 골라 보자.

1. 1443년에 세종이 만든 우리나라 글자를 이르는 말.
2. 전에 없던 것을 처음으로 만들거나 제정함.
3. 문자 또는 음성 기호로 언어를 표시함.
4. 원글자에 획을 더함.
5. 어떤 물건의 형상을 본뜸.

100 2. 놀라운 한글, 바른 말글살이

2 다음 문장의 빈칸에 들어갈 알맞은 낱말을 보기에서 찾아 써 보자.

보기: 한계 원리 실용 체계

- 이 기계의 작동 ( )를 알고 싶다.
- 그의 체력도 서서히 ( )에 다다르고 있었다.
- 이 장롱은 겉은 화려하지만 ( ) 가치가 떨어진다.
- 먼저 연구에 필요한 자료들을 수집하고, 이를 정리하여 ( )를 세워야 한다.

3 보기는 우리가 지켜 나가야 할 순우리말이다. 다음 뜻풀이에 해당하는 낱말을 보기에서 찾아 써 보자.

보기: 곰살맞다 너나들이 미쁘다 소보록하다 모르쇠

- 믿음성이 있다. → ( )
- 몹시 부드럽고 친절하다. → ( )
- 아는 것이나 모르는 것이나 다 모른다고 잡아떼는 것. → ( )
- 물건이 많이 담기거나 쌓여 좀 볼록하게 도드라져 있다. → ( )
- 서로 너니 나니 하고 부르며 허물없이 말을 건넴. 또는 그런 사이. → ( )

어휘력 키우기 101

예시답안

1.

- 1443년에 세종이 만든 우리나라 글자를 이르는 말. → 훈민정음
- 전에 없던 것을 처음으로 만들거나 제정함. → 창제
- 문자 또는 음성 기호로 언어를 표시함. → 표기
- 원글자에 획을 더함. → 가획
- 어떤 물건의 형상을 본뜸. → 상형

2.

- 이 기계의 작동 (원리)를 알고 싶다.
- 그의 체력도 서서히 (한계)에 다다르고 있었다.
- 이 장롱은 겉은 화려하지만 (실용) 가치가 떨어진다.
- 먼저 연구에 필요한 자료들을 수집하고, 이를 정리하여 (체계)를 세워야 한다.

3.

- 믿음성이 있다. → (미쁘다)
- 몹시 부드럽고 친절하다. → (곰살맞다)
- 아는 것이나 모르는 것이나 다 모른다고 잡아떼는 것. → (모르쇠)
- 물건이 많이 담기거나 쌓여 좀 볼록하게 도드라져 있다. → (소복하다)
- 서로 너니 나니 하고 부르며 허물없이 말을 건넴. 또는 그런 사이. → (너나들이)

확인 문제

01 〈보기〉의 빈칸에 공통으로 들어갈 낱말로 알맞은 것은?

보기

한글의 자음자는 발음 기관을 (   )하고, 모음자는 하늘, 땅, 사람의 모양을 (   )하여 기본자를 만들었다.

① 발음 ② 상형 ③ 표기 ④ 가획 ⑤ 창제

02 밑줄 친 낱말의 사용이 바르지 않은 것은?

① 장독 위에 흰 눈이 소복하게 쌓였다.
② 우락부락하게 생겼지만 성격은 곰살맞다.
③ 늘 성실한 그 모습이 미쁘지 않고 듬직했다.
④ 질문을 받은 그는 모두 모르쇠로 발뺌을 했다.
⑤ 그는 경찰청장과 너나들이로 지내는 사이이다.

시험에 나오는 대단원 문제

● 정답과 해설 12쪽

01~05 다음을 읽고, 물음에 답하시오.

가 세종 대왕 학생들도 알고 있겠지만 한글을 만들기 전에는 우리말을 표기하는 글자가 없어서 중국의 글자인 한자를 빌려 쓸 수밖에 없었어요. 그러나 우리말과 중국어는 말소리와 문장 구조가 달라서, 한자로 우리말을 표기하는 데에는 근본적으로 한계가 있었지요.

학생 1 정말 그랬겠네요. 다른 나라의 문자로는 우리의 생각을 자유롭게 표현하기가 어려웠을 것 같아요.

학생 2 더욱이 한자는 글자 수가 수만 자에 이르잖아요. 이를 모두 익히는 것도 쉽지 않았겠어요.

세종 대왕 그렇지요. 양반이 아니고서야 그 어려운 한자를 배울 기회가 없었지요. 특히 가난한 일반 백성은 온종일 일하느라 한자를 배울 시간조차 낼 수 없었어요. 그러다 보니 백성 대부분이 글을 읽지 못했고, 그 때문에 억울한 일을 당하는 적도 많았어요.

나 세종 대왕 ㉠<u>한글의 자음자는 소리를 내는 기관의 움직임이나 모양을 본뜨려고 했어요.</u> 그래서 왕자들과 공주들을 불러 소리를 내게 하고, 이를 관찰하고 연구했답니다. 심지어 의원까지 불러 확인했지요. 그 결과, '가락', '곱다'와 같은 말을 할 때 공통적으로 나는 첫소리는 혀뿌리가 목구멍을 막으면서 난다는 것을 알아냈어요. 이 모양을 본떠 어금닛소리 'ㄱ'을 만들었죠. 다른 글자도 이러한 과정을 거쳤어요.

다 세종 대왕 자음자는 기본자에 획을 하나씩 더해서 만들기도 했어요. 이를 ⓐ<u>'가획의 원리'</u>라고 합니다. 'ㄱ'에 획을 더해서 'ㅋ'을, 'ㄴ'에 획을 더해서 'ㄷ, ㅌ'을, 'ㅁ'에 획을 더해서 'ㅂ, ㅍ'을, 'ㅅ'에 획을 더해서 'ㅈ, ㅊ'을, 'ㅇ'에 획을 더해서 'ㆆ(여린히읗), ㅎ'을 만들었는데, 획을 하나씩 더할 때마다 소리가 더 세지는 특성이 있지요.

라 세종 대왕 모음자는 기본자를 결합하는 방식으로 만들었습니다. 기본자 'ㆍ'와 'ㅡ'의 합성으로 'ㅗ, ㅜ'를, 'ㆍ'와 'ㅣ'의 합성으로 'ㅏ, ㅓ'를 만들었어요. 이를 기본자를 한 번만 합성하여 첫 번째로 만든 것이라 하여 '초출자(初出字)'라 하였습니다. 초출자 'ㅗ, ㅏ, ㅜ, ㅓ'에 'ㆍ'를 다시 합성하여 'ㅛ, ㅑ, ㅠ, ㅕ'를 만들었는데, 이는 두 번 합성하여 거듭 생겨난 것이니 '재출자(再出字)'라 했지요.

01 (가)를 통해 알 수 있는 내용이 <u>아닌</u> 것은?

① 한자로 우리말을 제대로 표현하기 어려웠다.
② 한글 창제 이전에는 문자를 사용하지 않았다.
③ 우리말과 중국어는 말소리와 문장 구조가 다르다.
④ 한자는 글자 수가 많아 백성들이 배우기 어려웠다.
⑤ 백성들이 글을 몰라 겪는 어려움을 해소하기 위해 한글을 창제하였다.

02 (다)를 참고하여 가획의 원리와 소리의 연관성을 한 문장으로 쓰시오.

03 (라)에서 알 수 있는 내용이 <u>아닌</u> 것은?

① 모음 기본자는 'ㆍ, ㅡ, ㅣ'이다.
② 초출자에 'ㆍ'를 합성하면 재출자가 된다.
③ 'ㅑ, ㅕ'는 'ㅏ, ㅓ'와 'ㅣ'를 합성하여 만들었다.
④ 'ㅗ, ㅜ'에 'ㆍ'를 합성하여 'ㅛ, ㅠ'를 만들었다.
⑤ 'ㅗ, ㅜ'는 기본자 'ㆍ'와 'ㅡ'를 합성한 글자이다.

04 ㉠의 원리에 따라 만든 글자와 그 대상의 연결이 알맞은 것은?

① ㄴ – 혀뿌리가 목구멍을 막는 모양
② ㄱ – 혀가 윗잇몸에 붙는 모양
③ ㅇ – 입의 모양
④ ㅅ – 이의 모양
⑤ ㅁ – 목구멍의 모양

05 ⓐ에 따라 글자를 만들 때, 바르지 <u>않은</u> 것은?

① ㄱ – ㅋ – ㄲ
② ㄴ – ㄷ – ㅌ
③ ㅁ – ㅂ – ㅍ
④ ㅇ – ㆆ – ㅎ
⑤ ㅅ – ㅈ – ㅊ

06~09 **다음을 읽고, 물음에 답하시오.**

가 **학생 1** 세종 대왕님, 그런데 한글은 다른 문자와 다르게 '강'이라는 단어를 'ㄱㅏㅇ'이라고 풀어쓰지 않고 '강'처럼 모아쓰는데, 이렇게 하신 특별한 의도가 있나요?

세종 대왕 말소리의 특성을 문자에 담고 싶었어요. 사람의 말소리는 자음과 모음으로 나눌 수 있는데, 실제로 말을 할 때는 이것들이 한 덩어리로 소리 납니다. 그래서 글자는 음소 단위로 만들었지만, 적을 때에는 소리를 내는 단위인 음절로 모아쓰게 한 것입니다.

학생 2 아하, 그렇군요! 이런 한글의 특성 덕분에 현재 사용되는 24개의 자모만으로도 일만 개 이상이나 되는 글자를 만들 수 있다고 하더라고요. 한글은 참 실용적이고 효율적인 글자예요.

나 **세종 대왕** 훈민정음을 창제한 후, 나는 이 글자를 백성에게 보급하기 위해 힘썼어요. 다양한 책을 훈민정음으로 번역하고, 책으로 만들어 배포하기도 했지요. 미래에는 내 바람대로 한글이 널리 사용되고 있나요?

학생 1 그럼요, 세종 대왕님. 우리나라 국민이면 누구나 한글을 사용해요. 글자를 못 읽는 사람도 거의 없답니다.

학생 2 세계에서 가장 과학적이고 훌륭한 문자라는 평도 자자해요.

세종 대왕 중국 문자에 기대어 살았던 우리가, 우리만의 고유한 문자로 언어생활을 하면서 자긍심을 갖고 살아가고 있다니 참으로 대견합니다. 이게 다 여러분이 한글을 아끼고 사랑해 주었기 때문이겠지요. 앞으로도 우리의 문자인 한글을 소중히 여기고 가꾸면서, 한글이 세계 속에서 당당하게 우뚝 설 수 있도록 도와주세요.

다 휴대 전화에서 문자 메시지를 입력할 때도 한글은 8개의 기본자를 바탕으로 12개의 조작 단추 안에 자모를 배열하므로 입력 속도가 다른 문자보다 훨씬 빠르다. / 또한 모음자의 경우 한 가지 소리로만 발음되고, 소리 나지 않는 글자가 거의 없다. 문자와 소리의 일치성은 기계 번역이나 음성 인식 컴퓨터 등 한글 정보화에도 매우 유리하게 작용한다.

06 **(가)로 보아, 모아쓰기에 대한 설명으로 알맞지 <u>않은</u> 것은?**

① 음절 단위로 적는 방법이다.
② 자음과 모음을 합쳐서 쓰는 방법이다.
③ 단어나 문장의 뜻을 빠르게 이해할 수 있게 한다.
④ 적은 수의 자모로 많은 글자를 만들 수 있게 한다.
⑤ 실제 말할 때 음소 단위로 소리 나는 것을 표현한다.

07 **(가), (나)의 학생들이 한글의 우수성을 알린다고 할 때, 그 방법으로 가장 적절한 것은?**

① 일상생활에서 외국어를 무분별하게 쓰지 않는다.
② 책을 통해 한글의 창제 원리를 자세히 공부한다.
③ 줄임 말이나 인터넷 용어 대신 순우리말을 사용한다.
④ 세종 대왕의 다양한 업적을 소개하는 글을 블로그에 게시한다.
⑤ 누리 소통망에 한글을 소재로 한 아름다운 예술 작품을 소개하는 글을 쓴다.

08 **다음 표에서 알 수 있는 한글의 특성을 (다)를 참고하여 한 문장으로 쓰시오.**

'ㅏ' 발음		'a' 발음	
	가족[가족]		almond[아몬드]
	나비[나비]		about[어바웃]
	박수[박쑤]		apple[애플]
	자전거[자전거]		able[에이블]

09 **(가)~(다)를 통해 알 수 있는, 한글 창제가 우리의 삶에 미친 영향으로 보기 <u>어려운</u> 것은?**

① 대부분의 국민들이 문자를 읽고 쓸 수 있게 되었다.
② 우리만의 고유한 문자를 가지고 문자 생활을 하고 있다.
③ 전문적인 학술 지식을 일반 사람들도 쉽게 파악하게 되었다.
④ 한글이 널리 사용될 뿐만 아니라 세계적으로도 과학적인 문자로 평가받고 있다.
⑤ 한글을 사용하여 정보의 신속성을 중시하는 현대 사회에 유리하게 적응할 수 있다.

10 ⓐ~ⓔ에 들어갈 말의 받침소리를 순서대로 쓴 것은?

박[박]	닦다[닥따]	키읔[ⓐ]	산[산]
문[ⓑ]	곧[곧]	옷[ⓒ]	있다[읻따]
빚다[ⓓ]	쫓다[쫃따]	솥[솓]	물[물]
불다[불:다]	감[감:]	마음[마음]	집[집]
앞[ⓔ]	덮다[덥따]	강[강]	콩[콩]

① ㄱ – ㄴ – ㄷ – ㄷ – ㅂ
② ㄱ – ㄴ – ㄷ – ㅌ – ㅂ
③ ㄱ – ㄴ – ㄷ – ㅈ – ㅂ
④ ㅋ – ㄴ – ㅅ – ㅈ – ㅍ
⑤ ㅋ – ㄴ – ㄷ – ㄷ – ㅍ

11 다음 단어의 겹받침 중, 발음하는 받침의 위치가 나머지와 다른 것은?

① 넋 ② 값 ③ 곬 ④ 흙 ⑤ 핥다

12 〈보기〉에서 'ㄼ'의 발음이 같은 단어를 모두 묶은 것은?

| 보기 |
밟다 넓다 여덟 짧다

① 밟다, 넓다 ② 밟다, 여덟
③ 밟다, 넓다, 짧다 ④ 넓다, 짧다
⑤ 넓다, 여덟, 짧다

13 다음 대화에서 겹받침의 발음을 바르게 이해하지 못한 학생은?

수미: 겹받침 'ㄺ'은 보통 두 번째 받침의 대표음인 [ㄱ]으로 발음해.
지민: 맞아. 그러니까 '닭'은 [닥]이라고 발음해야지.
영후: 하지만 용언의 어간 끝소리에 오는 'ㄺ'은 뒤에 'ㄱ'이 오면 [ㄹ]로 발음해야 해.
동영: 그래서 '묽다'는 [묵따]가 아니라 [물따]라고 발음해.
혜수: '맑게', '맑고'를 발음할 때는 [말께], [말꼬]라고 해야 하는구나.

① 수미 ② 지민 ③ 영후 ④ 동영 ⑤ 혜수

14 다음 밑줄 친 부분의 발음이 바른 것은?

① 이 꽃을[꼬슬] 받아 주세요.
② 너희 담임[다님] 선생님은 누구셔?
③ 오늘은 낮과[낟꽈] 밤의 기온 차가 크네요.
④ 꼬마는 젊고[절:꼬] 아름다운 청년으로 자랐어요.
⑤ 상대편은 우리의 실력에 무릎을[무르블] 꿇었어.

15 다음 질문과 대답 중에서 바르지 않은 것은?

①	'넓둥글다'의 정확한 발음은 무엇인가요? → [넙뚱글다]가 올바른 발음입니다.
②	'삶'은 왜 [삼:]으로 발음하나요? → 'ㄻ'은 겹받침 중 두 번째 받침의 대표음으로 발음해요.
③	'좋지'는 어떻게 발음하나요? → 받침 'ㅎ'이 뒤 음절의 첫소리 'ㅈ'과 합쳐져서 [조:치]로 발음해요.
④	'낳아'는 어떻게 발음하나요? → 받침 'ㅎ' 뒤에 모음으로 시작된 어미가 오면 대표음으로 바뀌어서 [낟아]로 발음해요.
⑤	'빛'과 '빛을'에서 '빛'은 왜 발음이 다른가요? → 받침이 모음으로 시작된 조사나 어미와 결합하면 제 음 그대로 뒤 음절 첫소리로 옮겨 가요. 그래서 [빋], [비츨]로 발음해요.

고난도 서술형

16 다음을 참고하여 '모의고사를 보기 전 주의 사항'의 발음과 그렇게 발음한 이유를 쓰시오.

삼촌: 'ㅢ' 발음에 관한 숙제인가 보구나. 'ㅢ'는 발음할 때 입술 모양이나 혀의 위치가 변하는 이중 모음 중 하나야. 그렇지만 발음하기가 너무 어려워서 자음을 첫소리로 가지고 있는 음절의 'ㅢ'는 [ㅣ]로 발음해야 한단다. 그리고 단어의 첫음절 이외의 '의'는 [ㅣ]로, 조사 '의'는 [ㅔ]로 발음하는 것도 허용하고 있단다.

조건
① 가능한 발음을 모두 쓸 것
② 그렇게 발음한 이유는 한 문장으로 쓸 것

17 〈보기〉에 대한 설명으로 알맞지 않은 것은?

| 보기 |
나는 길을 걷다가 본 하얀 꽃의 이름이 궁금했다.
→ [나는 기를 걷따가 본 하얀 꼬치/꼬체 이르미 궁금핻따]

① 표기는 어법에 맞도록 써야 한다는 원칙을 따랐다.
② 소리와 표기가 일치하는 단어는 '나는, 본, 하얀'이다.
③ 우리말은 표기와 소리가 일치하지 않는 것도 있음을 보여 준다.
④ 소리 나는 대로만 쓰면 의사소통에 불편함이 생길 수 있음을 보여 준다.
⑤ 소리를 무시하고 어법만 지켜 쓰면 단어의 의미를 이해하기 어려움을 보여 준다.

18 발음과 표기가 일치하는 단어로 알맞은 것은?

① 한글 ② 책상 ③ 넓이 ④ 외곬 ⑤ 맛집

19 다음 밑줄 친 부분의 표기가 모두 바른 것은?

① 반드시 앉은 자세로 이 책을 반듯이 다 읽겠다.
② 공원을 거쳐 집에 가는 길에 안개가 모두 걷쳤다.
③ 요즘 어떻게 지내고 있어? 연락을 안 하면 어떡해?
④ 사진이 누렇게 바라도 우정은 영원하기를 바랍니다.
⑤ 웬지 기분이 좋더니, 네가 웬일로 맛있는 것을 사 왔구나.

서술형

20 〈보기〉를 보고 '안'과 '않'의 차이를 설명하여 쓰시오.

| 보기 |
아침을 안 먹었다. ⇒ 아침을 아니 먹었다.
책을 읽지 않다. ⇒ 책을 읽지 아니하다.

21 다음 밑줄 친 부분의 단어가 잘못 사용된 것은?

① 포스터를 벽에 붙인다.
② 그 옷은 이따가 입어라.
③ 활로 먼 과녁을 마친다.
④ 팔꿈치가 책상에 부딪혔다.
⑤ 방금 다린 바지를 입고 나가라.

22 '되'와 '돼'의 쓰임이 바르지 않은 것은?

① 어느새 아침이 되었다.
② 밥이 잘 돼서 기분이 좋았다.
③ 나는 자라서 간호사가 되고 싶어.
④ 엄마의 얼굴을 보자 안심이 됐습니다.
⑤ 선호의 옷이 완전히 엉망이 돼 버린 것이다.

23 ⓐ~ⓔ를 바꾼 표기가 바르지 않은 것은?

내가 ⓐ조아하는 ⓑ떡볶이를 사러 갔는데 가게 문이 ⓒ다쳐서 못 샀다. 오늘은 아주머니가 아프셔서 가게를 ⓓ않 연다고 했다. 내일은 ⓔ반듯이 사 먹고 말겠다.

① ⓐ: 좋아하는 ② ⓑ: 떡볶기
③ ⓒ: 닫혀서 ④ ⓓ: 안
⑤ ⓔ: 반드시

24 〈보기〉의 빈칸에 들어갈 예로 적절하지 않은 것은?

| 보기 |
'일어날게'와 '일어날께' 중 옳은 표현은 무엇인지, 잘못된 표현은 왜 잘못되었는지 궁금해요!

ㄴ, 〈한글 맞춤법 제53항〉에 따르면 '-(으)ㄹ게'는 예사소리로 적는다고 되어 있어요. '-(으)ㄹ거나', '-(으)ㄹ걸'도 마찬가지예요. 예를 들어, (   )와/과 같이 적습니다.

① '금방 갈게.' ② '지금 갈까?'
③ '물을 드릴게요.' ④ '고향에 갈거나.'
⑤ '미리 연습할걸.'

교과서 104~105쪽

그림에 담긴 창작자의 의도를 파악해 보면서, 타이포그래피 기법이 무엇인지 알아보아요.

이 활동은 자신의 생각과 의도를 담아 상상력과 창의력을 발휘하여 단어를 그림으로 표현하는 활동입니다.

표현할 단어를 정한 뒤, 단어에 어떤 뜻을 담을지 생각한 후에 자신의 생각을 그림으로 표현해 보아요.

비판적 · 창의적 사고 역량

매체로 보는 세상

읽기

(1) 매체의 표현과 그 의도

- 광고문과 블로그 글에 드러난 표현 방법과 그 의도 파악하기
- 카드 뉴스에 드러난 표현 방법과 그 의도 파악하기

듣기·말하기

(2) 매체 자료의 효과

- 강연 내용을 살펴보고, 매체 자료의 효과를 판단하며 듣는 방법 이해하기
- 매체 자료를 활용한 친구들의 발표를 듣고, 매체 자료의 효과 판단하기

왜 배울까?

오늘날 우리는 인쇄 매체, 방송 매체, 인터넷 매체 등 다양한 매체에서 새로운 정보를 접하고 있다. 또한 이렇게 얻은 정보나 자기 생각을 매체를 이용하여 다른 사람과 공유하기도 한다. 이처럼 매체는 정보와 의견을 나누는 소통 창구로서, 그 영향력이 점점 커지고 있다. 따라서 매체를 접하는 독자와 청자는 매체에 드러난 다양한 표현 방법을 이해하고, 그 안에 담긴 매체 생산자의 의도를 파악할 수 있어야 한다. 나아가 매체에 담긴 내용의 적절성이나 표현 방법을 비판적으로 수용할 수 있어야 한다.

뭘 배울까?

이 단원에서는 비판적·창의적 사고 역량을 기르기 위해 매체의 특성이 잘 드러나는 언어 자료를 살펴보면서 매체에 드러난 표현 방법과 그 의도를 파악하는 방법을 배울 것이다. 그리고 다양한 매체 자료가 사용된 강연을 보며 매체 자료의 효과를 판단해 볼 것이다.

길잡이

• 정답과 해설 13쪽

매체의 개념과 종류

개념	내용을 전하는 수단
종류	인쇄 매체, 방송 매체, 인터넷 매체

매체의 표현 방법

매체의 표현 방법은 어휘나 문장 표현뿐 아니라 도표·그림·사진 등과 같은 시각 자료, 동영상 자료 등을 모두 포함한다.

인쇄 매체	문자나 시각 자료를 사용함.
인터넷 매체	문자, 시각 자료, 동영상 자료 등 다양한 형태의 자료를 사용함.

매체에 담긴 정보를 수용하는 방법

- 각 매체의 특성을 이해하고, 매체에 사용된 표현 방법과 그 표현에 담긴 매체 생산자의 의도를 파악해야 한다.
- 매체에 담긴 정보의 적절성을 평가하고, 매체에 사용된 표현 방법을 비판적으로 수용해야 한다.

인터넷 매체의 종류와 특성

종류	온라인 대화, 블로그와 댓글, 전자 우편, 문자 메시지 등
특성	• 정보를 거의 실시간으로 전달할 수 있음. • 시간과 장소의 제약 없이 대화를 나눌 수 있음. • 일대일 또는 일대다의 방식으로 정보를 교환함. • 문자, 음성, 사진, 동영상이 혼합된 정보를 처리함. • 정보가 그물망처럼 얽혀 있어 정보를 자유롭게 찾을 수 있음.

사이버 불링(cyber bullying)의 개념과 예방

개념	가상 공간에서 언어폭력, 집단 따돌림 등으로 특정인을 괴롭히는 행위
방식	• 악의적인 댓글 달기, 신상 털기, 메신저 감옥 • 상대방이 원하지 않는 사진이나 동영상 유포 등
예방하는 방법	• 사이버 불링이 심각한 사회적 병폐이자 범죄임을 깨달아야 함. • 사이버 윤리 의식을 높일 수 있는 교육 과정을 제공해야 하며, 법과 제도 측면에서 처벌을 강화해야 함.

간단 체크 개념 문제

1 매체에 대한 설명이 맞으면 ○표, 틀리면 ×표 하시오.

(1) 어떠한 내용을 전하는 수단을 '매체'라고 한다. ( )

(2) 매체의 표현 방법에는 문자나 시각 자료, 동영상 자료 등이 있다. ( )

(3) 인터넷 매체는 문자와 시각 자료만을 활용한다. ( )

2 다음 빈칸에 들어갈 알맞은 말을 쓰시오.

> □□□ 매체에는 온라인 대화, 블로그와 댓글 등이 있다. 이 매체는 일대일 또는 일대다의 방식으로 정보를 교환한다는 특징이 있다.

3 〈보기〉에서 설명하는 용어로 알맞은 것은?

> 보기
> 가상 공간에서 언어폭력, 집단 따돌림 등으로 특정인을 괴롭히는 행위를 의미한다.

① 사이버 관계
② 사이버 머니
③ 사이버 범죄
④ 사이버 불링
⑤ 사이버 윤리

교과서 111~121쪽

(1) 매체의 표현과 그 의도

• 정답과 해설 13쪽

학습 목표 매체에 드러난 다양한 표현 방법과 의도를 평가하며 읽을 수 있다.

❶ 광고문에 사용된 표현 방법과 그 의도 평가하기
❷ 블로그 글에 사용된 표현 방법과 그 의도 평가하기

학습 포인트

❶ 광고문에 사용된 표현 방법과 그 의도

1 다음은 게시판에 붙은 광고문이다. 광고문에 사용된 표현 방법과 그 의도를 평가해 보자.

(1) 이 광고문에 사용된 표현 방법을 말해 보자.

답 • 비슷한 두 □□을 나열하며, 질문 방식을 사용하고 있다.
• 사람과 스마트폰이 서로를 잡고 있는 사진을 사용하고 있다.

(2) 이 광고문이 전하고자 하는 바가 무엇인지 말해 보자.

답 □□□□ 중독을 경고하고 있다.

(3) 다음 질문에 답하면서, 이 광고문의 표현 방법이 적절한지 평가해 보자.

• 광고문의 제작 의도를 명확하게 파악할 수 있는가?
• 표현 방법은 광고문의 의도를 드러내기에 적합한가?

답 • 스마트폰을 무분별하게 사용하는 태도를 경고하는 제작 의도를 명확하게 파악할 수 있다.
• 인상 깊은 광고 문구와 사진이 스마트폰을 올바르게 사용하자는 광고문의 의도를 잘 드러내고 있다.

학습콕

❶ 광고문에 사용된 표현 방법과 그 의도

□□	사람과 스마트폰이 서로 잡고 있는 상황을 나타내어 광고 문구의 내용을 시각적으로 전달함.
글	비슷한 형태의 두 □□□을 대구 형식으로 제시하여 인상 깊게 표현함.

간단 체크 활동 문제

01 다음은 이 광고문이 전하는 바를 정리한 것이다. 빈칸에 들어갈 내용으로 알맞은 것은?

> 광고 문구와 사진을 활용하여 (　　　　)을/를 경고하고 있다.

① 스마트폰 중독
② 불법 사이트의 위험성
③ 계층에 따른 정보 격차
④ 디지털 기기의 사용에 따른 목 건강의 악화
⑤ 디지털 기기의 사용에 따른 두뇌 활용 능력의 저하

중요
02 이 광고문의 표현 방법과 그 의도에 대한 설명으로 적절하지 않은 것은?

① 사람과 스마트폰이 서로를 감시하는 사진을 사용하였다.
② 비슷한 두 문장을 나열하면서 질문의 방식을 사용하였다.
③ 자신의 스마트폰 사용 태도를 되돌아보게 하는 효과를 줄 수 있다.
④ 광고 문구와 사진을 인상적으로 사용하여 광고문의 의도를 표현하였다.
⑤ 무분별한 스마트폰 사용의 문제점을 지적하는 제작 의도를 명확하게 파악할 수 있다.

간단 체크 활동 문제

03 이 글에 대한 설명으로 알맞지 않은 것은?

① 인쇄 매체를 사용하여 내용을 전달하고 있다.
② '스마트폰 노안'에 대한 정보를 제공하고 있다.
③ 문자와 시각 자료, 동영상 자료를 활용하고 있다.
④ 화제에 대한 일반적 반응을 보여 주는 말을 인용하고 있다.
⑤ 중간에 소제목을 사용하여 내용을 효율적으로 설명하고 있다.

중요

04 다음은 ㉠에 사용된 표현 방법과 글쓴이의 의도를 정리한 것이다. 빈칸에 들어갈 말을 차례대로 쓰시오.

표현 방법	스마트폰을 과도하게 사용하여 눈이 나빠진 사람을 □□(으)로 제시함.

⬇

의도	글쓴이가 말하고자 하는 문제 상황을 □□적으로 보여 주어, 읽는 이의 흥미를 높이려 함.

학습 포인트
❶ 블로그 글에 사용된 표현 방법과 그 의도
❷ 글쓴이가 블로그를 활용하여 글을 쓴 까닭

2 **다음은 의학 관련 블로그에 실린 글이다. 이 글에 사용된 표현 방법과 그 의도를 평가해 보자.**

안과 전문의가 쉽게 풀이한 건강 상식 [스마트폰이 젊은 노안을 부른다]

1. 스마트폰 노안이란 무엇인가

조회 수 1024

젊은 노안?

㉠

"노안이요? 나이 들어서 눈이 침침해지는 거 말이에요? 전 겨우 중학생인걸요!"

이 반응처럼 노안은 노화 현상의 하나로, 나이를 먹으면서 가까운 곳의 사물이나 글씨가 잘 보이지 않는 증세를 말한다. 그런데 최근에는 이러한 증상을 겪는 젊은 환자가 늘어나고 있다. 젊은 세대가 상대적으로 스마트폰을 자주, 오래 사용하는 경향이 있어, 이들을 중심으로 '신종 노안'을 겪는 사람이 빠르게 증가한 것이다. 특히 청소년의 '스마트폰 과의존 위험군' 비율이 다른 세대보다 높게 나타나는 것으로 보아, '스마트폰 노안'은 청소년들도 위협하고 있음을 알 수 있다.

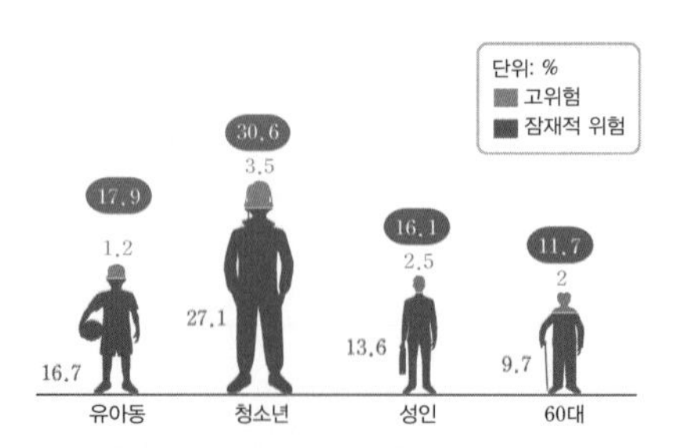

▲ 대상별 스마트폰 과의존 위험군(스마트 쉼 센터, 2016)

스마트폰 노안의 위험성

스마트폰 노안이 위험한 까닭은 다음과 같다.

첫째는 환자 대부분이 한창나이이기 때문이다. 젊은 세대는 눈 건강에 크게 신경을 쓰지 않는다. 그러다 보니 스마트폰 노안의 증상을 자각하지 못하여 상황을 악화시킬 수 있다.

둘째는 합병증이 뒤따르기 때문이다. 스마트폰 노안으로 눈 주변의 근육이 손상되면 어깨로 이어지는 신경에도 악영향을 준다. 이 때문에 어깨와 목에 통증이 생기고, 그 주변이 딱딱하게 굳거나 결려 시큰거리기도 한다. 흔히 말하는 거북목 증후군에 걸릴 수도 있고, 두통 및 만성 피로, 어지럼증이 생길 수도 있다.

영상 자료

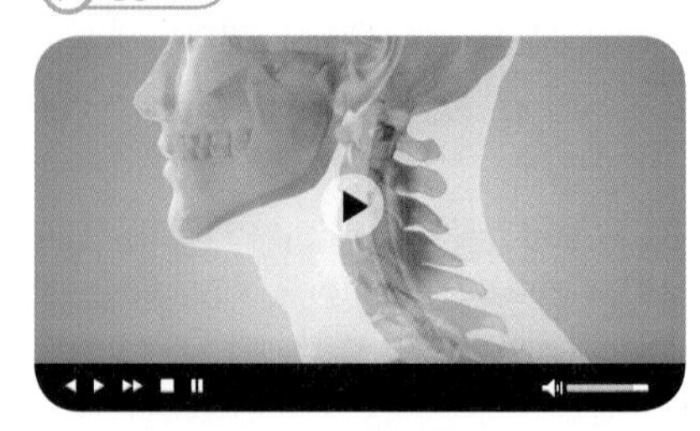

▲ 스마트폰 건강 주의보(『생로병사의 비밀』 571회, 케이비에스(KBS)1, 2015. 2. 17.)

나도 스마트폰 노안일까?

스마트폰 노안은 위험한 질환이므로, 될 수 있는 대로 빨리 자신의 상태를 점검하고 대책을 마련해야 한다. 혹시 나도 스마트폰 노안은 아닌지, 아래 검사 표로 진단해 보자.

- ☐ 스마트폰을 하루 세 시간 이상 사용한다.
- ☐ 저녁이 되면 스마트폰 화면이 잘 보이지 않는다.
- ☐ 어깨가 결리고 목이 뻐근하며 가끔 두통이 있다.
- ☐ 눈을 찌푸려야 스마트폰 화면의 글씨가 겨우 보인다.
- ☐ 먼 곳을 보다가 가까운 곳을 보면 눈이 침침하다.
- ☐ 가까운 곳을 보다가 먼 곳을 보면 초점이 잘 맞지 않는다.
- ☐ 화면에서 눈을 떼면 한동안 초점이 잘 맞지 않는다.

자신이 위 항목 중 세 가지 이상에 해당한다면 스마트폰 노안일 가능성이 크다. 이를 일시적인 증상이라고 가볍게 생각해서는 안 된다. 자신이 스마트폰 노안이라고 생각한다면 적극적으로 치료해야 하고, 스마트폰 노안이 아니라면 예방을 위해 노력해야 한다. ㉡다음 글에서 스마트폰 노안의 치료와 예방법을 자세하게 알아보자.

※ 이번 글에서는 스마트폰 노안의 위험성을 강조했지만, 스마트폰을 잘못 사용하는 습관만 고친다면 스마트폰이 주는 혜택을 얼마든지 건강하게 누릴 수 있다.

– 아라이 히로유키, 『스마트폰 노안』

댓글 2 | 공감 ♥ ♡ 352　　구독 | 공유 | 인쇄

댓글 쓰기

↳ 눈 사랑 : 스마트폰이 유용한 점도 많으니, 이를 올바르게 활용하려는 노력이 필요하겠네요.

↳ ♬ 즐겁게 살기 : 유익한 내용 고마워요.^^ 스마트폰 노안이 아닌 것 같아서 마음이 놓여요.

↳ 스마트폰이 좋아

저는 스마트폰을 너무 좋아하는 중학생이에요. 그래서 스마트폰 노안 예방법이 정말 궁금해요! >_<

댓글 등록

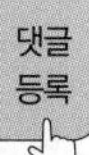

★안과 전문의가 쉽게 풀이한 건강 상식★ 범주의 다른 글	전체 목록 보기
[스마트폰이 젊은 노안을 부른다] 3. 매일 눈 건강법 열 가지를 실천하라	2019-05-13 22:32:17
[스마트폰이 젊은 노안을 부른다] 2. 당장 스마트폰 사용 습관을 바꿔라	2019-03-11 10:17:28
[스마트폰이 젊은 노안을 부른다] 1. 스마트폰 노안이란 무엇인가	2019-02-20 19:25:55

간단 체크 활동 문제

05 다음은 '나도 스마트폰 노안일까?'의 내용에 대한 설명이다. 빈칸에 들어갈 알맞은 말을 2어절로 쓰시오.

자료	스마트폰 노안을 진단할 수 있는 (　　　　)을/를 제시함.

⬇

의도	읽는 이로 하여금 자신의 눈 건강을 돌아보게 함.

06 ㉡을 통해 알 수 있는 블로그의 특성으로 가장 알맞은 것은?

① 제한된 장소에서만 자신이 원하는 정보를 찾을 수 있다.
② 문자, 음성, 사진, 동영상이 혼합된 정보를 처리할 수 있다.
③ 글쓴이가 자신이 설명하려는 내용을 편하게 연재할 수 있다.
④ 시간과 장소의 제약 없이 글쓴이와 읽는 이가 대화를 나눌 수 있다.
⑤ 다양한 자료를 통해 전문적인 내용을 쉽게 설명하여, 읽는 이의 이해도를 높일 수 있다.

(1) 매체의 표현과 그 의도

(1) 소제목별로 중심 내용을 정리해 보자.

젊은 노안?

답 스마트폰을 과하게 사용하는 젊은 세대를 중심으로 노안 증세가 나타나고 있음.

스마트폰 노안의 위험성

답 스마트폰 노안은 환자 대부분이 젊은 세대라 증상을 자각하지 못하여 상황이 악화되기 쉽고, □□□이 뒤따르기 때문에 위험함.

나도 스마트폰 노안일까?

스마트폰 노안 증상을 나열한 항목 중 세 가지 이상에 해당한다면 스마트폰 노안일 가능성이 큼.

(2) 이 글에 사용된 표현 방법을 살펴보며, 글쓴이의 의도를 파악해 보자.

1

- **표현 방법:** 스마트폰을 과하게 사용하여 눈이 나빠진 사람을 그림으로 제시함.
- **글쓴이의 의도:** 글쓴이가 말하고자 하는 문제 상황을 시각적으로 보여 주어, 읽는 이의 흥미를 높이려 함.

2

단위: %
고위험
잠재적 위험
유아동 17.9 (1.2 / 16.7)
청소년 30.6 (3.5 / 27.1)
성인 16.1 (2.5 / 13.6)
60대 11.7 (2 / 9.7)
㉠

- **표현 방법:** 청소년의 스마트폰 과의존 비율이 높음을 (답 □□□)로 보여 줌.
- **글쓴이의 의도:** 답 청소년들도 스마트폰 노안에 걸릴 가능성이 크다는 것을 강조하려 함.

3

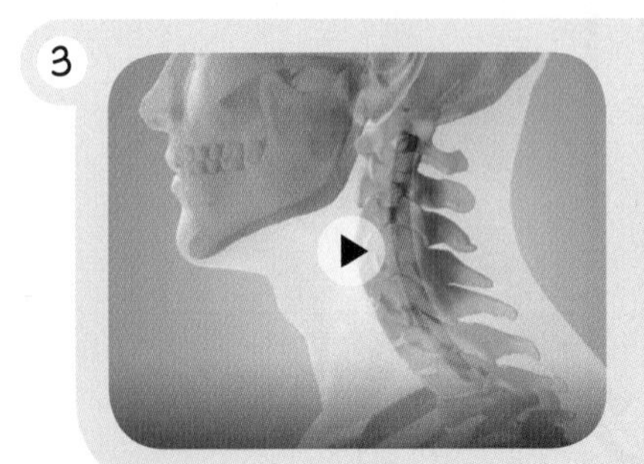

- **표현 방법:** 답 ㉡ 의학 전문가와의 면담 내용, 스마트폰을 과하게 사용하여 발생하는 여러 증상과 그 원인을 □□□으로 보여 줌.
- **글쓴이의 의도:** 답 전문적인 내용을 동영상으로 보여 주어, 읽는 이의 이해를 돕고 내용의 신뢰도를 높이려 함.

간단 체크 활동 문제

07 ㉠이 '대상별 스마트폰 과의존 위험군'을 나타낸 그래프라 할 때, 이를 근거로 삼아 전달할 수 있는 내용으로 알맞은 것은?

① 스마트폰 노안 환자는 60대 이상이 제일 많다.
② 청소년들도 스마트폰 노안에 걸릴 위험이 크다.
③ 노안은 나이가 들어서 눈이 침침해지는 현상을 의미한다.
④ 스마트폰을 많이 사용하면 거북목 증후군에 걸릴 수 있다.
⑤ 스마트폰 노안은 치료하는 것보다 예방하는 것이 중요하다.

중요
08 글쓴이가 ㉡과 같은 전문적인 내용의 동영상을 이 글에 제시한 의도로 알맞은 것은?

① 노안의 치료법을 자세하게 설명하기 위해
② 눈 건강을 지키는 방법을 생동감 있게 전달하기 위해
③ 스마트폰의 장점과 단점을 시각적으로 제시하기 위해
④ 스마트폰의 혜택을 제대로 누릴 수 있는 방법을 알리기 위해
⑤ 스마트폰 노안의 위험성에 관한 내용의 신뢰도를 높이기 위해

(3) 이 글의 예상 독자가 청소년이라고 할 때, 글쓴이가 이 글을 블로그에 쓴 까닭을 짐작해 보자.

답 글쓴이는 예상 독자인 청소년들이 스마트폰이나 컴퓨터로 블로그 글을 많이 보기 때문에 청소년에게 쉽게 다가가려고 블로그를 사용했을 것이다.

학습콕

❶ 블로그 글에 사용된 표현 방법과 그 의도

□□	글쓴이가 말하려는 문제 상황을 시각적으로 제시하여 읽는 이의 흥미를 높임.
그래프	통계 자료를 시각적으로 제시하여 청소년들도 스마트폰 노안을 겪을 위험이 큼을 강조함.
동영상	전문적인 내용에 대한 읽는 이의 이해를 돕고, 내용의 □□□를 높임.

❷ 글쓴이가 블로그를 활용하여 글을 쓴 까닭

블로그의 특성		글쓴이의 의도
글을 자유롭게 올릴 수 있음.		글을 편하게 연재할 수 있음.
인터넷 환경만 갖추면 읽는 이가 글을 접할 수 있음.	➡	예상 독자인 청소년에게 쉽게 다가갈 수 있음.
문자뿐 아니라 사진이나 그림, □□□ 등 다양한 자료를 활용할 수 있음.		전문적인 내용을 읽는 이가 이해하기 쉽게 전달할 수 있음.

적용

❶ 카드 뉴스에 담긴 정보 파악하기
❷ 카드 뉴스에 사용된 표현 방법과 그 의도 이해하기
❸ 글쓴이가 카드 뉴스로 내용을 전한 까닭 이해하기

다음은 가상 공간에서 일어나는 문제를 다룬 카드 뉴스이다. 카드 뉴스에 사용된 표현 방법과 그러한 표현을 활용한 글쓴이의 의도를 파악하며 읽어 보자.

"예의를 지키며 스스로를 닦으세요."

간단 체크 활동 문제

09 **이 글의 예상 독자가 청소년임을 고려할 때, 글쓴이가 이 글을 블로그에 쓴 까닭으로 알맞은 것은?**

① 청소년들의 정보 검색 능력이 뛰어나기 때문에
② 청소년들이 스마트폰 노안에 관심이 많기 때문에
③ 청소년들이 시각적인 자극에 민감하게 반응하기 때문에
④ 청소년들이 스마트폰보다 컴퓨터를 더 많이 사용하기 때문에
⑤ 청소년들이 스마트폰이나 컴퓨터로 블로그 글을 많이 보기 때문에

10 **다음 설명에 해당하는 인터넷 매체의 종류를 2어절로 쓰시오.**

개념	주요 쟁점을 그림이나 사진 등의 시각 자료와 간략한 글로 제시한 뉴스임.
특징	• 화면을 옆으로 밀어서 보는 방식임. • 젊은 층 사이에서 인기가 높음.

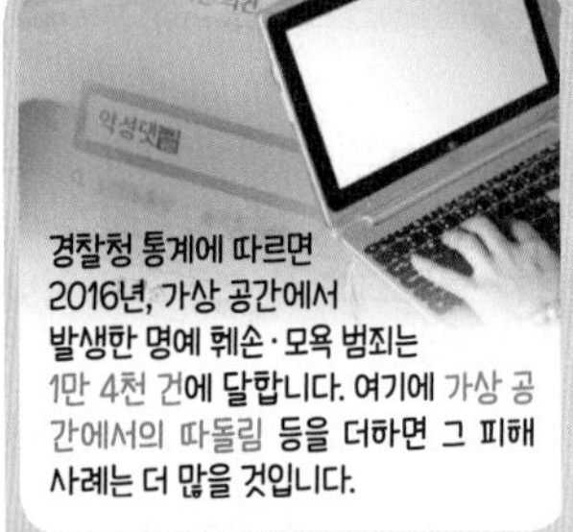

대학생 ○○(25) 씨는
누리 소통망(SNS)에 남긴 글이
논란이 돼 사이버 불링을 당했습니다.
한번 퍼진 글은 ○○ 씨의 의도와는 상관없이 왜곡됐고, 사람들은 ○○ 씨의 개인 정보를 유포했습니다.

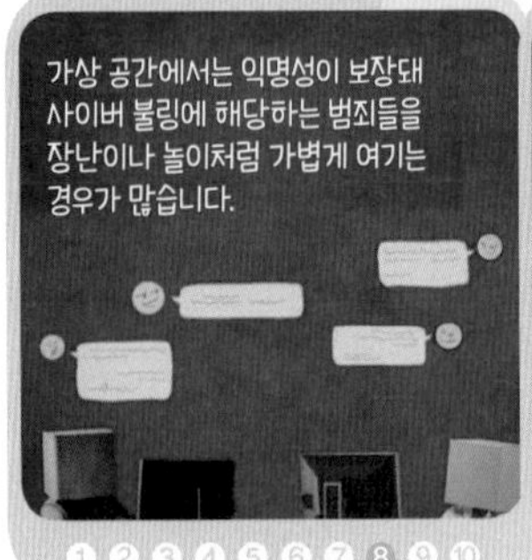

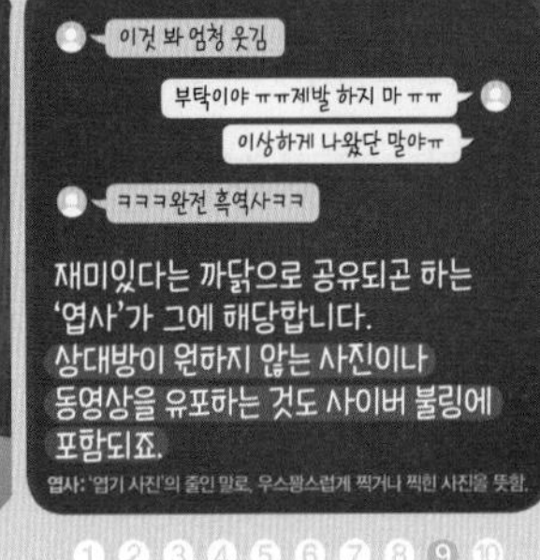

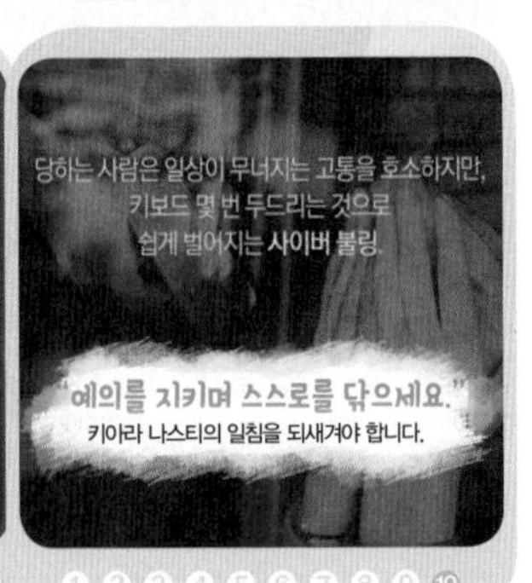

– 『연합뉴스』, 2017. 3. 22.

1 카드 뉴스에 담긴 정보를 정리해 보고, 이를 통해 깨달은 내용을 말해 보자.

카드 뉴스에 담긴 정보	• 이탈리아의 한 모델이 자신을 비난한 사람들에게 창의적인 방법으로 일침을 가함. • 답 사이버 불링은 □□ □□에서 특정인을 괴롭히는 행위임. • 사이버 불링을 당하는 사람은 일상이 무너지는 큰 고통을 받음.
깨달은 내용	예시 답 》 가벼운 장난으로 한 내 행동이 상대에게 큰 고통을 줄 수 있다는 것을 깨달았다.

2 카드 뉴스에 사용된 표현 방법과 그 의도를 정리해 보자.

1

표현 방법: • 그림을 이용함.
• 비난하는 듯한 손 모양과, 그 아래 괴로워하는 사람을 표현함.

의도: (답 사이버 불링이 주는 고통)을 시각적으로 보여 주려 함.

2

㉠

표현 방법: • 사진과 그림을 합성함.
• 모니터 앞에 앉아 있는 사람들의 얼굴을 상자로 가리고, 가상 공간에서의 대화 상황을 그 위에 제시함.

의도: 답 □□□이 보장되는 가상 공간의 특성과 그 특성을 악용하는 사람들의 모습을 표현하려 함.

간단 체크 활동 문제

11 이 카드 뉴스에 대한 설명으로 알맞지 않은 것은?

① 짧은 글을 사진 또는 그림에 얹어 제작하였다.
② 사이버 불링이라는 새로운 사회 현상을 다루고 있다.
③ 스크롤바를 내리면서 읽는 일반적 기사와 읽는 형식이 다르다.
④ 뉴스의 내용이 동영상 자료를 통해 구체적으로 제시되고 있다.
⑤ 문제 상황의 심각성을 제시하고 그에 대한 당부로 마무리하고 있다.

중요

12 ㉠에 대한 설명으로 알맞은 것은?

① 문자와 그림을 합성하여 문제 상황을 드러내고 있다.
② 사이버 불링 피해자의 고통을 시각적으로 표현하고 있다.
③ 가상 공간의 익명성을 악용하는 사람들의 모습이 나타나 있다.
④ 상대방이 원하지 않는 동영상을 유포하는 행위의 위험성을 표현하고 있다.
⑤ 키보드 위에 놓인 손가락 그림자로 악의적인 댓글의 문제점을 나타내고 있다.

3

"예의를 지키며 스스로를 닦으세요."
키아라 나스티의 일침을 되새겨야 합니다.

㉡

표현 방법: 답 • 문장(글)을 제시함.
• 글자 ☐☐과 굵기에 변화를 줌.

의도: 답 핵심 내용을 강조하고 읽는 이에게 인상을 강하게 남기려 함.

3 보기를 참고하여 글쓴이가 카드 뉴스로 내용을 전한 까닭을 말해 보자.

보기

카드 뉴스란 주요 쟁점을 그림이나 사진 등의 시각 자료와 간략한 글로 정리한 뉴스이다. 스크롤바를 내리며 읽어야 하는 장문의 기사 대신, 짧은 글을 사진 여러 장에 얹어 사진을 한 장씩 넘겨 보는 형식이다. 화면을 옆으로 밀어 보는 것이 특징으로, (㉢) 맞춤형 뉴스라 할 수 있다. 누리 소통망(SNS)에서 쉽게 볼 수 있다는 장점 덕분에 젊은 층 사이에서 인기가 높아 여러 언론사가 경쟁적으로 카드 뉴스를 제작하고 있다.

– 김환표, 『트렌드 지식 사전 4』

답 이 카드 뉴스는 사이버 불링의 심각성을 알리고 이러한 행동을 하지 않아야 함을 전달하고 있다. 사이버 불링은 인터넷 매체를 주로 활용하는 젊은 층 사이에서 일어나는 경우가 많다. 카드 뉴스는 젊은 층 사이에서 인기가 높으므로 이 카드 뉴스의 예상 독자는 젊은 층임을 알 수 있다. 글쓴이는 이동 통신 맞춤형 뉴스인 카드 뉴스를 활용하여 전달 효과를 높이려 했을 것이다.

간단 체크 활동 문제

13 ㉡에 사용된 표현 방식으로 알맞은 것은? (정답 2개)

① 글자의 형태에 변화를 주었다.
② 사람들의 대화 내용을 제시하였다.
③ 해당 인물의 실제 사진을 제시하였다.
④ 뉴스의 주제를 담은 문장을 제시하였다.
⑤ 핵심 내용을 나타내는 그림을 제시하였다.

14 ㉢에 들어갈 알맞은 말을 2어절로 쓰시오.

• 정답과 해설 14쪽

●● '스마트폰 중독 경고' 광고문에 사용된 표현 방법과 그 의도

사진		글
사람과 스마트폰이 서로 잡고 있는 상황을 나타내어 광고 문구의 내용을 시각적으로 전달함.	✚	비슷한 형태의 두 의문문을 ❶ □□ 형식으로 제시하여 인상 깊게 표현함.

●● '스마트폰 노안' 관련 블로그 글에 사용된 표현 방법과 그 의도

표현 방법			의도
그림	글쓴이가 말하고자 하는 문제 상황을 시각적으로 보여 줌.	➡	읽는 이의 흥미를 높임.
❷ □□□	통계 자료를 시각적으로 제시함.	➡	청소년들도 스마트폰 노안에 걸릴 가능성이 크다는 것을 강조함.
동영상	전문적인 내용을 동영상으로 제시함.	➡	읽는 이의 이해를 돕고 내용의 신뢰도를 높임.

●● '스마트폰 노안' 관련 글의 글쓴이가 블로그를 활용한 까닭

블로그의 특성		글쓴이의 의도
글을 자유롭게 올릴 수 있음.	➡	글을 편히게 연재할 수 있음.
❸ □□□ 환경만 갖추면 읽는 이가 글을 접할 수 있음.	➡	예상 독자인 청소년들에게 쉽게 다가갈 수 있음.
문자뿐 아니라 사진이나 그림, 동영상 등 다양한 자료를 활용할 수 있음.	➡	전문적인 내용을 읽는 이가 이해하기 쉽게 전달하고 내용의 신뢰도를 높임.

●● 카드 뉴스의 개념과 특징

카드 뉴스	
주요 쟁점을 그림이나 사진 등의 ❹ □□ □□와 간략한 글로 정리한 뉴스	• 이동 통신 맞춤형 뉴스 형태임. • 짧은 글을 여러 장의 사진에 얹어 제시하는 형식임. • 화면을 옆으로 밀어 보는 방식임. • 젊은 층 사이에서 인기가 높음.

●● '사이버 불링' 관련 카드 뉴스에 사용된 표현 방법과 그 의도

표현 방법			의도
글	• 두세 문장으로 내용을 간략하게 제시함. • 글자 모양과 굵기에 변화를 줌.	➡	내용을 압축하여 핵심을 강조하고, 읽는 이에게 ❺ □□을 강하게 남기려 함.
그림과 사진	• 특정 장면을 확대함. • 사례의 실제 인물 사진을 제시함. • 그림으로 상황을 묘사함.	➡	글의 내용을 뒷받침하여 설득력을 높이고, 상황을 구체적으로 전하려 함.

시험에 나오는 소단원 문제

• 정답과 해설 14쪽

01~04 다음을 읽고, 물음에 답하시오.

(가)

㉠

"노안이요? 나이 들어서 눈이 침침해지는 거 말이에요? 전 겨우 중학생인걸요!"

이 반응처럼 노안은 노화 현상의 하나로, 나이를 먹으면서 가까운 곳의 사물이나 글씨가 잘 보이지 않는 증세를 말한다. 그런데 최근에는 이러한 증상을 겪는 젊은 환자가 늘어나고 있다. 젊은 세대가 상대적으로 스마트폰을 자주, 오래 사용하는 경향이 있어, 이들을 중심으로 '신종 노안'을 겪는 사람이 빠르게 증가한 것이다. 특히 청소년의 '스마트폰 과의존 위험군' 비율이 다른 세대보다 높게 나타나는 것으로 보아, '스마트폰 노안'은 청소년들도 위협하고 있음을 알 수 있다.

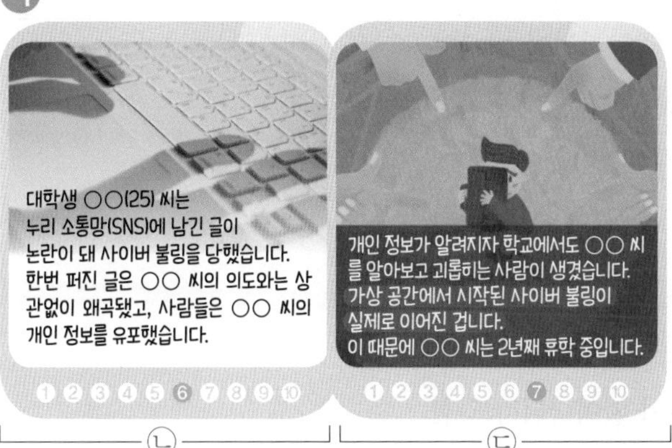

㉡ ㉢

01 (가)~(다)에 대한 설명으로 알맞지 않은 것은?

① (가)는 스마트폰 중독에 대해 경고하고 있다.
② (나)는 스마트폰을 많이 사용하는 젊은 세대에서 노안을 겪는 사람이 늘고 있음을 말하고 있다.
③ (다)는 가상 공간에서 벌어지는 사이버 불링의 문제점을 제시하고 있다.
④ (가)는 인쇄 매체, (나)와 (다)는 인터넷 매체에 해당한다.
⑤ (가)~(다)는 문자와 동영상 자료를 활용하여 정보를 제시하고 있다.

학습 활동 응용

02 (가)에 사용된 표현 방법이 아닌 것은?

① 글자의 크기와 굵기에 변화를 주었다.
② 구조가 서로 다른 두 문장을 강조하였다.
③ 광고 문구의 내용을 시각적으로 표현하였다.
④ 전달하려는 내용과 관련된 질문을 제시하였다.
⑤ 사람과 스마트폰이 서로 잡고 있는 사진을 사용하였다.

서술형

03 다음은 ㉠을 제시한 글쓴이의 의도를 정리한 것이다. 빈칸에 들어갈 알맞은 말을 3어절로 쓰시오.

> ㉠은 과도한 스마트폰 사용으로 눈이 나빠진 사람을 그린 그림이다. 글쓴이는 이를 통해 스마트폰 노안이라는 문제 상황을 시각적으로 표현하여, (　　　)을/를 높이려 하였다.

학습 활동 응용

04 ㉡과 ㉢에 대한 설명으로 알맞은 것은?

① ㉡과 ㉢은 인터넷 매체 중에서 온라인 대화에 해당한다.
② ㉡은 비난하는 듯한 손 모양의 그림자를 나타내고 있다.
③ ㉡에는 사이버 불링의 개념을 설명하려는 의도가 드러나 있다.
④ ㉢은 실제 인물의 사진에 손 그림을 합성하여 사이버 불링을 표현하고 있다.
⑤ ㉢에는 사이버 불링이 주는 고통을 시각적으로 보여 주려는 의도가 담겨 있다.

교과서 123~135쪽

(2) 매체 자료의 효과

학습 목표 매체 자료의 효과를 판단하며 들을 수 있다.

이해
❶ 강연의 상황과 개요 정리하기
❷ 강연에 활용된 매체 자료의 효과 이해하기

학습 포인트
❶ 강연에 활용된 매체 자료의 효과

만약 지진이 일어난다면?

강연 순서
1. 지진의 개념과 발생 원인
2. 지진 피해 사례
3. 지진이 자주 발생하는 지역
4. 지진 발생 시 대처법

가 행복 중학교 2학년 3반 학생 여러분, 안녕하세요? 저는 오늘 지진을 주제로 강연할 ○○ 소방서에 근무하는 △△△입니다. 본론에 들어가기에 앞서, 중학교에 다니는 제 딸과 함께 며칠 전에 본 영화를 소개하려 합니다. 화면을 볼까요? 「샌 안드레아스」라는 영화의 포스터인데요, 무엇을 다룬 영화일까요? (잠시 후에) 네, 맞습니다. 지진입니다. '샌 안드레아스'라는 단층대가 무너지면서 지진이 발생하자, 주인공이 가족을 구하려고 고군분투하는 이야기예요. 영화를 본 후, 제 딸은 영화 속 상황이 실제로 벌어지면 어떡하냐며 무척 걱정했답니다.

고군분투하는: 남의 도움을 받지 않고 힘에 벅찬 일을 잘해 나가는

여러분은 어떤가요? 지진을 직접 겪어 보지 못한 학생들은 지진을 남의 일처럼 생각할 수도 있고, 제 딸처럼 막연히 두려워할 수도 있겠죠. 그래서 오늘은 지진에 대한 다양한 정보와 지진이 일어났을 때의 대처 방안을 여러분에게 알려 주려 합니다. 아는 것이 힘이라고 했습니다. 오늘 제 강연을 듣고 지진이 일어나더라도 침착하고 안전하게 대처할 수 있기를 바랍니다.

간단 체크 활동 문제

01 이 강연에 대한 설명으로 알맞지 않은 것은?

① 지진을 주요 소재로 삼고 있다.
② 대상에 대한 정보 제공을 목적으로 하고 있다.
③ 매체를 활용하여 듣는 이의 흥미를 유발하고 있다.
④ 듣는 이가 강연자에게 궁금한 점을 질문하고 있다.
⑤ 주제에 대한 듣는 이 또래의 반응을 소개하며 듣는 이의 주의 집중을 유도하고 있다.

02 다음은 (가)의 내용을 정리한 것이다. 빈칸에 들어갈 말을 차례대로 쓰시오.

- 강연자의 소개를 통해 강연자와 □□ □이/가 누구인지 밝히고 있음.
- 강연자가 구체적인 강연의 □□을/를 안내하고 있음.

1. 지진의 개념과 발생 원인

• 지진의 개념: 큰 힘을 받은 지층이 끊어지면서 땅이 흔들리는 현상.
• 지진의 발생 원인

영상 자료

▲ 지진이 어떻게 일어나는지 보여 주는 동영상

나 지진이 왜 일어나는지 파악하려면, 우선 우리가 딛고 있는 이 땅의 특성을 알아야 합니다. 땅은 여러 지층으로 이루어져 있습니다. 지층은 진흙, 모래, 자갈과 같은 퇴적물이 오랫동안 층층이 쌓이면서 만들어집니다. 여기에 큰 힘이 계속 작용하면 그 힘을 견디지 못한 지층은 결국 끊어집니다. 그 과정에서 땅이 흔들리는 현상을 바로 지진이라고 합니다.

그럼 다음 영상을 보면서 지진이 발생하는 원인을 좀 더 자세히 살펴볼까요? (잠시 후에) 이처럼 지진은 대륙의 이동이나 해저의 확장, 산맥의 형성 등에 작용하는 지구 내부의 커다란 힘 때문에 발생합니다. 이 밖에 화산 활동으로 지진이 일어나기도 하죠.

2. 지진 피해 사례

▲ 지진으로 삶의 터전이 무너진 네팔의 어느 마을 ▲ 거대한 해일로 큰 피해를 입은 일본의 해안 마을

㉠

다 그럼 지진이 일어나면 어떤 피해가 생길까요? 지진의 강도에 따라 다르겠지만, 강한 지진이 발생하면 그 피해는 매우 큽니다. (사진을 가리키며) 지진이 발생하면 이 사진 속 모습처럼 땅이 뒤틀리면서 지상 및 지하 구조물이 붕괴되기도 하고,

간단 체크 활동 문제

03 (나)에서 설명하고 있는 내용이 아닌 것은?

① 지진의 개념
② 지층이 형성되는 과정
③ 지진이 발생하는 과정
④ 지진이 발생하는 원인
⑤ 지진이 발생하는 장소와 지진의 유형

중요

04 다음은 ㉠의 내용과 효과를 정리한 것이다. 빈칸에 들어갈 내용으로 알맞은 것은?

내용
지진으로 피해를 입은 네팔 마을과 일본 마을의 사진

⬇

효과
(   )

① 지진 피해의 심각성을 생생하게 느낄 수 있다.
② 지진이 자주 발생하는 지역을 확인할 수 있다.
③ 지진의 강도에 따른 피해 규모 차이를 알 수 있다.
④ 지진 발생 시 대피 가능한 장소를 파악할 수 있다.
⑤ 실제 지진을 배경으로 한 영화의 내용을 이해할 수 있다.

해일과 산사태가 일어나기도 합니다. 그 과정에서 친구나 이웃, 가족을 잃는 참혹한 일이 생길 수도 있습니다. 수도·가스·통신 등의 사회 기반 시설이 파괴되면서 사회가 혼란스러워지기도 하지요.

㉠혹시 2015년에 네팔에서 일어난 지진을 기억하시나요? 피해가 어마어마해서 세상이 떠들썩했죠. 이 지진 때문에 8,400명 이상이 목숨을 잃었고, 유네스코(UNESCO) 세계 문화 유산으로 지정된 유적지가 파괴되었다고 합니다. 또한 이 지진의 여파로 에베레스트산에서 눈사태가 일어나 17명 이상이 사망했다고 하니, 피해 범위도 굉장히 넓다는 것을 알 수 있지요.

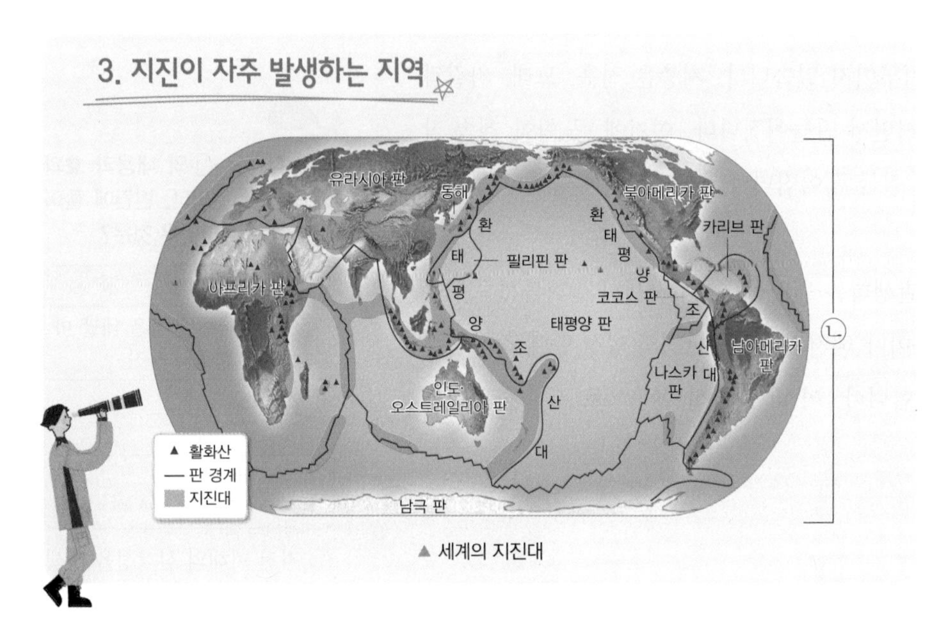

▲ 세계의 지진대

라 이렇게 무서운 지진은 주로 어디에서 일어날까요? 다음은 지진 발생 지역을 표시해 놓은 지도입니다. 지진이 자주 일어나거나 일어나기 쉬운 지역을 붉은 띠로 나타내고 있습니다. (그림을 가리키며) 이 지역은 '환태평양 조산대'입니다. 태평양을 중심으로 고리 모양을 하고 있다고 하여 '불의 고리[Ring of Fire]'라고 불리기도 하지요. 세계에서 발생하는 지진 대부분은 바로 이곳에서 집중적으로 일어났습니다. 최근에도 이 지역에 있는 일본 구마모토현과 남미 에콰도르 등에서 대형 지진이 발생했습니다.

우리나라는 '불의 고리'에서 살짝 벗어나 있어 지진 안전지대라고 생각하기 쉽습니다. 하지만 우리나라에서도 크고 작은 지진이 계속해서 발생하고 있지요. 한 예로 2016년 9월, 경주에서 발생한 지진은 그 진동을 전국 각지에서 느낄 수 있을 정도로 강력해, 온 국민이 깜짝 놀랐죠. 이처럼 우리나라도 지진의 안전지대라고 안심할 수 없는 상황입니다.

간단 체크 활동 문제

05 강연자가 ㉠과 같은 질문을 한 의도로 알맞은 것은?

① 듣는 이의 주의를 집중시키기 위해서
② 강연자만 알고 있는 사실을 강조하기 위해서
③ 듣는 이가 강연자의 성격을 파악하게 하기 위해서
④ 강연 내용과 관련된 강연자의 경험을 소개하기 위해서
⑤ 듣는 이가 강연자의 주장과 근거를 이해하게 하기 위해서

중요
06 다음은 ㉡에 담긴 내용이다. ㉡을 제시하여 설명하려는 내용으로 알맞은 것은?

- 활화산과 판의 경계
- '불의 고리'를 중심으로 한 지진대 분포 양상

① 지진 대피 훈련의 필요성
② 지진에 따른 피해의 범위
③ 지진이 일어나기 쉬운 지역
④ 지진의 피해를 입지 않는 안전지대
⑤ 우리나라에서 지진이 발생하지 않는 이유

4. 지진 발생 시 대처법

건물 안에 있을 경우	건물 밖에 있을 경우
• 책상이나 탁자 밑으로 몸을 숨긴다. • 방석, 베개 등으로 머리를 보호한다. • 가스와 전기 등을 차단한다. • 승강기를 이용하지 않고 밖으로 나간다.	• 가방, 책 등으로 머리를 보호한다. • 운동장처럼 넓은 공간으로 대피한다. • 전신주, 자판기, 벽돌담 등 넘어지기 쉬운 사물 옆은 피한다.

▲ 장소에 따른 지진 대처법

마 우리가 서 있는 이 땅에서도 지진이 일어날 수 있습니다. 만약 지금 당장 지진이 발생한다면, 우리는 어떻게 대처해야 할까요? 지진이 발생했을 때 실내에 있다면 일단 책상이나 탁자 밑으로 몸을 피하고 방석, 베개 등으로 머리를 보호합니다. 강한 흔들림이 멈추면 가스와 전기 등을 차단하여 화재를 예방하고, 밖으로 나갑니다. 이동할 때에는 승강기를 타지 말고, 운동장이나 공원 등 넓은 공간으로 대피합니다. 대피한 다음에는 전신주나 자판기 등 넘어질 우려가 있는 사물 근처에 서 있지 않아야 합니다. 지금까지 말씀드린 지진 발생 시 대처법을 건물 안에 있을 경우와 건물 밖에 있을 경우로 나누어 표로 정리해 보았습니다. 화면을 함께 볼까요?

바 (잠시 후에) 제가 준비한 내용은 여기까지입니다. 지진이 무엇인지 알 수 있는 유익한 시간이었나요? 오늘 강연 내용을 잘 기억해 둔다면, 지진이 발생하더라도 현명하게 대처할 수 있을 것입니다.

이만 강연을 마칩니다. (고개를 숙이며) 고맙습니다.

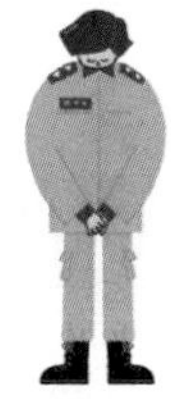

1 이 강연이 이루어지는 상황을 정리해 보자.

강연

말하는 이
답 ○○ 소방서에서 근무하는 △△△

듣는 이
답 행복 중학교 2학년 3반 학생들

목적
답 지진과 관련된 다양한 정보와 지진 발생 시 대처법 소개

장소
교실

간단 체크 활동 문제

중요

07 이 강연에서 제시한 '장소에 따른 지진 대처법' 표의 기능으로 알맞은 것은?

① 지진의 강도에 따른 대피 요령을 설명해 준다.
② 지진 발생 시 대피소를 찾는 방법을 한눈에 알게 해 준다.
③ 지진 발생 후에 벌어질 상황을 미리 체험할 수 있게 해 준다.
④ 상황에 적합한 지진 대처법을 명확히 구별하여 이해할 수 있게 해 준다.
⑤ 지진 발생으로 입을 수 있는 경제적 피해를 줄이는 방안을 알게 해 준다.

08 다음은 이 강연이 이루어지는 상황을 정리한 것이다. 빈칸에 들어갈 말을 차례대로 쓰시오.

말하는 이	소방서에서 근무하시는 분
듣는 이	행복 중학교 2학년 3반 학생들
목적	지진에 관한 다양한 □□와/과 지진이 발생했을 때의 □□□ 소개
장소	교실

(2) 매체 자료의 효과

2 강연 내용을 떠올리면서 다음 개요를 완성해 보자.

	핵심 내용	사용한 매체 자료
처음	• 자기소개 • 강연 내용 안내	영화 포스터 사진
가운데	지진의 개념과 발생 원인	답 지진의 발생 원인을 설명한 □□□
	답 지진 피해 사례	답 네팔과 일본의 지진 피해 사진
	답 지진이 자주 발생하는 □□	답 세계의 지진대를 나타낸 그림
	지진 발생 시 대처법	장소에 따른 지진 대처법을 안내한 표
끝	• 당부의 말 • 감사 인사	

3 이 강연에 활용된 매체 자료의 효과를 적어 보자.

매체 자료의 효과

사진

강연을 시작하는 부분에서 강연자의 경험과 관련된 영화 포스터를 제시하여, 듣는 이가 강연 주제에 관심을 기울이게 한다.

답 지진으로 피해를 입은 마을의 사진을 제시하여, □□ □□가 매우 심각하다는 것을 실감 나게 느끼게 한다.

동영상

답 지진의 발생 과정을 보여 주는 동영상을 강연 중에 제시하여 분위기를 환기할 수 있으며, 지진이 발생하는 과정을 쉽게 이해하게 한다.

그림

답 세계의 지진대 그림을 제시하여 지진이 자주 발생하는 지역을 한눈에 파악하도록 해 주며, '□□ □□'가 무엇을 가리키는지 쉽게 이해하게 한다.

간단 체크 활동 문제

09 다음은 이 강연의 과정을 정리한 것이다. 빈칸에 들어갈 내용으로 알맞은 것은?

처음	강연자를 소개하고 강연 내용을 안내함.
⬇	
가운데	( )
⬇	
끝	당부의 말과 감사 인사를 전함.

① 강연을 하게 된 계기를 소개함.
② 강연 내용을 요약하며 강연을 마무리함.
③ 강연 내용에 관한 듣는 이의 질문에 답함.
④ 강연 순서에 따라 내용을 체계적으로 설명함.
⑤ 강연 주제에 대한 듣는 이의 인식 변화를 요구함.

중요

10 이 강연에서 활용한 매체 자료에 대한 설명으로 알맞지 않은 것은?

① 동영상은 지진이 일어나는 과정을 생생하게 보여 준다.
② 그림은 지진대의 변화 과정을 체계적으로 구조화하여 나타낸다.
③ 영화 포스터는 강연 주제인 지진에 대한 듣는 이의 관심을 이끌어 낸다.
④ 지진 피해 사진은 지진 피해 지역의 참혹한 모습을 실감 나게 드러낸다.
⑤ 강연 중에 제시한 여러 매체 자료를 통해 내용에 대한 이해를 돕고 듣는 이의 주의를 집중시킨다.

4 다음 두 매체 자료를 비교해 보고, 강연 내용을 이해하는 데 어느 것이 더 효과적인지 평가해 보자.

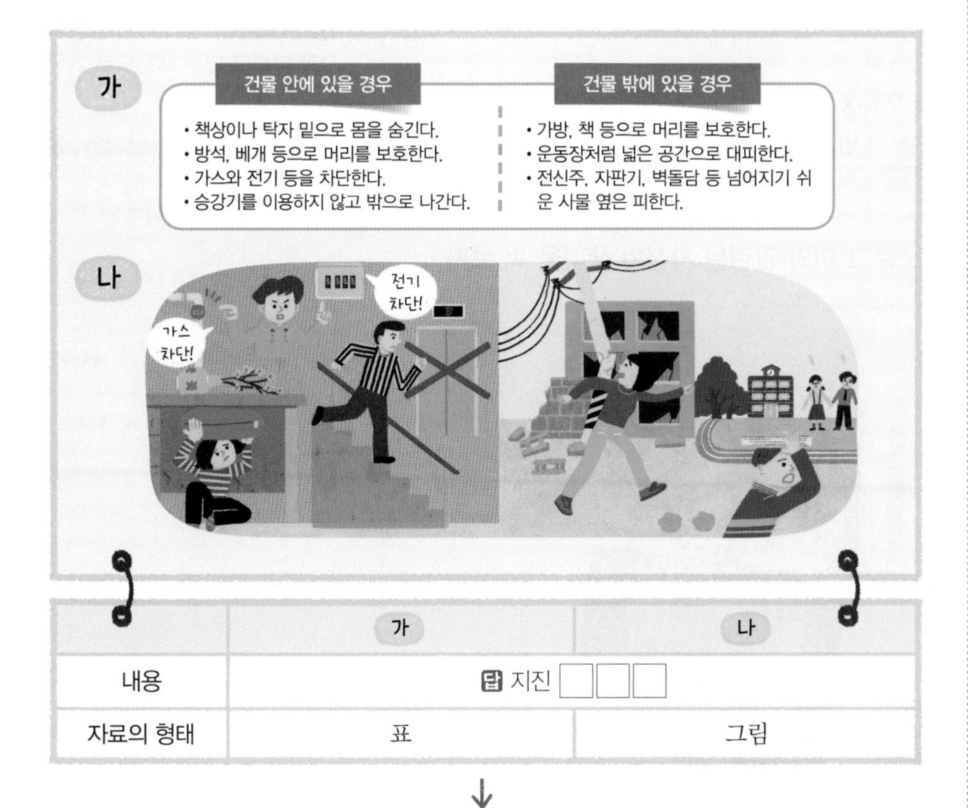

	가	나
내용	답 지진 □□□	
자료의 형태	표	그림

↓

나는 가 가 더 효과적이라고 생각해.

왜냐하면, 예시 답›› 지진이 벌어졌을 때의 상황을 건물 안과 건물 밖으로 제시한 표를 통해 장소에 따른 대처 방법을 비교해 보기 쉬웠기 때문이야.

나는 나 가 더 효과적이라고 생각해.

왜냐하면, 예시 답›› 지진이 일어나면 어떻게 해야 하는지 그림으로 보니, 글로 읽는 것보다 쉽게 이해할 수 있었기 때문이야.

5 강연 내용을 이해하는 데 도움이 될 만한 매체 자료를 더 찾아보자.

예시 답›› 지진의 피해 상황을 보도하는 뉴스 동영상, 우리나라의 지진 피해 사례를 보여 주는 사진, 우리나라의 지진 발생 빈도와 강도를 나타낸 그래프 등

학습콕

❶ **강연에 활용된 매체 자료의 효과**

영화 □□□ 사진	• 듣는 이가 강연 주제에 관심을 기울이게 함. • 앞으로 전개될 강연 내용을 짐작하게 함.
지진 발생 과정을 보여 주는 동영상	• 강연 중에 제시되어 분위기를 환기함. • 지진이 발생하는 과정을 쉽게 이해하게 함.
지진 피해 □□	지진 피해의 심각성을 실감 나게 느끼게 함.
세계의 지진대 그림	• 지진이 자주 발생하는 □□을 한눈에 파악하도록 함. • '불의 고리'가 가리키는 것을 쉽게 이해하게 함.
지진 대처법 표	• 각 상황에 적합한 대처법을 명확히 구별할 수 있게 함. • 강연자가 설명한 지진 대처법을 다시 한번 확인하게 해 줌.

간단 체크 활동 문제

11 4의 (가)와 (나)를 비교한 내용으로 알맞은 것끼리 묶은 것은?

ㄱ. (가)는 (나)와 달리 정보를 동영상으로 제시하고 있다.
ㄴ. (나)는 (가)와 달리 문자만으로 정보를 전달하고 있다.
ㄷ. (가)와 (나) 모두 지진 발생 시 대처 방법을 보여 주고 있다.
ㄹ. (가)와 (나) 모두 장소를 기준으로 내용을 나누어 제시하고 있다.

① ㄱ, ㄴ ② ㄱ, ㄹ
③ ㄴ, ㄷ ④ ㄴ, ㄹ
⑤ ㄷ, ㄹ

12 매체의 특성을 고려할 때, 이 강연의 내용을 이해하는 데 도움이 될 만한 자료로 적절하지 않은 것은?

① 지진 피해 상황을 보도하는 뉴스 동영상
② 전국 지진 체험관의 위치를 나타낸 그래프
③ 우리나라에서 발생한 지진 피해 지역 사진
④ 우리나라의 지진 발생 빈도를 나타낸 그래프
⑤ 우리나라에서 발생한 지진의 강도를 정리한 표

(2) 매체 자료의 효과

❶ 매체 자료를 활용하여 사회 현상에 대한 자신의 생각 발표하기
❷ 발표에서 사용한 매체 자료의 효과 판단하기

다음 매체 자료에 드러난 우리 사회의 모습을 떠올려 보고, 자신의 생각을 매체 자료를 활용하여 표현해 보자. 그리고 친구들의 발표를 들으면서 매체 자료의 효과를 판단해 보자.

1 ㉮~㉰ 중 인상 깊은 자료를 고르고 이와 관련된 자신의 생각을 써 보자.

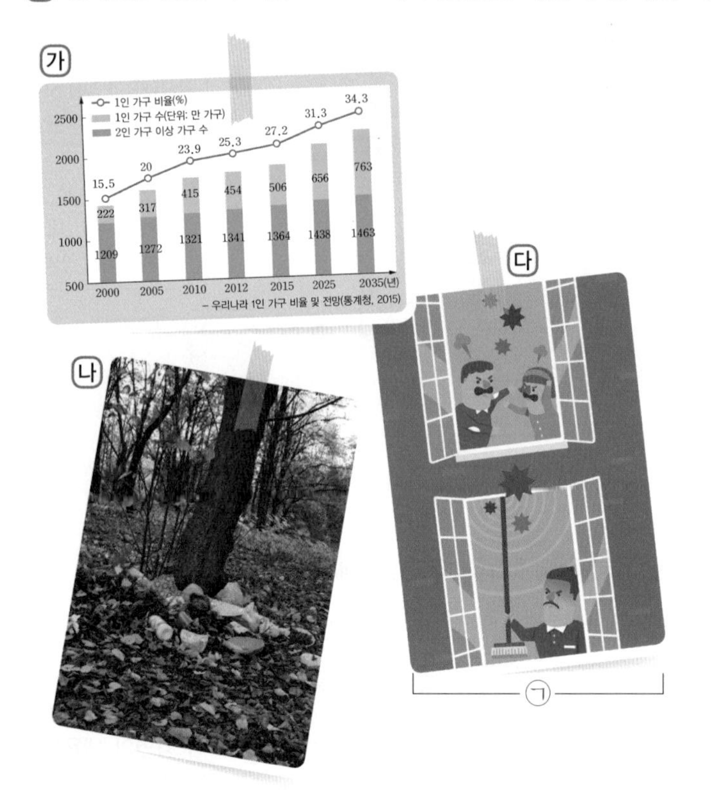

예시 답〉〉

- **인상 깊은 자료:** ㉰
- **내 생각:** 층간 소음은 이웃 간의 단순한 다툼을 넘어 심각한 사회 문제로 퍼지고 있어 대책 마련이 시급하다.

2 1에서 쓴 자신의 생각을 뒷받침하는 매체 자료를 추가하여 발표해 보자.

예시 답〉〉

매체 자료	발표 내용
층간 소음 문제를 다룬 보도 동영상	층간 소음 문제를 해결하려면 이웃을 배려하는 마음과 법적 규제가 필요하다.

간단 체크 활동 문제

13 1의 (가)~(다)에서 공통적으로 다루고 있는 내용으로 가장 적절한 것은?

① 미래 세대가 나아가야 할 올바른 방향
② 외국인이 부러워하는 우리나라의 모습
③ 청소년이 앞으로 해결해야 할 사회 갈등
④ 현재 우리 사회에서 나타나는 현상과 문제
⑤ 다가올 4차 산업 혁명의 좋은 점과 나쁜 점

14 다음은 ㉠에서 이끌어 낼 수 있는 내용을 정리한 것이다. 빈칸에 들어갈 알맞은 말을 차례대로 쓰시오.

문제 상황	□□ □□
자신의 생각	이웃 간의 단순한 다툼을 넘어 심각한 사회 문제가 되고 있음.
해결 방안	이웃을 □□하는 마음과 법적 규제가 필요함.

3 친구들의 발표를 듣고, 다음 활동을 해 보자.

(1) 친구가 발표한 내용과 사용한 매체 자료를 정리해 보자.

예시 답 〉〉

친구 이름	발표 내용	사용한 매체 자료
○○○	**환경 오염이 사람에게 미치는 영향**	**미세 먼지 때문에 나타날 수 있는 질환을 소개하는 동영상**
☆☆☆	환경 오염의 실태	미세 먼지 오염 현황 그래프
△△△	1인 가구 증가의 원인	인구 정책을 연구한 교수의 인터뷰 영상
□□□	층간 소음 해결 대책	층간 소음 해결 방법의 법적 기준을 정리한 표

(2) 매체 자료를 가장 잘 활용한 친구를 고르고, 그렇게 생각한 까닭을 말해 보자.

예시 답 〉〉 ○○○, 미세 먼지 때문에 나타날 수 있는 질환을 소개하는 동영상을 보니 환경 문제의 심각성이 느껴졌기 때문이다.

간단 체크 활동 문제

15 **'대기 오염'을 주제로 발표를 할 때, 활용할 수 있는 자료로 알맞은 것끼리 묶은 것은?**

ㄱ. 대기 오염 현황 그래프
ㄴ. 인구 정책 전문가와의 인터뷰 영상
ㄷ. 우리나라의 자동차 분류 기준을 정리한 표
ㄹ. 미세 먼지 때문에 나타날 수 있는 질환을 소개하는 동영상

① ㄱ, ㄷ
② ㄱ, ㄹ
③ ㄱ, ㄴ, ㄷ
④ ㄱ, ㄷ, ㄹ
⑤ ㄴ, ㄷ, ㄹ

• 정답과 해설 15쪽

●● '만약 지진이 일어난다면?'의 짜임

처음		가운데		끝
강연자의 ❶□□□□ 및 강연 내용 안내	➡	지진에 대한 다양한 ❷□□와 지진 발생 시 대처법 설명	➡	당부의 말과 감사 인사

●● '만약 지진이 일어난다면?'에서 활용한 매체 자료의 효과

매체 자료	효과
영화 포스터 사진	• 듣는 이가 강연 주제에 관심을 기울이게 함. • 앞으로 전개될 강연 내용을 짐작하게 함.
지진 발생 과정을 보여 주는 동영상	• 강연 중에 제시되어 분위기를 환기함. • 지진이 발생하는 ❸□□을 쉽게 이해하게 함.
지진 피해 사진	지진 피해의 심각성을 실감 나게 느끼게 함.
세계의 ❹□□□ 그림	• 지진이 자주 발생하는 지역을 한눈에 파악하도록 함. • '불의 고리'가 가리키는 것을 쉽게 이해하게 함.
지진 대처법 표	• 각 상황에 적합한 대처법을 명확히 구별할 수 있게 함. • 강연자가 설명한 지진 대처법을 다시 한번 확인하게 해 줌.

●● 매체 자료의 종류와 특성

종류	특성	매체 자료로 나타낼 수 있는 내용의 예
표, 그래프	• 대상을 체계적으로 구조화함. • 대상의 양상 및 변화 과정을 나타냄. → 전체 내용을 한눈에 파악하도록 해 줌.	초·중·고 독서 시간 비교, 우리나라의 연령대별 인구 분포, 중학생의 진로 희망 조사 등
그림, 사진	대상의 모양이나 위치 등 언어로 표현하기 어려운 내용을 시각적으로 보여 줌.	여행지의 풍경, 올가을 유행할 옷, 지도나 흐름도 등
❺□□□	상황이나 사건, 대상의 움직임을 실감 나게 보여 줌.	자전거 조립 방법, 운동 경기 장면, 춤 동작 등

●● 매체 자료의 효과를 판단하며 듣는 방법

- 매체 자료가 내용을 잘 뒷받침하는지 판단하며 듣는다.
- 매체 자료가 적절한 부분에 사용되었는지 판단하며 듣는다.
- 매체 자료가 장소와 시간, 듣는 이, ❻□□에 적합한지 판단하며 듣는다.

시험에 나오는 소단원 문제

• 정답과 해설 15쪽

01~04 다음을 읽고, 물음에 답하시오.

가 행복 중학교 2학년 3반 학생 여러분, 안녕하세요? 저는 오늘 지진을 주제로 강연할 ○○ 소방서에 근무하는 △△△입니다. 본론에 들어가기에 앞서, 중학교에 다니는 제 딸과 함께 며칠 전에 본 영화를 소개하려 합니다. 화면을 볼까요? ㉠「샌 안드레아스」라는 영화의 포스터인데요, 무엇을 다룬 영화일까요? (잠시 후에) 네, 맞습니다. 지진입니다. '샌 안드레아스'라는 단층대가 무너지면서 지진이 발생하자, 주인공이 가족을 구하려고 고군분투하는 이야기예요. 영화를 본 후, 제 딸은 영화 속 상황이 실제로 벌어지면 어떡하냐며 무척 걱정했답니다.

나 지진이 왜 일어나는지 파악하려면, 우선 우리가 딛고 있는 이 땅의 특성을 알아야 합니다. 땅은 여러 지층으로 이루어져 있습니다. 지층은 진흙, 모래, 자갈과 같은 퇴적물이 오랫동안 층층이 쌓이면서 만들어집니다. 여기에 큰 힘이 계속 작용하면 그 힘을 견디지 못한 지층은 결국 끊어집니다. 그 과정에서 땅이 흔들리는 현상을 바로 지진이라고 합니다.

다 그럼 다음 영상을 보면서 지진이 발생하는 원인을 좀 더 자세히 살펴볼까요? (잠시 후에) 이처럼 지진은 대륙의 이동이나 해저의 확장, 산맥의 형성 등에 작용하는 지구 내부의 커다란 힘 때문에 발생합니다. 이 밖에 화산 활동으로 지진이 일어나기도 하죠.

㉡

라 (잠시 후에) 제가 준비한 내용은 여기까지입니다. 지진이 무엇인지 알 수 있는 유익한 시간이었나요? 오늘 강연 내용을 잘 기억해 둔다면, 지진이 발생하더라도 현명하게 대처할 수 있을 것입니다.

이만 강연을 마칩니다. (고개를 숙이며) 고맙습니다.

01 이와 같은 갈래에 대한 설명으로 알맞은 것은?

① 일정한 주제에 대한 내용을 듣는 이에게 설명하는 말하기이다.
② 찬성과 반대의 입장으로 나누어 자신의 주장이 옳음을 내세우는 말하기이다.
③ 둘 이상의 사람이 모여 서로의 생각과 느낌을 표현하고 이해하는 말하기이다.
④ 특정 주제에 대한 정보를 수집하기 위해 면담자와 면담 대상자가 주고받는 말하기이다.
⑤ 공동의 문제에 대해 최선의 해결 방안을 얻기 위해 여러 사람이 의견을 나누는 말하기이다.

학습 활동 응용

02 (라)를 통해 추측할 수 있는 이 강연의 내용을 <보기>에서 골라 바르게 묶은 것은?

보기
ㄱ. 지진 발생 시 대처법
ㄴ. 지진의 개념에 대한 정보
ㄷ. 실제 지진을 소재로 한 여러 영화의 내용
ㄹ. 지진에 대비하기 위해 소방서에서 하는 일

① ㄱ, ㄴ ② ㄱ, ㄷ ③ ㄴ, ㄷ
④ ㄱ, ㄷ, ㄹ ⑤ ㄴ, ㄷ, ㄹ

학습 활동 응용

03 ㉠이 이 강연에서 하는 역할로 알맞은 것은?

① 듣는 이가 질문할 수 있는 기회를 준다.
② 듣는 이가 강연 주제에 관심을 기울이게 한다.
③ 듣는 이가 중요한 내용을 메모할 수 있게 해 준다.
④ 듣는 이가 강연자의 정보를 파악할 수 있게 해 준다.
⑤ 듣는 이가 강연 내용을 사전에 조사할 수 있게 해 준다.

서술형

04 ㉡의 핵심 내용을 (다)에서 찾아 3어절로 쓰시오.

정답과 해설 15쪽

어휘력 키우기

교과서 136~137쪽

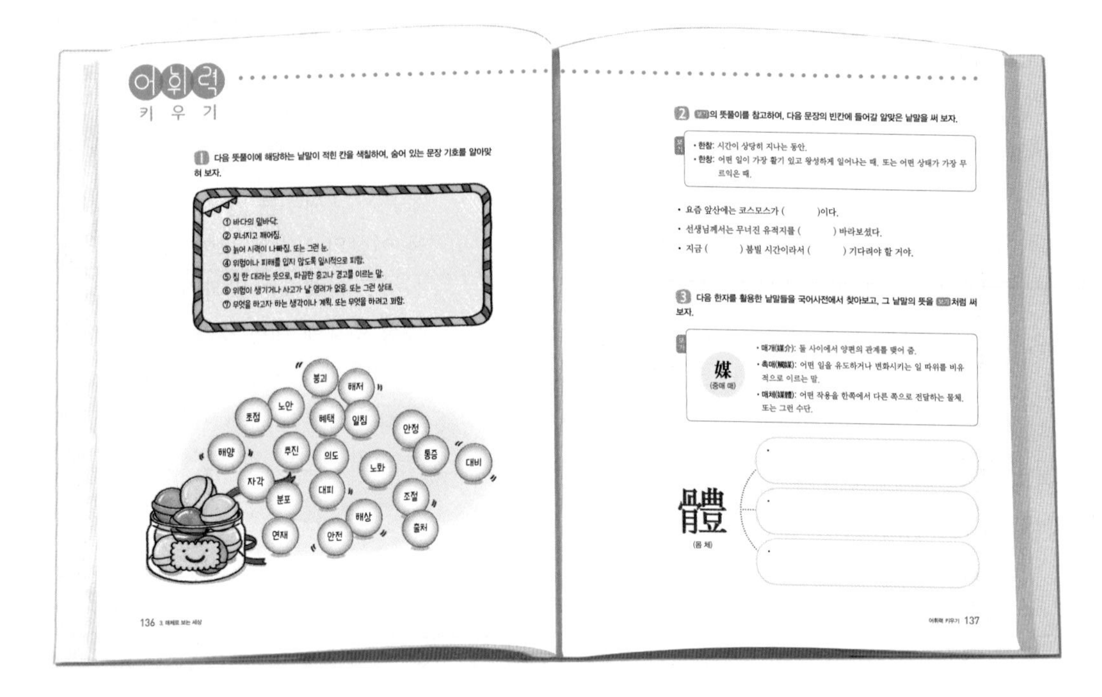
어휘력 키우기

1 다음 뜻풀이에 해당하는 낱말이 적힌 칸을 색칠하여, 숨어 있는 문장 기호를 알아맞혀 보자.

① 바다의 밑바닥.
② 무너지고 깨어짐.
③ 늙어 시력이 나빠짐. 또는 그런 눈.
④ 위험이나 피해를 입지 않도록 일시적으로 피함.
⑤ 침 한 대라는 뜻으로, 따끔한 충고나 경고를 이르는 말.
⑥ 위험이 생기거나 사고가 날 염려가 없음. 또는 그런 상태.
⑦ 무엇을 하고자 하는 생각이나 계획. 또는 무엇을 하려고 꾀함.

136 3. 매체로 보는 세상

2 보기의 뜻풀이를 참고하여, 다음 문장의 빈칸에 들어갈 알맞은 낱말을 써 보자.

보기
- 한참: 시간이 상당히 지나는 동안.
- 한창: 어떤 일이 가장 활기 있고 왕성하게 일어나는 때. 또는 어떤 상태가 가장 무르익은 때.

- 요즘 앞산에는 코스모스가 (   )이다.
- 선생님께서는 무너진 유적지를 (   ) 바라보셨다.
- 지금 (   ) 붐빌 시간이라서 (   ) 기다려야 할 거야.

3 다음 한자를 활용한 낱말들을 국어사전에서 찾아보고, 그 낱말의 뜻을 보기처럼 써 보자.

보기
媒 (중매 매)
- 매개(媒介): 둘 사이에서 양편의 관계를 맺어 줌.
- 촉매(觸媒): 어떤 일을 유도하거나 변화시키는 일 따위를 비유적으로 이르는 말.
- 매체(媒體): 어떤 작용을 한쪽에서 다른 쪽으로 전달하는 물체. 또는 그런 수단.

體 (몸 체)
-
-
-

어휘력 키우기 137

예시답안

1.

① 바다의 밑바닥. → 해저

② 무너지고 깨어짐. → 붕괴

③ 늙어 시력이 나빠짐. 또는 그런 눈. → 노안

④ 위험이나 피해를 입지 않도록 일시적으로 피함. → 대피

⑤ 침 한 대라는 뜻으로, 따끔한 충고나 경고를 이르는 말. → 일침

⑥ 위험이 생기거나 사고가 날 염려가 없음. 또는 그런 상태. → 안전

⑦ 무엇을 하고자 하는 생각이나 계획. 또는 무엇을 하려고 꾀함. → 의도

문장 기호: 물음표(?)

2.

- 요즘 앞산에는 코스모스가 (한창)이다.
- 선생님께서는 무너진 유적지를 (한참) 바라보셨다.
- 지금 (한창) 붐빌 시간이라서 (한참) 기다려야 할 거야.

3.

- 신체(身體): 사람의 몸.
- 체감(體感): 몸으로 어떤 감각을 느낌.
- 형체(形體): 물건의 생김새나 그 바탕이 되는 몸체.
- 체득(體得): ① 몸소 체험하여 알게 됨. ② 뜻을 깊이 이해하여 실천으로써 본뜸.
- 체력(體力): 육체적 활동을 할 수 있는 몸의 힘. 또는 질병이나 추위 따위에 대한 몸의 저항 능력.
- 체격(體格): ① 몸의 골격. ② 근육, 골격, 영양 상태 따위로 나타나는 몸 전체의 외관적 형상.

확인 문제

01 밑줄 친 낱말의 사용이 바르지 않은 것은?

① 가을 대학가에는 축제가 한참이다.
② 나는 안전 운전을 위한 교육을 받았다.
③ 건물 붕괴를 막기 위한 공사가 시작되었다.
④ 체력 관리를 위해 평소 운동을 꾸준히 해야 한다.
⑤ 머리로 아는 것보다 실제 경험을 통한 체득이 중요하다.

● 정답과 해설 16쪽

01~04 다음을 읽고, 물음에 답하시오.

(가)

(나) 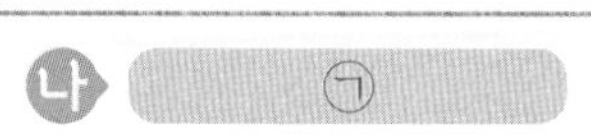

스마트폰 노안이 위험한 까닭은 다음과 같다.

첫째는 환자 대부분이 한창나이이기 때문이다. 젊은 세대는 눈 건강에 크게 신경을 쓰지 않는다. 그러다 보니 스마트폰 노안의 증상을 자각하지 못하여 상황을 악화시킬 수 있다.

둘째는 합병증이 뒤따르기 때문이다. 스마트폰 노안으로 눈 주변의 근육이 손상되면 어깨로 이어지는 신경에도 악영향을 준다. 이 때문에 어깨와 목에 통증이 생기고, 그 주변이 딱딱하게 굳거나 결려 시큰거리기도 한다. 흔히 말하는 거북목 증후군에 걸릴 수도 있고, 두통 및 만성 피로, 어지럼증이 생길 수도 있다.

㉡ 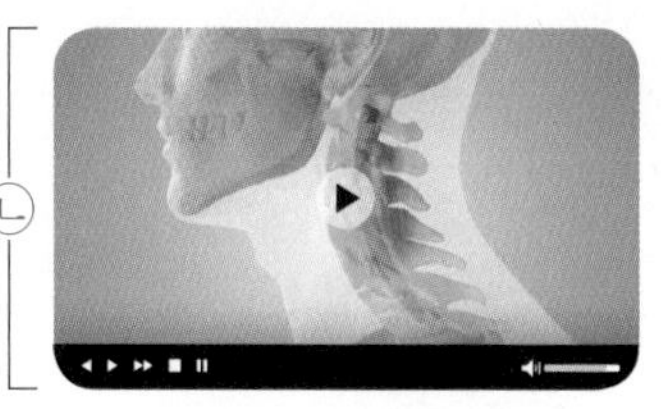
▲ 스마트폰 건강 주의보

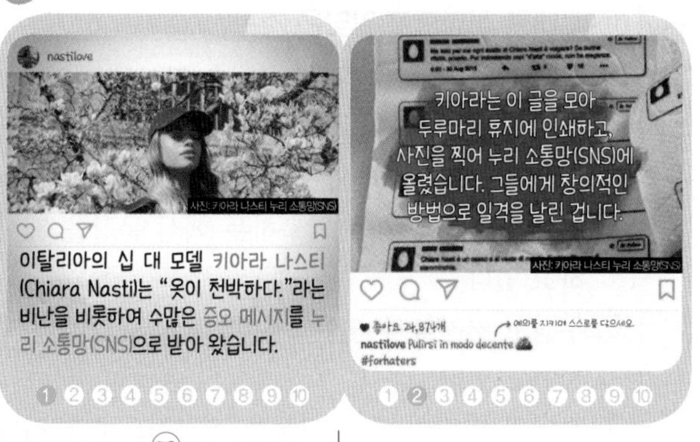

㉢

01 (가)~(다)에 담긴 정보를 수용하는 방법으로 알맞지 않은 것은?

① 각 매체의 특성을 이해한다.
② 매체에 사용된 표현 방법을 파악한다.
③ 매체에 나타난 표현에 담긴 생산자의 의도를 파악한다.
④ 매체에 사용된 표현 방법이 같은 것끼리 묶어서 정보를 파악한다.
⑤ 매체에 담긴 내용의 적절성이나 표현 방법을 비판적으로 수용한다.

02 ㉠에 들어갈 소제목으로 알맞은 것은?

① 나도 스마트폰 노안일까
② 스마트폰 노안의 위험성
③ 스마트폰 노안이란 무엇인가
④ 청소년의 스마트폰 과의존 비율
⑤ 스마트폰으로 알아보는 건강 상식

03 다음은 ㉡을 제시한 의도이다. 이를 참고할 때, ㉡에 담긴 내용을 바르게 추측한 것은?

> 의학과 관련된 전문적인 내용을 동영상으로 제시하여, 읽는 이의 이해를 돕고 내용의 신뢰도를 높이려고 한다.

① 노안으로 힘들어하는 할아버지의 인터뷰
② 어깨 근육이 손상된 운동선수의 재활 장면
③ 거북목 증후군에 대한 의학 전문가의 의견
④ 만성 피로로 고생하는 직장인의 생활 습관
⑤ 스마트폰 중독과 나이의 연관성에 대한 자료

 고난도 서술형

04 ㉢에 사용된 표현 방법과 그 의도를 쓰시오.

조건
① 표현 방법은 '사진', '사건'을 중심으로 쓸 것
② 의도는 '흥미', '신뢰도'와 관련된 내용을 쓸 것

05~07 다음을 읽고, 물음에 답하시오.

가 "노안이요? 나이 들어서 눈이 침침해지는 거 말이에요? 전 겨우 중학생인걸요!"

이 반응처럼 노안은 노화 현상의 하나로, 나이를 먹으면서 가까운 곳의 사물이나 글씨가 잘 보이지 않는 증세를 말한다. 그런데 최근에는 이러한 증상을 겪는 젊은 환자가 늘어나고 있다. 젊은 세대가 상대적으로 스마트폰을 자주, 오래 사용하는 경향이 있어, 이들을 중심으로 '신종 노안'을 겪는 사람이 빠르게 증가한 것이다. 특히 청소년의 '스마트폰 과의존 위험군' 비율이 다른 세대보다 높게 나타나는 것으로 보아, '스마트폰 노안'은 청소년들도 위협하고 있음을 알 수 있다.

나 스마트폰 노안은 위험한 질환이므로, 될 수 있는 대로 빨리 자신의 상태를 점검하고 대책을 마련해야 한다. 혹시 나도 스마트폰 노안은 아닌지, 아래 검사 표로 진단해 보자.

- □ 스마트폰을 하루 세 시간 이상 사용한다.
- □ 저녁이 되면 스마트폰 화면이 잘 보이지 않는다.
- □ 어깨가 결리고 목이 뻐근하며 가끔 두통이 있다.
- □ 눈을 찌푸려야 스마트폰 화면의 글씨가 겨우 보인다.
- □ 먼 곳을 보다가 가까운 곳을 보면 눈이 침침하다.
- □ 가까운 곳을 보다가 먼 곳을 보면 초점이 잘 맞지 않는다.
- □ 화면에서 눈을 떼면 한동안 초점이 잘 맞지 않는다.

자신이 위 항목 중 세 가지 이상에 해당한다면 스마트폰 노안일 가능성이 크다. 이를 일시적인 증상이라고 가볍게 생각해서는 안 된다. 자신이 스마트폰 노안이라고 생각한다면 적극적으로 치료해야 하고, 스마트폰 노안이 아니라면 예방을 위해 노력해야 한다. 다음 글에서 스마트폰 노안의 치료와 예방법을 자세하게 알아보자.

다

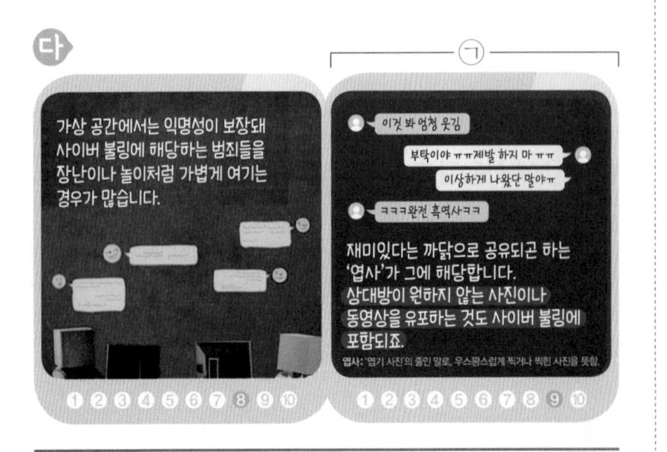

05 (가)~(다)에 대한 설명으로 알맞지 않은 것은?

① (가): 노안의 개념을 바탕으로 스마트폰 노안에 대해 설명하고 있다.
② (가): 청소년들이 스마트폰 노안에 걸릴 위험이 크다는 것을 강조하고 있다.
③ (나): 스마트폰 노안의 치료와 예방법을 제시하고 있다.
④ (나): 스마트폰 노안을 진단할 수 있는 검사 표를 제시하고 있다.
⑤ (다): 사이버 불링이 일어나는 가상 공간의 특성을 제시하고 있다.

서술형

06 다음은 (다)에 대한 설명이다. 빈칸에 공통으로 들어갈 말을 쓰시오.

> 카드 뉴스란 주요 쟁점을 그림이나 (　　　) 등의 시각 자료와 간략한 글로 정리한 뉴스이다. 스크롤바를 내리며 읽어야 하는 장문의 기사 대신, 짧은 글을 (　　　) 여러 장에 얹어 (　　　)을/를 한 장씩 넘겨 보는 형식이다.
>
> – 김환표, 『트렌드 지식 사전 4』

07 ㉠에 대한 설명으로 알맞은 것은?

① 사이버 불링의 구체적인 개념을 정의하고 있다.
② 사진과 그림으로 가상 공간의 익명성을 표현하고 있다.
③ 카드 뉴스의 주제를 압축하는 핵심 문장을 제시하고 있다.
④ 무심코 저지를 수 있는 사이버 불링의 사례를 제시하고 있다.
⑤ 사이버 불링이 주는 고통을 시각적으로 드러내는 사진을 제시하고 있다.

08~11 **다음을 읽고, 물음에 답하시오.**

가 지진이 왜 일어나는지 파악하려면, 우선 우리가 딛고 있는 이 땅의 특성을 알아야 합니다. 땅은 여러 지층으로 이루어져 있습니다. 지층은 진흙, 모래, 자갈과 같은 퇴적물이 오랫동안 층층이 쌓이면서 만들어집니다. 여기에 큰 힘이 계속 작용하면 그 힘을 견디지 못한 지층은 결국 끊어집니다. 그 과정에서 땅이 흔들리는 현상을 바로 지진이라고 합니다.

나 그럼 지진이 일어나면 어떤 피해가 생길까요? 지진의 강도에 따라 다르겠지만, 강한 지진이 발생하면 그 피해는 매우 큽니다. (사진을 가리키며) 지진이 발생하면 이 사진 속 모습처럼 땅이 뒤틀리면서 지상 및 지하 구조물이 붕괴되기도 하고, 해일과 산사태가 일어나기도 합니다. 그 과정에서 친구나 이웃, 가족을 잃는 참혹한 일이 생길 수도 있습니다. 수도·가스·통신 등의 사회 기반 시설이 파괴되면서 사회가 혼란스러워지기도 하지요.

㉠

▲ 지진으로 삶의 터전이 무너진 네팔의 어느 마을

▲ 거대한 해일로 큰 피해를 입은 일본의 해안 마을

다 이렇게 무서운 지진은 주로 어디에서 일어날까요? 다음은 지진 발생 지역을 표시해 놓은 지도입니다. 지진이 자주 일어나거나 일어나기 쉬운 지역을 붉은 띠로 나타내고 있습니다. (그림을 가리키며) 이 지역은 '환태평양 조산대'입니다. 태평양을 중심으로 고리 모양을 하고 있다고 하여 '불의 고리[Ring of Fire]'라고 불리기도 하지요. 세계에서 발생하는 지진 대부분은 바로 이곳에서 집중적으로 일어났습니다.

㉡

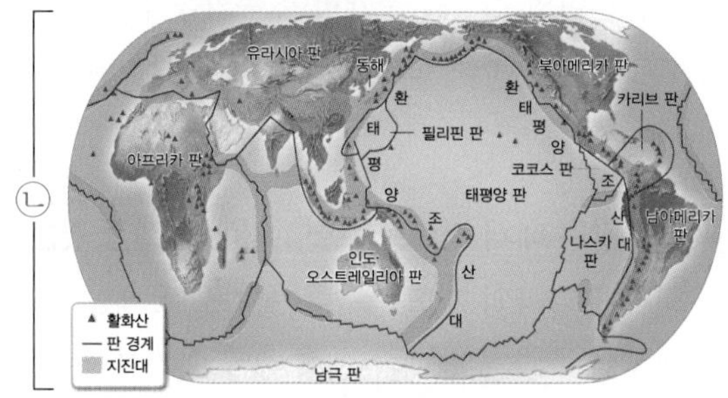

▲ 세계의 지진대

라 (잠시 후에) 제가 준비한 내용은 여기까지입니다. 지진이 무엇인지 알 수 있는 유익한 시간이었나요? 오늘 강연 내용을 잘 기억해 둔다면, 지진이 발생하더라도 현명하게 대처할 수 있을 것입니다.

이만 강연을 마칩니다. (고개를 숙이며) 고맙습니다.

08 **이 강연에 사용된 매체 자료의 효과를 판단하는 기준으로 알맞지 않은 것은?**

① 매체 자료가 강연의 목적에 부합하는가?
② 매체 자료가 강연 내용을 잘 뒷받침하는가?
③ 매체 자료가 강연 장소와 시간에 적합한가?
④ 매체 자료에 강연자의 특징이 반영되었는가?
⑤ 매체 자료는 적절한 부분에서 사용되었는가?

09 **이 강연에서 알 수 있는 내용이 아닌 것은?**

① 지진이 강할수록 피해가 커진다.
② 지진으로 사회 기반 시설이 파괴될 수 있다.
③ 지층은 오랜 시간 퇴적물이 쌓여 만들어진다.
④ 지진은 지층이 끊어지면서 땅이 흔들리는 현상이다.
⑤ 지진으로 해일과 산사태가 일어나면 지상에는 피해가 발생하나, 지하 구조물은 안전하다.

서술형

10 **(다)의 내용에 어울리는 소제목을 4어절로 쓰시오.**

11 **㉠과 ㉡에 대한 설명으로 알맞지 않은 것은?**

① ㉠은 지진의 발생 과정을 쉽게 이해하게 한다.
② ㉠은 지진 피해의 심각성을 생생히 느끼게 한다.
③ ㉡은 '불의 고리'가 가리키는 곳을 이해하게 돕는다.
④ ㉡은 지진이 자주 일어나는 지역을 한눈에 파악하게 한다.
⑤ ㉠과 ㉡은 듣는 이의 흥미를 끌어 강연에 집중하게 해 준다.

● 정답과 해설 16쪽

12~15 다음을 읽고, 물음에 답하시오.

가

나 ㉠"노안이요? 나이 들어서 눈이 침침해지는 거 말이에요? 전 겨우 중학생인걸요!"

이 반응처럼 노안은 노화 현상의 하나로, 나이를 먹으면서 가까운 곳의 사물이나 글씨가 잘 보이지 않는 증세를 말한다. 그런데 최근에는 이러한 증상을 겪는 젊은 환자가 늘어나고 있다. 젊은 세대가 상대적으로 스마트폰을 자주, 오래 사용하는 경향이 있어, 이들을 중심으로 '신종 노안'을 겪는 사람이 빠르게 증가한 것이다.

다 그럼 다음 영상을 보면서 지진이 발생하는 원인을 좀 더 자세히 살펴볼까요? (잠시 후에) 이처럼 지진은 대륙의 이동이나 해저의 확장, 산맥의 형성 등에 작용하는 지구 내부의 커다란 힘 때문에 발생합니다. 이 밖에 화산 활동으로 지진이 일어나기도 하죠.

㉡

▲ 지진이 어떻게 일어나는지 보여 주는 동영상

라 그럼 지진이 일어나면 어떤 피해가 생길까요? 지진의 강도에 따라 다르겠지만, 강한 지진이 발생하면 그 피해는 매우 큽니다. (사진을 가리키며) 지진이 발생하면 이 사진 속 모습처럼 땅이 뒤틀리면서 지상 및 지하 구조물이 붕괴되기도 하고, 해일과 산사태가 일어나기도 합니다.

12 (가)~(라)에 대한 설명으로 알맞지 않은 것은?

(가)	스마트폰 중독을 경고하는 광고문이다. ······ ①
(나)	• 스마트폰 노안에 대해 설명하는 글이다. ······ ② • 청소년들이 쉽게 접근할 수 있는 방송 매체를 활용하고 있다. ······ ③
(다)~(라)	• 지진의 발생 원인과 지진의 피해를 설명하는 강연이다. ······ ④ • 매체 자료를 활용하여 내용에 대한 듣는 이의 이해를 돕고 있다. ······ ⑤

13 (나)에서 다음 그래프를 제시하려고 할 때, 그 의도로 알맞은 것은?

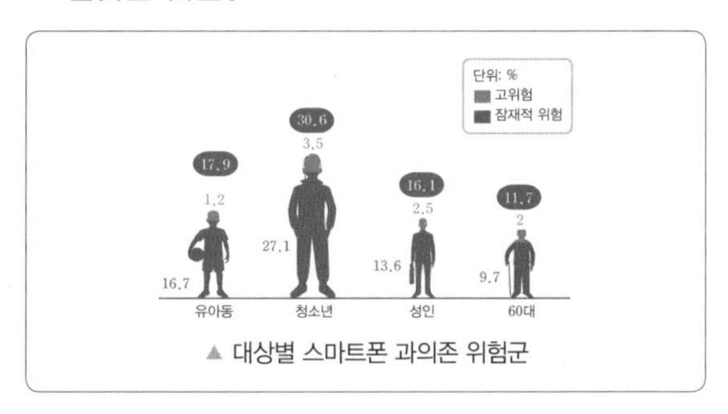

▲ 대상별 스마트폰 과의존 위험군

① 스마트폰 노안의 원인을 파악하게 한다.
② 스마트폰 노안에 대한 경각심을 자극한다.
③ 노안이 노화 현상의 일종임을 이해하게 한다.
④ 스마트폰 노안의 개념을 시각적으로 보여 준다.
⑤ 청소년들이 스마트폰 노안에 걸릴 가능성이 크다는 것을 강조한다.

14 ㉠에 대한 설명으로 알맞은 것은?

① 인사말을 제시하며 글쓴이를 소개한다.
② 읽는 이가 자신의 경험을 떠올리게 한다.
③ 중학생의 말을 인용하여 화제를 이끌어 낸다.
④ 글쓴이의 경험을 소개하여 주의를 집중시킨다.
⑤ 글에서 다루는 문제 상황을 요약하여 제시한다.

15 ㉡과 같은 매체 자료로 표현하기에 적절한 것은?

① 다른 나라의 지도　② 올가을 유행할 옷
③ 자전거 조립 방법　④ 초중고 독서 시간 비교
⑤ 중학생의 진로 희망 조사

교과서 140~143쪽

영화 속 진로 탐색하기
1 다음은 진로 탐색에 도움을 주는 영화를 정리한 것이다.
등장인물의 직업이 부각되는 영화나, 실화를 바탕으로 한 영화를 찾아보아요.
이 활동은 영화 속에 묘사된 직업을 모둠별로 조사하면서 자신의 흥미와 재능을 발견해 보는 활동입니다.

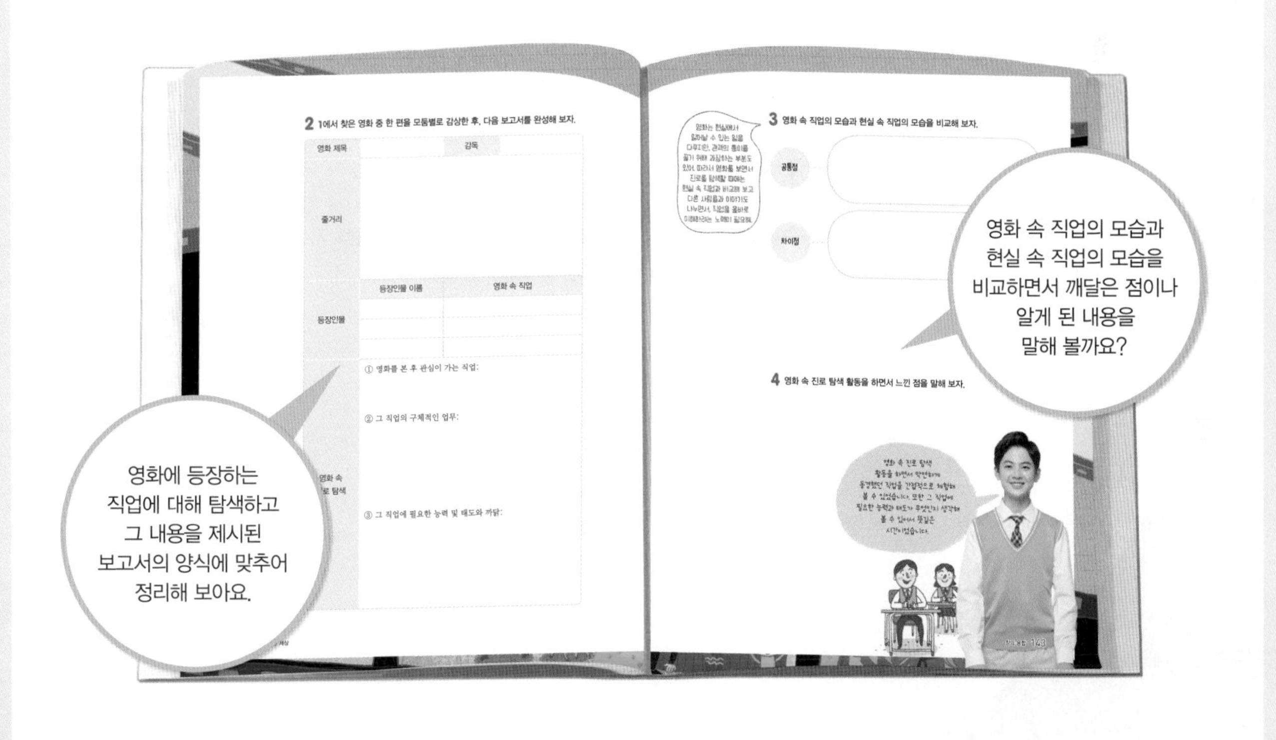
2 1에서 찾은 영화 중 한 편을 모둠별로 감상한 후, 다음 보고서를 완성해 보자.
3 영화 속 직업의 모습과 현실 속 직업의 모습을 비교해 보자.
4 영화 속 진로 탐색 활동을 하면서 느낀 점을 말해 보자.
영화 속 직업의 모습과 현실 속 직업의 모습을 비교하면서 깨달은 점이나 알게 된 내용을 말해 볼까요?
영화에 등장하는 직업에 대해 탐색하고 그 내용을 제시된 보고서의 양식에 맞추어 정리해 보아요.

문화 향유 역량

새롭게 보고, 다양하게 표현하고

문학

(1) 문학 작품의 재구성

_ 소설 춘향전(작자 미상)/만화 춘향전(김지혜 글, 그림)

• 재구성된 작품을 원작과 비교하며 감상하고, 변화 양상 파악하기
• 새로운 관점으로 원작 재구성하기

쓰기

(2) 효과적인 표현을 담은 글

• 속담, 관용 표현, 격언과 명언 등을 탐구하고, 이를 활용하여 표현하기
• 자신의 생각이나 느낌에 맞는 표현을 활용하여 글 쓰기

왜 배울까?

우리는 문학 작품을 감상하면서 등장인물이 되어 상황을 바꾸어 보기도 하고, 작가가 되어 표현을 바꾸어 보기도 한다. 이는 모두 문학 작품을 재구성하는 활동으로, 문학 작품에 자신의 감정이나 생각을 더해 새로운 창작 활동으로 나아가는 것이라 할 수 있다. 한편 우리는 글을 쓸 때 자신의 생각이나 느낌을 효과적으로 나타내기 위해 속담, 관용 표현, 격언, 명언 등을 활용하기도 한다. 이 표현들은 깊은 뜻을 담고 있어 간결하면서도 인상적으로 내용을 전할 수 있다. 그뿐만 아니라 우리는 이를 재구성하여 우리의 생각이나 느낌, 경험을 더욱 참신하게 표현할 수도 있다. 이처럼 문학 작품의 재구성 양상과 속담을 비롯한 여러 표현을 살펴봄으로써 국어 문화를 즐기는 힘을 기를 수 있을 것이다.

뭘 배울까?

이 단원에서는 문화 향유 역량을 기르기 위해 원작과 재구성된 작품을 비교하며 감상하고, 작품의 재구성 양상을 살펴볼 것이다. 그리고 속담, 관용 표현, 격언과 명언 등을 익히고, 이를 활용하여 자신의 생각이나 느낌을 글로 표현해 볼 것이다.

길잡이

• 정답과 해설 17쪽

문학 작품의 재구성이란

원작의 내용과 표현, 관점이나 그에 따른 형식과 맥락, 매체 등에 변화를 주어 새로운 작품으로 창작하는 것을 말한다.

문학 작품을 재구성하는 방법

- 원작에 담긴 가치나 주제 의식을 다양한 관점에서 해석해 본다.
- 다양한 매체와 갈래의 특성을 파악하고, 이를 원작의 내용에 어떻게 적용하여 표현할지 구상한다.

재구성된 작품을 감상하는 방법

- 관점의 변화나 그에 따른 형식과 맥락, 매체 등의 변화 양상을 파악하며 감상한다.
- 작품에 형상화된 다양한 상상의 세계와 그 작품만의 가치를 이해하고 존중하며 감상한다.

갈래 변화에 따른 작품의 표현 방법과 특징

	소설	만화	노래
표현 방법	줄글	칸, 그림, 말풍선	운율이 있는 말
특징	• 서술자가 사건을 서술함. • 읽는 이로 하여금 인물이나 장면, 배경 등을 상상해 보게 함.	• '칸'이라는 틀 안에 여러 장면을 나누어 이야기를 전개함. • 인물이나 장면, 배경 등을 시각적으로 제시함.	• 반복적인 표현을 많이 사용함. • 짧고 간략한 표현 속에 내용과 감정을 담아냄.

고전 소설의 개념과 특징

개념	일반적으로 갑오개혁(1894년) 이전까지 지어진 소설을 가리킴.
특징	• **일대기적 구성**: 인물이 태어나서부터의 이야기를 시간의 흐름에 따라 전개함. • **우연적 사건**: 이야기의 앞뒤 사건이 어떠한 이유 없이 우연히 맞아떨어지는 방식으로 전개됨. • **평면적, 전형적 인물**: 이야기의 처음부터 끝까지 성격이 변하지 않는 인물, 한 계층을 대표하는 인물이 주로 등장함. • **행복한 결말**: 주인공이 원하는 것을 얻거나, 착한 사람은 복을 받고 나쁜 사람은 벌을 받는다는 주제를 드러냄. • **편집자적 논평**: 서술자가 작품에 개입하여 인물과 사건에 대한 자기 생각과 판단을 직접 드러내는 경우가 많음.

간단 체크 개념 문제

1 다음 빈칸에 들어갈 알맞은 말을 쓰시오.

> 문학 작품의 □□□(이)란 원작의 내용과 표현, 관점, 형식, 맥락, 매체 등에 변화를 주어 새로운 작품으로 창작하는 것을 말한다.

2 〈보기〉의 모둠이 재구성하려는 작품에서 원작과 가장 다른 요소로 알맞은 것은?

> ┤보기├
> 원작 「흥부전」에서 '흥부'는 착한 인물로 복을 받고, '놀부'는 악한 인물로 벌을 받게 그려져. 우리 모둠은 '흥부'를 자신의 삶을 개척하지 못하는 인물로 그리고, '놀부'를 자신의 삶을 진취적으로 개척해 나가는 인물로 그려야겠어.

① 관점 ② 형식
③ 매체 ④ 표현
⑤ 인물 이름

3 다음 설명이 맞으면 ○표, 틀리면 ×표 하시오.

(1) 재구성된 작품은 원작보다 가치가 떨어진다. ( )

(2) 고전 소설에 등장하는 인물은 주로 처음과 달리 결말 부분에서 극적인 성격 변화를 보인다. ( )

(3) 서술자가 작품에 개입하여 인물과 사건에 대한 자기 생각과 판단을 직접 드러내는 방법을 '편집자적 논평'이라고 한다. ( )

문학 작품의 재구성 _ 소설 춘향전

• 정답과 해설 17쪽

학습 목표 재구성된 작품을 원작과 비교하고, 변화 양상을 파악하며 감상할 수 있다.

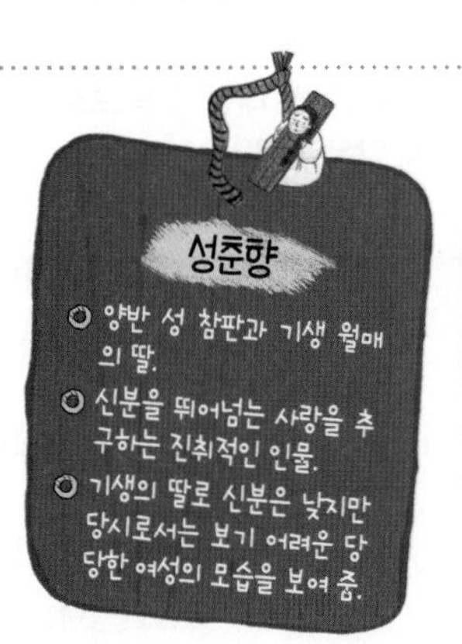

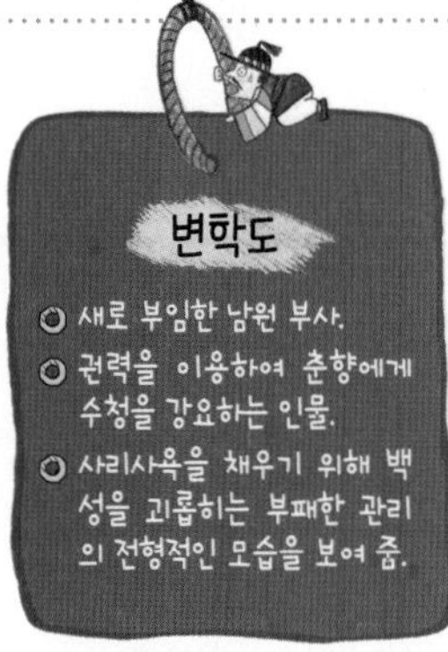

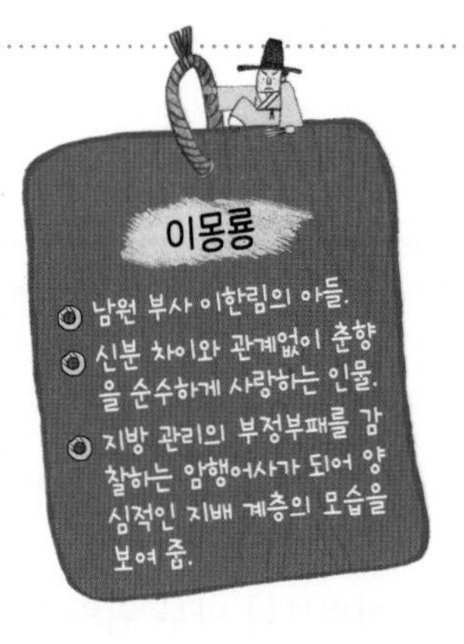

가 **[앞부분 줄거리]** 남원 부사의 아들 몽룡이 단옷날 광한루에 나갔다가 그네를 타는 기생 월매의 딸 춘향의 모습을 보고 반한다. 몽룡은 춘향의 집으로 찾아가 춘향과 부부의 연을 맺고, 행복한 나날을 보낸다. 그러던 어느 날, 몽룡은 남원 부사 임기가 끝난 아버지를 따라 한양으로 가게 되어 춘향에게 이별을 고한다. 그 후 남원 부사로 새로 부임한 변학도가 춘향에게 수청을 강요하고, 춘향이 이를 거절하자 춘향을 옥에 가둔다. 한편 한양에서 장원 급제한 몽룡은 암행어사의 신분으로 남원에 와서, 변학도의 횡포를 모두 듣게 된다.

절정 학습 포인트

❶ 작품에 나타난 인물 간의 갈등 양상 ❷ 작품의 표현상 특징

나 이튿날 날이 밝자 조회를 끝내고 이웃 읍의 수령들이 남원으로 몰려들었다. 운봉·구례·곡성·순창·진안·장수의 원님들이 아랫사람들을 거느리고 차례로 잔치 마당으로 들어왔다. 왼편에 행수 군관, 오른편에 명을 전하는 사령(각 관아에서 심부름하던 사람), 한가운데 본관 사또는 주인이 되어 하인 불러 분부하되,

"관청색(조선 시대에, 수령의 음식물을 맡아보던 구실아치) 불러 다과상 올려라. 육고자(관아에 육류를 바치던 관노비) 불러 큰 소 잡고, 예방(조선 시대에, 예전(禮典)에 관한 일을 맡아보던 구실아치) 불러 악공 대령하라. 승발(지방 관아의 구실아치 밑에서 잡무를 맡아보던 사람) 불러 차일(햇볕을 가리기 위하여 치는 포장) 대령하라. 사령 불러 잡인을 금하라."

다 이렇듯 요란한 가운데 깃발들이 휘날리고, 삼현 육각(삼현(거문고, 가야금, 향비파)과 육각(북, 장구, 해금, 피리, 태평소 둘)의 갖가지 악기) 음악 소리 공중에 떠 있고, 초록 저고리에 붉은 치마를 입은 기생들이 하얀 손을 높이 들어 춤을 춘다.

"지화자, 두둥실, 좋다."

하는 소리에 어사또 마음이 심란하다. 화를 누르고 한번 놀려 줄 심산(속셈)으로 어슬렁어슬렁 잔치판으로 걸어 들어갔다.

"여봐라, 사령들아. 너희 사또께 여쭈어라. 먼 데 있는 걸인이 마침 잔치를 만났으니 고기하고 술이나 좀 얻어먹자고 여쭈어라."

사령 하나가 뛰어나와 등을 밀쳐 낸다.

"어느 양반인데 이리 시끄럽소. 사또께서 거지는 들이지도 말라고 했으니 말도 내지 말고 나가시오."

간단 체크 내용 문제

01 이 글의 인물에 대한 설명으로 알맞지 않은 것은?

'변학도'	• 인색함. ············ ① • 백성을 괴롭힘. ···· ②
'춘향'	• 신분이 낮지만 곧은 절개를 지님. ········ ③
'몽룡'	• 성격이 급함. ········ ④ • 탐관오리를 못마땅하게 여김. ············ ⑤

02 (다)에서 알 수 있는 '어사또'의 속마음으로 알맞은 것은?

① '본관 사또'야 원래 부자지만 씀씀이가 헤프군.
② 내 정체를 알고 대접하려고 요란하게 잔치를 벌였군.
③ 백성은 돌보지 않고 잔치만 크게 벌이다니 괘씸하군.
④ 백성들이 잔치에서나마 시름을 잊고 즐길 수 있겠군.
⑤ '본관 사또'를 벌하러 왔는데 하필 생일이라니 오늘은 술이나 얻어먹어야지.

간단 체크 어휘 문제

다음 뜻풀이에 알맞은 낱말에 ○ 표 하시오.

(1) 각 관아에서 심부름하던 사람 (사서 / 사령)

(2) 햇볕을 가리기 위하여 치는 포장 (차일 / 차장)

라 운봉 수령이 그 거동을 지켜보다가 무슨 짐작이 있었는지 변 사또에게 청했다.
몸을 움직임. 또는 그런 짓이나 태도

"저 걸인이 옷차림은 남루하나 양반의 후예인 듯하니 저 끝자리에 앉히고 술이 나 한잔 먹여 보내는 것이 어떻겠소?"
옷 따위가 낡아 해지고 차림새가 너저분하나

"운봉 생각대로 하지요마는……."

마지못해 입맛을 다시며 허락을 한다. 어사또 속으로,

'오냐, 도적질은 내가 하마. 오랏줄은 네가 져라.'
'나쁜 짓을 해서 이익은 자기가 챙기고, 책임은 남에게 미룬다.'라는 뜻임. 여기서는 다르게 쓰임.

되뇌이며 주먹을 꽉 쥐고 있는데 운봉 수령이 사령을 부른다.

"저 양반 드시라고 해라."

마 어사또 들어가 단정히 앉아 좌우를 살펴보니 마루 위의 모든 수령이 다과상을 앞에 놓고 진양조 느린 가락을 즐기는데, 어사또 상을 보니 ㉠어찌 아니 통분하랴. 귀퉁이가 떨어진 개다리소반에 닥나무 젓가락, 콩나물에 깍두기, 막걸리 한 사발이 놓였구나. 상을 발로 탁 차 던지며 운봉의 갈비를 슬쩍 집어 들고,

"갈비 한 대 먹읍시다."

"다리도 잡수시오."

하고 운봉이 하는 말이,

"이런 잔치에 풍류로만 놀아서는 맛이 적으니 운자를 따라 시 한 수씩 지어 보면 어떻겠소?"
한시의 운으로 다는 글자

"그 말이 옳다."

다들 찬성을 했다. 운봉이 먼저 운을 낼 때 '높을 고(高)' 자, '기름 고(膏)' 자 두 자를 내놓고 차례로 운을 달아 시를 지었다. 앞사람이 끝나면 뒷사람이 받아 시를 지을 때 어사또 끼어들어 하는 말이,
한시의 운율을 맞추는 글자

"이 걸인도 어려서 글을 좀 읽었는데, 좋은 잔치를 맞아 술과 안주를 포식하고 그냥 가기가 염치가 아니니 한 수 하겠소이다."

바 운봉이 반갑게 듣고 붓과 벼루를 내주니, 백성들의 사정과 본관 사또의 정체를 생각하여 시 한 편을 써 내려갔다.

금준미주(金樽美酒)는 천인혈(千人血)이요
옥반가효(玉盤佳肴)는 만성고(萬姓膏)라
촉루낙시(燭淚落時)에 민루락(民淚落)이요
가성고처(歌聲高處)에 원성고(怨聲高)라

이 글의 뜻은

간단 체크 내용 문제

03 ㉠에 대한 설명으로 알맞지 않은 것은?

① 설의적인 표현이다.
② 서술자가 개입한 내용이다.
③ 원통하고 분한 '어사또'의 심정을 알 수 있다.
④ 겉만 화려하고 속은 부실한 잔치를 비난한 것이다.
⑤ 수령들과 대비되는 초라한 상차림이 그 원인이다.

중요
04 (바)의 시에 나타난 벼슬아치들의 모습을 표현할 수 있는 한자 성어로 알맞은 것은?

① 가렴주구(苛斂誅求)
② 속수무책(束手無策)
③ 오합지졸(烏合之卒)
④ 진퇴양난(進退兩難)
⑤ 함흥차사(咸興差使)

간단 체크 어휘 문제

다음 뜻풀이에 해당하는 낱말을 〈보기〉에서 찾아 쓰시오.

보기: 거동, 남루하나, 운자

(1) 몸을 움직임. (　　　)
(2) 한시의 운으로 다는 글자 (　　　)
(3) 옷 따위가 낡아 해지고 차림새가 너저분하나 (　　　)

금 술잔의 좋은 술은 수많은 사람의 피요
옥쟁반의 좋은 안주는 만백성의 기름이라
촛농이 떨어질 때 백성들 눈물도 떨어지고
노랫소리 높은 곳에 원망의 소리도 높구나

(사) 이렇게 시를 지어 보이니 술에 취한 변 사또는 무슨 뜻인지도 모르지만, 글을 받아 본 운봉은 속으로,

'아뿔싸! 일 났다.' / 가슴이 철렁 내려앉았다.

이때 어사또 하직하고 간 연후에 운봉이 공형 불러 분부한다.

공형: 삼공형. 조선 시대 지방의 관찰사나 수령 아래 있던 육방 가운데 이방·호방·형방이 중심이 되었는데 그 우두머리를 삼공형이라고 함.

"야야, 일 났다!"

공방 불러 자리 단속, 병방 불러 역마 단속, 관청색 불러 다과상 단속, 옥사정 불러 죄인 단속, 집사 불러 형벌 기구 단속, 형방 불러 서류 단속, 사령 불러 숙직 단속, 한참 이렇게 요란할 때 눈치 없는 본관 사또, 운봉을 향해 말을 던진다.

"여보 운봉, 어딜 그리 바삐 다니시오."

"소피 보고 들어오오."

그때 술이 거나하게 취한 변 사또가 술주정을 하느라고 느닷없이 명을 내렸다.

"춘향이 빨리 불러올려라."

(아) 이때 어사또가 서리에게 눈길을 주어 ㉡신호를 하니, 서리·중방이 역졸 불러 단속할 때, 이리 가며 수군수군, 저리 가며 수군수군 신호를 전한다. 서리·역졸의 거동을 보자. 한 가닥 올로 지은 망건에 두터운 비단 갓싸개, 새 패랭이 눌러쓰고, 석 자 길이 발감개에 새 짚신 신고, 속적삼, 속바지 산뜻이 입고, 여섯 모 방망이에 사슴 가죽끈을 매달아 손목에 걸어 쥐고, 여기서 번뜻 저기서 번뜻, 남원읍이 웅성거렸다.

이때 청파역 역졸들이 ㉢달 같은 마패를 햇빛같이 번쩍 들고 우렁차게 소리를 질렀다.

마패: 벼슬아치가 공무로 지방에 나갈 때 역마를 징발하는 증표로 쓰던 둥근 구리 패

"암행어사 출두야!"

암행어사: 조선 시대에, 임금의 특명을 받아 지방관의 행적을 조사하고 백성의 어려움을 살펴서 개선하는 일을 맡아 하던 임시 벼슬

역졸들이 일시에 외치는 소리에 강산이 무너지고 천지가 뒤집히는 듯하니 산천초목인들 금수인들 아니 떨겠는가. 한번 소리가 나자 남문에서도,

산천초목: 산과 내와 풀과 나무라는 뜻으로, 자연을 이르는 말

금수: 날짐승과 길짐승이라는 뜻으로, 모든 짐승을 이르는 말

"출두야!"

북문에서도,

"출두야!"

동문에서도 서문에서도,

"출두야!"

소리가 맑은 하늘에 천둥 치듯 진동했다.

간단 체크 내용 문제

05 (사)에서 알 수 있는 '운봉'의 성격을 한 문장으로 쓰시오.

06 ㉡에 담긴 의미로 알맞은 것은?

① 어사출두를 준비하라.
② '본관 사또'의 횡포를 제지하라.
③ 말이 많은 '운봉'의 입을 막아라.
④ 어서 가서 옥에 갇힌 '춘향'을 구해 와라.
⑤ 모두가 잔치를 구경할 수 있도록 백성을 불러 모아라.

중요

07 ㉢이 암시하는 바로 알맞지 않은 것은?

① 탐관오리들이 벌을 받게 될 것이다.
② '어사또'가 잘못된 일을 바로잡을 것이다.
③ 백성들이 지금보다 밝은 삶을 살게 될 것이다.
④ '춘향'이 어둠 속에서 벗어나 빛을 보게 될 것이다.
⑤ '어사또'가 '춘향'을 만나 자신에 대한 '춘향'의 절개를 시험할 것이다.

자 "공형 들라."

외치는 소리에 육방이 넋을 잃는다.

조선 시대에, 승정원 및 각 지방 관아에 둔 여섯 부서

"공형이오." / 서둘러 나오는데 등나무 채찍으로 딱 치니,

"애고, 죽네." / "공방, 공방!"

공방이 자리를 들고 들어오며,

"안 하려는 공방을 하라더니 저 불속에 어찌 들어가랴?"

등나무 채찍으로 딱 치니, / "애고, 박 터졌네."

차 좌수·별감은 넋을 잃고, 이방·호장은 혼을 잃고, 삼색 옷 입은 나졸들은 분주하네. 모든 수령이 도망하는데 그 꼴이 가관이다. 도장 궤 잃고 유밀과 들고, 병부 잃고 송편 들고, 탕건 잃고 용수 쓰고, 갓 잃고 밥상 쓰고, 칼집 쥐고 오줌 누기, 부서지니 거문고요, 깨지나니 북·장고라.

병부: 병사의 이름, 주소 따위를 적어 넣은 명부

유밀과: 밀가루나 쌀가루 반죽을 기름에 튀기어 꿀이나 조청을 바르고 튀밥, 깨 따위를 입힌 과자

용수: 싸리나 대로 만들어 술 거를 때 쓰는 둥근 통처럼 생긴 기구

본관 사또 똥을 싸고, 멍석 구멍에 생쥐 눈 뜨듯 하면서 관아 깊숙한 안채로 들어가며 급히 내뱉는 말이,

"어, 추워라. 문 들어온다 바람 닫아라. 물 마르다 목 들여라."

관청색은 상을 잃고 문짝을 이고 내달으니 서리, 역졸 달려들어 후다닥 딱 친다.

"애고, 나 죽네."

카 이때 암행어사 분부하되,

"이 고을은 대감께서 계시던 곳이다. 소란을 금하고 객사로 옮기라."

관아를 한차례 정리하고 동헌에 올라앉은 후에,

"본관은 봉고파직하라."

봉고파직하라: 어사나 감사가 못된 짓을 많이 한 고을의 원을 파면하고 관가의 창고를 봉하여 잠가라.

"본관은 봉고파직이오."

타 동서남북 문밖에 봉고파직이라는 암행어사의 명이 나붙었다. 절차에 따라 옥의 형리를 불러 분부하되,

"옥에 갇힌 죄인들을 다 올리라."

호령하니 죄인을 올리거늘 다 각각 죄를 물은 후에 죄 없는 자들을 풀어 줄 때,

"저 계집은 무엇인고?"

형리가 아뢴다.

"기생 월매의 딸인데 관가에서 포악을 떤 죄로 옥중에 있사옵니다."

"무슨 죄인고?"

"본관 사또를 모시라고 불렀더니 절개를 지킨다면서 사또 명을 거역하고 사또 앞에서 악을 쓴 춘향이로소이다."

어사또 분부하되,

㉠"너만 한 년이 수절한다고 나라의 관리를 욕보였으니 살기를 바랄 것이냐. 죽어 마땅할 것이나 기회를 한 번 더 주마. 내 수청도 거역할 테냐?"

간단 체크 내용 문제

08 (차)에 나타난 관리들의 모습에 대한 반응으로 가장 적절한 것은?

① 허세를 부리며 빠져나가는 모습이 한심해.
② 갑자기 닥친 불행에 침울해 하는 것이 답답해.
③ 체면도 버리고 허둥대는 모습이 우스꽝스러워.
④ 잘못을 인정하고 벌 받기를 기다리니 다행이야.
⑤ 침착함을 잃지 않고 대응하는 것이 더 안타까워.

09 ㉠처럼 말한 '어사또'의 의도로 알맞은 것은?

① '나'에 대한 마음이 변함없음을 확인하고 싶어.
② 양반의 뜻을 거역했으니 그 이유를 알고 싶구나.
③ 그렇게 고생했으니 이제는 마음 편하게 해 주자.
④ 네 죄를 씻어 줄 핑계가 필요하니 기회를 줘야지.
⑤ 네가 날 몰라본 것이 서운하니 나도 모른 척할 거야.

간단 체크 어휘 문제

다음 낱말의 뜻풀이가 맞으면 ○표, 틀리면 ×표 하시오.

(1) 유밀과: 우유를 넣어 만든 과자 ( )

(2) 용수: 싸리나 대로 만들어 술 거를 때 쓰는 둥근 통처럼 생긴 기구 ( )

(3) 봉고파직하다: 머리와 꼬리를 자르고 어떤 일의 요점만 간단히 말하다. ( )

파 이 어사는 춘향의 마음을 떠보려고 짐짓 한번 다그쳐 보는 것인데, 춘향은 어이가 없고 기가 콱 막힌다.

"내려오는 사또마다 빠짐없이 명관이로구나! 어사또 들으시오. 층층이 높은 절벽 높은 바위가 바람이 분들 무너지며, 푸른 솔 푸른 대가 눈이 온들 변하리까. 그런 분부 마옵시고 어서 빨리 죽여 주오."

하면서 무슨 생각이 났는지 황급히 이리저리 두리번거리며 향단이를 찾는다.

"향단아, 서방님 혹시 어디 계신가 살펴보아라. 어젯밤 오셨을 때 천만당부했는데 어디를 가셨는지, 나 죽는 줄도 모르시는가? 어서 찾아보아라."

하 어사또 다시 분부하되,

"얼굴을 들어 나를 보아라."

하시기에 춘향이 천천히 고개를 들어 대 위를 살펴보니, ㉡거지로 왔던 낭군이 어사또로 뚜렷이 앉아 있었다. 순간, 춘향은 깜짝 놀라 눈을 질끈 감았다가 떴다.

"나를 알아보겠느냐? 네가 찾는 서방이 바로 여기 있느니라."

어사또는 즉시 춘향의 몸을 묶은 오라를 풀고 동헌 위로 모시라고 명을 내렸다. 몸이 풀린 춘향은 웃음 반 울음 반으로,

"얼씨구나 좋을씨고, 어사 낭군 좋을씨고. 남원읍에 가을 들어 낙엽처럼 질 줄 알았더니 객사에 봄이 들어 봄바람에 핀 오얏꽃이 날 살리네. 꿈이냐 생시냐? 꿈이 깰까 염려로다."

한참 이렇게 즐길 적에 뒤늦게 달려온 춘향 모도 입이 찢어져라 벙글벙글 웃으며 어깨춤을 추고, 구경 왔던 남원 고을 백성들도 얼씨구 덩실 춤을 추었다. 어사또는 춘향의 손을 잡고 놓을 줄을 모르고 쌓였던 사연의 실타래는 끝날 줄을 몰랐으니, 그 한없이 즐거운 일을 어찌 일일이 말로 하겠는가.

학습콕 소주제: 암행어사의 신분으로 돌아온 '몽룡'이 □□□□를 숙청하고, '춘향'을 구함.

❶ 작품에 나타난 인물 간의 갈등 양상

'춘향'		'변학도'
수청 요구를 거부하고 □□를 지킴.	외적 갈등 ⟷	수청을 강요하고 옥에 가둠.

'몽룡'		'변학도'
□□□□가 되어 탐관오리 '변학도'를 징벌함.	외적 갈등 ⟷	'몽룡'을 걸인이라 여겨 무시하고, 백성들에게 횡포를 부림.

❷ 작품의 표현상 특징

풍자적 표현	• 언어유희를 이용한 표현들 • 어사출두에 허둥대는 지배층의 모습을 희화화한 표현
□□□ 표현	• '몽룡' – '좋은 잔치를 맞아 술과 안주를 포식하고' • '춘향' – '내려오는 사또마다 빠짐없이 명관이로구나!'
비유적 표현	• '몽룡'이 지은 한시에 사용된 표현들 • '춘향' – '층층이 높은 절벽 높은 바위가~', '남원읍에 가을 들어~'

간단 체크 내용 문제

10 (파)에서 알 수 있는 '춘향'의 성격으로 알맞은 것은?

① 여리고 순수하다.
② 정답고 상냥하다.
③ 겁이 많고 연약하다.
④ 당차고 의지가 강하다.
⑤ 무뚝뚝하고 권위적이다.

11 이 글에서 ㉡이 하는 역할로 알맞은 것은?

① 갈등의 시작
② 갈등의 전개
③ 갈등의 고조
④ 갈등의 해소
⑤ 갈등 해결의 실마리 제시

중요

12 다음은 (하)에 제시된 비유적 표현의 의미를 정리한 것이다. 빈칸에 들어갈 알맞은 내용을 3어절로 쓰시오.

가을	'변학도'의 횡포
낙엽	'춘향'의 위기
(　　　)	어사또가 된 '몽룡'

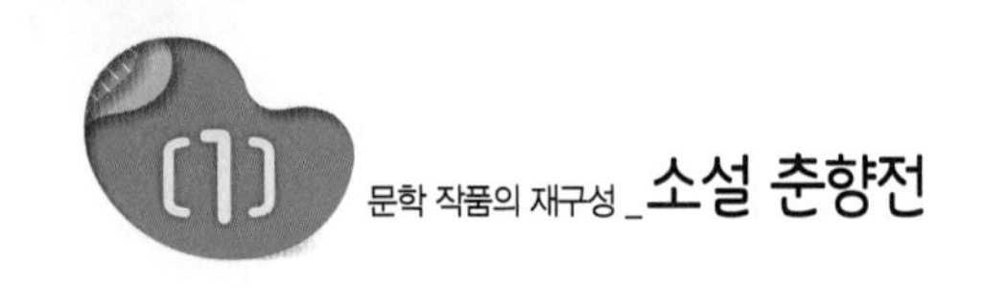

결말 학습 포인트

❶ 작품의 주제 ❷ 인물에 대한 서술자의 평가

(가) ㉠춘향의 높은 절개가 광채 있게 되었으니 어찌 아니 좋을 것인가. 어사또 남원읍의 공사를 모두 처리하고 춘향 모녀와 향단이를 데리고 서울로 길을 떠나는데, 위의가 찬란하니 세상 사람들 누가 칭찬하지 않으랴.

이때 춘향이 남원을 하직할 때, 영화롭고 귀하게 되었건만 정든 고향을 이별하려니 한편으로는 기쁘고 한편으로는 울적했다.

"놀고 자던 내 방 부용당아 부디 잘 있거라. 광한루 오작교야 잘 있거라. 영주각도 잘 있거라. '봄풀들은 해마다 푸르건만 왕손은 가서 돌아오지 않는구나.'라더니 나를 두고 이름이라. 다 각기 이별할 제 만수무강하옵소서. 다시 보기 아득해라." / 이렇듯 마음속으로 빌며 작별을 고했다.

(나) 이때 어사또는 좌도, 우도 여러 읍을 순행하여(감독하거나 단속하기 위해 돌아다녀) 백성들의 사정을 살핀 후에 서울로 올라가 어전(임금이 있는 궁전을 이르는 말)에 나아가 임금께 엎드려 절하니 판서, 참판, 참의들이 들어와 보고서들을 일일이 점검했다. 심사를 마친 후 임금께서 크게 칭찬을 했다. 신하들도 입을 모아 큰 공을 세웠다고 칭찬하면서 춘향의 이야기도 덧붙였다.

임금은 즉시 이몽룡에게 이조 참의, 대사성이라는 벼슬을 내리고 춘향에게는 정렬부인(절개를 지킨 부인에게 나라에서 내리는 명예로운 호칭) 칭호를 내렸다. 이몽룡은 임금의 은혜에 감사하며 절을 하고 물러 나와 부모를 뵈오니 성은 입음을 축하해 주셨다.

(다) 그 후 이몽룡은 벼슬이 점점 높아져 이조 판서, 호조 판서, 우의정, 좌의정, 영의정을 다 지내고 벼슬에서 물러난 후에 정렬부인 성춘향과 더불어 백년해로했다(부부가 되어 한평생을 사이좋게 지내고 즐겁게 함께 늙었다.). 이몽룡은 정렬부인에게서 세 아들과 세 딸을 두었는데, 자식들은 모두 총명하여 그 부친보다도 오히려 재주가 나은 점이 많더니 부친을 이어 계계승승(선대에서 하던 일을 후대 사람이 내리 이어받음) 모두 일품의 벼슬자리를 만세토록 유전하더라(물려받아 내려오더라. 또는 그렇게 전해지더라.).

학습콕 소주제: '춘향'과 '몽룡'이 함께 서울로 올라가 □□□□함.

❶ 작품의 주제

시대적 배경	갈등 양상과 해결
조선 후기 신분제 사회	• '춘향'은 '변학도'의 수청 요구를 거부하고 절개를 지킴. • 암행어사인 '몽룡'이 탐관오리인 '변학도'를 응징함. • 기생의 딸인 '춘향'이 양반인 '몽룡'과 □□의 연을 맺음.

주제	• 지고지순한 남녀 간의 □□ • 탐관오리에 대한 응징 • 평등한 사회에 대한 갈망

❷ 인물에 대한 서술자의 평가

편집자적 논평	• '춘향의 높은 절개가 광채 있게 되었으니 어찌 아니 좋을 것인가.' • '세상 사람들 누가 칭찬하지 않으랴.'	□□를 꿋꿋하게 지킨 '춘향'과, 탐관오리를 현명하게 처벌하고 돌아가는 '몽룡'을 칭찬함.

간단 체크 내용 문제

중요 **13** ㉠에 나타난 특징으로 알맞은 것은?

① 주인공의 심정을 다른 인물의 관점에서 나타낸다.
② 주인공이 작품 속에서 자신의 목소리를 직접 낸다.
③ 서술자가 등장인물에게 비판적인 태도를 드러낸다.
④ 서술자가 객관적 태도를 유지하며 사실만 전달한다.
⑤ 서술자가 작품에 개입하여 자신의 판단을 직접 드러낸다.

14 '정렬부인'이라는 호칭이 기리는 바로 알맞은 것은?

① 나라에 대한 충성
② 빼어난 외모와 덕성
③ 칭송받을 만한 절개
④ 현모양처로서의 모범
⑤ 신분을 뛰어넘는 사랑

중요 **15** 다음은 이 글의 주제를 정리한 내용이다. 빈칸에 들어갈 알맞은 말을 쓰시오.

> 신분제 사회였던 조선 시대에, 기생의 딸과 양반이 혼인하는 것은 파격적인 일이었다. 이러한 내용을 담은 「춘향전」의 내용을 통해, 당시 백성들이 지녔던 □□한 사회에 대한 요구를 짐작할 수 있다.

교과서 158~168쪽

제재 ❷

• 정답과 해설 18쪽

(1) 문학 작품의 재구성 _ 만화 춘향전

학습 목표 재구성된 작품을 원작과 비교하고, 변화 양상을 파악하며 감상할 수 있다.

학습 포인트

❶ 소설을 재구성한 만화의 표현 방식　　❷ 소설을 만화로 재구성했을 때의 효과

간단 체크 내용 문제

01 다음은 이와 같은 갈래에 대한 설명이다. 빈칸에 들어갈 알맞은 내용을 쓰시오.

> (　　　　)은/는 칸을 기본 단위로 하여 이야기를 시각적으로 보여 주는 갈래로, 상황은 그림으로 표현하고, 등장인물의 대사나 심리는 말풍선으로 나타낸다.

02 말풍선의 모양을 ㉠과 같이 표현한 까닭으로 알맞은 것은?

① 중요한 말이라는 점을 강조하려고
② 인물 간의 대화가 아님을 표시하려고
③ 같은 인물이 반복하는 말임을 나타내려고
④ 보통의 목소리보다 큰 소리임을 표현하려고
⑤ 다른 사람들에게 들리지 않는 인물의 속마음을 나타내려고

중요

03 이 작품을 원작 소설과 비교했을 때, 달라진 점으로 알맞은 것은?

① 작품의 주제
② 등장인물의 성격
③ 시대적·공간적 배경
④ 이야기를 표현하는 방법
⑤ 사건의 전개와 갈등의 양상

㉡

간단 체크 내용 문제

04 소설을 만화로 재구성했을 때의 장점으로 알맞은 것은?

① 인물의 대사가 청각 정보로 제시된다.
② 인물의 심리를 간접적으로 알 수 있다.
③ 인물 간의 갈등이 효과적으로 표현된다.
④ 인물의 표정과 행동이 생생하게 드러난다.
⑤ 인물이 처한 상황이 구체적으로 서술된다.

05 ㉠에 담긴 인물들의 속마음으로 적절한 것은?

① 저 시의 진짜 의미가 도대체 뭐지?
② 저런 엉터리 시를 읊는 의도가 뭐지?
③ 분위기를 깨는 시를 읊다니 정말 눈치가 없군!
④ 거지도 문장 실력이 훌륭한 걸 보니 좀 부끄럽군.
⑤ 저 사람은 거지가 아니라 심상치 않은 인물이야!

06 ㉡에서 다음 설명에 해당하는 단어를 모두 찾아 쓰시오.

걸인의 정체를 알아챈 사람들이 자리를 피하는 모습을 표현한 의성어와 의태어

ⓒ

[A]

간단 체크 내용 문제

07 ⓒ을 통해 '변학도'를 평가한 말로 알맞은 것은?

① 의심과 호기심이 많다.
② 신경이 무디고 눈치가 없다.
③ 욕심은 많으나 용기가 없다.
④ 성품이 너그럽지 못하고 생각이 좁다.
⑤ 성질이나 태도, 표정 따위가 부드럽고 순하다.

08 다음은 ⓡ과 ⓜ에 대한 설명이다. 빈칸에 들어갈 알맞은 말을 쓰시오.

> 만화의 일부 장면에서 이와 같이 말풍선에 들어가는 글자의 모양을 바꾸고 크기를 크게 하면, 장면을 □□□ 하는 효과를 얻을 수 있다.

중요
09 다음은 [A]에 대해 학생들이 나눈 대화 내용이다. 적절한 반응으로 볼 수 없는 것은?

> 소영: ①중요한 장면이어서 그림을 크게 그렸네.
> 주환: ②그래서 읽는 이의 긴장감이 높아져.
> 재인: ③맞아. '암행어사 출두'는 사건의 반전이 일어나는 부분이니까. ④이 장면은 잔치 분위기를 확 바꾸는 계기가 되지.
> 연지: ⑤아, 긴장감이 해소되는 장면이구나.

간단 체크 내용 문제

중요

10 [A]와 〈보기〉에 대한 설명으로 알맞지 않은 것은?

보기
"암행어사 출두야!"
역졸들이 일시에 외치는 소리에 강산이 무너지고 천지가 뒤집히는 듯하니 산천초목인들 금수인들 아니 떨겠는가.
한번 소리가 나자 남문에서도, / "출두야!"
북문에서도, / "출두야."

① [A]와 〈보기〉는 같은 장면을 표현한 것이다.
② [A]는 〈보기〉의 내용을 만화로 재구성한 것이다.
③ 〈보기〉는 [A]와 달리 장면을 역동적으로 전달한다.
④ 〈보기〉는 설의적 표현으로 암행어사 출두 상황을 강조한다.
⑤ 〈보기〉는 [A]에 비해 역졸들이 외치는 소리의 위력을 과장되게 표현한다.

간단 체크 내용 문제

11 원작 소설에서 ㉠을 표현했을 법한 문장으로 가장 적절한 것은?

① 암행어사의 분부로 관아가 한차례 정리되었다.
② 암행어사 출두로 당황한 관리들이 우왕좌왕했다.
③ 암행어사 출두를 알리는 소리가 하늘에 쩌렁했다.
④ 암행어사 출두로 관아는 쑥대밭이 되었고 여기저기서 비명이 들렸다.
⑤ 옥에서 풀려난 죄수들이 암행어사를 칭송하며 하늘을 우러러보며 감동했다.

12 ㉡에서 알 수 있는 '암행어사'의 임무를 쓰시오.

간단 체크 내용 문제

13 ㉠과 같이 글자체를 달리 한 효과로 알맞은 것은?

① '춘향'의 마음을 떠보려는 의도를 강조한다.
② 고생한 '춘향'에 대한 안타까움을 드러낸다.
③ '춘향'이 변심할까 봐 초조한 마음을 표현한다.
④ '춘향'을 다른 죄인과 똑같이 대하겠다는 의지를 보여 준다.
⑤ '춘향'이 자신의 정체를 알아차리기를 바라는 마음을 강조한다.

14 ㉡을 통해 표현한 '춘향'의 심리로 알맞은 것은?

① 죄책감 ② 안도감
③ 평온함 ④ 흥미로움
⑤ 어이없음

중요

15 이 작품을 통해 이해할 수 있는 만화의 특징으로 알맞지 않은 것은?

① 칸을 기본 단위로 이야기를 전개한다.
② 그림을 통해 인물의 표정 변화를 나타낸다.
③ 말풍선 속 대사로 인물의 심리를 표현한다.
④ 말풍선의 색깔 변화를 통해 특정 내용을 강조한다.
⑤ 내용의 중요도에 상관없이 칸의 크기를 동일하게 표현한다.

간단 체크 내용 문제

16 **〈보기〉는 이 작품의 원작 소설 중 일부이다. 〈보기〉를 만화로 재구성했을 때의 변화로 알맞은 것은?**

보기

어사또 다시 분부하되
"얼굴을 들어 나를 보아라."
하시기에 춘향이 천천히 고개를 들어 대 위를 살펴보니, 거지로 왔던 낭군이 어사또로 뚜렷이 앉아 있었다. 순간, 춘향은 깜짝 놀라 눈을 질끈 감았다가 떴다.
"나를 알아보겠느냐? 네가 찾는 서방이 바로 여기 있느니라."

① '춘향'의 속마음을 직접적으로 보여 준다.
② 효과선을 넣어 '춘향'의 놀란 표정을 강조한다.
③ '춘향'의 시선 변화를 말풍선의 모양 변화로 나타낸다.
④ '춘향'이 '어사또'의 정체를 일부러 모른 척했음을 나타낸다.
⑤ 자신을 속인 '몽룡'에 대한 '춘향'의 불쾌한 감정을 행동으로 표현한다.

17 **'춘향'과 '몽룡'의 재회 장면에 대한 설명으로 알맞은 것은?**

① 대사에 초점을 두어 극적인 장면임을 강조한다.
② 대비되는 색채로 두 사람의 신분 차이를 강조한다.
③ 색이 퍼지는 효과를 통해 상상 속의 장면을 표현한다.
④ 배경을 화려한 색으로 처리하여 재회의 기쁨을 표현한다.
⑤ 칸을 큼직하게 제시하여 많은 이들의 축복을 받고 있음을 표현한다.

춘향의 곧은 성품
빛나게 되었으니
어찌 아니 좋을쏜가.

㉠ 어사또 남원에서
일을 마친 후에
춘향 모녀와 향단이를
서울로 데려갈 제

이때 어사또는 전라도 여러 고을을 돌며
민정을 살핀 후에 서울로 올라가
임금께 절을 하니 임금께서 크게 칭찬하시며
즉시 이조 참의·대사성을 봉하시고
춘향을 정렬부인으로 봉하셨다.
그 후 이몽룡은 이조 판서부터 영의정까지 다 지내고
벼슬에서 물러나 춘향과 늘 함께 살았더라.
춘향에게 3남 3녀를 두었으니
모두가 총명하여 그 부친보다 낫더라.
높은 벼슬이 대대로 이어져 길이 전하더라.

간단 체크 내용 문제

18 이 작품에서 ㉠의 역할로 알맞은 것은?

① 인물과 배경을 구체적으로 묘사한다.
② 이야기의 결말을 극적으로 제시한다.
③ 이어지는 사건을 압축적으로 제시한다.
④ 등장인물 중 한 명의 목소리를 집중적으로 들려준다.
⑤ 기존 갈등이 해소되고 새로운 갈등이 시작됨을 알린다.

19 ㉡에 대한 설명으로 알맞은 것은?

① 인물의 소망을 대사로 표현한다.
② 인물의 감격스러운 심정을 강조한다.
③ 인물의 후일담을 다른 사람들의 말을 통해 전달한다.
④ 서술자가 개입하여 읽는 이에게 이야기의 주제를 제시한다.
⑤ 서술자가 개입하여 인물에 대한 세상 사람들의 마음을 대변한다.

20 이 작품의 결말을 정리한 다음 내용의 빈칸에 들어갈 말을 쓰시오.

> 이 작품의 결말은 원작인 「춘향전」과 마찬가지로, '춘향'과 '몽룡'이 혼인해서 백년해로하는 모습으로 제시된다. 이러한 내용으로 볼 때, 이 작품은 고전 소설의 특징인 □□□ □□을/를 반영한 것이라고 할 수 있다.

학습콕

❶ 소설을 재구성한 만화의 표현 방식

표현 방식	만화에서의 기능	만화 「춘향전」에서의 표현 방식
칸	• 만화의 기본 단위임. • 내용의 중요도에 따라 □□를 달리하여 표현함.	• 암행어사 출두 장면은 별도의 칸으로 구분하지 않고 양쪽에 걸쳐 크게 그려 내어 강조함. • 암행어사 출두 후에 □□만 그려 놓은 칸은 사건이 일단락되었음을 표현함.
□□	• 등장인물의 표정과 행동, 이야기가 전개되는 시공간 등을 표현함. • 대사가 없는 장면에서도 그림만으로 작품 속 상황과 인물의 심리를 표현함.	• 암행어사 출두에 떨고 있는 관리들의 모습을 희화화하여 표현함. • 부패한 관리들을 잡는 서리·역졸들의 움직임을 □□□으로 표현함. • 암행어사가 입을 굳게 다물고 매섭게 정면을 바라보는 모습을 강조하여 엄숙한 분위기를 표현함. • '몽룡'을 향해 뻗는 '춘향'의 손을 확대하여, '몽룡'을 향한 '춘향'의 그리움과 애틋함을 표현함. • 화려한 배경 색과 색이 퍼지는 듯한 효과를 통해, '춘향'과 '몽룡'의 감격스러운 □□를 강조함.
말풍선	• 등장인물의 대사와 생각을 표현함. • 시각적 이미지로 작용하여, 말풍선 모양이나 글꼴의 변화를 통해 말의 □□을 살리고, 인물의 심리를 표현함.	• '몽룡'이 "암행어사 출두야!"를 소리치는 장면에서 글꼴의 모양과 크기, 말풍선의 크기를 확대하여 장면을 극대화함. • 날카롭고 비죽비죽 튀어나온 형태의 말풍선을 활용하여 급박한 느낌을 살림. • '몽룡'과 '춘향'이 재회한 후의 상황을 네모난 글 상자로 □□하여 제시함.

❷ 소설을 만화로 재구성했을 때의 효과

• 생동감 있는 표현과 시각적 효과로 읽는 이의 흥미를 끌 수 있음.
• 칸과 칸 사이에 □□된 내용을 유추해 보는 재미를 줌.

간단 체크 내용 문제

21 이 작품에서 알 수 있는, 소설을 만화로 재구성하여 얻는 효과로 알맞은 것은?

① 원작의 주제를 변형하는 재미를 느낄 수 있다.
② 고전 소설을 현대화하는 과정을 파악할 수 있다.
③ 상상력을 발휘해 인물의 모습을 형상화할 수 있다.
④ 생동감 있는 표현으로 읽는 이의 흥미를 끌 수 있다.
⑤ 칸과 칸 사이에 원작과 다르게 덧붙인 내용을 파악하는 재미를 느낄 수 있다.

22 이와 같은 갈래의 특징을 〈보기〉에서 골라 바르게 묶은 것은?

보기
ㄱ. 일정한 크기의 칸 내에서만 사건을 나타낸다. ㄴ. 그림을 통해 대사가 없는 내용도 표현할 수 있다. ㄷ. 말풍선을 통해 인물의 심리를 청각적으로 제시한다. ㄹ. 의태어나 의성어 제시, 말풍선 모양이나 글꼴의 변화 등을 통해 장면의 상황과 인물의 심리를 드러낸다.

① ㄱ, ㄴ ② ㄱ, ㄷ
③ ㄴ, ㄷ ④ ㄴ, ㄹ
⑤ ㄷ, ㄹ

학습 활동

교과서 169~175쪽

이해
❶ 「춘향전」의 사건 전개 과정 정리하기
❷ 작품에 나타난 갈등을 바탕으로 주제 파악하기
❸ 원작과 비교하여 재구성한 작품의 특징 파악하기
❹ 「춘향전」이 꾸준히 재구성되는 까닭 이해하기

1 소설 「춘향전」과 만화 「춘향전」을 읽고 사건의 전개 과정을 정리해 보자.

생일잔치 장면

- '변학도'의 생일잔치가 열리자 이웃 읍의 수령들이 방문함.
- 거지 차림으로 잔치에 온 '어사또(몽룡)'가 시를 읊음.

어사출두 장면

답
- '변학도'의 생일잔치에 모인 각 지역의 수령들이 혼비백산하여 도망침.
- 여기저기서 역졸들이 나타나 부정한 관리들을 잡아들임.

어사출두 이후

답
- '변학도'가 □□□□ 당함.
- 옥에서 풀려난 '춘향'은 '몽룡'과 혼례를 올리고, 나중에 '정렬부인'이라는 칭호를 받음.

2 「춘향전」에 나타난 갈등을 바탕으로 작품의 주제를 말해 보자.

'춘향'과 '변학도'

갈등 상황: 답 '변학도'가 '춘향'에게 수청을 강요하고, '춘향'은 □□를 지키려 함.

주제: '몽룡'을 향한 '춘향'의 지고지순한 사랑

'몽룡'과 '변학도'

갈등 상황: 답 암행어사인 '몽룡'이 탐관오리인 '변학도'를 벌함.

주제: 답 □□□□에 대한 응징

'춘향'과 사회

갈등 상황: 신분제 사회 속에서 기생의 딸인 '춘향'이 양반인 '몽룡'과 부부의 연을 맺음.

주제: 답 평등한 사회에 대한 갈망

간단 체크 활동 문제

01 이 작품의 사건 전개 과정을 정리한 것으로 알맞지 않은 것은?

① '변학도'의 생일잔치에 거지 차림으로 나타난 '몽룡'이 시를 읊음.
↓
② 암행어사 출두로 수령들이 놀라 도망치고, 역졸들이 관리들을 잡아들임.
↓
③ '몽룡'은 '춘향'을 가둔 죄를 물어 '변학도'를 봉고파직함.
↓
④ 절개를 지킨 '춘향'은 '몽룡'과 재회하고 감격함.
↓
⑤ '춘향'은 '몽룡'과 혼인하고, 후에 '정렬부인'이라는 칭호를 받음.

02 다음의 갈등 해소 과정을 통해 알 수 있는 이 작품의 주제를 쓰시오.

'변학도'		'춘향'
'춘향'에게 수청을 강요함.	↔	수청을 거부하고 절개를 지킴.

↓

시련을 겪던 '춘향'은 '몽룡'과 재회하고 혼인함.

3 다음은 소설 「춘향전」의 일부와, 이를 재구성한 만화 「춘향전」의 한 장면이다. 원작과 비교하여, 재구성한 작품의 특징이 어떻게 나타나는지 살펴보자.

소설 「춘향전」

좌수·별감은 넋을 잃고, 이방·호장은 혼을 잃고, 삼색 옷 입은 나졸들은 분주하네. 모든 수령이 도망하는데 그 꼴이 가관이다. 도장궤 잃고 유밀과 들고, 병부 잃고 송편 들고, 탕건 잃고 용수 쓰고, 갓 잃고 밥상 쓰고, 칼집 쥐고 오줌 누기, 부서지니 거문고요, 깨지나니 북·장고라.

본관 사또 똥을 싸고, 멍석 구멍에 생쥐 눈 뜨듯 하면서 관아 깊숙한 안채로 들어가며 급히 내뱉는 말이,

"어, 추워라. 문 들어온다 바람 닫아라. 물 마르다 목 들여라."

관청색은 상을 잃고 문짝을 이고 내달으니 서리, 역졸 달려들어 후다닥 딱 친다.

"애고, 나 죽네."

이때 암행어사 분부하되,

"이 고을은 대감께서 계시던 곳이다. 소란을 금하고 객사로 옮기라."

관아를 한차례 정리하고 동헌에 올라앉은 후에,

"본관은 봉고파직하라."

"본관은 봉고파직이오."

만화 「춘향전」

간단 체크 활동 문제

03 원작 소설을 만화로 재구성할 때 떠올린 생각으로 알맞지 않은 것은?

① 칸을 기본으로 해서 이야기를 전개해야지.
② 등장인물의 대사는 말풍선 안에 나타내야겠어.
③ 가장 극적인 장면은 줄글로 표현하는 것이 효과적이겠지.
④ 사건이 벌어지는 배경은 그림으로 표현하는 것이 적절하겠어.
⑤ 표정과 말풍선의 모양을 통해 인물의 심리를 드러내는 것이 좋겠어.

04 ㉠~㉣에 대한 설명으로 알맞지 않은 것은?

① ㉠: 암행어사 출두 장면을 크게 그려 내어 강조하였다.
② ㉠: 부패한 관리들을 잡는 역졸들의 모습을 역동적으로 표현하였다.
③ ㉡: 암행어사 출두에 혼비백산한 관리들의 모습을 우스꽝스럽게 묘사하였다.
④ ㉢: 하늘만 그려 놓은 칸으로 사건이 일단락됨을 보여 주었다.
⑤ ㉣: 암행어사의 표정을 통해 인물의 부드러운 성품을 드러내었다.

칸	• 암행어사 출두 장면은 별도의 칸으로 구분하지 않고 양쪽에 걸쳐 크게 그려 내어 강조함. 답 • □□만 그려 놓은 칸으로 사건이 일단락되었음을 보여 줌.
그림	• 암행어사 출두에 떨고 있는 관리들의 모습을 우스꽝스럽게 그림. 답 • 부패한 관리들을 잡는 서리·역졸들의 움직임을 역동적으로 표현함. • 암행어사가 입을 굳게 다물고 매섭게 정면을 바라보는 모습을 강조하여 엄숙한 분위기를 표현함.
말풍선	답 • 날카롭고 비죽비죽 튀어나온 형태의 말풍선을 활용하여 말의 느낌을 살림. • 중심 사건을 나타내는 "암행어사 출두야!"라는 글씨의 □□를 키워 상황을 강조함.

• 이처럼 소설을 만화로 재구성하여 얻을 수 있는 효과가 무엇일지 말해 보자.

답 칸과 칸 사이에 생략된 내용을 유추해 보는 재미를 줄 수 있다. / 생동감 있는 표현으로 읽는 이의 흥미를 끌 수 있다.

4 「춘향전」을 재구성한 다른 작품을 찾아보고, 「춘향전」이 끊임없이 재구성되는 까닭이 무엇일지 말해 보자.

▲ 뮤지컬로 공연된 「춘향전」

▲ 「춘향전」을 새롭게 해석한 장편 소설

예시 답 》 고전 소설 「춘향전」을 재구성한 작품에는 현대 소설 「백설춘향전」, 현대시 「춘향 유문」, 드라마 「쾌걸 춘향」, 뮤지컬 「아싸라비아 춘향전」 등이 있다. 「춘향전」은 인간의 보편적 정서인 '사랑'을 소재로 하여 시대를 넘어선 공감을 불러일으키고, 다양한 관점에서 인물을 재해석할 수 있어 오늘날까지 끊임없이 재구성된다.

적용
❶ 원작의 '춘향'과 노랫말에 묘사된 '춘향'의 모습 비교하기
❷ 「춘향전」이나 다른 우리나라 고전 소설 재구성하기

다음은 「춘향전」을 소재로 한 국악 노랫말이다. 이 노랫말에 묘사된 '춘향'의 모습을 원작과 비교하며 감상해 보고, 원작을 새롭게 재구성해 보자.

간단 체크 활동 문제

05 만화에서 말풍선의 형태 변화가 주는 효과로 알맞은 것은?

① 말의 느낌을 살린다.
② 인물의 표정을 드러낸다.
③ 대사를 통해 웃음을 유발한다.
④ 갈등이 해소되는 계기를 만든다.
⑤ 대사의 내용을 공감각적으로 표현한다.

06 소설 「춘향전」을 재구성한 만화 「춘향전」을 감상한 후의 반응으로 적절한 것은?

① 소설의 인물과 사건을 바꾸니 신선한 느낌이야.
② 제시된 인물의 모습과 표정이 소설과 너무 달랐어.
③ 주인공의 시점으로 이야기를 전달해서 흥미로웠어.
④ 칸과 칸 사이에 생략된 내용을 생각해 볼 수 있었어.
⑤ 소설보다 사건에 대한 설명이 많이 제시되어서 이해하기 쉬웠어.

07 다음은 「춘향전」이 현재에도 재구성되는 까닭을 정리한 것이다. 빈칸에 들어갈 알맞은 말을 쓰시오.

> 「춘향전」은 □□(이)라는 인간의 보편적인 정서를 소재로 하고 있어서, 시대를 초월하여 많은 사람들에게 공감을 불러일으킨다.

이몽룡아 (영상 자료)

이충우 작사, 유태환 작곡

아니리[1]

그때여 춘향이 본관 사또 수청을 거절하여 옥중에 있을 적에
상걸인 되어 온 몽룡을 보고 나니 일편단심 먹은 마음 변하며 말하기를,

노래

장부의 맑은 마음 거울 빛과 같다 하여
㉠모질고도 모진 형벌 꿋꿋이 견뎌 내며 [2]오매불망 임 오기를 바라고도 바랐건만
상걸인 되어 오니 이 원통 뉘 알리오.
아아아(한숨) 이몽룡아

아니리

㉡팔자 한번 고쳐 보려 고르고 골랐건만 남은 것은 죽을 날뿐이오.
이렇게 허망하게 죽느니 ㉢나 살길 찾을라요.
열녀 춘향도 좋지만 홀로 계실 어머니 생각하니
㉣효녀 춘향이 나을 듯싶소.

노래

변 사또 나리 나이가 좀 많다지만 영웅은 아니라도 호걸은 될 듯하고
기력이며 권세도 흠잡을 곳 가히 없소.
이년 팔자 고쳐 보면 우리 모녀 남은 인생 부귀영화 누릴 듯하니
㉤수청 허락함이 좋을 듯싶소.
아아아(한숨) 이몽룡아
이몽룡아 이몽룡아 이몽룡아 이몽룡아
어어어 이몽룡아……

---

1 **아니리** 판소리에서 창을 하는 중간중간에 가락을 붙이지 않고 이야기하듯 엮어 나가는 사설.
2 **오매불망** 자나 깨나 잊지 못하여.

1 원작의 '춘향'과 이 노랫말에 묘사된 '춘향'의 모습을 비교해 보자.

답 목숨이 위협받는 상황에서도 '몽룡'을 향한 절개를 굳게 지킨다.

답 □□ □□을 향한 욕망을 직접 드러내며, '몽룡'과의 사랑을 저버리려 한다.

- 이 노랫말에서 '춘향'의 모습을 원작과 다르게 표현한 까닭을 추측하여 말해 보자.

예시 답 》 절개보다 실리적인 것에 좀 더 가치를 두어, 원작과 다른 선택을 하는 '춘향'의 모습을 그리고 싶었기 때문일 것이다.

간단 체크 활동 문제

08 이 노랫말 속 '춘향'이 원작의 '춘향'과 다른 점에 해당하는 것은?

① '변 사또' 때문에 고난을 겪었다.
② '몽룡'을 간절히 기다리고 있었다.
③ '변 사또'의 장점을 찾아보려 한다.
④ '변 사또'를 '몽룡'보다 더 사랑한다.
⑤ '변 사또'의 수청을 처음부터 들었다.

09 다음은 이 노랫말의 '춘향'에 대해 평가한 내용이다. ㉠~㉤ 중, 밑줄 친 부분과 관련이 없는 것은?

> 이 노랫말에서 '춘향'은 신분 상승을 꿈꾸며 선택한 '몽룡'이 걸인이 되어 돌아오자, 크게 실망하면서 그에 대한 절개를 버리기로 한다. 대신 자신에게 도움이 될 수 있는 '변 사또'를 선택하려고 하는데, 이는 원작과 달리 실리를 추구하는 '춘향'의 모습을 보여 준다.

① ㉠ ② ㉡ ③ ㉢
④ ㉣ ⑤ ㉤

2 이 노랫말처럼 「춘향전」이나 다른 우리나라 고전 소설을 재구성해 보자.

예시 답 〉〉

- **재구성하고 싶은 작품 제목:** 콩쥐팥쥐전
- **재구성하고 싶은 부분과 그 까닭:** 팥쥐가 비극적인 죽음을 맞는 부분 – 팥쥐와 콩쥐는 친 자매는 아니지만 한 가족이다. 가족 구성원 중 한 사람이라도 잘못되면 행복한 결말로 보기 어렵다.
- **재구성한 내용**

팥쥐는, 착하고 예쁜 콩쥐가 얄밉다. 그래서 콩쥐를 늘 따라다니며 괴롭힌다. 그러던 어느 날, 콩쥐가 궁중 음식 경연 대회에 나간다기에 심술이 난 팥쥐는 콩쥐를 따라 나선다. 그런데 이게 웬일! 콩쥐와 팥쥐가 한 조가 된 것이다. 둘은 그동안의 일은 잊은 채 최선을 다하였고, 대회에서 우승을 한다. 그 과정에서 요리에 재능이 있음을 깨달은 팥쥐는 계속 노력하여 뛰어난 요리사가 되고, 동네에서 우애 좋은 자매로 소문이 날 정도로 콩쥐와도 잘 지내게 된다.

간단 체크 활동 문제

10 〈보기〉와 같이 「콩쥐팥쥐전」을 재구성한 작품에서 원작과 달리 강조하려 한 점으로 알맞은 것은?

보기

팥쥐는 착하고 예쁜 콩쥐를 괴롭혔다. 그러던 어느 날, 팥쥐는 발을 헛디뎌 구덩이에 빠지고, 팥쥐를 찾아다니던 콩쥐가 위험을 무릅쓰고 팥쥐를 구하다 다친다. 이후 팥쥐는 콩쥐에게 지난날의 잘못을 사과하고 사이좋게 지낸다.

① 생활 속의 안전
② 자매 사이의 우애
③ 꿈을 이루려는 노력
④ 위험을 이겨 내는 용기
⑤ 스스로에게 당당한 정직

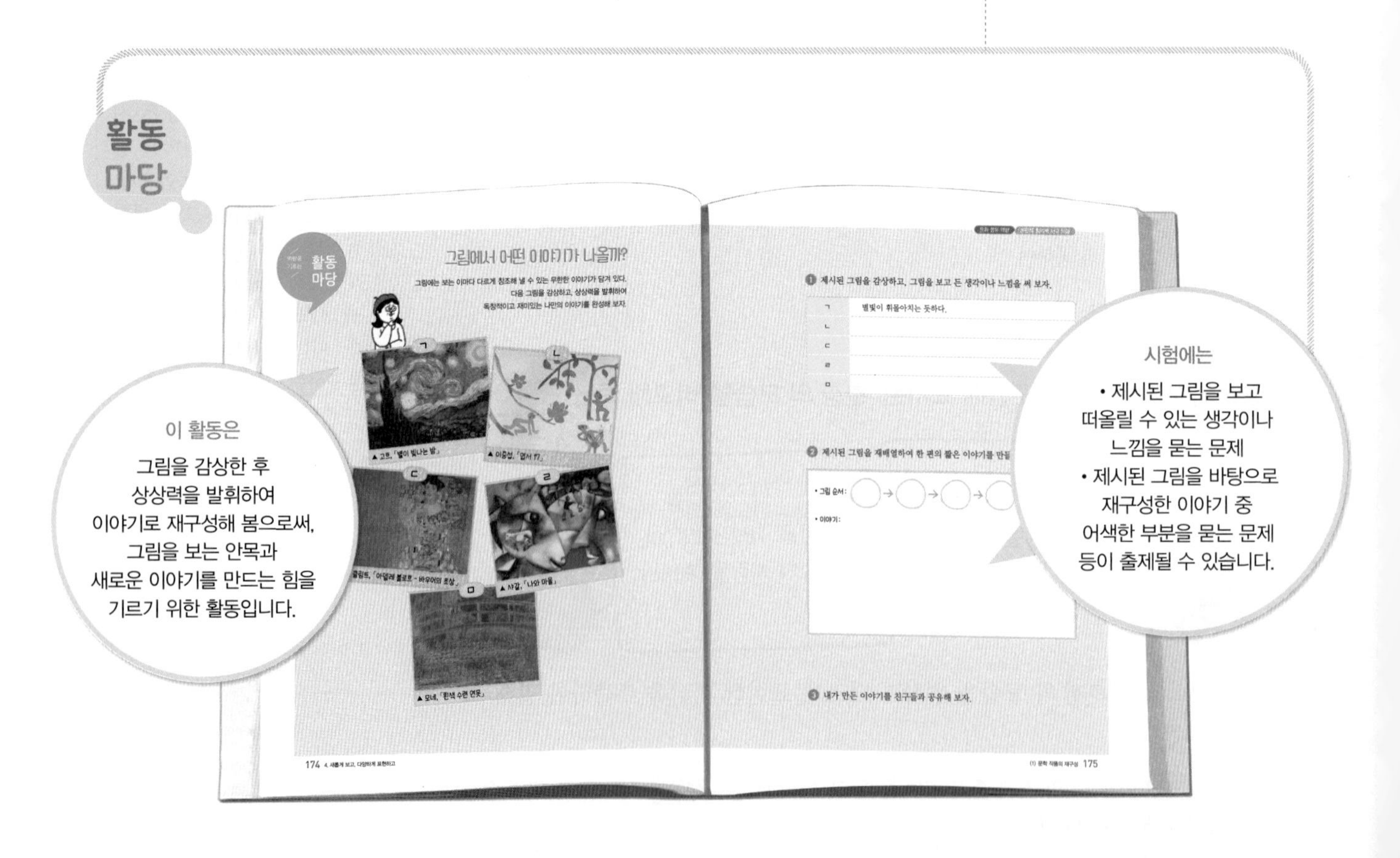

• 정답과 해설 19쪽

본문 제재 ❶ 소설 「춘향전」

갈래	고전 소설, 판소리계 소설, 애정 소설	성격	해학적, 풍자적
배경	조선 후기, 전라북도 남원	시점	전지적 작가 시점
제재	‘춘향’의 정절		
주제	지고지순한 남녀 간의 사랑, 탐관오리에 대한 응징, 평등한 사회에 대한 갈망		
특징	• 판소리의 영향으로 운문체와 산문체가 함께 나타남. • 서술자가 작품에 개입하여 인물과 사건에 대한 자기 생각과 판단을 직접 드러냄(편집자적 논평).		

본문 제재 ❷ 만화 「춘향전」

갈래	만화	성격	해학적, 풍자적
배경	조선 후기, 전라북도 남원	제재	‘춘향’의 정절
주제	지고지순한 남녀 간의 사랑, 탐관오리에 대한 응징, 평등한 사회에 대한 갈망		
특징	• 원작의 소재와 성격, 주제 등을 잘 살림. • 다양한 시각적 표현을 활용하여 작품에 생동감을 더함.		

●● 「춘향전」의 재구성 양상 및 효과

	소설 「춘향전」		만화 「춘향전」
‘어사또’의 정체를 눈치챈 사람들의 반응이 나타난 장면	암행어사가 출두할 것임을 예감한 ‘운봉’이 수하를 단속하는 장면을 자세히 서술함.	➡	‘운봉’이란 인물을 내세우지 않고, 주변 사람들이 눈치를 보며 조심스레 자리를 뜨는 장면을 의성어와 ❶ □□□, 효과선 등을 사용해 보여 줌.
암행어사 출두 장면	암행어사 출두에 혼비백산한 수령들이 달아나는 우스꽝스러운 장면을 서술자의 말과 인물의 대사로 표현함.	➡	칸, 그림, ❷ □□□ 등을 사용해 상황을 강조하고, 인물들의 움직임과 표정을 생생하게 표현함.
‘어사또’가 ‘춘향’을 떠보는 장면	서술자가 인물의 심리를 ❸ □□□으로 서술함.	➡	말풍선과 대사를 이용해 인물의 심리를 간접적으로 드러냄.
‘춘향’과 ‘몽룡’의 재회 장면	서술자의 말과 인물의 대사로 재회 장면을 묘사함.	➡	대사보다 ❹ □□에 중점을 두어, 작품 속 상황을 극적으로 보여 주면서 인물의 심리를 강조함.

→ 소설을 만화로 재구성하면서 생동감 있는 표현과 시각적 효과로 읽는 이의 ❺ □□를 불러일으키고, 칸과 ❻ □ 사이에 생략된 내용을 유추해 보는 재미를 느끼게 함.

●● 「춘향전」이 꾸준히 재구성되는 까닭

• 인간의 보편적 정서인 남녀 간의 ❼ □□과 그 관계를 지속하고 싶은 인간의 보편적 욕망을 담음.
• 다양한 관점에서 인물을 재해석할 수 있음.

➡ 시대를 넘어선 ❽ □□을 불러일으켜 오늘날까지 활발히 재구성됨.

시험에 나오는 소단원 문제

01~03 다음을 읽고, 물음에 답하시오.

나 이렇게 시를 지어 보이니 술에 취한 변 사또는 무슨 뜻인지도 모르지만, 글을 받아 본 운봉은 속으로,

'아뿔싸! 일 났다.' / 가슴이 철렁 내려앉았다.

이때 어사또 하직하고 간 연후에 운봉이 공형 불러 분부한다. / "야야, 일 났다!"

공방 불러 자리 단속, 병방 불러 역마 단속, 관청색 불러 다과상 단속, 옥사정 불러 죄인 단속, 집사 불러 형벌 기구 단속, 형방 불러 서류 단속, 사령 불러 숙직 단속, 한참 이렇게 요란할 때 눈치 없는 본관 사또, 운봉을 향해 말을 던진다.

다 이때 청파역 역졸들이 달 같은 마패를 햇빛같이 번쩍 들고 우렁차게 소리를 질렀다.

"암행어사 출두야!"

역졸들이 일시에 외치는 소리에 강산이 무너지고 천지가 뒤집히는 듯하니 산천초목인들 금수인들 아니 떨겠는가.

라 좌수·별감은 넋을 잃고, 이방·호장은 혼을 잃고, 삼색 옷 입은 나졸들은 분주하네. 모든 수령이 도망하는데 그 꼴이 가관이다. 도장 궤 잃고 유밀과 들고, 병부 잃고 송편 들고, 탕건 잃고 용수 쓰고, 갓 잃고 밥상 쓰고, 칼집 쥐고 오줌 누기, 부서지니 거문고요, 깨지나니 북·장고라.

본관 사또 똥을 싸고, 멍석 구멍에 생쥐 눈 뜨듯 하면서 관아 깊숙한 안채로 들어가며 급히 내뱉는 말이,

"어, 추워라. 문 들어온다 바람 닫아라. 물 마르다 목 들여라."

관청색은 상을 잃고 문짝을 이고 내달으니 서리, 역졸 달려들어 후다닥 딱 친다. / "애고, 나 죽네."

01 (가)에서 시를 듣는 사람들의 속마음으로 적절한 것은? (정답 2개)

① 탐관오리의 횡포를 비난하다니 정말 통쾌해.
② 저런 시로 잔치 분위기를 망치다니 한심하군.
③ 대구와 은유가 돋보이는 시를 쓰다니 대단해.
④ 분위기가 영 이상한데 안 좋은 일이 생기겠어.
⑤ 시 짓는 솜씨가 놀라운데 보통 사람이 아니군.

02 (나)의 내용을 재구성한 〈보기〉의 특징으로 알맞지 않은 것은?

보기

① '운봉'과 같은 특정 인물을 내세우지 않았다.
② 당황한 인물들의 태도를 그림으로 표현하였다.
③ 상황을 파악한 인물들의 심리를 자세히 서술하였다.
④ 땀을 흘리는 모습으로 인물들의 긴장된 마음을 그려 내었다.
⑤ 의성어와 의태어로 자리를 피하는 인물들의 모습을 표현하였다.

학습 활동 응용

03 (다)~(라)를 만화로 재구성하기 위한 계획으로 알맞지 않은 것은?

① (다)는 양쪽에 걸쳐 크게 그려 장면을 강조한다.
② (다)에서 역졸들이 관아를 덮치는 장면은 역동적으로 표현한다.
③ (다)의 "암행어사 출두야!"는 날카로운 형태의 말풍선을 활용해 말의 느낌을 살린다.
④ (라)에서 인물들의 모습은 엄숙하고 진지한 느낌이 들게 표현한다.
⑤ (라)에서 '본관 사또'가 떠는 모습을 '덜덜'과 같은 의태어와 함께 제시한다.

04~07 **다음을 읽고, 물음에 답하시오.**

가

나

다 임금은 즉시 이몽룡에게 이조 참의, 대사성이라는 벼슬을 내리고 춘향에게는 정렬부인 칭호를 내렸다. 이몽룡은 임금의 은혜에 감사하며 절을 하고 물러 나와 부모를 뵈오니 성은 입음을 축하해 주셨다.

그 후 이몽룡은 벼슬이 점점 높아져 이조 판서, 호조 판서, 우의정, 좌의정, 영의정을 다 지내고 벼슬에서 물러난 후에 정렬부인 성춘향과 더불어 백년해로했다.

학습 활동 응용

04 **(가)~(다)를 읽고 보인 반응으로 알맞지 <u>않은</u> 것은?**

① (가)에 두드러지게 나타나는 이 작품의 주제는 '탐관오리에 대한 응징'이야.
② 「춘향전」은 인간의 보편적 정서인 '사랑'을 소재로 해서 사람들의 공감을 얻을 수 있는 거야.
③ 다양한 관점에서 인물들을 재해석할 수 있어서 「춘향전」은 오늘날까지 계속 재구성되고 있어.
④ (가)~(나)처럼 소설 「춘향전」을 다른 갈래로 재구성하면 표현 방식도 그에 맞게 달라질 거야.
⑤ 이 작품의 사회적 배경을 고려할 때 (다)와 같은 결말에는 평등한 사회에 대한 백성들의 소망이 담겨 있어.

05 **(나)에 나타난 재구성 양상으로 알맞지 <u>않은</u> 것은?**

① 대사를 절제하여 상황 전달에 초점을 둔다.
② 칸을 크게 제시하여 극적인 장면을 강조한다.
③ 색이 퍼지는 효과로 재회의 감동을 표현한다.
④ '춘향'의 놀란 마음을 표정과 느낌표로 표현한다.
⑤ 화려한 배경 색으로 초라한 '춘향'의 모습을 강조한다.

06 **㉠과 ㉡이 공통적으로 의미하는 바를 쓰시오.**

학습 활동 응용

07 **<보기>의 '춘향'을 긍정적 관점에서 보았을 때, 이와 비슷한 인물로 알맞은 것은?**

보기
변 사또 나리 나이가 좀 많다지만 영웅은 아니라도 호걸은 될 듯하고 / 기력이며 권세도 흠잡을 곳 가히 없소. / 이년 팔자 고쳐 보면 우리 모녀 남은 인생 부귀영화 누릴 듯하니 / 수청 허락함이 좋을 듯싶소. / 아아아(한숨) 이몽룡아

① 열심히 모은 먹이를 베짱이에게 나눠 준 '개미'
② 제비 다리를 고쳐 주고 뜻밖의 복을 받은 '흥부'
③ 병사들에게 자신의 죽음을 알리지 않은 '이순신'
④ 사랑하는 사람을 위해 모든 것을 희생한 '인어 공주'
⑤ 적과의 담판에서 명분은 양보하고 실제의 이익을 얻은 '서희'

교과서 177~191쪽

(2) 효과적인 표현을 담은 글

학습 목표 생각이나 느낌, 경험을 드러내는 다양한 표현을 활용하여 글을 쓸 수 있다.

❶ 속담, 관용 표현, 격언과 명언의 개념과 특성 파악하기
❷ 속담, 관용 표현, 격언과 명언을 활용하여 짧은 글 쓰기

1 속담

학습 포인트

❶ 속담의 개념 ❷ 속담의 가치와 효과

1 다음 글을 참고하여 속담의 가치를 말해 보자.

하루 종일 놀다가 밤늦게 허겁지겁 숙제를 하려는데 "게으른 놈 짐 많이 진다더니, 쯧쯧……." 하는 핀잔을 들어 본 적 있는가? 또 방학이 거의 다 끝나 가도록 방학 숙제에 손도 안 대서 걱정하고 있는데, 할머니가 등을 툭툭 두드리며 이렇게 말씀하시기도 한다. "인석아, 만 리 길도 한 걸음으로 시작된다고 했으니 지금부터 부지런히 하면 돼. 시작이 반이라고 하지 않더냐?"

이렇게 속담은 우리 생활에 널리 쓰인다. 그런데 할머니나 할아버지들은 어떻게 그 많은 속담을 알고 계실까? 그건 할머니의 할머니, 또 그 할머니의 할머니로부터 자주 들으면서 자연스레 익혔기 때문이다. 그러다 보니 속담에는 까마득한 옛날부터 우리 조상들이 터득해 온 지혜가 차곡차곡 쌓여 있다. 또, 우리말의 고유한 표현이 살아 있어서 때 묻지 않은 진짜 우리말도 배울 수 있다.

– 허은실, 『국어 교과서도 탐내는 맛있는 속담』

답 속담은 우리 조상들이 터득해 온 □□를 담고 있으며, 우리말의 고유한 표현이 살아 있다.

2 딸의 두 표현을 비교해 보고, 속담을 활용하면 어떤 효과가 있는지 말해 보자.

예시 답 ›› 속담을 활용하면 전하려는 바를 간결하게 나타낼 수 있고, 내용을 인상적으로 전할 수 있다.

3 다음 상황과 어울리는 속담을 보기에서 골라 써 보자.

- 우물에 가 숭늉 찾는다
- 돌다리도 두들겨 보고 건너라
- 사공이 많으면 배가 산으로 간다
- 벼 이삭은 익을수록 고개를 숙인다

간단 체크 활동 문제

01 속담에 대한 설명으로 알맞은 것은?

① 주로 한자어를 활용해 의미가 만들어진다.
② 우리 조상들이 터득해 온 지혜를 담고 있는 말이다.
③ 당대 사회의 분위기나 사람들의 심리가 반영된 말이다.
④ 일정 기간 동안 사용되다가 사라지는 말들이 대부분이다.
⑤ 둘 이상의 낱말이 결합하여 원래의 뜻과는 전혀 다른 뜻으로 사용된다.

중요

02 ⓐ와 ⓑ를 비교한 내용으로 알맞은 것은?

① ⓐ가 ⓑ보다 언어의 재미를 느끼게 한다.
② ⓐ보다 ⓑ가 의미를 직접적으로 드러낸다.
③ ⓐ보다 ⓑ가 외국인들이 이해하기 편하다.
④ ⓐ가 ⓑ보다 내용을 인상적으로 전달한다.
⑤ ⓐ보다 ⓑ가 복잡한 상황을 간결하게 표현한다.

4 다음 속담의 뜻을 찾아보고, 이를 활용하여 자신의 경험을 짧은 글로 써 보자.

- **소 잃고 외양간 고친다:** 일이 잘못된 뒤에는 손을 써도 소용이 없음을 비꼬는 말.
- **비 온 뒤에 땅이 굳어진다:** 답 비에 젖어 질척거리던 흙도 마르면서 단단하게 굳어진다는 뜻으로, 어떤 시련을 겪은 뒤에 더 강해짐을 비유적으로 이르는 말
- **가랑비에 옷 젖는 줄 모른다:** 답 가늘게 내리는 비는 조금씩 젖어 들기 때문에 여간해서도 옷이 젖는 줄을 깨닫지 못한다는 뜻으로, 아무리 사소한 것이라도 그것이 거듭되면 무시하지 못할 정도로 크게 됨을 비유적으로 이르는 말
- **구르는 돌은 이끼가 안 낀다:** 답 부지런하고 꾸준히 노력하는 사람은 침체되지 않고 계속 발전한다는 말
- **기타:** 예시 답 》 백지장도 맞들면 낫다: 쉬운 일이라도 협력하여 하면 훨씬 쉽다는 말

오늘 모둠별 과제를 하다가 현우와 말다툼을 했다. 현우의 장난을 그냥 웃어넘길 수도 있었는데 속 좁게 토라졌던 내 모습이 부끄럽다. 과제가 어려워서 서로 예민해졌나 보다. "비 온 뒤에 땅이 굳어진다."라는 속담도 있으니, 현우에게 사과하고, 앞으로 현우와 더 깊은 우정을 나누어야겠다.

예시 답 》 방학 동안 친구와 수영을 같이 배우기로 했다. 첫날은 둘 다 초보라 기본 동작을 배우는 데에도 애를 먹었다. 다음 날부터 친구는 수업 시간보다 30분 먼저 가서 연습하기 시작했다. 나는 자꾸 늦잠을 자는 바람에 수업 시간에 헐레벌떡 들어가거나 결석하기 일쑤였다. 방학이 끝날 무렵에는 친구의 실력이 나보다 훨씬 앞서가게 되었다. 구르는 돌은 이끼가 안 낀다더니 수영 실력이 몰라보게 발전한 친구가 부러웠다. 나도 친구처럼 열심히 노력해서 수영 실력을 길러야겠다.

간단 체크 활동 문제

중요

03 〈보기〉의 상황과 어울리는 속담이 아닌 것은?

보기
아이: 엄마! 토마토 열매 아직 안 열렸어요? 엄마: 아니, 어제 심었잖니.

① 우물에 가 숭늉 찾는다
② 보리 갈아 놓고 못 참는다
③ 싸전에 가서 밥 달라고 한다
④ 급하면 바늘허리에 실 매어 쓸까
⑤ 벼 이삭은 익을수록 고개를 숙인다

04 〈보기〉의 내용을 속담으로 표현한다고 할 때 알맞은 것은?

보기
민재와 영선이는 사소한 일로 다툰 후, 서로 말을 하지 않았다. 그러나 그 시간 동안 서로의 소중함을 깨닫고 화해해 더 친하게 지내게 되었다.

① 백지장도 맞들면 낫다
② 소 잃고 외양간 고친다
③ 비 온 뒤에 땅이 굳어진다
④ 구르는 돌은 이끼가 안 낀다
⑤ 가랑비에 옷 젖는 줄 모른다

(2) 효과적인 표현을 담은 글

학습콕

❶ **속담의 개념**
예로부터 전하여 오는 조상들의 지혜, 교훈이나 풍자가 담긴 쉽고 짧은 말임.

❷ **속담의 가치와 효과**

가치	• 우리 조상들이 터득해 온 지혜를 담고 있음. • □□□의 고유한 표현이 잘 나타나 있음.
효과	• 내용을 인상적으로 전할 수 있음. • 설명하기 복잡한 상황을 간결하게 표현할 수 있음. • 글(말)에 □□를 더해 읽는 이(듣는 이)의 관심을 불러일으킬 수 있음.

2 관용 표현

학습 포인트

❶ 관용 표현의 개념 ❷ 관용 표현의 특성과 효과

1 밑줄 친 관용 표현의 뜻을 생각하며 다음 만화를 살펴보자.

(1) 밑줄 친 관용 표현과 그 뜻을 알맞게 연결해 보자.

① 파김치가 되다	• •	㉠ 앞으로 해야 할 일들이 많이 남아 있다.
② 갈 길이 멀다	• •	㉡ 몹시 지쳐서 기운이 아주 느른하게 되다.
③ 나 몰라라 하다	• •	㉢ 어떤 일에 무관심한 태도로 상관하지도 아니하고 간섭하지도 아니하다.

(2) 만화와 보기에 쓰인 "갈 길이 멀다."라는 말의 뜻을 비교해 보고, 관용 표현은 어떤 특성이 있는지 말해 보자.

보기

딸: 아빠, 할머니 댁에 도착하려면 얼마나 남았어요?
아빠: 아마 한 시간은 더 가야 할 거야.
딸: 아……. 아직 ⓑ갈 길이 머네요.

예시 답》 〈보기〉에 쓰인 "갈 길이 멀다."라는 말은 낱말 그대로 '가야 하는 길이 멀다.'라는 뜻이지만, 만화에 쓰인 "갈 길이 멀다."라는 말은 '앞으로 해야 할 일이 많이 남아 있다.'라는 뜻이다. 이처럼 □□ □□은 둘 이상의 낱말이 한 덩어리처럼 굳어져, 각 낱말의 원래 뜻과는 다른 뜻을 지니는 특성이 있다.

간단 체크 활동 문제

05 다음 문장 중 〈보기〉의 관용 표현이 알맞게 쓰인 것은?

〈보기〉
파김치가 되다

① 그는 키가 워낙 커서 파김치가 됐다.
② 하루 종일 돌아다녔더니 파김치가 됐어.
③ 꿀 같은 단잠을 잤더니 파김치가 됐네.
④ 파에 간단히 양념만 묻혀도 파김치가 돼.
⑤ 진수는 게임기가 갖고 싶어서 파김치가 됐다.

중요

06 ⓐ와 ⓑ를 비교한 내용으로 알맞지 않은 것은?

① ⓐ는 ⓑ와 달리, 관용 표현에 해당한다.
② ⓐ와 ⓑ는 모두 '거리'라는 의미에 중심을 둔 표현이다.
③ ⓐ는 원래 문장과는 다른 뜻을 지닌다.
④ ⓐ는 둘 이상의 낱말이 한 덩어리처럼 굳어진 말이다.
⑤ ⓑ는 '한참 더 가야 하네요.'로 바꿔 쓸 수 있다.

2 모둠별로 우리 몸과 관련 있는 관용 표현을 찾아 써 보고, 그 뜻을 조사하여 발표해 보자.

머리	**머리를 굴리다,** 답 머리를 굽히다, 머리를 내밀다, 머리를 맞대다, 머리를 식히다, 머리가 가볍다, 머리가 복잡하다, 머리 위에 앉다, 머리에 피도 안 마르다 등
귀	**귀를 기울이다,** 답 귀가 따갑다, 귀가 아프다, 귀에 익다, 귀를 열다, 귀가 가렵다, 귀 밖으로 듣다 등
눈	**눈을 붙이다,** 답 눈에 띄다, 눈에 어리다, 눈을 돌리다, 눈을 밝히다, 눈이 높다, 눈을 속이다, 눈을 똑바로 뜨다 등
입	**입을 모으다,** 답 입을 막다, 입을 맞추다, 입만 아프다, 입이 쓰다, 입에 거미줄 치다, 입에 달라붙다 등
손	**손을 내밀다,** 답 손을 끊다, 손을 떼다, 손을 멈추다, 손이 크다, 손이 작다, 손이 맞다 등
발	**발을 구르다,** 답 발을 디디다, 발을 빼다, 발이 넓다, 발이 묶이다, 발이 빠르다 등
배	**배가 아프다,** 답 배를 두드리다, 배가 등에 붙다, 배를 내밀다, 배를 불리다, 배꼽을 쥐다 등

예시 답》

찾은 표현	뜻
머리를 □□□	머리를 써서 해결 방안을 생각해 내다.
머리를 굽히다	굴복하거나 저자세를 보이다.
머리를 내밀다	어떤 자리에 모습을 나타내다.
머리를 맞대다	어떤 일을 의논하거나 결정하기 위하여 서로 마주 대하다.
머리를 식히다	흥분되거나 긴장된 마음을 가라앉히다.

3 지금까지 배운 관용 표현을 활용하여, 다음처럼 오늘의 다짐을 짧은 글귀로 표현해 보자.

우리 학급 일에
나 몰라라 하지 않기

선생님 말씀에
귀 기울이기

예시 답》 혼자 고민하기보다 머리를 맞대어 생각하기, 도움이 필요한 친구에게 먼저 손 내밀기, 발 빠르게 움직이기 등

학습콕

❶ **관용 표현의 개념**
특정 사회나 언어 공동체에서 쓰이는 □□□인 언어 표현 방식으로, 둘 이상의 낱말이 결합하여 원래의 뜻과는 다른 특별한 뜻으로 사용되는 말임.

❷ **관용 표현의 특성과 효과**

특성	두 개 이상의 낱말이 한 덩어리로 굳어져 하나의 낱말처럼 쓰이기 때문에 그 표현을 마음대로 바꿀 수 없음.
효과	상황을 간결하고 함축적으로 표현할 수 있으며, 상대에게 깊은 □□을 남길 수 있음.

간단 체크 활동 문제

중요
07 다음 빈칸에 공통적으로 들어갈 말을 쓰시오.

- 피곤해서 잠시 (　　　) 을/를 붙였다.
- 그 여자는 (　　　)이/가 높아 웬만한 사람은 거들떠보지도 않는다.
- 오래전 떠나온 고향 마을이 아직도 (　　　)에 어린다.

08 〈보기〉의 의미를 지닌 관용 표현에 해당하는 것은?

보기
서로의 말이 일치하도록 하다.

① 입을 막다
② 입을 모으다
③ 입을 맞추다
④ 입에 달라붙다
⑤ 입에 거미줄 치다

09 관용 표현을 활용하여 쓴 '오늘의 다짐' 내용으로 적절하지 않은 것은?

① 다른 사람 말에 귀를 기울이기
② 문제가 발생하면 머리를 맞대기
③ 보다 먼 곳을 향해 배를 내밀기
④ 힘든 친구에게 먼저 손을 내밀기
⑤ 새로운 영역에 용기 내어 발을 디디기

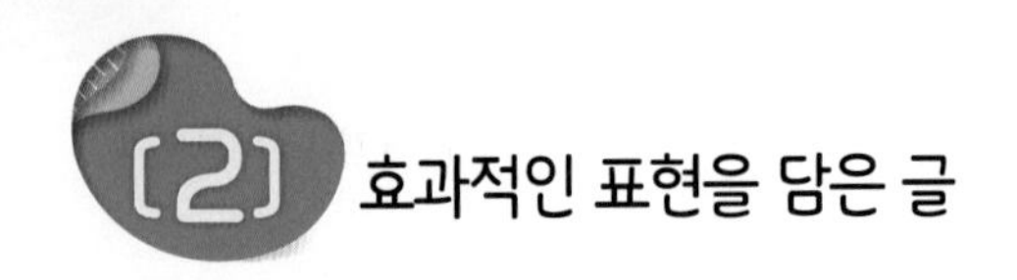

(2) 효과적인 표현을 담은 글

3 격언과 명언

학습 포인트

❶ 격언과 명언의 개념과 특징

1 다음은 어느 학생의 책상에 붙어 있는 메모지이다. 여기에 적힌 격언과 명언의 뜻을 생각해 보고, 주제별로 묶어 보자.

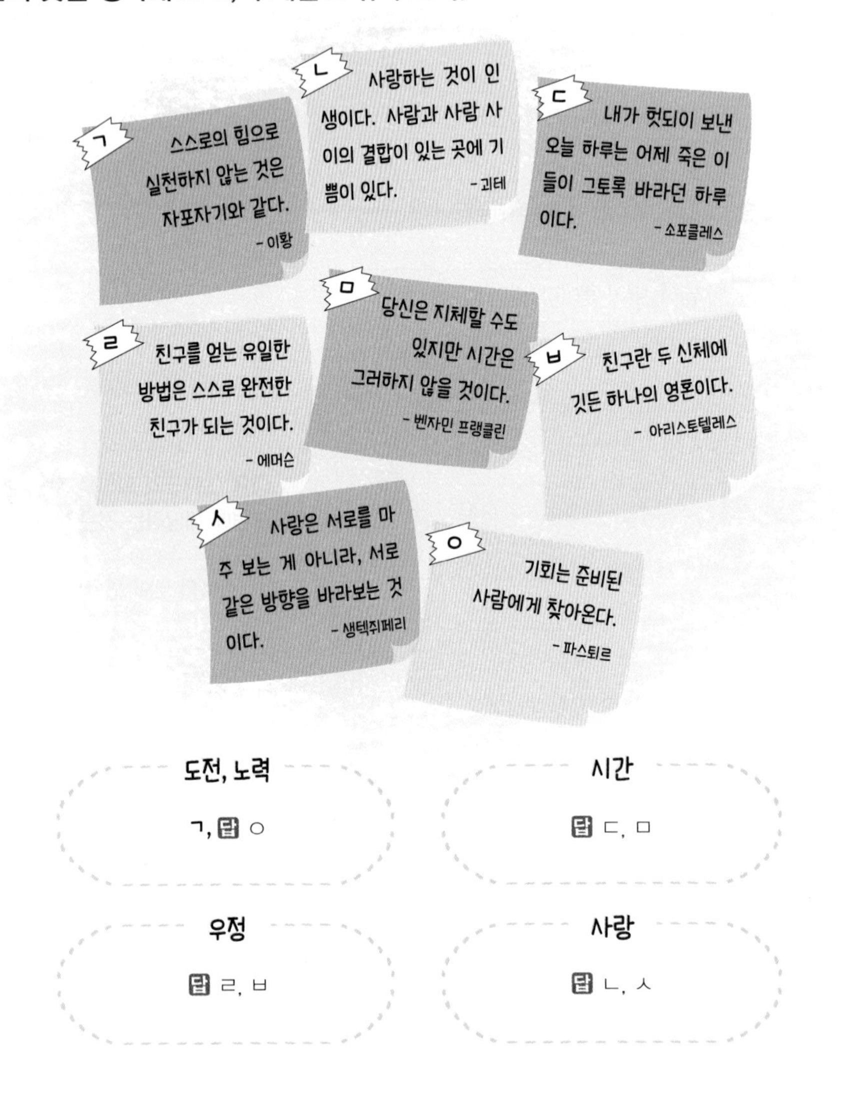

도전, 노력	시간
ㄱ, 답 ㅇ	답 ㄷ, ㅁ

우정	사랑
답 ㄹ, ㅂ	답 ㄴ, ㅅ

2 격언이나 명언을 활용하여 다음 그림 속 '여우'에게 조언하는 내용을 담은 쪽지를 써 보자.

간단 체크 활동 문제

중요

10 〈보기〉에 제시된 격언과 명언 중 '도전, 노력'에 관한 것끼리 바르게 묶인 것은?

보기
ㄱ. 기회는 준비된 사람에게 찾아온다.
ㄴ. 친구란 두 신체에 깃든 하나의 영혼이다.
ㄷ. 스스로의 힘으로 실천하지 않는 것은 자포자기와 같다.
ㄹ. 사랑은 서로를 마주 보는 게 아니라, 서로 같은 방향을 바라보는 것이다.

① ㄱ, ㄴ ② ㄱ, ㄷ
③ ㄴ, ㄷ ④ ㄴ, ㄹ
⑤ ㄷ, ㄹ

11 〈보기〉의 '영재'에게 조언하기 위한 명언으로 적절한 것은?

보기
영재는 방학 기간 동안 친구들과 함께 여행을 떠날지 말지 망설이다가 방학의 반을 보내 버렸다.

① 실패는 성공의 어머니이다.
② 사람과 사람 사이의 결합이 있는 곳에 기쁨이 있다.
③ 당신은 지체할 수도 있지만 시간은 그러하지 않을 것이다.
④ 친구를 얻는 유일한 방법은 스스로 완전한 친구가 되는 것이다.
⑤ 당신이 다른 사람들의 성품을 이야기할 때, 당신의 성품이 가장 명확하게 드러난다.

예시 답〉〉 여우야, 상황이 어렵다는 핑계로 쉽게 포기한다면 포도뿐만 아니라 다른 것도 포기할 일이 많이 생길 거야. 영국의 정치가였던 '윈스턴 처칠'은 "꿈은 이루어지기 전까지는 꿈꾸는 사람을 가혹하게 다룬다."라는 말을 남겼대. 포도를 얻기까지의 과정이 힘들겠지만, 포기하지 말고 다양한 방법으로 시도해 봐. 노력한 뒤에는 달콤한 포도가 널 기다리고 있을 거야!

학습콕

❶ 격언과 명언의 개념과 특징

	□□	□□
개념	오랜 생활 체험을 통해 이루어진, 인생에 대한 교훈이나 경계 따위를 간결하게 표현한 짧은 글임.	유명한 사람의 입에서 나와 널리 알려진 말로, 사리에 맞는 훌륭한 말임.
특징	주로 삶의 올바른 이치, 도덕률, 행동 규범 등을 강조함.	• 교훈이나 가르침을 줌. • 속담과 달리, 처음 그 말을 한 사람이 분명함.

적용

❶ 글을 읽고 속담과 관용 표현을 활용할 때의 효과 파악하기
❷ 자신의 생각이나 느낌에 맞는 표현을 활용하여 글 쓰기

속담과 관용 표현을 사용한 다음 글을 감상해 보고, 이처럼 재치 있는 표현을 활용하여 글을 써 보자.

갈래	현대 수필, 경수필	성격	일상적, 회상적
제재	속담 '아끼다 똥 된다'		
주제	모든 것을 귀하게 여기며 사는 태도의 중요성		
특징	• 글쓴이의 경험들을 단편적으로 나열함. • 속담을 제목에 활용해 속담의 원래 뜻과는 상반되는 주제를 담아냄.		

아끼다가 똥 될지라도

최은숙

가 ㉠"아끼다 똥 된다."

이건 우리 아이가 유치원 다닐 때 처음으로 배워 온 속담이다.

"왜 똥이 돼?"

"우리 선생님이 알려 주셨어. 옛날 옛적에 욕심 많은 여우가 있었는데 어느 날 산길을 가다가 금방 죽은 토끼 한 마리를 발견했어. 근데 지금 먹기엔 좀 아까운 거야. '다음 날 먹어야지.' 하고 아무도 없는 깊은 산골짜기로 들고 가서 어떤 나무 밑에 토끼를 묻었어. 아무도 못 찾아내게 깊이 묻고 돌멩이로 살짝 표시를 해 놨어. 다음 날 저녁 식사로 토끼를 찾으러 가려다가 생각하니까 지금 먹기가 또 아까운 거야. 그래서 '내일 먹어야지.' 하고 다른 걸 먹고 그냥 잤어. 그다음 날도 그다음 날도 그랬어.

간단 체크 활동 문제

중요 **12** 〈보기〉의 명언을 들려주기에 적절한 사람은?

| 보기 |
꿈은 이루어지기 전까지는 꿈꾸는 사람을 가혹하게 다룬다. – 윈스턴 처칠

① 좋아하는 사람에게 고백한 우주
② 학생회장 선거에서 당선된 예서
③ 친구의 도움으로 우수한 과제물을 낸 도훈
④ 친구들과 작은 일로 다투고 화해하지 못한 미향
⑤ 어려운 집안 상황 속에서도 의사가 되기 위해 공부하는 혜나

13 ㉠의 의미로 알맞은 것은?

① 보잘것없는 일이 차차 발전하여 큰일이 된다.
② 작은 화를 막지 아니하고 그대로 두면 큰 화가 된다.
③ 물건을 너무 아끼기만 하다가는 잃어버리거나 못 쓰게 된다.
④ 귀염을 받고 자란 아이가 커서 버릇없는 사람이 될 수 있다.
⑤ 무슨 일이나 오랜 시일을 두고 힘써 닦으면 반드시 훌륭하게 될 수 있다.

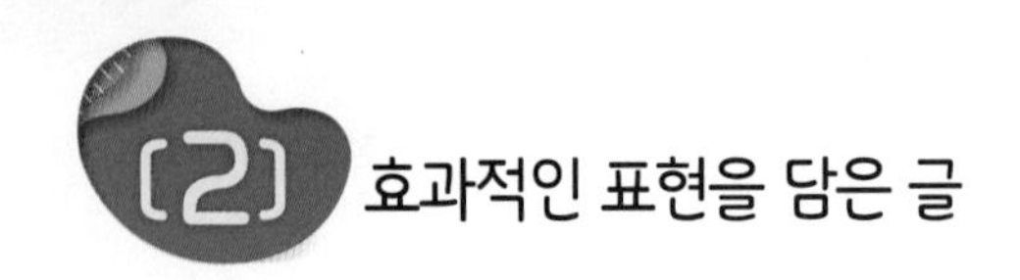

(2) 효과적인 표현을 담은 글

그러다 한참이 지난 뒤 토끼가 먹고 싶어서 견딜 수가 없어진 여우가 산속으로 갔어. '이젠 먹어야지.' 하고. 근데 도저히 거기를 찾을 수가 없는 거야. 할 수 없이 집으로 돌아와 다른 걸 먹고 잤어. 다음 날 '꼭 오늘은 찾아야지.' 하고 가서 간신히 찾았는데 토끼가 없네! 썩어서 흙이 된 거야. 그래서 못 먹고 그냥 돌아와서 굶고 잤어. 그게 '아끼다 똥 된다.'야."

나 우린 ㉠배꼽을 쥐고 웃었다. 무엇인가를 너무 아끼거나, 남과 나누기를 싫어하고 혼자 욕심껏 그러잡거나, 쓰기를 미룬 나머지 쓸모가 없어지는 경우에 해당하는 속담일 텐데, 그러고 보니 옛날이야기 속에는 자반을 걸어 두고 냄새만으로 찬을 삼는 ㉡자린고비도 있고, 된장 독에 앉았다 날아간 파리를 잡아 쪽쪽 빨아 먹는 구두쇠 이야기도 있었다.

(자반: 생선을 소금에 절여서 만든 반찬감. 또는 그것을 굽거나 쪄서 만든 반찬)

그날 우리 식구들은 자기가 알고 있는 '아끼다 똥 된 이야기'를 하나씩 하느라고 ㉢시간 가는 줄 몰랐다.

다 중학교 때 내 친구 혜숙이 아버지는 쥐포를 한 봉지 사다가 텔레비전 상자(예전에는 텔레비전이 다리 달린 상자 속에 들어 있었다.)와 벽 틈에 감추어 두고 잊어버리셨다. 어느 날 혜숙이 아버지께서 쥐포를 그 틈에서 꺼냈는데 쥐포에 곰팡이가 파랗게 피어 있었다. 혜숙이와 나는 우물에 앉아서 소금을 뿌리며 쥐포를 박박 씻었다. 그리고 아저씨는 물에 씻은 쥐포를 기름에 튀겼다. 그 쥐포가 얼마나 맛있었는지 모른다. 〈중략〉

라 주황색, 연두색, 보라색, 세 가지의 색 볼펜을 처음 써 본 날도 잊을 수 없다. ○○ 회사에서 홍보용으로 색 볼펜 세 개를 한 세트로 묶어 증정했는데 우리 반에서 그걸 가장 먼저 가진 사람이 혜숙이와 나다. 나는 그 색 볼펜이 엄청 신기하고 아까워서 그걸로는 글씨를 못 쓰고 중요한 부분을 표시할 때만, 그것도 밑줄 긋는 게 아니라 별만 조그맣게 그렸다. 친구들이 빌려 달라고 할 때도 별표에 한해서만 빌려줬다. 내가 ㉣도끼눈을 뜨고 감시했기 때문에 아무도 감히 밑줄을 못 쳤다. 그날들의 느낌과 색채가 아직 내 마음속에 있다. 어느 것도 풍족하게 가져 본 일이 없고 아낌없이 써 본 일이 없다. 그래서 조금씩 아껴 맛보았던 세상이 이렇게 오래 남는 선물이 되었다.

(증정했는데: 어떤 물건 따위를 성의 표시나 축하 인사로 주었는데)

마 무엇이든지 조금은 부족해야 귀하다. 아침에 고구마를 스무 개쯤 쪄서 출근할 때 가져가면 우리 반 아이들은 사흘은 굶은 녀석들처럼 ㉤침을 삼킨다. 반씩 잘라서 나눠 줄 때에는 조금이라도 더 큰 걸 고르려고 난리를 피운다. 만약 한 바구니 넘치게 고구마를 가져간다면 그러지 않을 것이다. 예쁜 엽서가 많이 생겨서 반 아이들에게 선물하고 싶을 때도 일부러 다섯 장만 들고 간다.

"딱 다섯 장밖에 없는데, 필요한 사람?"

지금까지 그 엽서가 없어도 아무렇지도 않았는데 녀석들은 엽서 한 장 가지려고 가위바위보까지 한다. 우리 아이들이 가진 게 좀 더 부족했으면 좋겠다. 가진 게 너무 많아서, 똥이 될 만큼 아끼는 대상이 없다.

바 국어 책 학습 활동에 '자기네 가족이 가장 아끼는 물건 세 가지 써 보기' 과제가 있었다. 식구들과 이야기해 보고 써 오라고 숙제로 냈다. 나도 내가 아끼는 것들을 적어 보았다. ⓐ할머니가 쓰시던 칠보 비녀, 단하가 그려 준 내 초상화, 장 선생님이 구워 주신 도자기 연필꽂이, 지은 씨가 선물해 준 팽과리 채……. 우리 반 아이들이 적어 온

간단 체크 활동 문제

중요 **14** ㉠~㉤ 중 〈보기〉의 의미를 지닌 표현으로 알맞은 것은?

보기
음식 따위를 몹시 먹고 싶어 하다.

① ㉠ ② ㉡ ③ ㉢ ④ ㉣ ⑤ ㉤

15 (마)로 미루어 보아, 글쓴이가 긍정적으로 여기는 삶의 태도로 알맞은 것은?

① 모든 것을 귀하게 여기며 사는 태도
② 목표한 바를 이루고자 하는 적극적인 태도
③ 물질적인 부족함을 부끄러워하지 않는 태도
④ 불합리함에 맞서 바른 소리를 낼 줄 아는 태도
⑤ 소중한 것을 다른 사람에게 양보할 줄 아는 태도

16 (바)에서 ⓐ와 대조되는 소재들을 모두 찾아 쓰시오.

● 정답과 해설 20쪽

사연은 뭘까. 무척 궁금했다. 기대와는 달리 아이들은 대부분 빈칸을 채워 오지 못했다. 써 온 아이들도 간혹 있었지만 소파, 냉장고, 자동차 같은 것들이었다. 사소하지만 나만의 사랑, 나만의 이야기가 담긴 물건이 없었다. 결핍이 없는 곳에는 풍요함도 자리할 수 없는가 보다.

(등받이와 팔걸이가 있는 길고 푹신한 의자. '긴 안락의자', '긴 의자'로 순화)

(사) 교실을 청결하게 정돈할 때 기분이 참 좋다. 승식이가 신문지에 물을 묻혀 거울을 깨끗이 닦아 줄 때, 법성이가 칠판을 파랗게 닦아 놓을 때 기쁘다. 나는 게시판에 예쁜 그림을 걸기도 하고 창가의 화분을 바꿔 놓기도 한다. 아이들은 책상 서랍과 가방 속, 필통을 정돈하고 체육복을 차곡차곡 개어 놓고, 청소 용구함에 빗자루를 단정하게 포개어 놓는다. 비 오는 날에는 교실 뒤에 우산을 영화처럼 펼쳐 놓는다. 그러면 선생님이 좋아하면서 자신들을 칭찬해 주니까 그렇게 해 주는 것 같다. 하지만 자주 하면 습관이 될 것이다. 함부로 구기지 말고 함부로 버리지 말고 함부로 쓰지 않고 모든 걸 아끼면서, 귀하게 다독이면서 살자. ⓑ<u>아끼다 똥 될지라도.</u>

– 최은숙, 『미안, 네가 천사인 줄 몰랐어』

1 다음 밑줄 친 표현에서 활용한 관용 표현과 속담의 뜻을 써 보자.

(1) 우린 <u>배꼽을 쥐고</u> 웃었다.

→ 답 □□을 참지 못하여 배를 움켜잡고 크게 웃다.

(2) 그날 우리 식구들은 자기가 알고 있는 '아끼다 똥 된 이야기'를 하나씩 하느라고 <u>시간 가는 줄 몰랐다.</u>

→ 답 몹시 바삐 진행되거나 어떤 일에 몰두하여 시간이 어떻게 지났는지 알지 못하다.

(3) 아침에 고구마를 스무 개쯤 쪄서 출근할 때 가져가면 우리 반 아이들은 사흘은 굶은 녀석들처럼 <u>침을 삼킨다.</u>

→ 답 음식 따위를 몹시 먹고 싶어 하다.

(4) 함부로 구기지 말고 함부로 버리지 말고 함부로 쓰지 않고 모든 걸 아끼면서, 귀하게 다독이면서 살자. <u>아끼다 똥 될지라도.</u>

→ 답 물건을 너무 아끼기만 하다가 잃어버리거나 못 쓰게 되다.

2 이 글의 주제를 생각해 보고, 글쓴이가 왜 "아끼다 똥 된다."라는 속담을 제목으로 활용했을지 말해 보자.

주제	답 모든 것을 귀하게 여기며 사는 태도의 중요성
글쓴이가 "아끼다 똥 된다." 라는 속담을 제목으로 활용한 까닭	답 익숙한 속담을 재구성하여 표현하면, 글에 □□를 더하고 글쓴이의 생각을 강조할 수 있기 때문이다.

간단 체크 활동 문제

17 (사)에 대한 설명으로 알맞지 <u>않은</u> 것은?

① 반 아이들의 순수한 모습을 엿볼 수 있다.
② 교실을 귀하게 여기는 아이들의 모습이 나타나 있다.
③ 문장 배열에 변화를 주어 글쓴이의 바람을 효과적으로 전하고 있다.
④ 글쓴이가 말하고자 하는 바와 반대로 표현하여 참신한 느낌을 주고 있다.
⑤ 비슷한 문장 구조를 나열하여 글쓴이가 중요하게 여기는 바를 드러내고 있다.

중요 **18** ⓑ와 같이 속담을 재구성한 표현의 효과로 알맞은 것은?

① 글의 객관성을 높여 신뢰감을 줄 수 있다.
② 내용의 반복을 피하여 글이 간결해질 수 있다.
③ 독자가 글의 내용을 보다 쉽게 이해할 수 있다.
④ 글에 재미를 더하고 글쓴이의 생각을 강조할 수 있다.
⑤ 독자의 부정적인 면을 비판하는 말을 돌려 말할 수 있다.

3 보기를 참고하여 자신의 생각과 느낌을 글로 써 보자.

① 글의 주제 정하기
　예 우리 반의 3대 사건, 우리 가족 이야기, 우정의 의미 등
② 내 생각과 느낌을 나타낼 수 있는 표현(속담, 관용 표현, 격언, 명언 등) 찾아보기
③ ②에서 찾은 표현을 활용하여 자신의 생각과 느낌을 글로 써 보기

예시 답 〉〉

굴러온 돌? 굴러온 호박!

부끄러움이 많은 나는 친구를 사귀는 데 서툴다. 그래서 학기 초반에는 꾸어다 놓은 보릿자루처럼 친구들과 쉽게 어울리지 못했다. 그런 나에게 먼저 다가온 친구가 민지다. 민지는 나와 정반대로 활동적이고 사교적이다. 나는 그런 민지가 좋아서 모든 걸 민지와 함께했다. 그러던 어느 날, 혜미라는 친구가 전학을 왔다. 혜미 역시 나처럼 부끄러움이 많아 친구들과 어울리지 못해 힘들어했다. 민지는 그런 혜미에게 먼저 ㉠손을 내밀었다. 혜미가 오기 전까지 민지와 나는 둘도 없는 단짝이었다. 그런데 혜미가 우리와 어울리고부터는 ㉡굴러온 돌이 박힌 돌 빼내듯이 혜미에게 단짝 자리를 빼앗기는 것 같아 불안하고 속상했다. 내가 엄마께 이런 고민을 털어놓자 엄마는 둘이 있을 때보다 셋이 있을 때 더 좋았던 적을 떠올려 보라고 말씀해 주셨다. 가만히 생각해 보니, 사실 우리 셋은 ㉢손발이 잘 맞았다. 특히 나와 성격이 비슷한 혜미는, 민지가 잘 이해하지 못하는 내 기분을 헤아려 주어 고마웠던 적이 많았다. 혜미는 내 자리를 빼앗은 굴러온 돌이 아닌, 나에게 도움을 주는 ㉣굴러온 호박이었던 것이다. 이를 깨달으니 그동안 혜미에게 느꼈던 감정들이 부끄러워졌다. 앞으로는 혜미에게도 ㉤가슴을 열고 깊은 우정을 쌓아야겠다.

간단 체크 활동 문제

19 ㉠~㉤에 대한 설명으로 알맞지 않은 것은?

① ㉠: '도움, 간섭 따위의 행위가 어떤 곳에 미치게 하다.'의 뜻을 지닌 관용 표현이다.
② ㉡: '힘이 센 자가 약한 자를 밀어내는 횡포를 부리다.'의 뜻을 지닌 속담이다.
③ ㉢: '함께 일을 하는 데에 마음이나 의견, 행동 방식 따위가 서로 맞다.'의 뜻을 지닌 관용 표현이다.
④ ㉣: 속담 '호박이 넝쿨째로 굴러떨어졌다'를 활용한 말로, 뜻밖에 행운을 만났을 때 쓰는 말이다.
⑤ ㉤: '속마음을 털어놓거나 받아들이다.'의 뜻을 지닌 관용 표현이다.

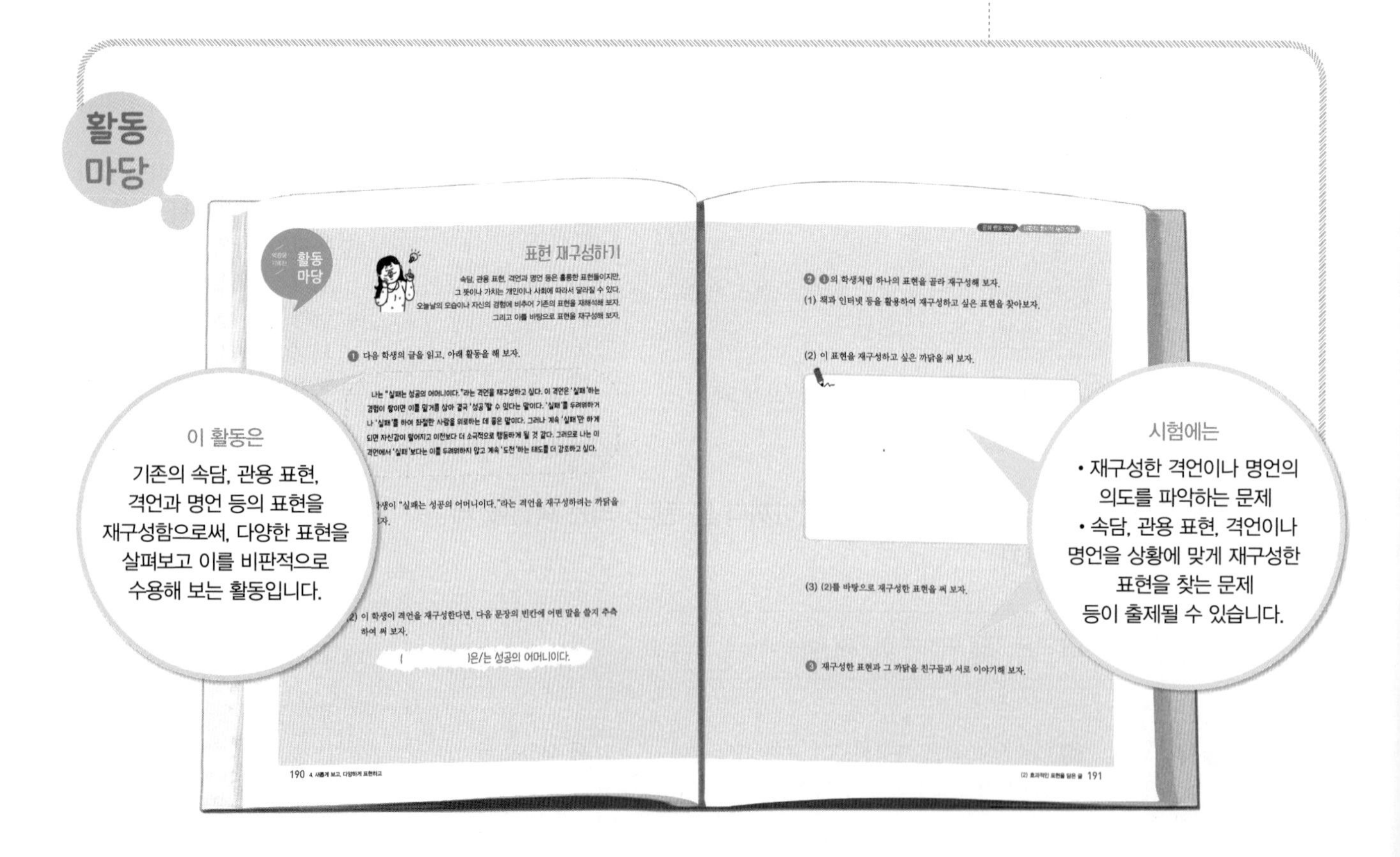

• 정답과 해설 21쪽

❶ □□

개념	예로부터 전하여 오는 조상들의 지혜, 교훈이나 풍자가 담긴 쉽고 짧은 말	
효과	• 내용을 인상적으로 전할 수 있으며, 설명하기 복잡한 상황을 간결하게 표현할 수 있음. • 글(말)에 재미를 더하여 읽는 이(듣는 이)의 관심을 불러일으킬 수 있음.	
예	우물에 가 ❷ □□ 찾는다	일의 순서도 모르고 성급하게 덤빔을 비유적으로 이르는 말
	돌다리도 두들겨 보고 건너라	잘 아는 일이라도 세심하게 주의를 하라는 말
	❸ □□이 많으면 배가 산으로 간다	주관하는 사람 없이 여러 사람이 자기주장만 내세우면 일이 제대로 되기 어려움을 비유적으로 이르는 말
	벼 이삭은 익을수록 고개를 숙인다	교양이 있고 수양을 쌓은 사람일수록 겸손하고 남 앞에서 자기를 내세우려 하지 않는다는 것을 비유적으로 이르는 말

관용 표현

개념	특정 사회나 언어 공동체에서 쓰이는 관습적인 언어 표현 방식으로, 둘 이상의 낱말이 결합하여 원래의 뜻과는 다른 특별한 뜻으로 사용되는 말	
특성 및 효과	• 두 개 이상의 낱말이 한 덩어리로 굳어졌기 때문에, 그 표현을 마음대로 바꿀 수 ❹ □□. • 상황을 간결하고 함축적으로 표현할 수 있고, 읽는 이(듣는 이)에게 깊은 인상을 남길 수 있음.	
예	❺ □□□가 되다	몹시 지쳐서 기운이 아주 느른하게 되다.
	갈 길이 멀다	「1」 앞으로 해야 할 일들이 많이 남아 있다. 「2」 앞으로 살아갈 생애가 많이 남아 있다.
	나 몰라라 하다	어떤 일에 무관심한 태도로 상관하지도 아니하고 간섭하지도 아니하다.
	머리를 굴리다	머리를 써서 해결 방안을 생각해 내다.
	❻ □을 붙이다	잠을 자다.
	입을 모으다	여러 사람이 같은 의견을 말하다.
	발을 구르다	매우 안타까워하거나 다급해하다.

격언과 명언

격언	오랜 생활 체험을 통하여 이루어진, 인생에 대한 교훈이나 경계 따위를 간결하게 표현한 짧은 글. 주로 삶의 올바른 이치, 도덕률, 행동 규범 등을 강조함.
명언	• 유명한 사람의 입에서 나와 널리 알려진 말로, 사리에 맞는 훌륭한 말. 교훈이나 가르침을 줌. • 속담은 처음 그 말을 한 사람이 분명하지 않지만, ❼ □□은 대부분 처음 그 말을 한 사람이 분명함.

「아끼다가 똥 될지라도」의 특징

글의 제목 「아끼다가 똥 될지라도」

속담 '아끼다 똥 된다(물건을 너무 아끼기만 하다가는 잃어버리거나 못 쓰게 됨을 비유적으로 이르는 말)'를 재구성하여 사용함.

➡

• 읽는 이에게 친숙한 속담을 재구성해 글을 읽는 재미를 더함.
• '모든 것을 귀하게 여기며 사는 태도의 중요성'이라는 글의 주제를 강조함.

시험에 나오는 소단원 문제

• 정답과 해설 21쪽

01 속담, 관용 표현, 격언과 명언에 대한 설명으로 적절하지 않은 것은?

① 격언과 명언, 속담에는 삶의 교훈이 담겨 있다.
② 속담에는 우리말의 고유한 표현이 잘 나타나 있다.
③ 속담을 활용하면 전하려는 바를 간략하고 인상적으로 전할 수 있다.
④ 관용 표현은 둘 이상의 낱말이 결합해 원래의 뜻과는 다른 새로운 의미로 사용되는 말이다.
⑤ 관용 표현은 구성되는 낱말의 교체가 자유로워 상황에 따라 표현을 적절하게 바꿀 수 있다.

학습 활동 응용

02 〈보기〉의 빈칸에 들어갈 속담으로 알맞은 것은?

| 보기 |

하루 종일 놀다가 밤늦게 허겁지겁 숙제를 하려는데 "(　　　　　)더니, 쯧쯧……." 하는 핀잔을 들어 본 적 있는가?

① 등잔 밑이 어둡다
② 우물에 가 숭늉 찾는다
③ 게으른 놈 짐 많이 진다
④ 가랑비에 옷 젖는 줄 모른다
⑤ 사공이 많으면 배가 산으로 간다

학습 활동 응용

03 〈보기〉에 대한 설명으로 알맞지 않은 것은?

| 보기 |

비록 예선은 통과 못 했지만 ㉠ "비 온 뒤에 땅이 굳어진다."라고 하지 않는가. ㉡ "구르는 돌은 이끼가 안 낀다."라는 말을 떠올리며 힘을 내 본다.

① ㉠과 ㉡은 처음 말한 사람이 누구인지 분명하지 않다.
② ㉠과 ㉡은 〈보기〉에서 활용되어 글에 재미를 더하고 있다.
③ ㉠은 시련을 겪은 뒤에 더 강해진다는 뜻이다.
④ ㉡은 "흐르는 물은 썩지 않는다."로 바꿔 쓸 수 있다.
⑤ ㉡은 몹시 고생을 하는 삶도 좋은 운수가 터질 날이 있다는 뜻이다.

학습 활동 응용

04 다음 중 관용 표현이 사용된 문장이 아닌 것은?

① 네가 한 말은 이미 귀 아프게 들은 말이다.
② 그는 남 잘되는 걸 보고 무척이나 배 아팠다.
③ 공부를 하다가 머리를 식히러 공원에 나왔다.
④ 백사장이 너무 희어서 눈이 아플 지경이었다.
⑤ 그녀는 차 시간을 대지 못해 동동 발을 구른다.

학습 활동 응용

05 다음 관용 표현의 뜻풀이가 알맞은 것은?

① 손을 끊다: 하던 일을 그만두다.
② 손이 크다: 씀씀이가 후하고 크다.
③ 손이 맞다: 일이 손에 익숙해지다.
④ 손을 떼다: 교제나 거래 따위를 중단하다.
⑤ 손을 내밀다: 이제까지 하지 아니하던 일까지 활동 범위를 넓히다.

서술형

06 〈보기〉의 밑줄 친 부분과 바꾸어 쓸 수 있는 관용 표현을 쓰시오.

| 보기 |

우리는 앞으로 해야 할 일들이 많이 남아 있다.

학습 활동 응용

07 〈보기〉의 학생에게 조언할 때 사용할 격언이나 명언으로 적절하지 않은 것은?

| 보기 |

방학이라고 늦잠을 자고 게으름을 부리는 학생

① 시간은 금이다.
② 시간이 모든 것을 해결해 줄 것이다.
③ 당신은 지체할 수도 있지만 시간은 그러하지 않을 것이다.
④ 내가 헛되이 보낸 오늘 하루는 어제 죽은 이들이 그토록 바라던 하루이다.
⑤ 사람은 금전을 시간보다 중요하게 여기지만, 그로 인해 잃어버린 시간은 금전으로 살 수 없다.

어휘력 키우기

교과서 192~193쪽

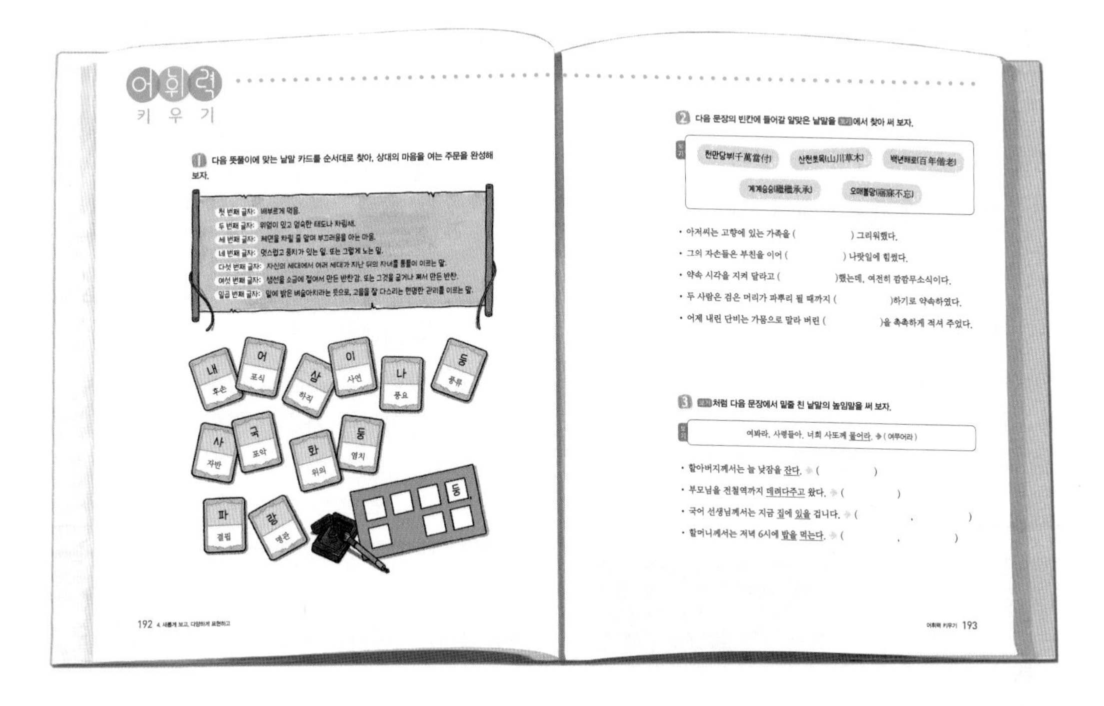

어휘력 키우기

1 다음 뜻풀이에 맞는 낱말 카드를 순서대로 찾아, 상대의 마음을 여는 주문을 완성해 보자.

첫 번째 글자: 배부르게 먹음.
두 번째 글자: 위엄이 있고 엄숙한 태도나 차림새.
세 번째 글자: 체면을 차릴 줄 알며 부끄러움을 아는 마음.
네 번째 글자: 멋스럽고 풍치가 있는 일. 또는 그렇게 노는 일.
다섯 번째 글자: 자신의 세대에서 여러 세대가 지난 뒤의 자녀를 통틀어 이르는 말.
여섯 번째 글자: 생선을 소금에 절여서 만든 반찬감. 또는 그것을 굽거나 쪄서 만든 반찬.
일곱 번째 글자: 일에 밝은 벼슬아치라는 뜻으로, 고을을 잘 다스리는 현명한 관리를 이르는 말.

192 4. 새롭게 보고, 다양하게 표현하고

2 다음 문장의 빈칸에 들어갈 알맞은 낱말을 보기에서 찾아 써 보자.

보기: 천만당부(千萬當付) 산천초목(山川草木) 백년해로(百年偕老) 계계승승(繼繼承承) 오매불망(寤寐不忘)

- 아저씨는 고향에 있는 가족을 (　　　) 그리워했다.
- 그의 자손들은 부친을 이어 (　　　) 나랏일에 힘썼다.
- 약속 시각을 지켜 달라고 (　　　)했는데, 여전히 깜깜무소식이다.
- 두 사람은 검은 머리가 파뿌리 될 때까지 (　　　)하기로 약속하였다.
- 어제 내린 단비는 가뭄으로 말라 버린 (　　　)을 촉촉하게 적셔 주었다.

3 보기처럼 다음 문장에서 밑줄 친 낱말의 높임말을 써 보자.

보기: 여봐라, 사령들아, 너희 사또께 물어라. → (여쭈어라)

- 할아버지께서는 늘 낮잠을 잔다. → (　　　)
- 부모님을 전철역까지 데려다주고 왔다. → (　　　)
- 국어 선생님께서는 지금 집에 있을 겁니다. → (　　　,　　　)
- 할머니께서는 저녁 6시에 밥을 먹는다. → (　　　,　　　)

어휘력 키우기 193

예시 답안

1.

배부르게 먹음.	→	포식	어
위엄이 있고 엄숙한 태도나 차림새.	→	위의	화
체면을 차릴 줄 알며 부끄러움을 아는 마음.	→	염치	동
멋스럽고 풍치가 있는 일. 또는 그렇게 노는 일.	→	풍류	동
자신의 세대에서 여러 세대가 지난 뒤의 자녀를 통틀어 이르는 말.	→	후손	내
생선을 소금에 절여서 만든 반찬감. 또는 그것을 굽거나 쪄서 만든 반찬.	→	자반	사
일에 밝은 벼슬아치라는 뜻으로, 고을을 잘 다스리는 현명한 관리를 이르는 말.	→	명관	랑

2.

- 아저씨는 고향에 있는 가족을 (오매불망) 그리워했다.
- 그의 자손들은 부친을 이어 (계계승승) 나랏일에 힘썼다.
- 약속 시각을 지켜 달라고 (천만당부)했는데, 여전히 깜깜무소식이다.
- 두 사람은 검은 머리가 파뿌리 될 때까지 (백년해로)하기로 약속하였다.
- 어제 내린 단비는 가뭄으로 말라 버린 (산천초목)을 촉촉하게 적셔 주었다.

3.

- 할아버지께서는 늘 낮잠을 잔다. → (주무신다)
- 부모님을 전철역까지 데려다주고 왔다. → (모셔다드리고)
- 국어 선생님께서는 지금 집에 있을 겁니다. → (댁, 계실)
- 할머니께서는 저녁 6시에 밥을 먹는다. → (진지를, 드신다(잡수신다))

확인 문제

01 밑줄 친 낱말의 사용이 바르지 않은 것은?

① 우리 집안은 후손들이 매우 많다.
② 할머니 생신 잔치에 가서 포식을 했다.
③ 너는 염치도 없이 친구에게 또 사 달라고 하니?
④ 내일은 꼭 나오라고 천만당부(千萬當付)를 했다.
⑤ 그 부부는 한평생을 사이좋게 오매불망(寤寐不忘) 지냈다.

02 다음 밑줄 친 말을 높임말로 고쳐 쓰시오.

> 나이가 많이 드신 동네 어르신을 부축해서 집까지 데려다주었다.

시험에 나오는 대단원 문제

01~04 다음을 읽고, 물음에 답하시오.

가 금 술잔의 좋은 술은 수많은 사람의 피요
옥쟁반의 좋은 안주는 만백성의 기름이라
촛농이 떨어질 때 백성들 눈물도 떨어지고
노랫소리 높은 곳에 원망의 소리도 높구나

이렇게 시를 지어 보이니 술에 취한 변 사또는 무슨 뜻인지도 모르지만, 글을 받아 본 운봉은 속으로,
'아뿔싸! 일 났다.' / ㉠가슴이 철렁 내려앉았다.
이때 어사또 하직하고 간 연후에 운봉이 공형 불러 분부한다. / "야야, 일 났다!"

01 (가)에 삽입된 시에 대한 설명으로 적절하지 않은 것은?
① '변 사또'에 대한 비판 의식이 담겨 있다.
② 앞으로 새로운 사건이 전개될 것임을 예고한다.
③ 작품의 내용 전개상 긴장되었던 분위기를 풀어 준다.
④ 대구법과 은유법을 통해 탐관오리의 가렴주구를 드러낸다.
⑤ 관리들의 사치스러운 생활과 백성들의 고통을 대비하여 가혹한 정치 행태를 고발한다.

02 (나)~(다)에 나타난 재구성 양상으로 알맞지 않은 것은?
① 암행어사 출두 장면을 크게 그려 중요성을 강조한다.
② 하늘만 그려 놓은 칸을 두어 사건의 극적인 전개와 긴장감을 표현한다.
③ 의성어와 의태어를 활용해 인물의 동작과 소리를 효과적으로 드러낸다.
④ 암행어사가 매섭게 정면을 바라보는 모습을 강조해 엄숙한 분위기를 표현한다.
⑤ 말풍선의 형태를 날카롭게 변화시켜 암행어사 출두의 위엄과 강한 느낌을 전달한다.

03 (나)에 나타난 관리들의 모습을 평가한 내용으로 알맞은 것은?
① 체면을 버린 우스꽝스러운 모습이야.
② 살기 위해 애쓰는 인간적인 모습이야.
③ 폭력 앞에 굴복하는 안타까운 모습이야.
④ 잘못을 후회하고 뒤늦게 반성하는 모습이야.
⑤ 끝까지 양반으로서의 허세를 부리는 모습이야.

서술형

04 ㉠의 이유를 한 문장으로 쓰시오.

05~08 다음을 읽고, 물음에 답하시오.

(가)

(나) "얼씨구나 좋을씨고, 어사 낭군 좋을씨고. 남원읍에 ㉠가을 들어 ㉡낙엽처럼 질 줄 알았더니 객사에 봄이 들어 ㉢봄바람에 핀 오얏꽃이 날 살리네. 꿈이냐 생시냐? 꿈이 깰까 염려로다."

(다) 춘향의 높은 절개가 광채 있게 되었으니 어찌 아니 좋을 것인가. 어사또 남원읍의 공사를 모두 처리하고 춘향 모녀와 향단이를 데리고 서울로 길을 떠나는데, 위의가 찬란하니 세상 사람들 누가 칭찬하지 않으랴.

05 (가)와 원작인 〈보기〉의 차이점으로 알맞은 것은?

보기

이 어사는 춘향의 마음을 떠보려고 짐짓 한번 다그쳐 보는 것인데, 춘향은 어이가 없고 기가 콱 막힌다.

① (가)에는 서술자가 드러나지만, 〈보기〉에는 드러나지 않는다.
② (가)에는 '춘향'이 수동적인 여성으로 그려졌지만, 〈보기〉에는 적극적인 여성으로 그려졌다.
③ (가)에는 인물이 보인 행동에 대한 구체적인 이유가 제시되지만, 〈보기〉에는 제시되지 않는다.
④ 〈보기〉에는 인물 간의 심리가 대조적으로 나타나지만, (가)에는 대조적으로 나타나지 않는다.
⑤ 〈보기〉에는 인물의 심리가 직접 서술되어 있지만, (가)에는 말풍선을 통해 간접적으로 드러난다.

06 (가)에서 '춘향'의 마음을 떠보려는 '어사또'의 의도를 강조하기 위해 사용한 표현 방식을 쓰시오.

07 (다)에 대한 설명으로 알맞은 것은?

① 사건을 빠르게 진행하여 긴박감이 느껴진다.
② 의성어를 사용하여 인물들의 행동을 생동감 있게 드러낸다.
③ 단어의 위치를 바꿈으로써 인물의 심리를 해학적으로 그려 낸다.
④ 계절감이 느껴지는 소재를 활용하여 인물의 운명을 요약적으로 보여 준다.
⑤ 서술자가 글 속에 직접 개입하여 인물과 사건에 대해 평가를 내리는 편집자적 논평이 나타난다.

08 ㉠~㉢이 가리키는 대상으로 적절한 것은?

	㉠	㉡	㉢
①	'이몽룡'	'춘향'의 절개	'춘향'의 위기
②	'이몽룡'	'변학도'의 횡포	'춘향'의 절개
③	'이몽룡'	'춘향'의 절개	'변학도'의 횡포
④	'변학도'의 횡포	'춘향'의 위기	'이몽룡'
⑤	'변학도'의 횡포	'춘향'의 위기	'춘향'의 절개

• 정답과 해설 22쪽

09 〈보기〉에서 '수빈'의 상황을 표현하기에 적절한 속담을 쓰시오.

보기
수빈: 휴대 전화가 어디 있지?
아버지: 휴대 전화? 책상 위에 있잖아.
수빈: 어머, 아주 가까운 곳에 두고도 몰랐네요.

10 다음 상황과 그에 활용할 속담의 연결이 바르지 않은 것은?

① 잘난 체하는 사람에게 조언할 때 – 벼 이삭은 익을수록 고개를 숙인다
② 자그마한 행동을 반복하여 큰 손해를 입을 때 – 가랑비에 옷 젖는 줄 모른다
③ 일의 순서를 무시하고 성급하게 일을 처리하려고 할 때 – 우물에 가 숭늉 찾는다
④ 각자 자기주장만 내세워서 의견이 모이지 않을 때 – 사공이 많으면 배가 산으로 간다
⑤ 일이 잘못된 뒤에 실수를 깨닫고 빈틈없이 준비해 좋은 결과를 얻었을 때 – 소 잃고 외양간 고친다

11 다음 밑줄 친 표현에 대한 설명으로 알맞은 것을 〈보기〉에서 모두 골라 그 기호를 쓰시오.

그날 우리 식구들은 자기가 알고 있는 '아끼다 똥 된 이야기'를 하나씩 하느라고 <u>시간 가는 줄 몰랐다.</u>

보기
㉠ 조상들의 지혜, 교훈, 풍자가 담겨 있다.
㉡ 상황을 보다 인상적으로 표현할 수 있다.
㉢ 원래의 뜻과는 다른 특별한 뜻으로 쓰인다.
㉣ 둘 이상의 낱말이 한 덩어리로 굳어진 표현이다.
㉤ 유명한 사람의 입에서 나와 널리 알려진 말로, 사리에 맞는 훌륭한 말이다.

고난도 서술형

12 〈보기〉의 ㉠과 ㉡의 구체적인 의미의 차이점을 서술하시오.

보기
• 그녀는 ㉠<u>손이 커서</u> 맞는 장갑이 없다.
• 그녀는 ㉡<u>손이 커서</u> 항상 음식을 푸짐하게 차린다.

조건
① ㉠과 ㉡ 중 관용 표현을 지적할 것

13 다음 밑줄 친 부분을 관용 표현으로 보기 어려운 것은?

① 영희의 재치 있는 말에 우리는 모두 <u>배꼽을 쥐고</u> 웃었다.
② 상준이는 저녁밥을 먹고 불룩해진 <u>배를 두드리며</u> 잠이 들었다.
③ 이렇게 자기 이야기를 하고 있으니 아마 그는 지금 <u>귀가 가려울</u> 거야.
④ 마을 사람들은 소문이 퍼지지 않도록 서로의 <u>입을 막아</u> 놓기 시작했다.
⑤ 아침에 고구마를 가져가면 우리 반 아이들은 사흘은 굶은 녀석들처럼 <u>침을 삼킨다</u>.

14 〈보기〉의 빈칸에 들어갈 격언이나 명언으로 가장 적절한 것은?

보기
친구와 함께 가수라는 꿈을 이루기 위해 네가 얼마나 노력했는지 잘 알아. 그런데 친구만 오디션을 통과해서 얼마나 속상했겠니? 그렇지만 "(   )"라는 말이 있듯이 다시 힘을 내서 철저히 준비해 보렴. 분명 좋은 결과가 있을 거야.

① 기회는 준비된 사람에게 찾아온다.
② 친구란 두 신체에 깃든 하나의 영혼이다.
③ 작은 변화가 일어날 때 진정한 삶을 살게 된다.
④ 사랑은 서로를 마주 보는 게 아니라, 서로 같은 방향을 바라보는 것이다.
⑤ 성공이 그렇게 달콤한 것은 결코 성공하지 못한 사람들이 있기 때문이다.

창의적 사고력을 키우는

창의·융합

교과서 196~199쪽

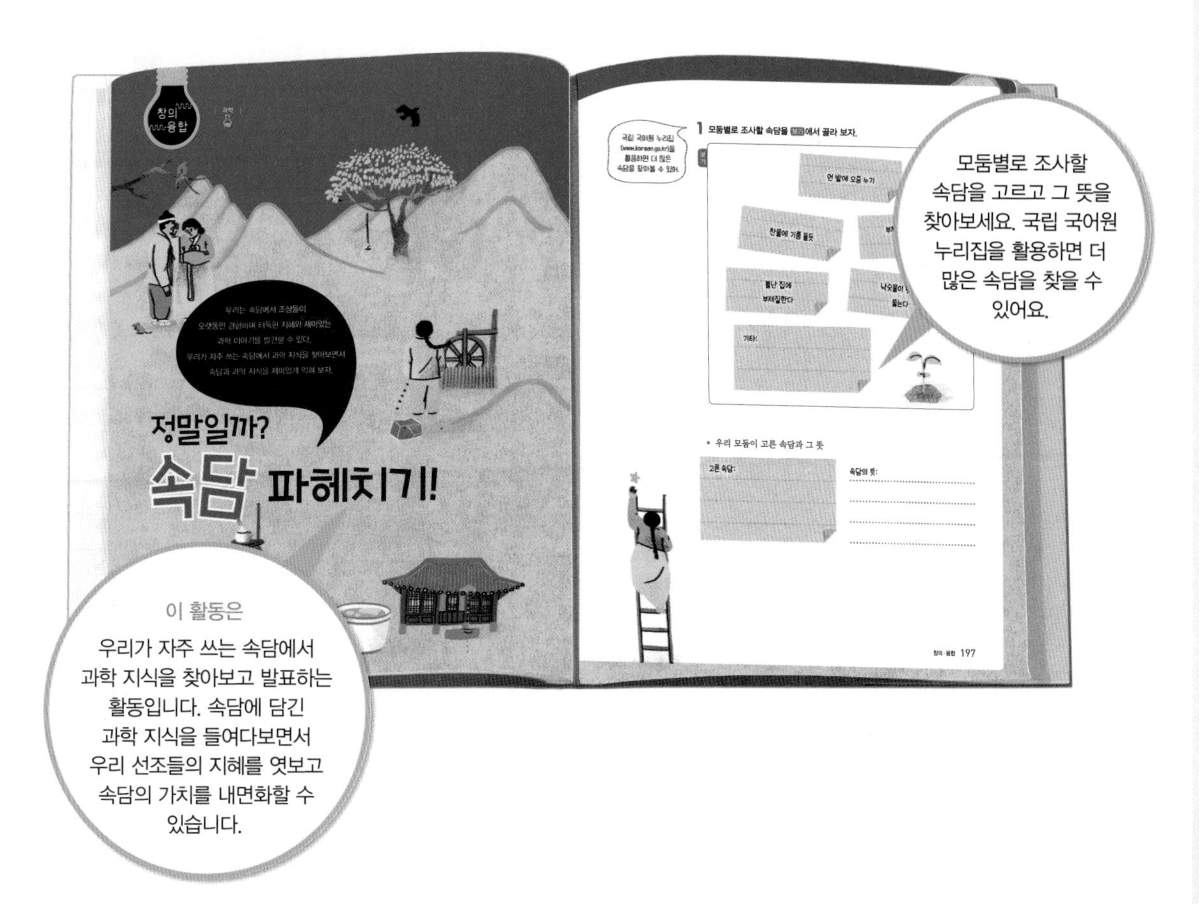

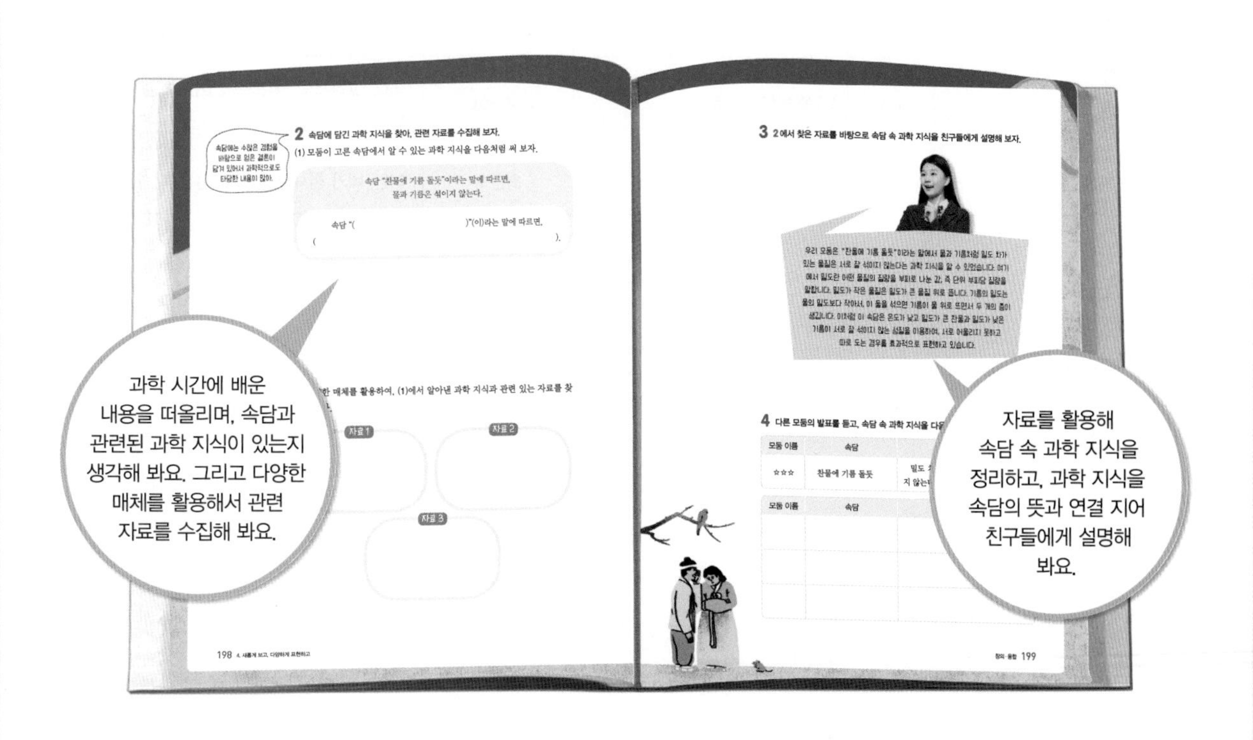

한끝 교과서편 2-2 수록 목록

대단원	소단원	교재 쪽수	제재명	저자	출처
1. 소통하고 공감하는 삶	소단원 (1)	009	일가(一家)	공선옥	『나는 죽지 않겠다』 ((주)창비, 2009), 39~65쪽
		030	민지의 꽃	정희성	『시를 찾아서』 ((주)창비, 2001), 11쪽
	소단원 (2)	040	49쪽 (2)번 자료 글	임칠성 외	『말꽝에서 말짱되기』 (태학사, 2004), 147쪽
2. 놀라운 한글, 바른 말글살이	소단원 (1)	066	81쪽 1번 자료 글	김형배	「한글, 모든 문자의 꿈」, 『말과 글』 제104호(한국어문교열기자협회, 2005), 50~51쪽
		068	83쪽 2번 자료 글		21세기 세종 대왕 프로젝트 누리집(http://sejong.prkorea.com)
3. 매체로 보는 세상	소단원 (1)	094	112쪽 2번 자료 글	아라이 히로유키	서수지 옮김, 『스마트폰 노안』 (도서출판 옥당, 2016), 15~18쪽
		097	예의를 지키며 스스로를 닦으세요		『연합뉴스』, 2017. 3. 22.
		099	119쪽 3번 자료 글	김환표	『트렌드 지식 사전 4』 (인물과사상사, 2015), 424쪽
4. 새롭게 보고, 다양하게 표현하고	소단원 (1)	121	춘향전(소설)	작자 미상	조현설 옮김, 『춘향전, 사랑 사랑 내 사랑아 어화둥둥 내 사랑아』 ((주)휴머니스트, 2013), 183~198쪽
		127	춘향전(만화)	김지혜 글, 그림	권순긍 감수 및 해설, 『어화둥둥 내 사랑아 춘향전』 (숨비소리, 2009), 110~120쪽
		139	이몽룡아	이충우 작사, 유태환 작곡	프로젝트 락 2집 『패스트 트랙(FAST TRACK)』 (지니뮤직, 2011)
	소단원 (2)	144	177쪽 1번 자료 글	허은실	『국어 교과서도 탐내는 맛있는 속담』 ((주)웅진씽크빅, 2007), 4쪽
		149	아끼다가 똥 될지라도	최은숙	『미안, 네가 천사인 줄 몰랐어』 (산티, 2006), 215~219쪽

한권으로 끝내기!

필수 개념과 **시험 대비**를 **한 권**으로 끝!

국어 공부의 진리입니다.

한끝과 함께 언제, 어디서든 즐겁게 공부해!

한끝으로 끝내고, 이제부터 활짝 웃는 거야!

15개정 교육과정

한끝

정답과 해설

한권으로 끝!

중등 국어 2-2

교과서편

정답과 해설

비상교육 교과서편

중등 국어 2-2

본책

정답과 해설

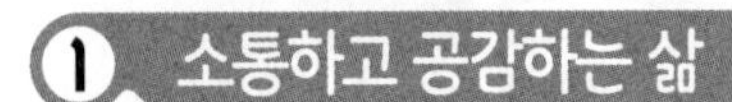

1 소통하고 공감하는 삶

(1) 보는 이나 말하는 이의 관점

간단 체크 개념 문제 본문 008쪽

1 (1) ○ (2) ○ (3) × **2** ③ **3** 관점

1 (3) 소설에는 하나의 시점만 쓰이는 경우가 많다. 그러나 작가가 의도적으로 시점을 바꾸어 서술 관점에 변화를 주는 경우도 있다.

2 전지적 작가 시점은 서술자가 전지전능한 입장에서 사건의 전말과 인물의 심리 등을 모두 알고 전달하기 때문에 독자의 상상력을 제한할 수 있다.

3 서술자의 관점에 따라 작품 속의 세계는 다르게 형상화된다. 따라서 서술자의 관점이 잘 드러나는 표현을 중심으로 작품의 주제와 분위기를 파악해야 한다.

학습콕 본문 009~025쪽

012쪽	미옥, 열여섯, 편지, 북한, 비명
015쪽	편지, 수심, 예의, 먹이
018쪽	갈등, 몰상식, 학업, 축하, 외적
022쪽	엄마, 압수, 정체성
025쪽	아저씨, 현재, 청소년, 외로움, 일가친척

간단 체크 내용 문제 본문 009~025쪽

009쪽	**01** ④ **02** ④ **03** ②
010쪽	**04** ③, ⑤ **05** ④
011쪽	**06** '아저씨'가 북한식 사투리(북한 말투)를 썼기 때문이다. **07** ③ **08** ②
012쪽	**09** ㄱ, ㄷ **10** ④ **11** ③
013쪽	**12** 일가 **13** ③ **14** ②
014쪽	**15** ④ **16** 한국에 돈을 벌러 온 조선족 이주 노동자이다.
015쪽	**17** ④ **18** 아저씨는, 사람이었다. **19** ⑤
016쪽	**20** ③ **21** 미옥이에게서 온 편지(여학생한테서 온 편지)
017쪽	**22** ⑤ **23** • ⓐ: '미옥'의 편지를 받음(받았다). / • ⓑ: '미옥'의 편지를 압수당함(압수당했다). / 빼앗김(빼앗겼다). **24** ②
018쪽	**25** 부모님이 싸우는 상황이 무서워서 도망치고 싶은 마음 **26** 부모님이 다투실(싸우실) 때 **27** ⑤
019쪽	**28** ③ **29** ① **30** 아저씨의 존재
020쪽	**31** ② **32** ㄷ, ㄹ
021쪽	**33** ①, ③ **34** 죄인 **35** ⑤
022쪽	**36** 빈자리, 막막함 **37** ④
023쪽	**38** ④ **39** 말투
024쪽	**40** ④ **41** ①
025쪽	**42** '아저씨'의 외로움 **43** ③

01 '나'는 이 글의 주인공으로서, 작품의 서술자에 해당한다.

02 '나'는 '미옥'에게 관심이 있다는 것을 표현하기 위해서 편지를 썼다.

03 '나'는 '미옥'이 사는 동네 앞을 지나면서 혹시나 '미옥'을 볼 수 있을지도 모른다는 기대감 때문에 자전거 페달을 좀 더 천천히 밟은 것이다.

04 '나'는 설레는 기분을 좀 더 오래 누리고 싶기도 했고, 밤에 이불 속에서 조용히 보고 싶은 마음도 커서 '미옥'의 편지를 바로 뜯어보지 않았다.

05 '한 남자'는 '나'가 처음 보는 사람으로 독자의 호기심을 유발하는 인물이며(ㄴ), 앞으로 전개되는 사건에 영향을 미치는 중심인물이다(ㄹ).

오답 풀이 ㄱ. '한 남자'가 등장하는 부분은 글의 '발단' 부분으로, 결말을 암시하고 있지는 않다.
ㄷ. '나'는 '한 남자'를 이날 처음 보았다.

06 (바)에서 '나'는 "야야, 너 어데로 갑네?"라고 말하는 '아저씨'의 북한 말투를 듣고, 처음 보는 '아저씨'를 간첩으로 오해한 것이다.

07 '나'는 과수원에서 만난 '아저씨' 때문에 '미옥'의 편지를 받고 좋았던 기분이 사라진다. 그리고 '아저씨'가 집까지 따라오자 무서워서 비명까지 지른다.

08 (바)에서 '아저씨'는 '나'에게 어디로 가는지를 물었는데, 이로 보아 '나'가 누구인지를 확신하지는 못했음을 알 수 있다.

09 "연변에서 오신 그분이신가요?"라는 말로 보아, '엄마'는 '아저씨'가 올 것을 알고 있었음을 알 수 있다(ㄷ). 그리고 "저는 저어 랴오닝성 다롄서 왔지요."라는 말에서 '아저씨'가 중국 다롄에서 왔음을 알 수 있다(ㄱ).

10 (아)에서 '나'에게 '아저씨'가 눈을 찡긋해 보인다거나, 무안해진 '엄마'에게 부끄러워할 필요는 없다고 말하는 부분으로 볼 때, '아저씨'는 스스럼없고 넉살이 좋은 성격임을 짐작할 수 있다.

11 시간적 배경이 현재에서 과거로, 다시 현재로 돌아오는 흐름을 보이므로 역순행적 구성이라고 할 수 있다.

오답 풀이 ① 순행적 구성은 시간의 흐름에 따라 사건이 전개되는 구성 방식이다.
② 액자식 구성은 한 작품이 내부 이야기와 외부 이야기로 이루어지는 구성 방식이다.
④ 옴니버스식 구성은 몇 개의 독립된 짧은 이야기를 늘어놓아 한 편의 작품으로 만드는 구성 방식이다.
⑤ 피카레스크식 구성은 각각의 독립된 이야기가 같은 주제나 인물을 중심으로 짜인 연작 형태의 구성 방식이다.

12 (자)에서 '아저씨'는 '나'에게 자신을 '일가(一家)'라고 소개하며 한집안 사람임을 알려 주고 있다.

13 (자)에서 '나'는 '아저씨'와 '아버지'의 혈육 상봉에 대해, '사진이라도 찍어 줘야 하나?'라고 생각하며 냉소적 태도를 보인다.

14 '엄마'의 얼굴에 수심이 깔린 이유는 '아저씨'의 방문이 달갑지 않고, '아저씨'가 오래 머무를까 봐 걱정이 되었기 때문이다.

15 (카)를 보면, '엄마'는 처음에 도자기로 된 조그만 술잔을 준비했다. 그러나 '아저씨'의 요구로 '나'에게 맥주 유리컵을 가져오게 하였다.

오답 풀이 ①, ⑤ '나'는 속으로 '미옥'의 편지를 읽고 싶다는 생각을 하면서 겉으로는 '아저씨'의 말을 듣는 척하고 있다.
② '엄마'는 자리를 뜨려고 과일을 가져오겠다고 하였지만 '아저씨'의 만류로 못 가고 계속 이야기를 듣고 있다.
③ '아버지'는 밥을 달라고 울고 있는 소 때문에 안절부절못하고 있다.

16 (타)로 보아, '아저씨'는 돈을 벌기 위해 중국에서 한국으로 건너온 이주 노동자임을 알 수 있다.

17 '나'가 냉큼 일어나 우사로 간 것은 빨리 소먹이를 준 뒤, '미옥'이 보낸 편지를 읽기 위해서이다.

18 (파)의 마지막 문장에는 '아저씨'를 못마땅하게 여기는 '나'의 부정적인 평가가 단적으로 드러난다.

19 (하)에서 '아저씨'가 마치 일꾼처럼 매일 열심히 일을 하는 것은 '나'의 집에 계속 머물고 싶기 때문이라고 볼 수 있다.

20 '아버지'는 손님이자 일가친척인 '아저씨'가 불편하지 않도록 잘 모시고자 한다. '아버지'와 '아저씨'가 어색한 사이인지는 (거)를 통해 알 수 없다.

21 '엄마'가 '미옥'에게서 온 편지를 빼앗고 돌려주지 않아 '나'와 '엄마' 간에 갈등이 유발된다.

22 '엄마'가 '나'에게 편지를 돌려주지 않은 이유는 이성 교제로 '나'의 공부에 지장이 생길 것을 걱정했기 때문이다.

23 '나'의 기분이 최고가 된 것은 '미옥'의 편지(답장)를 받았기 때문이고, 최악으로 곤두박질친 것은 '미옥'의 편지를 읽지도 못하고 '엄마'에게 압수당했기 때문이다.

24 (러)에서 '엄마'는 '나'와 편지를 두고 갈등하고 있는데, '나'와 사이가 멀어지게 될까 봐 걱정하고 있지는 않다.

25 (머)에서 '나'는 자신 때문에 일어난 부모님의 싸움을 말리고 싶어 하지만, 한편으로는 부모님이 싸우는 상황이 무서워서 도망치고 싶어 한다.

26 ㉠의 '이럴 때'는 부모님이 싸울 때를 가리킨다. (버)에서 '나'는 이러한 부모님의 싸움으로 자기 존재에 대해 생각해 보면서 고독감을 느끼고 있다.

27 (머)에서 '나'는 자신의 존재에 대해 생각해 보면서, 힘이 없었을 뿐이지 어렸을 때도 지금처럼 사태를 분간할 수 있었다고 하였다.

28 '아버지'는 '엄마'와 다투면서도 '아저씨'에게 가져다줄 매실주와 안줏거리를 챙기고 있다.

오답 풀이 ①, ② '아버지'가 한 말 중 '갈취'라는 표현을 취소하라는 '엄마'와 못 하겠다는 '아버지'가 서로 물러서지 않고 있다.
④ '아버지'가 끝까지 '갈취'라는 말을 쐐기를 박듯이 중얼거리며 나가자 엄마는 한숨을 몰아쉬며 분노하고 있다.
⑤ '엄마'와 '아버지'의 다툼이 심해지고, '엄마'가 흥분을 가라앉힐 기미를 보이지 않자 은근히 겁이 난 '나'는 슬그머니 마루로 나간다.

29 '엄마'와 '아버지'가 싸우면서 '아저씨'를 언급하지 않은 것은, 싸움의 본질적인 이유가 '아저씨' 때문임을 말하면 근처에 있는 '아저씨'가 들을 수도 있기 때문이다.

30 (저)에서 '나'는 '엄마'와 '아버지'가 갈등하는 밑바닥 감정에 분명 '아저씨'의 존재가 작용하고 있다고 생각한다.

31 '나'가 '아버지'가 부르는데도 못 들은 척한 것은 '아버지'가 '엄마'를 지나치게 슬프게 만든 데 대한 반감 때문이다.

32 이 글의 주인공인 '나'는 미성숙한 서술자로서 순수한 관점에서 직접 보고 느낀 것들을 전달하고 있다(ㄷ). 또한 주변 사건이나 인물들에 대해 주관적인 생각을 표현하고 있다(ㄹ).

오답 풀이 ㄱ. 이 글은 1인칭 주인공 시점으로, 이 시점은 서술자인 '나'가 자신의 생각을 자유롭게 말하지만 주제를 직접적으로 드러내지는 않는다. 주제를 직접 드러내는 갈래는 수필이다.
ㄴ. 인물의 심리나 사건의 속사정을 전부 알고 구체적으로 서술하는 시점은 전지적 작가 시점이다.

33 (터)에서 '엄마'가 집을 나간 것은 '아버지'에 대한 불만의 표시이자, '아저씨'가 이제 그만 떠나기를 바라는 마음을 전하는 무언의 행동으로 볼 수 있다.

34 (퍼)에서 '아저씨'는 '엄마'가 집을 나간 것에 대한 미안함과 죄책감을 느껴, '아버지'에게 자신을 '죄인'이라고 말하며 자책하고 있다.

35 '나'가 ㉢처럼 생각하는 이유는 '엄마'가 편지를 늦게 돌려준 탓에, '미옥'의 편지를 읽지 못해서 '나'와 '미옥'의 관계가 저절로 끝나 버렸기 때문이다.

36 (고)에서 '나'가 눈물을 흘린 이유는 '엄마'가 없는 빈집에서 느끼는 외로움과 '엄마'에 대한 그리움 때문이기도 하고, '미옥'과의 관계가 끝난 것에서 오는 아쉬움과 막막함 때문이기도 하다.

37 ⓐ는 '엄마'와 '미옥'으로 인한 '나'의 한숨 소리이고, ⓑ는 '나'의 가족에 대한 미안함과 현재 상황의 답답함을 느껴 '아저씨'가 낸 한숨 소리이다. 따라서 ④는 적절하지 않다.

38 (도)에서 '아저씨'는 자신이 한국에 오기 전 북선(북한)이 아주 곤란을 겪고 있었다고 하였다.

39 '나'와 '아버지'가 '아저씨'의 말투를 따라 하는 것은 어느새 아저씨와 함께 지내는 것에 익숙해지고, 심리적인 거리도 좁아졌기 때문이라고 볼 수 있다.

40 (모)에서 '나'가 '아저씨'를 한 번도 잊은 적이 없다고 한 것은 시간이 흐른 지금도 '아저씨'를 생각하면 눈물이 나기 때문이다. 이는 '아저씨'가 '나'의 마음속에 인상적인 존재로 남아 있다는 의미로 볼 수 있다.

41 (보)에서 '아저씨'에 대해 묻는 '나'의 말에 '아버지'는 "누구?"라고 답하는데, 이로 보아 '아버지'는 '아저씨'를 이미 잊고 있음을 알 수 있다.

42 (소)에서 '나'는 자신 때문이 아니라 '아저씨'의 외로움이 전해져서 눈물을 흘린다고 하였다. 이는 타인의 외로움에 공감하며 슬퍼할 수 있다면 어른이 된 것이라는 국어 선생님의 말씀과 연결된다.

43 이 글의 제목 '일가'는 가족들로부터 일가로서 대접을 받지 못하는 '아저씨'를 통해, 일가친척의 의미가 사라져 가는 현대 사회의 모습을 비판하고 부각하는 역할을 한다. 이 글에서 '엄마'와 '아버지'는 '일가'의 중요성에 대해 인식하지 못하고 있다.

간단 체크 어휘 문제

본문 009~025쪽

010쪽	(1) ○ (2) ○ (3) ×
014쪽	(1) 경황 (2) 본적지 (3) 고조되고
016쪽	(1) 눙치고 (2) 우 (3) 몰상식
020쪽	(1) 해빙 (2) 유야무야
023쪽	(1) 포획한 (2) 북선 (3) 분연히
024쪽	(1) 부득불 (2) 시숙

학습 활동

본문 027~031쪽

이해 답장, 갈취, 비판, 일가
적용 꽃, 순수

간단 체크 활동 문제

본문 027~031쪽

027쪽	**01** ④ **02** ②
028쪽	**03** '아저씨'가 우리 집에 오래 머물렀기 때문이다. **04** 현대 사회의 모습 **05** ③
029쪽	**06** ①, ④ **07** ③
030쪽	**08** ③ **09** '민지': 꽃 / 말하는 이: 풀, 잡초
031쪽	**10** ②, ④

01 '아버지'와 다툰 사건으로 집을 나간 것은 '엄마'이다. 이 때문에 괴로워하던 '아저씨'는 '엄마'가 돌아오던 날 '나'의 집을 떠나게 된다.

02 '나'가 '미옥'에게 편지를 쓴 날(지난주 월요일)은 이 글의 시작 부분인 '나'가 '미옥'에게서 답장을 받은 날(봄 방학을 한 날)보다 앞선다. ①, ③, ④는 봄 방학을 한 날이고, ②는 ⑤보다 먼저 벌어진 일이다. 따라서 가장 먼저 일어난 사건은 ②이다.

03 이 글에서 '엄마'와 '아버지'의 다툼은 '아버지'가 '갈취'라는 표현을 써서 발생했지만, '나'는 그 근본적인 이유를 '아저씨' 때문이라고 생각한다.

04 이 글의 제목 '일가'는 일가친척의 의미가 사라져 가는 현대 사회의 모습을 비판하고 부각한다.

05 이 글의 '나'는 1인칭 주인공 시점의 서술자이므로, 자신의 내면 심리를 직접 드러낸다.

오답 풀이 ① '나'는 열여섯 살 사춘기 청소년이다.
② '나'는 이 글의 주인공이자 내용을 전개하는 서술자이다.
④ '나'는 '아저씨'를 처음 보았을 때는 싫어했지만, 성장하면서 '아저씨'의 외로움에 공감하며 그리움을 느낀다.
⑤ 이 글은 1인칭 주인공 시점으로 쓰였다. 즉 이 글은 서술자인 '나'의 시선에서 작품 속 인물인 '엄마'와 '아버지'의 생각이나 느낌을 나름대로 추측해서 서술한다.

06 '나'는 미성숙한 청소년 서술자로, 인물들의 갈등을 중재하는 역할을 하거나 작품의 주제를 직접 전달하기보다는 순수한 시선으로 사건을 전달하는 데 효과적이다.

07 〈보기〉의 서술자는 집으로 돌아오는 길에 역에서 떠나는 '아저씨(일가)'를 만났으며, '아저씨'로 인해 고생을 겪었다고 여기고 있다. 따라서 〈보기〉의 서술자는 '엄마'임을 알 수 있다.

08 이 시의 화자는 '나'로서 시인 자신으로 볼 수 있다.

오답 풀이 ①, ⑤ 이 시의 화자는 일상에서 만난 아이 '민지'와 경험한 일, 그에 따른 성찰의 내용을 그려 내고 있다.
② 이 시에는 '잘 잤니', '그게 뭔데 거기다 물을 주니?', '꽃이야' 등과 같은 대화 내용이 그대로 제시되어 있다.
④ 이 시에는 '질경이, 나싱개, 토끼풀, 억새' 등에 대한 '민지'와 시적 화자의 관점 차이가 드러나 있다.

09 이 시에서 '질경이, 나싱개, 토끼풀, 억새'와 같은 식물들을 '민지'는 '꽃'이라고 말했고, 시적 화자는 단순히 '풀'로 생각하며 '잡초'라고 말하려고 하였다. 이를 통해 대상을 바라보는 관점의 차이가 드러난다.

10 '나'가 '민지'에게 '꽃'을 '잡초'라고 말하지 못한 이유는 '민지'의 순수함을 지켜 주고 싶고, 자신의 세속적인 생각이 부끄럽기도 했기 때문이다.

압축 파일

본문 032~033쪽

❶ 편지 ❷ 갈등 ❸ 예의범절 ❹ 갈취 ❺ 간첩 ❻ 외로움 ❼ 결혼 ❽ 가족 ❾ 공감 ❿ 잡초

시험에 나오는 소단원 문제

본문 034~036쪽

01 ④ **02** ③ **03** ④ **04** '나'가 좋아하는 '미옥'에게서 답장을 받았기 때문이다. **05** ① **06** ③ **07** '아버지' **08** ④ **09** ③ **10** ② **11** ② **12** 그건 잡초야

01 이 글은 서술자이자 주인공인 '나'가 일가친척 집에 방문하여 겪은 사건이 아니라, '나'의 일가인 '아저씨'가 '나'의 집에 찾아온 후 일어나는 사건을 다루고 있다.

02 '나'는 이 글의 주인공이자 서술자이다. 1인칭 주인공 시점은 주변 인물이나 사건에 대해 주인공의 시각에서 보고 느낀 것만을 전달할 수 있다.

03 (다)~(라)로 보아, '아저씨'는 붙임성이 좋으며 스스럼없고 넉살도 좋음을 알 수 있다. 또한 (라)에서 '엄마'에게 직설적으로 말하는 것으로 보아 솔직한 성격임을 알 수 있다.

04 서술형 (가)~(나)로 보아, '나'는 지난주 월요일에 좋아하는 '미옥'에게 편지를 보냈고, 봄 방학을 한 날 '미옥'으로부터 답장을 받았음을 알 수 있다.

05 (나)로 보아, '엄마'와 '아버지'가 다투게 된 표면적인 원인은 '나'가 받은 편지를 '엄마'가 압수한 것을 두고, '아버지'가 '갈취'라고 표현했기 때문이다.

06 (가)로 보아, '나'는 '아저씨'의 말에 귀 기울이는 체하면서 계속 '미옥'의 편지만 생각했음을 알 수 있다.

07 서술형 제시된 글은 '아저씨'를 형님이라 부르며 그 모습을 쓸쓸하다고 서술하고 있다. 이는 '아저씨'와 이야기를 나누는 '아버지'를 서술자로 하여 쓴 것이다.

08 ㉣에서 '엄마'와 '아버지'는 '아저씨'가 혹시라도 들을까 봐 '아저씨' 이야기를 하지 않고 있을 뿐, 그런 마음을 '아저씨'가 알아주길 바라고 있는 것은 아니다.

09 (가)로 보아, '미옥'이 보낸 답장에는 조건부로 '나'의 마음을 받아 주겠다는 내용이 담겨 있었다. 그러나 '나'가 편지를 늦게 보았기 때문에 '미옥'과의 관계는 끝이 났다.

10 (가)에서 '나'는 '미옥'과의 관계가 끝난 것을 매우 힘들어하고 있다. 반면 (나)에서는 '아저씨' 때문에 울고 있는 자신을 종종 발견하며, '아저씨'의 외로움에 공감할 수 있을 정도로 성숙했음을 스스로 인식하고 있다.

11 (다)에서 '민지'는 시적 화자와 달리 '질경이, 나싱개, 토끼풀, 억새' 등을 '꽃'이라고 생각한다. 즉, '꽃'은 '민지'가 인식한 것일 뿐, 시적 화자가 '꽃'이 주는 기쁨에 대해 부각하고 있지는 않다.

오답 풀이 ① 시적 화자는 때 묻지 않은 순수한 '민지'의 말을 듣고 얻은 깨달음을 전달함으로써 독자의 성찰도 이끌어 내고 있다.
③ '민지'는 풀을 '꽃'이라 부르며 소중히 대하지만, 시적 화자는 쓸모없는 '잡초'라고 생각한 것에서 두 사람의 관점의 차이가 나타난다.
④ 시적 화자는 풀을 대하는 자신과 '민지'의 관점을 비교하여 '민지'의 순수성을 강조하고 있다.
⑤ 순수한 '민지'를 묘사하는 표현에서 시적 화자의 따뜻한 시선이 느껴지며, 이로 인해 시의 분위기도 따뜻해진다.

12 서술형 (다)의 시적 화자는 '민지'가 '꽃'이라고 생각하는 것이 '잡초'라고 말하려다가 하지 못한다. 그 이유는 '민지'의 순수함을 지켜 주고 싶기도 하고, 세속적인 자신의 생각이 부끄럽기도 하기 때문이다.

(2) 공감하며 듣기

학습 활동 본문 037~043쪽

이해 감정, 집중, 제사, 소극, 적극
적용 화남, 배려

학습콕 본문 037~043쪽

040쪽 이해, 협력, 소극적, 적극적

간단 체크 활동 문제 본문 037~043쪽

037쪽 **01** 축구부 **02** ⑤ **03** ④
038쪽 **04** ⑤ **05** ⑤
039쪽 **06** ④ **07** ②
040쪽 **08** 소극적 들어 주기 **09** ⑤ **10** ①
041쪽 **11** ③ **12** ④ **13** ②
042쪽 **14** ④ **15** ⑤
043쪽 **16** ②

01 동생은 축구부에 들어오라는 체육 선생님의 제안을 듣고, 축구부에 들어가서 잘할 수 있을지 고민이 되어 형에게 조언을 구하려고 했다.

02 형은 동생의 말에 집중하지 않고 딴짓을 하다가, 동생의 심정을 고려하지 않은 채 동생을 비난하는 듯한 태도로 말하였다.

03 상대가 조언을 구할 때는 자신의 입장보다는 상대의 입장과 처지, 감정을 고려하여 말해야 한다.

오답 풀이 ① 상대의 말을 집중하며 들어야 상대의 의도를 알고 적절하게 대답할 수 있다.
② 대화할 때는 자신의 생각을 내세우기보다 상대의 감정이나 상황을 이해하려고 노력해야 의사소통이 잘 이루어질 수 있다.
③ 상대의 말에 맞장구를 치면서 공감을 해 주면 상대가 더 편하게 말을 이어 갈 수 있다.
⑤ 대화할 때 상대에게 고개를 끄덕이며 잘 듣고 있다는 표현을 해 주면, 상대가 자신의 말을 귀담아듣는다는 생각을 하면서 더욱 말을 잘할 수 있게 된다.

04 '황희 정승'은 나중에 온 사람이 제사를 지내기를 원하지 않는다는 것을 파악하고 대답한 것이지, 그가 개를 소중히 여긴다는 것을 헤아려 대답한 것은 아니다.

05 '민재'는 열심히 공부를 했는데도 시험 성적이 좋지 않아 속상해하고 있다. 이런 때에는 그 사람의 잘못을 지적하기보다 위로와 격려의 말을 해 주는 것이 더 적절하다.

06 ④의 내용은 '윤하'가 수학 시험이 쉬웠다고 하며, '민재'의 입장에 공감하기보다 자신의 입장에서 이야기한 것이므로 적절하지 않다.

07 '민정'은 선생님과 대화하며 객관적인 관점에서 문제를 생각해 보게 되었고, 스스로 해결책을 생각해 내었다.

오답 풀이 ① 선생님은, '도현'에게 음료수를 건넸는데 아무 반응이 없어서 속상했다는 '민정'의 말을 요약정리해서 말하고 있다.
③ 선생님은 "계속 이야기해 봐."라는 말로 대화를 이끌어 가며 '민정'이 말을 편하게 할 수 있도록 돕고 있다.
④ '민정'은 선생님의 조언을 듣고, '도현'의 성격이 어떠한지 떠올려 보면서 문제를 객관적으로 생각해 보게 되었다.
⑤ 선생님은 '민정'을 부드럽게 바라보거나 안타까운 표정으로 바라보면서, '민정'에게 편안한 느낌을 주고 '민정'의 마음에 공감한다는 표현을 하고 있다.

08 '소극적 들어 주기'는 상대와 눈을 맞추면서 고개를 끄덕이거나, 적절하게 맞장구를 치는 것과 같은 격려하기 기술이 중심을 이룬다.

09 ⑤는 말하는 이의 말을 요약정리하는 말로 적극적 들어 주기에 해당한다. 나머지는 모두 소극적 들어 주기에 해당한다.

10 공감적 듣기는 상대와 긍정적인 관계를 맺거나 유지하는 데 도움을 주고(ㄴ), 상대와 협력적으로 소통할 수 있게 한다(ㄱ).

11 ❻은 얼굴을 잔뜩 찌푸리며 불쾌한 표정을 짓고 있으므로, '화남'이 적절하다.

12 버스를 타야 하는데 교통 카드가 없어서 버스를 타지 못하는, 어찌할 바를 모르는 상황에서는 당황스러움을 느낄 것이다.

13 외로움을 느끼는 사람에게 친구와 화해하라고 말하는 것은 적절하지 않다.

14 '역할 2'는 '역할 1'이 엄마에게 사과하도록 설득한 것이 아니라, 엄마께 먼저 자신의 입장을 이야기해 볼 것을 제안하였다.

15 상대를 고려하여 말할 때는 듣는 사람이 처한 입장과 처지를 고려하여 자신의 말이 상대에게 어떻게 받아들여질지 생각해야 한다. 또한 상대의 가치관을 존중하고 우호적인 태도를 갖추어 믿음과 유대감을 형성할 수 있도록 해야 한다.

16 '역할 2'는 엄마께서 자신의 생일을 잊으셔서 서운하다고 말하는 '역할 1'의 말을 요약정리하여 다시 한번 언급하고 있다.

압축 파일

본문 044쪽

❶ 공감 ❷ 심정 ❸ 비판 ❹ 긍정적 ❺ 맞장구 ❻ 요약정리

시험에 나오는 소단원 문제

본문 045쪽

01 ⑤ **02** 동생이 말을 꺼냈는데, 고개도 들지 않고 딴짓을 했다. / 동생의 심정(감정, 상황, 고민)을 고려하지 않고 동생을 비난하는 듯한 태도로 말했다. **03** ④ **04** ④ **05** ③

01 공감적 듣기는 상대의 문제를 분석하는 것이 아니라, 상대의 관점에서 문제를 바라보며 상대가 스스로 문제를 해결하도록 돕는 것이다.

02 서술형 형은 동생의 말을 집중해서 듣지 않았으며, 축구부에 들어가는 문제로 고민하고 있는 동생의 감정과 상황을 고려하지 않고 대화를 하여 동생의 기분을 상하게 하고 있다.

03 '황희 정승'이 두 사람의 말에 각기 다르게 답한 이유는 상대의 입장과 처지를 고려했기 때문이다.

04 제시된 대화에서 ㉠은 공감적 듣기 중 적극적 들어 주기의 표현이다. ㄴ처럼 상대가 객관적으로 문제에 접근하게 하거나, ㄹ처럼 상대가 했던 말을 요약정리해 주는 것이 적극적 들어 주기에 해당한다.

오답 풀이 ㄱ. 상대가 이야기를 이어 갈 수 있도록 돕는 말로, 소극적 들어 주기의 표현이다.
ㄷ. 상대의 감정에 공감하며 걱정하는 마음을 드러냄으로써 상대가 자기 생각을 편하게 말하도록 돕는 소극적 들어 주기의 표현이다.

05 '민재'는 열심히 노력했는데도 시험 결과가 좋지 않아 속상해하고 있다. 그러므로 '윤하'가 ③과 같이 이해하고 공감하는 말을 해 준다면, '민재'는 위로를 받고 기분이 풀릴 것이다.

어휘력 키우기

본문 050쪽

01 ⑤ **02** ③

01 '부득불'은 '하지 아니할 수 없어. 또는 마음이 내키지 않으나 마지못하여'라는 뜻이므로, 문맥상 ⑤의 내용에는 어울리지 않는다.

02 '당숙'은 아버지의 사촌 형제를 이르는 말이다.

시험에 나오는 대단원 문제

본문 051~054쪽

01 ④ **02** ③ **03** ③ **04** 멸치 한 주먹과 고추장 **05** ② **06** ③ **07** ② **08** ④ **09** (그 이유는) 네가 이제 아저씨의 외로움을 느낄 수 있을 정도로 성장했기 때문이야. **10** ② **11** '민지'의 순수한 마음을 지켜 주고 싶었기 때문이다. / '나'가 하려던 말이 세속적인 때가 묻은 말이었기 때문이다. **12** ④ **13** ② **14** ③ **15** '도현'이 쑥스러워서 아무런 말을 못 했을 수 있음을 깨달음. **16** ③ **17** ⑤ **18** ① **19** ②

01 이 글의 갈래는 소설이다. 소설 구성의 중심 요소는 인물, 사건, 배경이다.

02 이 글의 시점은 1인칭 주인공 시점이다. 따라서 서술자인 '나'는 자신의 관점에서 인물과 사건에 대해 주관적으로 판단하고, 그에 따른 개인적인 심리를 제시한다.

오답 풀이 ①, ④ 이 글은 미성숙한 사춘기 소년 '나'의 순수한 시선으로 사건을 전달하기 때문에 독자들이 친근감을 느낄 수 있다. 또한 그러한 정보를 독자가 직접 해석하는 재미도 느낄 수 있다.
② 이 글에서는 사춘기 소년의 내면을 구체적으로 서술하면서, 사건을 통해 성장하는 '나'의 모습이 잘 드러난다.

⑤ 이 글은 어른이 아닌 청소년의 시선으로 일가친척의 의미가 사라져 가는 현대 사회의 부정적인 모습을 전달함으로써 이를 간접적으로 비판한다.

03 (라)에 따르면, '나'는 '아저씨'가 떠난 이후에도 똑같이 '미옥'을 생각하지만 더 이상 그 때문에 울지 않게 된다.

04 서술형 (다)에서 '아버지'가 챙겨 나가는 초라한 안줏거리를 통해 '아버지'가 '아저씨'를 더 이상 손님으로 대접하고 있지 않음을 알 수 있다.

05 (라)로 보아, '나'가 ㉠처럼 생각한 이유는 현재의 '나'는 예전과 달리 '아저씨'를 생각하면 눈물이 나기 때문이다.

06 (라)에서 '아저씨'는 무투팡자를 짓고 평생 살고 싶다고 하였지만, 그곳에서 '나'의 가족과 함께 살고 싶어 하는지는 알 수 없다.

07 (나)로 보아, '나'와 '엄마'가 갈등하는 이유는 '미옥'이 보낸 편지를 '엄마'가 압수하고 돌려주지 않았기 때문이다.

08 (다)에서 '나'는 '미옥'에게 끝종 선고를 받고 힘들어한다. 따라서 ㉠은 '미옥'과의 관계가 끝나 버린 데 대한 안타까움 때문이라고 볼 수 있다.

오답 풀이 ① (다)를 통해 '엄마'가 '아버지'와 다투고 집을 나갔음을 알 수 있지만, (다)에는 떠난 '엄마'에 대한 '나'의 생각이나 감정이 드러나 있지 않다.
② (다)에서 '나'가 이야기한 '엄마의 소원대로 되어 가'고 있는 것은 '나'와 '미옥'이 이루어지지 않은 것을 의미하므로, '나'가 이에 대해 자부심을 느끼고 있다고 할 수 없다.
③, ⑤ (다)에는 '미옥'과의 관계가 끝나서 힘들어하는 '나'의 심리가 드러나 있을 뿐, '아저씨'에 대한 미움이나 '아버지'에 대한 애틋함은 나타나지 않는다.

09 고난도 서술형 (마)로 볼 때, '나'가 눈물을 흘리는 이유는 '나'가 이제는 '어떤 한 사람', 즉 '아저씨'의 외로움에 공감할 수 있을 만큼 성장했기 때문이다.

평가 목표	중요 문맥의 의미 파악하기
채점 기준	✔ 친구의 입장에서 '눈물'의 의미가 잘 드러나도록 쓴 경우 [상] ✔ 친구의 입장에서 썼으나 '눈물'의 의미가 잘 드러나지 않은 경우 [중] ✔ 친구의 입장에서 쓰지 않았고, '눈물'의 의미도 잘 드러나지 않은 경우 [하]

10 이 시의 1~2행으로 보아, 청옥산 기슭에서 살고 있는 사람은 시적 화자의 제자 가족임을 알 수 있다.

오답 풀이 ① 시적 화자는 강원도 산기슭에 살고 있는 제자의 집에 갔다가 '민지'를 만나 얻은 깨달음을 전하고 있다.
③ 이 시의 어조를 통해 시적 화자가 순수한 '민지'에 대해 따뜻한 시선을 보내고 있음을 알 수 있다.
④ 시적 화자는 '그게 뭔데 거기다 물을 주니?', '꽃이야'와 같은 '민지'와의 대화 내용을 제시하고 있다.
⑤ 시적 화자는 세속적인 가치로 사물을 판단하는 자신과 달리, 순수한 시선으로 사물을 대하는 '민지'의 마음을 지켜 주기 위해 풀들이 '잡초'라는 말을 하지 않는다.

11 서술형 시적 화자는 풀을 '꽃'으로 여기는 '민지'에게 '그건 잡초야'라고 무심코 말하려다가 하지 않았다. 그 이유는 '민지'의 순수함을 지켜 주고 싶고, 세속적인 자신의 생각이 부끄러웠기 때문이다.

12 제시된 대화 상황에서 형은 동생의 감정을 고려하지 않고, 동생을 비난하는 듯한 태도로 말하고 있다. 따라서 형에게는 상대의 감정이나 상황을 이해하며 의사소통할 것을 조언할 수 있다.

13 적절하게 맞장구치기는 말하는 이가 자연스러운 분위기에서 자기 생각과 느낌을 이어 갈 수 있도록 하는 격려하기 기술로, 이는 소극적 들어 주기에 해당한다.

오답 풀이 ①, ④ 소극적 들어 주기는 상대에게 관심을 드러내어 말하는 이가 자연스러운 분위기에서 자기 생각과 느낌을 이어 갈 수 있도록 하는 격려하기 기술이 중심을 이룬다.
③, ⑤ 적극적 들어 주기는 말하는 이의 말을 요약정리하여 반영함으로써, 말하는 이가 객관적인 관점에서 문제에 접근하여 스스로 그 문제를 해결할 수 있도록 돕는 것이다.

14 상대를 자신의 생각에 동의하도록 설득하는 것은 공감적 대화가 아니라 자신의 입장을 적극적으로 주장하는 말하기라고 볼 수 있다. 따라서 공감하며 대화하기의 평가 항목으로는 적절하지 않다.

15 서술형 '민정'은 '도현'과 친해지고 싶어서 음료수를 건넸는데 '도현'이 아무 말이 없자 우울해하고 있었다. 그러나 선생님과 대화하며 '도현'이 부끄러움이 많은 성격임을 고려하여 자신이 오해했을 거라고 생각하게 된다.

16 ㉢에서 선생님은 '민정'의 말을 듣고 객관적인 판단을 한 것이 아니라, '민정'이 한 말을 요약정리하며 적극적 들어 주기를 한 것이다.

오답 풀이 ① 선생님은 표정이 좋지 않은 '민정'에게 관심을 보이면서, '민정'이 편안한 분위기에서 이야기할 수 있도록 하고 있다.
② 선생님은 '민정'에게 계속 이야기해 보라며 대화를 이끌고 있다.
④ 선생님은 '민정'이 '도현'의 성격을 고려하여 문제를 객관적으로 생각해 볼 수 있도록 하여, '민정' 스스로 문제를 해결하도록 돕고 있다.
⑤ 선생님은 '도현'의 성격을 고려하여 그의 입장을 이해한 '민정'의 말에 맞장구치며 의견에 동조하고 있다.

17 친구가 노래 대회에서 탈락해 속상해할 때는 친구의 처지와 상황을 고려하여 공감적인 대화를 해야 한다. 그러나 ⑤는 친구의 처지와 감정을 고려하지 못한 말이다.

18 어떤 문학 작품을 읽을지 고민이 될 때는 사람들이 많이 읽고 추천하는 책을 고려해 볼 수 있으나, 다른 사람들이 많이 읽지 않은 문학 작품을 기준으로 고르는 것은 적절하지 않다.

19 등장인물의 등장 횟수는 등장인물의 처지나 상황, 심리 등을 깊이 있게 이해하는 것과는 관련이 없는 항목이다.

2 놀라운 한글, 바른 말글살이

(1) 한글의 창제 원리

간단 체크 개념 문제
본문 058쪽

1 (1) ○ (2) ○ (3) × 2 (1) 발음 기관 (2) · 3 ②

1 (3) 한글의 자음 기본자는 발음 기관을, 모음 기본자는 천지인(天地人)을 본떴으므로 모두 상형의 원리가 사용되었다.

2 한글의 자음 기본자(ㄱ, ㄴ, ㅁ, ㅅ, ㅇ)는 발음하는 기관의 모양과 움직임을 본떠 만들었다. 그리고 모음의 초출자 'ㅗ, ㅏ, ㅜ, ㅓ'와 'ㆍ'를 다시 합성하여 재출자를 만들었다.

3 'ㄹ'은 자음 기본자 'ㄴ'에 가획하여 만든 글자이지만 소리의 세기 변화와 관련이 없는 이체자에 해당한다.

학습콕
본문 059~064쪽

060쪽	실용, 훈민정음
063쪽	가획, 세기, 상형
064쪽	음절, 과학

간단 체크 내용 문제
본문 059~064쪽

059쪽	01 ② 02 자주
060쪽	03 ② 04 백성을 가르치는 바른 소리 05 ④
061쪽	06 ⑤ 07 왕자들과 공주들에게 소리를 내게 하고, 이를 관찰하고 연구하였다. / 의원을 불러 발음 기관의 움직임과 모양을 확인하였다. 08 ① 09 하늘, 땅, 사람
062쪽	10 ③ 11 ㆁ, ㄹ, ㅿ 12 ① 13 ⑤
063쪽	14 ② 15 ㅣ 16 ③ 17 ④
064쪽	18 ② 19 다양한 책을 훈민정음으로 번역하고, 책으로 만들어 배포하였다. 20 ⑤

01 한글은 한자로 우리말을 표기하는 것의 한계를 인식하고 우리말을 바르게 표기하기 위해 만들어진 글자이다.

02 [A]에서 세종 대왕이 중국어와 우리말의 차이를 인식하고 있음을 알 수 있다. 이를 통해 한자에 의지하지 않고 우리만의 글자를 만들어 쓰려는 자주정신을 바탕으로 한글을 창제하였음을 알 수 있다.

03 ㉠에는 백성이 배우지 못하는 것을 가엾게 생각하여 글자를 만들었다는 애민 정신이, ㉡에는 누구나 쉽게 배우고 편히 쓸 수 있는 글자를 만들겠다는 실용 정신이 드러나 있다.

04 세종 대왕은 백성을 사랑하는 마음으로, 백성들이 쉽게 배우고 사용할 수 있는 한글을 창제하고 '훈민정음'이라고 이름을 붙였다.

05 일부 신하들은 백성이 글을 알고 지식을 쌓게 되면, 통치하기 어려울 것이라 생각하여 한글 창제를 반대했다. ④는 새 글자를 창제하기를 바랐던 세종 대왕의 생각이다.

06 목구멍의 모양을 본떠서 목구멍소리 'ㅇ'을 만들었다.

07 세종 대왕은 자음자를 만들 때 발음 기관의 움직임, 모양을 본뜨기 위해, 왕자들과 공주들이 소리를 내는 모습을 관찰하고 의원을 불러 소리를 내는 기관의 움직임과 모양을 확인하였다고 하였다.

08 'ㄱ'은 혀뿌리가 목구멍을 막는 모양을 본떠서 만든 어금닛소리이다.

09 'ㆍ'는 하늘의 둥근 모양을, 'ㅡ'는 땅의 평평한 모양을, 'ㅣ'는 사람이 서 있는 모양을 본떠 만들었다.

10 'ㅆ'은 자음자 둘 이상을 나란히 쓰는 방법으로 만들었다.

11 'ㅇ, ㄴ, ㅅ'에 획을 더하여 'ㆁ, ㄹ, ㅿ'을 만들었지만 소리가 세지는 것은 아니다.

12 모음의 재출자는 초출자 'ㅗ, ㅏ, ㅜ, ㅓ'에 기본자 'ㆍ'를 결합하여 만든 것이다.

13 재출자는 초출자에 'ㆍ'를 합성하여 만든다. 'ㅠ'는 초출자 'ㅜ'에 'ㆍ'를 합성하여 만든 글자이다.

오답 풀이 ① 'ㄴ'은 혀가 윗잇몸에 붙는 모양을 상형의 원리로 본떠 만든 자음 기본자이다. 이러한 'ㄴ'에 획을 더해 'ㄷ, ㅌ'을 만들었다. 이처럼 같은 발음 기관을 사용하는 글자들은 모양도 비슷하여 소리와 글자 모양의 연관성이 드러난다.
② 자음 기본자에 가획의 원리를 적용하여 만든 글자는 획을 더할수록 소리가 더 세진다고 하였다.
③ 'ㅕ'는 재출자로, 초출자 'ㅓ'에 모음 기본자 'ㆍ'를 합성하여 만든 글자이다.
④ 'ㅗ'는 초출자로, 모음 기본자 'ㆍ'와 'ㅡ'를 합성하여 만든 글자이다.

14 'ㅳ'은 자음자 둘 이상을 옆으로 나란히 쓰는 방법으로 만들었고, 나머지는 자음자 둘을 위아래로 잇대어 쓰는 방법으로 만들었다.

15 'ㆍ, ㅡ, ㅗ'에 'ㅣ'를 더하여 'ㆎ, ㅢ, ㅚ'를 만들 수 있다.

16 모음자는 상형과 합성의 원리를 이용하여 만든 후, 모음자끼리 글자를 더하여 새 모음자를 만들었다고 하였다.

17 'ㅕ'와 'ㅣ'를 더하면 'ㅖ'가 만들어진다. 'ㅙ'는 'ㅘ'에 'ㅣ'를 더하여 만든다.

18 한글은 다른 문자와는 다르게 글자를 풀어쓰지 않고 음절 단위로 모아쓰기를 한다.

19 세종 대왕은 훈민정음을 백성들이 널리 쓰도록 하기 위해, 여러 책을 훈민정음으로 번역하고 배포하였다고 하였다.

20 이 면담에서 세종 대왕이 한글을 세계에 보급하려고 했던 노력은 설명하고 있지 않다.

오답 풀이 ①, ② 한글은 24개의 자모만으로 수많은 글자를 만들 수 있는 우리 고유의 문자라고 하였다.
③, ④ 현재 한글은 우리 국민 대부분이 쓰고 있으며, 세계에서도 좋은 평가를 받고 있다고 하였다.

간단 체크 어휘 문제

본문 059~064쪽

059쪽 (1) 표기 (2) 창제 (3) 군주
064쪽 (1) 배포하다 (2) 보급하다

학습 활동

본문 065~068쪽

이해 ㅋ, ㅅ, 목구멍, 땅, ㅣ, 백성, 빠르게
적용 일치, 한글

간단 체크 활동 문제

본문 065~068쪽

065쪽 **01** ④ **02** ㅗ, ㅏ, ㅜ, ㅓ **03** ④ **04** 실용 정신
066쪽 **05** ② **06** ⑤
067쪽 **07** ①, ④ **08** ①
068쪽 **09** ④

01 'ㄴ'은 혀가 윗잇몸에 붙는 모양을 본떠서 만들었다.

02 기본자 '·'와 'ㅡ'를 결합하여 'ㅗ', 'ㅜ'를 만들고, '·'와 'ㅣ'를 결합하여 'ㅏ', 'ㅓ'를 만들었다.

03 모음자는 모음자끼리, 자음자는 자음자끼리 모여 각각 모음자, 자음자가 된다.

04 사람들이 배우기 쉬운 글자를 만들려고 했다는 것에서 문자의 실질적인 쓸모와 가치를 중시하는 실용 정신이 드러난다.

05 한글은 실제로 말하는 음절 단위로 모아써서(ㄱ) 단어와 문장의 의미를 빠르게 이해할 수 있고(ㄹ), 문장을 읽기가 편하다(ㄷ).

06 이 글에서는 한글이 자음자와 모음자의 수가 비슷하여 컴퓨터 자판 배열에 유리하고, 문자와 소리가 같아 기계 번역이나 음성 인식에 유리하다는 예를 들어 정보화 사회에서 한글의 우수성을 설명하고 있다.

07 한글은 자음과 모음의 개수가 비슷하여 컴퓨터 자판의 왼쪽과 오른쪽에 각각 자음자와 모음자를 배열할 수 있다. 그래서 오른손과 왼손을 번갈아 가며 글자를 입력할 수 있어 컴퓨터에서 입력 속도가 빠르다. 휴대 전화에서도 적은 수의 조작 단추에 자음과 모음을 배열할 수 있어서 문자 메시지의 입력 속도가 빠르다. 또한, 모음이 한 가지 소리로만 발음되어 문자와 소리의 일치성이 높아 한글 정보화에 유리하다.

오답 풀이 ② 글자와 의미는 직접적으로 연결되는 것이 아니라 자의적으로 연결된다.
③ 이 글에서는 두 손으로 자판을 칠 때 한글이 입력하기 편하다는 내용을 제시하였다.
⑤ 이 글은 문자 입력 실수에 관한 자판 배열법은 언급하지 않았다.

08 모음 'ㅏ'는 음절의 위치에 상관없이 모두 [ㅏ]로 발음되어, 한글이 문자와 소리의 일치성이 높음을 보여 준다.

09 한글의 창제 원리와 가치를 정확히 알고, 이를 여러 방법을 활용하여 공유하고 소개하는 태도가 필요하다.

압축 파일

본문 069쪽

❶ 한자 ❷ 애민 ❸ 상형 ❹ ㅁ ❺ 초출자 ❻ ㅣ
❼ 음절 ❽ 획 ❾ 입력

시험에 나오는 소단원 문제

본문 070~071쪽

01 ③ **02** ⑤ **03** ② **04** ② **05** 초출자 'ㅗ, ㅏ, ㅜ, ㅓ'에 '·'를 합성하여 만들었다. **06** 모아쓰기는 자음과 모음을 소리를 내는 단위인 음절로 모아쓰는 것이다. **07** ③ **08** ⑤ **09** ④

01 이 면담에서 세종 대왕은 한글 자음자와 모음자의 창제 원리에 대해 설명하고 있다. 그러나 한글이 창제된 이후 백성들의 문자 생활이 어떻게 달라졌는지에 대해서는 설명하지 않았다.

오답 풀이 ① (다)에서 가획의 원리를 이용하여 한글 자음자를 만든 방법을 설명하였다. 'ㄱ'에 획을 더한 'ㅋ', 'ㄴ'에 획을 더한 'ㄷ, ㅌ', 'ㅁ'에 획을 더한 'ㅂ, ㅍ', 'ㅅ'에 획을 더한 'ㅈ, ㅊ', 'ㅇ'에 획을 더한 'ㆆ, ㅎ'이 가획의 원리로 창제한 글자이다.
② (나)에는 모음 기본자를 만든 원리가, (라)에는 기본자를 바탕으로 하여 초출자와 재출자를 만든 원리가 제시되어 있다.
④ 일정한 원리에 따라서 글자를 창제했다는 내용을 통해 한글이 체계적인 문자임을 알 수 있다.
⑤ (가)를 통해 세종 대왕이 직접 발음 기관을 관찰하며 연구하고, 의원들에게까지 확인하는 과정을 거치는 노력을 하였음을 알 수 있다.

02 'ㅌ'은 자음 기본자 'ㄴ'에 획을 더하여 만든 글자이다.

03 자음 기본자는 발음 기관의 움직임이나 모양을, 모음 기본자는 하늘, 땅, 사람의 모양을 본떠(상형의 원리) 만들었다.

04 (다)에서는 자음 기본자에 획을 더하면 소리가 더 세진다고 하였다. 따라서 'ㄱ'에 획을 더한 'ㅋ'은 더 센 느낌을 나타내므로 '울걱'보다 '울컥'이 더 센 느낌을 준다.

05 서술형 (라)에서 세종 대왕은 기본자들을 한 번만 합성하여 초출자를 만든 후, 이 초출자와 기본자 '·'를 다시 합성하여 재출자를 만들었다고 하였다.

06 서술형 (가)에서 세종 대왕은 실제 말을 할 때 음절 단위로 소리 내는 것을 고려하여, 적을 때에도 음절 단위로 모아쓰기를 하도록 했다고 하였다.

07 (가)에서 설명한 모아쓰기는 말소리의 특성을 반영하여(ㄱ), 실제로 말할 때 음절 단위로 소리 나는 것처럼 자음과 모음을 모아쓰게 한 것이다(ㄴ). 이러한 한글의 특성 때문에 24개의 적은 자모로도 많은 글자를 만들 수 있다(ㄹ).

08 한글은 자음자와 모음자의 수가 비슷하여 자판 왼쪽에는 자음, 오른쪽에는 모음을 배치해 번갈아 가며 글자를 빠르게 입력할 수 있다.

09 표를 보면 모음 'ㅏ'는 하나의 소리로 발음되어 문자와 소리의 일치성이 높다. 이러한 한글 모음자의 특징 때문에 한글은 기계 번역이나 음성 인식 컴퓨터 등 정보화 사회의 다양한 매체 사용에 유리하다.

(2) 올바른 발음과 표기

간단 체크 개념 문제 본문 072쪽

1 (1) × (2) ○ (3) × **2** (1) 반드시 (2) 반듯이 **3** 안, 않

1 (1) 우리말의 받침소리는 'ㄱ, ㄴ, ㄷ, ㄹ, ㅁ, ㅂ, ㅇ'의 7개 자음으로만 발음된다.
(3) 한글 맞춤법은 표준어를 소리대로 적되 어법에 맞도록 함을 원칙으로 한다.

2 '반드시'는 '틀림없이 꼭'의 의미이고, '반듯이'는 '작은 물체, 또는 생각이나 행동 따위가 비뚤어지거나 기울거나 굽지 않고 바르게'라는 의미이다.

3 '안'과 '않'은 각각 '아니'와 '아니하-'가 줄어든 말로 문장에서 표기가 올바른지 주의해야 하는 말이다.

학습 활동 본문 073~079쪽

이해 발음, 비츨, ㄱ, ㅂ, 무릅, 소리, 닫혀서
적용 막따, 무니

학습콕 본문 073~079쪽

075쪽 ㄴ, ㅁ, 여덜, ㅣ, 조사
077쪽 어법, 소리, 붙이다, 되

간단 체크 활동 문제 본문 073~079쪽

073쪽 **01** ② **02** ① **03** 바테
074쪽 **04** ㄱ, ㄴ, ㄷ, ㄹ, ㅁ, ㅂ, ㅇ **05** ④ **06** ③ **07** ③
075쪽 **08** (1) [우리의/우리에], [히망] (2) [의사], [주의/주이]
09 ③
076쪽 **10** ③ **11** ⑤ **12** ⑤
077쪽 **13** 안, 않았을 **14** ③
078쪽 **15** ② **16** ①
079쪽 **17** ③

01 표준어의 발음은 교양 있는 사람들이 두루 쓰는 현대 서울말의 발음을 따른다.

02 남학생이 '빛을[비츨]'을 [비슬]로 잘못 발음하여 두 사람 사이에 의사소통이 제대로 이루어지지 않았다.

03 '밭에'는 홑받침 'ㅌ'이 모음으로 시작되는 조사 '에'와 결합하였으므로 [바테]로 발음해야 한다.

04 우리말에서는 받침소리로 'ㄱ, ㄴ, ㄷ, ㄹ, ㅁ, ㅂ, ㅇ'의 7개 자음만 발음하고, 나머지 받침은 어말이나 자음 앞에서 7개 자음 중 하나로 바뀌어 발음된다.

05 '앞'은 [압]으로 발음되고 나머지 받침은 [ㄷ]으로 발음된다.

오답 풀이 ① [솓], ② [곧], ③ [빋], ⑤ [옫]

06 '닭'의 겹받침 'ㄺ'은 두 번째 받침으로 발음하여 [닥]으로 발음된다.

오답 풀이 ① [넉], ② [갑], ④ [여덜], ⑤ [훌따]

07 받침 'ㄿ'은 두 번째 받침의 대표음으로 발음한다. 그래서 '읊다'는 [읍따]로 발음된다.

08 (1) 조사 '의'는 [ㅔ]로 발음함도 허용하므로 '우리의'는 [우리의/우리에]로 발음한다. 자음을 첫소리로 가지고 있는 음절의 'ㅢ'는 [ㅣ]로 발음하므로 '희망'은 [히망]으로 발음한다.
(2) '의사'는 원칙대로 [의사]로 발음한다. 단어의 첫음절 이외의 '의'는 [ㅣ]로 발음하는 것을 허용하므로 '주의'는 [주의/주이]로 발음한다.

09 '너의'의 '의'는 조사이므로 [ㅢ/ㅔ]로 모두 발음할 수 있다. '의지'는 '의'가 단어의 첫음절로 온 경우이므로 [ㅢ]로 발음해야 한다. 그러므로 '너의 의지'는 [너의 의지/너에 의지]로 발음할 수 있다.

10 〈보기〉의 문장에서 표기와 소리가 일치하는 것은 '나는', '본', '하얀'이다.

11 표준어를 소리 나는 대로 적으면, 표기와 소리가 일치하지 않는 경우에 단어의 의미를 파악하기 어려워진다. 그래서 이러한 어려움을 보완하고자 어법에 맞도록 원래 형태를 밝혀 적는다는 원칙이 더해진 것이다.

12 '마치다'는 '어떤 일이나 과정, 절차 따위가 끝나다.'의 뜻이다. ⑤에는 '문제에 대한 답을 틀리지 않게 하다.'의 뜻을 지닌 '맞히다'를 사용해야 한다.

13 '안'은 '아니'의 준말이므로 '안(아니) 부쳤어.'로 써야 하고, '않'은 '아니하-'의 준말이므로 '않았을(아니하였을) 거야.'로 써야 한다.

14 'ㅚ' 뒤에 '-어, -었-'이 어울려 'ㅙ, ㅙㅆ'으로 될 적에는 준 대로 적는다. 따라서 '되어'의 준말은 '돼'로 적는다. ③의 '돼'는 '되어'의 준말이다.

오답 풀이 ① '되어'의 준말이 사용되어야 하므로 '돼'로 쓰는 것이 바르다.
② '되어요'의 준말이 사용되어야 하므로 '돼요'로 쓰는 것이 바르다.
④ 동사 '되다'의 어간 '되-'에 어미 '-는'이 붙은 것이므로 '되는'으로 쓰는 것이 바르다.
⑤ '되었어'의 준말이 사용되어야 하므로 '됐어'로 쓰는 것이 바르다.

15 '답에'는 홑받침 'ㅂ'이 모음으로 시작하는 조사 '에'와 만났으므로 [다베]로 발음된다.

16 겹받침 'ㄺ'은 어말 또는 자음 앞에서 [ㄱ]으로 발음하므로 '읽다'는 [익따]라고 발음한다. 받침 'ㅎ'은 그 뒤에 'ㄷ'이 결합될 경우에, 뒤 음절 첫소리와 합쳐서 [ㅌ]으로 발음하므로 '쌓다'는 [싸타]라고 발음한다.

17 '어떻게 해'는 줄어들어 '어떡해'가 되므로, '어떡해'로 표기하는 것이 맞다.

압축 파일 본문 080~081쪽

❶ 실제 ❷ 키읔 ❸ ㄹ ❹ 읍따 ❺ ㅣ ❻ 어법
❼ 아니 ❽ 않 ❾ 어떻게 ❿ 왜인지

시험에 나오는 소단원 문제 본문 082~083쪽

01 ② 02 ① 03 ⑤ 04 ③ 05 ① 06 ③ 07 ④
08 ① 09 다쳐서 → 닫혀서 10 ③ 11 ① 12 ④
13 틀린 부분 고치기: 어떻해 → 어떡해 / 이유: '어떡해'는 '어떻게 해'가 줄어든 말이므로 '어떡해'로 표기해야 한다. 14 ④ 15 ②

01 남학생이 '빛을[비츨]'을 [비슬]로 잘못 발음하여 여학생이 이를 '빗을'로 오해하였다. 이를 통해 발음이 바르지 않으면 상대에게 자기 생각을 명확하게 전달할 수 없음을 알 수 있다.

02 받침 'ㄴ'은 본음 그대로 발음되므로 '문'은 [문]으로 발음된다. 받침 'ㄷ, ㅌ, ㅅ, ㅆ, ㅈ, ㅊ'은 대표음 [ㄷ]으로 발음되므로, '곧, 옷, 솥, 갖'은 각각 [곧, 옫, 솓, 갇]으로 발음된다.

03 받침 'ㅍ'은 대표음 [ㅂ]으로 소리 나므로 '앞'은 [압]으로 발음한다. '없다'는 받침 'ㅄ'의 첫 번째 자음인 [ㅂ]으로 발음하여 [업:따]로 발음된다.

오답 풀이 ① [안따], ② [여덜], ③ [외골/웨골], ④ [훌따]

04 '흙은', '흙을', '흙에서'는 겹받침이 모음으로 시작된 조사와 결합하여 'ㄺ'의 뒤엣것인 'ㄱ'이 뒤 음절의 첫소리로 옮겨 발음하는 경우로, [흘근], [흘글], [흘게서]로 발음한다. '흙장난', '흙'은 'ㄺ'의 두 번째 받침의 대표음 [ㄱ]으로 발음하여 [흑짱난], [흑]으로 발음한다.

05 겹받침 'ㄼ'은 어말 또는 자음 앞에서 [ㄹ]로 발음하지만 예외적으로 '밟다'에서 '밟-'은 자음 앞에서 [밥]으로 발음한다. 그러므로 '밟지'는 [밥:찌]로 발음해야 한다.

오답 풀이 ② 용언 어간의 끝소리 'ㄺ'은 'ㄱ' 앞에서 [ㄹ]로 발음하므로 '밝고'는 [발꼬]로 발음한다.
③ 받침 'ㄻ'은 두 번째 받침의 대표음으로 발음하므로 '젊다'는 [점:따]로 발음한다.
④ '넓-'이 포함된 '넓죽하다', '넓둥글다'의 경우 [넙쭈카다], [넙뚱글다]로 발음한다.
⑤ 받침 'ㄿ'은 두 번째 받침의 대표음으로 발음하므로 '읊조린다'는 [읍쪼린다]로 발음한다.

06 ③의 '띄어쓰기'는 자음을 첫소리로 가진 음절에 'ㅢ'가 쓰였으므로 [ㅣ]로 발음하여 [띠어쓰기/띠여쓰기]로 발음한다. ①의 '의리', ④의 '의사', ⑤의 '의상'은 단어의 첫음절에 '의'가 오므로 [ㅢ]로 발음한다. ②의 '친구의'에서는 '의'가 조사로 쓰였으므로 [친구의/친구에]로 발음할 수 있다.

07 이중 모음 'ㅢ'를 발음할 때 단어의 첫음절 이외의 '의'는 [ㅣ]로, 조사 '의'는 [ㅔ]로 발음하는 것도 허용하고 있다. 그러나 단어의 첫음절의 '의'는 [의]로 발음해야 하므로 '의의[의의/의이]'를 [이의]로 발음해서는 안 된다.

08 제시된 문장은 [나는 하얀 꼬치/꼬체 이르미 궁금핻따]로 소리 난다.

09 서술형 문구점이 문을 일찍 닫았다는 내용을 고려할 때, '다치다' 대신 '닫다'의 피동형인 '닫히다'를 써서 '닫혀서'로 써야 한다.

10 ③은 '침, 주사 따위로 치료를 받게 하다.'는 의미의 '맞히다'를 활용하여 '맞히기'로 표기해야 한다.

오답 풀이 ① 반듯이: 작은 물체, 또는 생각이나 행동 따위가 비뚤어지거나 기울거나 굽지 아니하고 바르게
② 마치다: 어떤 일이나 과정, 절차 따위가 끝나다. 또는 그렇게 하다.
④ 맞히다: 문제에 대한 답을 틀리지 않게 하다.
⑤ 반드시: 틀림없이 꼭

11 ①에는 '편지나 물건 따위를 일정한 수단이나 방법을 써서 상대에게로 보내다.'는 의미의 '부치다'가 들어가야 한다.

오답 풀이 ② '맞닿아 떨어지지 않게 하다.'는 의미의 '붙이다'가 들어가야 한다.
③ '어떤 감정이나 감각을 생기게 하다.'는 의미의 '붙이다'가 들어가야 한다.
④ '불을 일으켜 타게 하다.'는 의미의 '붙이다'가 들어가야 한다.
⑤ '물체와 물체 또는 사람을 서로 바짝 가깝게 하다.'는 의미의 '붙이다'가 들어가야 한다.

12 '돼'는 '되어'의 준말이므로 '되어'로 쓸 수 있으면 '돼'로 적고, 그렇지 않으면 '되'로 적는다. '된다며'는 '되언다며'로 쓸 수 없으므로 '된다며'가 맞는 표기이다.

13 서술형 '어떻해'는 틀린 표기이다. '어떻게 해'의 줄인 표현은 '어떡해'이다.

14 받침 'ㅎ'은 뒤에 자음 'ㄱ, ㄷ, ㅈ'이 오는 경우 뒤 음절의 첫소리와 결합하여 [ㅋ, ㅌ, ㅊ]으로 발음한다. 그리고 받침 'ㅎ' 뒤에 모음으로 시작되는 어미가 오면 'ㅎ'을 발음하지 않는다. '낳았다'는 받침 'ㅎ' 뒤에 모음으로 시작하는 어미 '-았-'이 왔으므로 'ㅎ'을 발음하지 않고 [나앋따]로 발음한다.

오답 풀이 ①, ② '놓'과 '쌓'의 받침 'ㅎ'은 뒤에 모음으로 시작되는 어미가 오므로 발음하지 않는다.
③ '찮'의 받침 'ㄶ'에서 'ㅎ'이 뒤에 오는 'ㄷ'과 결합하여 [ㅌ]으로 발음된다.
⑤ '좋'의 받침 'ㅎ'이 뒤에 오는 'ㄱ'과 결합하여 [ㅋ]으로 발음된다.

15 '어찌 된 일'이라는 뜻을 가리키는 단어는 '웬일'이다. '왠일'은 '웬일'의 방언으로 올바른 표준어 표기가 아니다.

어휘력 키우기 본문 084쪽

01 ② 02 ③

01 한글 자음과 모음의 기본자는 발음 기관의 움직임이나 모양, 그리고 하늘, 땅, 사람의 모양을 상형하여 만들었다.

02 '미쁘다'는 믿음성이 있다는 뜻이므로 제시된 문장에서는 긍정 표현과 어울려 쓰여야 한다.

시험에 나오는 대단원 문제

본문 085~088쪽

01 ② **02** 기본자에 획을 하나씩 더할 때마다 소리가 더 세지는 특성이 있다. **03** ③ **04** ④ **05** ① **06** ⑤ **07** ⑤ **08** 하나의 모음자가 한 가지 소리로만 발음된다. **09** ③ **10** ① **11** ④ **12** ⑤ **13** ④ **14** ③ **15** ④ **16** 발음: [모의고사를 보기 전 주의 사항], [모이고사를 보기 전 주의 사항], [모의고사를 보기 전 주이 사항], [모이고사를 보기 전 주이 사항] / 이유: 단어의 첫음절 이외의 '의'는 [ㅢ]와 [ㅣ]로 모두 발음이 가능하기 때문이다. **17** ⑤ **18** ① **19** ③ **20** '안'은 '아니'가 줄어든 말이고, '않'은 '아니하-'가 줄어든 말이다. **21** ③ **22** ④ **23** ② **24** ②

01 한글 창제 이전에는 우리말을 표기하는 글자가 없어서 중국의 글자인 한자를 빌려 썼다.

02 서술형 기본자에 획을 하나씩 더해서 글자를 만드는 방법을 가획의 원리라 하는데, 획을 하나씩 더할 때마다 소리가 더 세지는 특성이 있다.

03 'ㅑ, ㅕ'는 초출자 'ㅏ, ㅓ'와 기본자 'ㆍ'를 합성하여 만든 재출자이다.

04 혀뿌리가 목구멍을 막는 모양을 본떠 'ㄱ'을, 혀가 윗잇몸에 붙는 모양을 본떠 'ㄴ'을, 입의 모양을 본떠 'ㅁ'을, 이의 모양을 본떠 'ㅅ'을, 목구멍의 모양을 본떠 'ㅇ'을 만들었다.

05 'ㄲ'은 'ㄱ'을 옆으로 나란히 쓰는 방법에 따라 만든 글자이다.

06 모아쓰기는 사람이 실제 말을 할 때 음절 단위로 발음한다는 것을 고려하여 자음과 모음을 합쳐 쓰는 방법이다.

07 한글의 우수성을 알리는 방법으로는 누리 소통망에 한글을 소재로 한 예술 작품을 소개하거나 한글의 가치를 알리는 글을 쓰는 것 등이 있다.

08 서술형 제시된 표에서 한글 모음자 'ㅏ'는 하나의 소리로 발음되지만 로마자 'a'는 네 가지로 발음된다.

09 한글이 창제된 후, 우리나라 국민이면 대부분 한글로 읽고 쓰는 문자 생활을 하게 되었다고 하였다. 그리고 과학적이고 실용적인 한글의 특성이 현대의 정보화 사회에서 유리하게 작용할 수 있다고 하였다.

10 ⓐ [키읔], ⓑ [묻], ⓒ [옫], ⓓ [빋따], ⓔ [압]으로 발음한다.

11 ① [넉], ② [갑], ③ [골], ④ [흑], ⑤ [할따]로 발음한다. ④는 겹받침 중 두 번째 받침의 대표음으로 발음하고, 나머지는 겹받침 중 첫 번째 받침의 대표음으로 발음한다.

12 'ㄼ'은 겹받침 중에서 첫 번째 받침의 대표음인 [ㄹ]로 발음된다. 다만, '밟-'은 자음 앞에서 [밥]으로 발음한다. 그러므로 〈보기〉의 단어는 '밟다[밥:따]', '넓다[널따]', '짧다[짤따]', '여덟[여덜]'로 발음한다.

13 겹받침 'ㄺ'은 두 번째 받침의 대표음인 [ㄱ]으로 발음하나, 용언의 어간 끝소리에 오는 'ㄺ'의 뒤에 'ㄱ'이 오는 경우에는 [ㄹ]로 발음한다. '묽다'는 용언 어간의 끝소리 'ㄺ' 뒤에 'ㄷ'이 오므로 [묵따]라고 발음해야 한다.

14 '낮과'는 '낮'의 'ㅈ' 받침이 대표음인 [ㄷ]으로 발음된다. 그리고 [ㄱ, ㄷ, ㅂ]으로 발음되는 받침의 뒤에 오는 자음 'ㄱ'이 된소리로 변하여 [낟꽈]로 발음된다.

오답 풀이 ① [꼬츨], ② [다밈], ④ [점:꼬], ⑤ [무르플]

15 받침 'ㅎ'은 모음으로 시작되는 어미 앞에서 발음되지 않으므로 '낳아'는 [나아]로 발음한다.

16 고난도 서술형 '모의고사'와 '주의'는 단어의 첫음절 이외에 '의'가 사용된 단어이다. 그러므로 [ㅢ] 이외에 [ㅣ]로도 발음함을 허용한다.

평가 목표	이중 모음 'ㅢ'의 발음 원칙 파악하기
채점 기준	✔ 제시된 말의 발음과 그 이유를 〈조건〉에 맞게 쓴 경우 [상] ✔ 제시된 말의 발음과 그 이유를 〈조건〉 중 하나만 맞게 쓴 경우 [중] ✔ 제시된 말의 발음과 그 이유를 〈조건〉에 맞게 쓰지 못한 경우 [하]

17 〈보기〉에서 알 수 있듯이 우리말은 표기와 소리가 일치하지 않는 경우도 있다. 그래서 표준어를 소리 나는 대로만 쓰면 의미가 명확히 전달되지 않아 의사소통에 불편함이 생긴다. 따라서 한글 맞춤법에 표준어를 소리대로 적되 어법에 맞게 쓴다는 원칙을 추가한 것이다.

18 ① [한:글], ② [책쌍], ③ [널비], ④ [외골/웨골], ⑤ [맏찝]으로 발음한다. 그러므로 표기와 발음이 일치하는 것은 ①이다.

19 '어떻게'는 '의견, 성질, 형편, 상태 따위가 어찌 되어 있다.'는 의미의 '어떻다'에 어미 '-게'를 붙인 것이므로 맞는 표기이다. '어떡해'는 '어떻게 해'를 줄인 말이므로 '어떡해'로 표기하는 것이 적절하다.

20 서술형 '안'은 용언 앞에 쓰여 부정이나 반대의 뜻을 나타내는 말인 '아니'의 준말이고, '않다'는 앞말의 뜻을 부정하는 의미를 지닌 '아니하다'가 줄어든 말이다.

21 ③의 밑줄 친 단어는 '쏘거나 던지거나 하여 물체가 어떤 물체에 닿게 한다.'는 의미의 '맞힌다'로 써야 한다. '마치다'는 '어떤 일이나 과정, 절차 따위가 끝나다.'는 의미이므로 ③에 쓰기에 적절한 단어가 아니다.

22 '되-' 뒤에 '-어'가 붙었을 때는 줄여서 '돼'로 써야 한다. 따라서 ④의 '됬습니다'는 '되었습니다'를 줄인 '됐습니다'로 고쳐야 한다.

23 ⓑ '떡볶이'가 올바른 표기이다.

24 의문을 나타내는 어미 '-(으)ㄹ까'는 된소리로 적어야 한다. 따라서 예사소리로 적어야 하는 어미의 예가 들어갈 빈칸에 넣기에는 적절하지 않다.

3 매체로 보는 세상

(1) 매체의 표현과 그 의도

간단 체크 개념 문제 본문 092쪽

1 (1) ○ (2) ○ (3) × **2** 인터넷 **3** ④

1 (3) 인터넷 매체는 문자, 시각 자료, 동영상 자료 등 다양한 형태의 자료를 사용한다.

2 인터넷 매체의 종류에는 온라인 대화, 블로그와 댓글, 전자우편, 문자 메시지 등이 있다. 인터넷 매체는 일대일 또는 일대다의 방식으로 정보를 교환하며, 정보가 그물망처럼 얽혀 있어 정보를 자유롭게 찾을 수 있다는 특징이 있다.

3 익명성이 보장되는 가상 공간 내에서 다양한 방식으로 특정인을 괴롭히는 행위를 '사이버 불링(cyber bullying)'이라고 한다.

학습 활동 본문 093~099쪽

이해 문장, 스마트폰, 합병증, 그래프, 동영상
적용 가상 공간, 익명성, 모양

학습콕 본문 093~099쪽

093쪽 사진, 의문문
097쪽 그림, 신뢰도, 동영상

간단 체크 활동 문제 본문 093~099쪽

093쪽	**01** ①	**02** ①
094쪽	**03** ①	**04** 그림, 시각
095쪽	**05** 검사 표	**06** ③
096쪽	**07** ②	**08** ⑤
097쪽	**09** ⑤	**10** 카드 뉴스
098쪽	**11** ④	**12** ③
099쪽	**13** ①, ④	**14** 이동 통신

01 이 광고문은 인상적인 광고 문구와 사진을 활용하여 '스마트폰 중독'을 경고하고 있다.

02 이 광고문에서는 사람과 스마트폰이 서로를 잡고 있는 사진을 사용하여, 스마트폰 중독의 위험성을 경고하는 제작 의도를 명확하게 나타내고 있다.

03 이 글은 인터넷 매체 중에서 블로그를 활용하여 스마트폰 노안에 대한 정보를 제공하고 있다.

04 ㉠은 스마트폰을 과도하게 사용하여 눈이 나빠진 사람을 그림으로 제시하고 있다. 이를 통해 글쓴이는 글의 도입부에서 자신이 제시하는 문제 상황을 시각적으로 보여 주면서, 읽는 이의 흥미를 높이려 하고 있다.

05 '나도 스마트폰 노안일까?'에서는 스마트폰 노안 증상을 진단할 수 있는 검사 표를 제시하여, 이 블로그 글을 읽는 이가 자신의 눈 건강을 돌아보게 하면서, 스마트폰 노안의 치료와 예방법에 관심을 갖도록 유도하고 있다.

06 ㉡에서 글쓴이는 다음에 연재할 내용을 예고하고 있다. 이를 통해 블로그는 글쓴이가 설명하려는 내용을 편하게 연재할 수 있는 특성이 있음을 알 수 있다.

오답 풀이 ① 블로그와 같은 인터넷 매체는 인터넷만 연결되어 있다면 언제 어디서든 정보 검색이 가능하며, 인터넷 속 정보는 그물망처럼 얽혀 있어 정보를 자유롭게 찾을 수 있다.
②, ④ 인터넷 매체의 특성으로 블로그에도 해당되는 내용이나, 다음에 연재할 내용을 예고한 ㉡과 직접적인 관련이 있지는 않다.
⑤ 그림, 그래프, 동영상 등 다양한 자료를 활용해 전문적인 내용을 설명한 이 글 전체에는 해당되는 내용이나, ㉡만으로 파악할 수 있는 특성은 아니다.

07 ㉠은 청소년의 스마트폰 과의존 비율이 높다는 사실을 보여 주는 그래프다. 따라서 이를 근거로 삼아 청소년들도 스마트폰 노안의 위험이 크다는 내용을 전달할 수 있다.

08 글쓴이는 의학 전문가와의 면담 내용, 과도한 스마트폰 사용으로 발생하는 여러 증상과 원인 등 전문적인 내용을 동영상으로 보여 주고 있다. 글쓴이는 이 동영상을 제시하여 스마트폰 노안의 위험성에 관해 읽는 이의 이해를 돕고, 그 내용의 신뢰도를 높이려고 한 것이다.

09 이 글의 예상 독자인 청소년들이 스마트폰이나 컴퓨터로 블로그 글을 많이 보기 때문에, 글쓴이는 청소년에게 쉽게 다가가기 위해서 블로그에 글을 쓴 것이다.

10 주요 쟁점을 그림이나 사진, 간략한 글로 제시한 것을 카드 뉴스라고 한다. 카드 뉴스는 스마트폰과 같은 이동 통신 기기에 맞춤화된 형식으로, 화면을 옆으로 밀어서 보는 방식이며 젊은 층에게 인기가 높다.

11 이 카드 뉴스는 사이버 불링에 관한 내용을 사진, 그림과 같은 시각 자료와 함께 제시하고 있을 뿐, 동영상 자료를 제시하고 있지는 않다.

오답 풀이 ① 카드 뉴스는 간략한 글을 사진, 그림과 같은 시각 자료에 얹어 제시한다.
②, ⑤ 이 카드 뉴스에서는 가상 공간에서 일어나는 사이버 불링이라는 문제의 심각성을 알리고 있다. 또한 마지막에 사이버 불링 피해자의 고통을 다시 한번 강조하면서, 가상 공간에서 예의를 지켜야 함을 당부하고 있다.
③ 카드 뉴스는 일반적인 장문의 기사와 달리, 스크롤바를 내리지 않고 화면을 옆으로 밀어서 보는 방식을 취하고 있다.

12 ㉠은 모니터 앞에 앉아 있는 사람들의 얼굴을 상자로 가리고, 가상 공간에서의 대화 상황을 그 위에 제시하고 있다. 이를 통해 익명성이 보장되는 가상 공간의 특성과 그 특성을 악용하는 사람들의 모습을 표현하고 있다.

13 ㉡은 가상 공간에서 예의를 지켜야 한다는 뉴스의 주제를 문장(글)으로 제시하고, 글자 모양과 굵기에 변화를 주어 읽는 이에게 강한 인상을 남기고 있다.

오답 풀이 ② 사람들의 대화 내용이 아니라 '키아라 나스티'가 예의를 지키라고 한 말을 인용하였다.
③, ⑤ '키아라 나스티'의 실제 사진이나 핵심 내용을 나타내는 그림을 제시한 것이 아니라 검은 바탕을 지운 듯한 흰색 공간에 '키아라 나스티'가 한 말을 제시하였다.

14 카드 뉴스는 짧은 글을 사진 여러 장에 얹어 사진을 한 장씩 넘겨 보는 형식으로, 화면을 옆으로 밀어 보는 것이 특징이다. 이를 통해 카드 뉴스가 이동 통신 맞춤형 뉴스임을 알 수 있다.

압축 파일

본문 100쪽

❶ 대구 ❷ 그래프 ❸ 인터넷 ❹ 시각 자료 ❺ 인상

시험에 나오는 소단원 문제

본문 101쪽

01 ⑤ **02** ② **03** 읽는 이의 흥미 **04** ⑤

01 (가)는 광고문, (나)는 블로그 글, (다)는 카드 뉴스이다. (가)는 인쇄 매체로 문자와 사진을 활용하고 있고, (나)와 (다)는 인터넷 매체로 문자와 함께 사진, 그림 등의 시각 자료를 활용하고 있다.

02 (가)는 '잡고'와 '잡혀'의 단어만 달리한 비슷한 구조의 두 문장을 강조함으로써, 스마트폰 중독의 위험성을 경고하는 내용을 전달하고 있다.

03 서술형 ㉠은 스마트폰을 과도하게 사용하여 눈이 나빠진 사람을 나타낸 그림이다. 글쓴이는 이를 통해 스마트폰 사용으로 발생하는 노안 증상을 시각적으로 보여 주어, 읽는 이로 하여금 흥미를 유발하고 있다.

04 ㉢에서는 비난하는 듯한 손 모양과 그 아래 괴로워하는 사람을 그림으로 표현하여, 사이버 불링이 주는 고통을 시각적으로 보여 주려는 의도가 나타난다.

오답 풀이 ① ㉡과 ㉢은 주요 쟁점을 그림이나 사진 등의 시각 자료와 간략한 글로 정리한 카드 뉴스이다.
② ㉡에는 키보드 위로 손 그림자가 나타나 있지만, 이것은 막 키보드로 글을 쓰려는 것을 암시할 뿐이다.
③ ㉡에서는 사이버 불링을 당한 대학생 ○○ 씨의 사례를 제시하고 있을 뿐, 사이버 불링의 개념 자체를 설명하려는 의도를 드러내고 있지는 않다.
④ ㉢은 비난하는 듯한 손 모양과 그 아래에서 괴로워하는 사람의 모습을 그림으로 표현하고 있다.

(2) 매체 자료의 효과

학습 활동

본문 102~109쪽

이해 동영상, 지역, 지진 피해, 불의 고리, 대처법

학습콕

본문 102~109쪽

107쪽 포스터, 사진, 지역

간단 체크 활동 문제

본문 102~109쪽

102쪽	01 ④	02 듣는 이, 내용
103쪽	03 ⑤	04 ①
104쪽	05 ①	06 ③
105쪽	07 ④	08 정보, 대처법
106쪽	09 ④	10 ②
107쪽	11 ⑤	12 ②
108쪽	13 ④	14 층간 소음, 배려
109쪽	15 ②	

01 이 강연에서는 강연자가 강연 중에 질문을 던져 듣는 이의 주의를 환기하고 있을 뿐, 듣는 이가 강연자에게 질문하고 있지는 않다.

오답 풀이 ①, ② 이 강연은 지진을 주요 소재로 삼아 지진에 관련된 다양한 정보와 지진 발생 시 대처법에 대해 설명하고 있다.
③ 이 강연에서는 사진, 동영상, 그림, 표 등의 다양한 매체를 활용하여, 듣는 이가 흥미를 느끼며 지진에 관련된 다양한 정보를 쉽게 이해할 수 있도록 하고 있다.
⑤ 이 강연에서 강연자는 자신의 딸이 영화를 보며 지진에 대해 보였던 반응을 소개하며 듣는 이의 주의 집중을 유도하고 있다.

02 (가)는 강연의 '처음' 부분으로 강연자는 자기를 소개하면서 듣는 이를 밝히고 있으며, '지진에 대한 다양한 정보와 지진이 일어났을 때의 대처 방안'이라는 강연 내용을 안내하고 있다.

03 (나)의 2~5번째 문장을 통해 지진이 발생하는 과정과 지진의 개념을, 2~3번째 문장을 통해 지층이 형성되는 과정을, 7~9번째 문장을 통해 지진이 발생하는 원인을 설명하고 있다. 그러나 지진이 발생하는 장소와 지진의 유형에 대해서는 설명하지 않았다.

04 ㉠은 네팔의 어느 마을이 지진으로 무너진 모습, 일본의 해안 마을이 해일에 휩쓸리는 모습을 담은 사진이다. 이 사진들을 통해 듣는 이는 지진 피해의 심각성을 생생하게 느낄 수 있다.

05 강연자는 듣는 이에게 ㉠과 같은 질문을 던짐으로써 듣는 이의 주의를 집중시키고 지진 피해의 심각성을 강조하고 있다.

06 (라)에서 강연자는 지진 발생 지역을 표시해 놓은 지도인 ㉡을 제시하면서, 지진이 자주 일어나거나 일어나기 쉬운 지역을 설명하고 있다.

07 이 강연에서 제시한 '장소에 따른 지진 대처법' 표는 실내와 실외에 있을 때의 지진 대처법을 명확하게 구별할 수 있게 해 준다.

오답 풀이 ① 표에서 지진 대피 요령을 설명하고 있기는 하지만, 이 대피 요령은 지진의 강도에 따른 것이 아니라 장소에 따른 것이다.
② 표에서는 지진 발생 시 어떻게 대피해야 할지 제시하고 있으나, 어떻게 대피소를 찾는지는 제시하고 있지 않다.

③ 표에서는 지진 발생 후에 대피하는 방법을 설명하고 있을 뿐, 그 상황을 체험하게 하지는 않는다.
⑤ 표는 지진 발생 시 대처법을 안내하여 지진으로 입을 수 있는 피해를 줄일 수 있도록 하고 있으나, 지진 때문에 일어나는 경제적 피해를 줄이는 방안을 제시하고 있지는 않다.

08 이 강연은 '지진의 개념과 발생 원인', '지진 피해 사례', '지진이 자주 발생하는 지역' 등 지진에 관한 다양한 정보와 지진 발생 시 대처법을 소개하고 있다.

09 이 강연의 '가운데' 부분에서는 '처음' 부분에 제시한 강연 순서에 따라, 지진에 관한 다양한 정보를 듣는 이에게 체계적으로 설명하고 있다.

10 이 강연에서 그림은 세계의 지진대를 나타낸 것으로, 지진이 자주 발생하는 지역에 대한 이해를 돕고 있다. 대상을 체계적으로 구조화하여 대상의 양상 및 변화 과정을 잘 나타내는 것은 표나 그래프에 해당한다.

오답 풀이 ① 동영상은 지진의 발생 과정을 생생하게 보여 줌으로써 듣는 이가 내용을 쉽게 이해할 수 있도록 돕고 있다.
③ 강연을 시작하는 부분에 제시된 영화 포스터는 강연 주제인 지진에 관해 듣는 이가 관심을 기울이게 하고 있다.
④ 지진 피해를 입은 네팔과 일본의 마을을 제시한 사진은 지진 피해를 시각적으로 나타내어 그 참혹함과 심각성을 실감 나게 느끼게 한다.
⑤ 이 강연에 활용한 다양한 매체는 강연 내용에 대한 이해를 도우며, 듣는 이의 주의를 끄는 효과가 있다.

11 (가)와 (나)는 모두 지진 대처법을 보여 주고 있으며(ㄷ), 이를 실내와 실외에 있을 때로 나누어 제시하고 있다(ㄹ). 다만 (가)는 그 정보를 표로 정리하여 전달하고 있고, (나)는 그림으로 그려 전달하고 있다.

12 지진을 직접 체험해 보고 대비할 수 있는 지진 체험관에 대한 정보는 이 강연의 내용을 이해하는 데 도움이 될 수 있다. 그러나 지진 체험관의 위치는 그래프가 아닌, 지도나 표를 통해 제시하는 것이 적절하다. 그래프는 어떤 대상을 체계적으로 구조화하거나, 대상의 양상 및 변화 과정을 나타내는 데 적합한 매체 자료이다.

오답 풀이 ① 지진 피해의 심각성을 깨닫는 데 도움이 될 자료이다.
③, ④, ⑤ 우리나라도 지진에 안전하지 않음을 알게 해 주는 자료들로, 이를 통해 지진에 대비해야 하는 이유를 깊이 이해하고, 지진 대처법을 익힐 필요성을 깨닫게 할 수 있다.

13 (가)는 우리나라 1인 가구의 증가 실태를 나타낸 그래프이고, (나)는 환경 오염의 심각성을 보여 주는 사진이다. 그리고 (다)는 층간 소음 문제를 표현한 그림이다. 이를 통해 (가)~(다)는 현재 우리 사회에서 나타나는 현상과 문제를 다룬 자료임을 알 수 있다.

14 ㉠은 아래층과 위층의 층간 소음 문제를 그림으로 표현한 자료이다. 층간 소음 문제를 해결하기 위해서는 이웃을 배려하는 마음과 법적 규제가 필요할 것이다.

15 '대기 오염'을 주제로 발표를 할 때 현재 대기 오염의 상태가 어떠한지 그 현황을 그래프로 보여 줄 수 있다(ㄱ). 그리고 대기 오염의 원인 중 미세 먼지로 발생하는 질환을 동영상을 활용하여 소개할 수 있다(ㄹ).

압축 파일

본문 110쪽

❶ 자기소개 ❷ 정보 ❸ 과정 ❹ 지진대 ❺ 동영상 ❻ 목적

시험에 나오는 소단원 문제

본문 111쪽

01 ① **02** ① **03** ② **04** 지진이 발생하는 원인

01 이 말하기의 갈래는 강연이다. 강연은 강연자가 일정한 주제에 대한 내용을 듣는 이에게 체계적으로 설명하여 이해시키는 것을 목적으로 하는 말하기이다.

오답 풀이 ② 찬성과 반대의 입장으로 나뉘는 논제에 대하여 각 토론자가 근거를 들어 자신의 주장이 옳음을 내세우는 말하기 방식은 토론이다.
③ 둘 이상의 사람이 모여 서로의 생각과 느낌을 표현하고 이해하는 말하기 방식은 대화이다.
④ 특정 인물이나 주제에 대해 정보를 수집하기 위하여 면담자와 면담 대상자가 주고받는 말하기 방식은 면담이다.
⑤ 공동의 문제에 대해 최선의 해결 방안을 얻기 위해서 여러 사람이 의견을 나누면서 협력하여 문제를 해결하는 말하기 방식은 토의이다.

02 (라)에서 강연자는 이 강연을 통해 지진이 무엇인지 알 수 있으며, 지진이 발생하더라도 현명하게 대처할 수 있을 것이라고 하였다. 이를 통해 이 강연에서는 지진의 개념(ㄴ)과 지진 발생 시 대처법(ㄱ) 등에 대해 설명했을 것이라고 유추할 수 있다.

오답 풀이 ㄷ. (라)에서 지진 관련 영화에 대해서는 더 언급하지 않았으므로 추측할 수 없는 내용이다.
ㄹ. (가)에서 강연자가 소방서에 근무하는 사람이라는 것을 알 수 있을 뿐, (라)를 통해서는 추측할 수 없는 내용이다.

03 ㉠은 지진을 소재로 한 영화의 포스터로, 강연자는 이 포스터를 제시하여 강연 주제인 지진에 관한 듣는 이의 관심을 유도하고 있다.

04 서술형 (다)에서 강연자는 지진이 발생하는 원인을 자세히 살펴보기 위해 동영상을 보자고 하였다. 동영상을 본 후에 강연자는 지구 내부의 커다란 힘, 화산 활동 등으로 지진이 일어난다며 지진의 발생 원인을 정리하고 있다.

어휘력 키우기

본문 112쪽

01 ①

01 '한참'은 '시간이 상당히 지나는 동안'이라는 뜻이므로 ①의 쓰임은 바르지 않다. ①에는 '어떤 일이 가장 활기 있고 왕성하게 일어나는 때'인 '한창'을 쓰는 것이 적절하다.

시험에 나오는 대단원 문제

본문 113~116쪽

01 ④ **02** ② **03** ③ **04** 실제 인물의 사진을 제시하고 그 인물이 겪은 사건을 문장으로 표현하여, 읽는 이의 흥미와 내용의 신뢰도를 높이려 하였다. **05** ③ **06** 사진 **07** ④ **08** ④ **09** ⑤ **10** 지진이 자주 발생하는 지역 **11** ① **12** ③ **13** ⑤ **14** ③ **15** ③

01 매체에 담긴 정보를 수용할 때 그 매체에 사용된 표현 방법을 파악하되, 같은 종류끼리 묶어서 정보를 파악할 필요는 없다.

02 (나)에서는 스마트폰 노안 환자의 대부분이 젊은 세대라 증상을 자각하지 못하여 상황을 악화시킨다는 점, 스마트폰 노안에 여러 합병증이 뒤따른다는 점을 근거로 스마트폰 노안의 위험성을 밝히고 있다.

03 ㉡에서 의학과 관련된 전문적인 내용을 제시한다고 하였으므로, ㉡에는 스마트폰 노안에 뒤따르는 다양한 합병증에 관한 의학 전문가의 의견이 담겨 있을 것이다.

04 고난도 서술형 ㉢에서는 사이버 불링을 당한 이탈리아 모델의 실제 사진과 그 모델이 겪은 사건의 내용을 문장으로 제시하였다. 이러한 사진과 문장을 통해 글쓴이는 읽는 이의 흥미를 높이고, 전달하려는 내용에 대한 신뢰도를 높이고자 한 것이다.

평가 목표	카드 뉴스에 사용된 표현 방법과 그 의도 파악하기
채점 기준	✔ ㉢에 사용된 표현 방법과 그 의도를 〈조건〉에 맞게 쓴 경우 [상] ✔ ㉢에 사용된 표현 방법과 그 의도를 썼으나, 〈조건〉에 맞지 않은 경우 [중] ✔ ㉢에 사용된 표현 방법과 그 의도를 썼으나, 서술이 미흡하고 〈조건〉에 맞지 않은 경우 [하]

05 (나)의 마지막 부분을 보면, 스마트폰 노안의 치료와 예방법에 관한 내용은 (나)에 연재되는 다음 글에 제시될 것임을 알 수 있다.

오답 풀이 ① (가)에서는 '나이를 먹으면서 가까운 곳의 사물이나 글씨가 잘 보이지 않는 증세'라고 노안의 개념을 설명하고 있다. 그리고 이러한 증상이 스마트폰을 자주, 오래 사용하는 젊은 세대에게 많이 나타난다고 하며, 스마트폰 노안에 대해 설명하고 있다.
② (가)에서는 청소년의 스마트폰 과의존 위험군 비율이 높다고 하면서, 청소년들도 스마트폰 노안에 걸릴 위험이 크다고 강조하고 있다.
④ (나)에서는 스마트폰 노안 증상을 진단할 수 있는 검사 표를 제시하면서, 스마트폰 노안의 치료와 예방의 필요성을 강조하고 있다.
⑤ (다)의 왼쪽 카드에서는 익명성이 보장되는 가상 공간의 특성을 제시하면서, 이러한 특성 때문에 사이버 불링이 가볍게 여겨지고 있다고 설명하고 있다.

06 서술형 카드 뉴스는 주요 쟁점을 시각 자료와 간략한 글로 정리한 것으로, 짧은 글을 사진 여러 장에 얹어서 구성하므로 화면을 옆으로 밀어 보는 것이 특징이다.

07 ㉠에서는 재미있다는 까닭으로 '엽사'가 공유되는 상황을 대화로 재구성하여 보여 주고 있다. 이는 우리가 무심코 저지를 수 있는 사이버 불링의 사례를 제시한 것이다.

오답 풀이 ① ㉠ 하단에 '엽사'의 구체적인 개념 정의가 나타나 있을 뿐, 사이버 불링 자체의 개념이 구체적으로 정의되어 있지는 않다.
② 사진과 그림으로 가상 공간의 익명성을 표현한 것은 ㉠이 아니라 왼쪽의 카드이다. 왼쪽 카드에서는 상자로 얼굴을 가린 사람들의 사진과 그들의 대화 상황을 그림으로 제시함으로써, 익명성이 보장되는 가상 공간의 특성을 나타내고 있다.
③ ㉠에서는 상대방이 원하지 않는 사진이나 동영상을 유포하는 것도 사이버 불링에 속한다는 점을 밝히고 있을 뿐, 카드 뉴스 전체의 주제를 압축하여 제시하고 있지는 않다.
⑤ ㉠의 대화에서 사이버 불링을 당하는 피해자의 곤란한 심정이 나타나기는 하지만, 그 고통을 시각적으로 드러내는 사진을 제시하고 있지는 않다.

08 매체 자료의 효과는 강연자가 아니라 강연 내용과 방식에 따라 달라진다.

09 (나)에서 지진이 발생하면 땅이 뒤틀리면서 지상 및 지하 구조물이 붕괴된다고 하였다.

10 서술형 (다)에서는 세계의 지진대 그림을 제시하면서 지진이 자주 발생하는 지역에 대해 설명하고 있다.

11 ㉠은 지진 피해를 입은 네팔과 일본 마을의 모습을 보여 주는 사진으로, 이를 통해 지진 피해의 심각성을 실감 나게 느끼게 한다.

오답 풀이 ② ㉠은 지진의 피해를 입은 네팔의 어느 마을과, 일본의 해안 마을을 보여 주고 있으므로 이 사진을 통해 지진 피해의 심각성을 생생하게 느낄 수 있다.
③ ㉡의 태평양을 중심으로 한 '불의 고리'를 지도에서 확인할 수 있어 듣는 이의 이해를 도울 수 있다.
④ ㉡은 지진이 자주 일어나는 지역을 세계 지도에 표시하여 한눈에 보여 주는 자료이다.
⑤ ㉠의 사진과 ㉡의 지도는 모두 시각적으로 듣는 이에게 정보를 제공하며 흥미를 이끌어 낸다.

12 (나)는 스마트폰 노안에 관한 내용을 담은 블로그 글로, 블로그는 인터넷 환경만 갖추면 쉽게 접할 수 있는 인터넷 매체에 해당한다.

13 제시된 그래프는 다른 세대에 비해 청소년들의 스마트폰 과의존 위험군 비율이 높음을 보여 주고 있다. 따라서 이 그래프를 (나)에 제시할 경우, 청소년들이 스마트폰 노안에 걸릴 가능성이 크다는 것을 강조할 수 있다.

14 ㉠은 중학생의 말을 인용하여 노안에 대해 설명하고, 화제를 이끌어 내는 역할을 한다.

15 ㉡과 같은 동영상 매체는 상황이나 사건, 대상의 움직임을 실감 나게 보여 주는 특성이 있다. 따라서 자전거 조립 방법과 같이 과정을 상세하게 보여 주어야 하는 내용은 동영상으로 제시하는 것이 적절하다.

오답 풀이 ①, ② 대상의 모양, 위치 등 언어로 표현하기 어려운 내용을 시각적으로 보여 주는 그림이나 사진으로 표현하기에 적절하다.
④, ⑤ 대상을 체계적으로 구조화하거나, 대상의 양상 및 변화 과정을 나타내어 전체 내용을 한눈에 파악하도록 해 주는 표나 그래프로 표현하기에 적절하다.

4 새롭게 보고, 다양하게 표현하고

(1) 문학 작품의 재구성

간단 체크 개념 문제 본문 120쪽

1 재구성 **2** ① **3** (1) × (2) × (3) ○

1 문학 작품은 그 내용이나 형식, 매체 등을 바꾸어 새로운 작품으로 창작할 수 있는데, 이를 문학 작품의 '재구성'이라고 한다.

2 〈보기〉에서 재구성하려는 작품은 '흥부'를 긍정적으로, '놀부'를 부정적으로 평가하는 원작의 관점에 변화를 주고 있다.

3 (1) 재구성된 작품도 원작과 마찬가지로 독립된 작품으로서의 가치를 갖는다. (2) 고전 소설에 등장하는 인물은 대체로 처음부터 끝까지 성격이 변하지 않는다.

제재 ❶ 소설 춘향전

학습콕 본문 121~126쪽

125쪽	탐관오리, 절개, 암행어사, 반어적
126쪽	백년해로, 부부, 사랑, 절개

간단 체크 내용 문제 본문 121~126쪽

121쪽	**01** ④	**02** ③	
122쪽	**03** ④	**04** ①	
123쪽	**05** 눈치가 빠르다.	**06** ①	**07** ⑤
124쪽	**08** ③	**09** ①	
125쪽	**10** ④	**11** ④	**12** 봄바람에 핀 오얏꽃
126쪽	**13** ⑤	**14** ③	**15** 평등

01 (다)를 보면 '몽룡'은 '변학도'를 벌주러 와서도 서두르지 않고, 자신의 정체를 감춘 채 침착하게 행동한다.

02 (다)에서 '어사또'는 백성들의 곤궁한 삶은 돌보지 않고 요란한 잔치를 벌이는 수령들의 모습에 마음이 심란했다.

03 서술자가 작품에 개입하여 인물과 사건에 대한 자기 생각과 판단을 직접적으로 드러내는 것을 '편집자적 논평'이라고 한다. ㉠은 초라한 상을 받은 '어사또'의 분한 마음을 서술자가 표현한 것일 뿐, 생일잔치를 비난하는 내용으로 볼 수 없다.

04 (바)의 시에는 백성들의 삶을 힘들게 하는 탐관오리의 횡포를 비판하는 내용이 나타나 있다. '가렴주구(苛斂誅求)'는 '세금을 가혹하게 거두어들이고, 무리하게 재물을 빼앗음.'을 뜻하는 말로, 백성들이 살아가기 힘들 정도로 관리들이 수탈하고 있음을 의미한다.

오답 풀이 ② '속수무책(束手無策)'은 '손을 묶은 것처럼 어찌할 도리가 없어 꼼짝 못 함.'을 뜻한다.

③ '오합지졸(烏合之卒)'은 '까마귀가 모인 것처럼 질서가 없이 모인 병졸이라는 뜻으로, 임시로 모여들어서 규율이 없고 무질서한 병졸 또는 군중을 이르는 말'이다.

④ '진퇴양난(進退兩難)'은 '이러지도 저러지도 못하는 어려운 처지'를 뜻한다.

⑤ '함흥차사(咸興差使)'는 '심부름을 가서 오지 아니하거나 늦게 온 사람을 이르는 말'이다.

05 (사)에서 '운봉'은 '어사또'의 시를 듣자마자 어사출두를 예감하고 여러 관리들을 불러 단속하는 모습을 보이고 있다. 이를 통해 '운봉'이 눈치가 빠른 성격임을 알 수 있다.

06 ㉡ 이후 서리와 역졸은 서로 신호를 교환하며 어사출두를 준비하고, 잠시 후에 암행어사 출두를 알린다. 따라서 ㉡에는 어사출두를 준비하라는 뜻이 담겼다고 볼 수 있다.

07 ㉢은 '마패'를 '햇빛'과 '달'에 비유하여, 탐관오리에게 고통 받는 백성들의 삶이 밝아지고 '춘향'이 광명을 찾을 것임을 암시하고 있다. 따라서 ㉢이 '어사또'가 '춘향'을 만나 자신에 대한 '춘향'의 절개를 시험할 것임을 암시한다고는 볼 수 없다.

08 (차)에서는 체면을 중시하는 지배 계층이 어사출두에 놀라 허둥대는 모습을 희화화하여 표현하고 있다.

오답 풀이 ① (차)에서 관리들은 허세를 부리거나 체면을 차리지 않고, 엉뚱한 것을 들고 허둥대며 도망치려 하고 있다.
②, ⑤ (차)에서 관리들은 허둥지둥하면서 그 자리를 빠져나가려고 애쓰고 있지만, 침울해하거나 침착한 대응을 하고 있지 않다.
④ (차)에서 관리들은 어사출두 이후 자신들의 잘못을 인정하고 벌을 받으려 하기보다는 달아나는 데 급급한 모습을 보이고 있다.

09 '어사또'는 자신을 향한 '춘향'의 마음이 변하지 않았음을 확인하고 싶어서 ㉠과 같이 말하며 '춘향'을 떠보고 있다.

10 (파)에서 '춘향'은 '어사또'의 부당한 요구에도 자신의 의사를 분명히 밝히며 당차고 의지가 강한 모습을 보이고 있다.

11 ㉡은 '춘향'이 어사또가 되어 자신 앞에 나타난 '몽룡'을 확인하는 장면으로, 갈등이 모두 해소되면서 극적 반전이 이루어지는 부분이다.

12 (하)에서 '춘향'은 자신을 '낙엽'처럼 질 위기로 몰아넣은 '변학도'의 횡포를 '가을'로, 어사또가 되어 자신을 살린 '몽룡'을 '봄바람에 핀 오얏꽃'으로 표현하였다.

13 ㉠은 서술자가 작품에 개입하여 인물과 사건에 대한 자기 생각과 판단을 직접 드러내는 편집자적 논평에 해당한다.

14 '정렬부인'은 조선 시대에, 절개를 지킨 부인에게 나라에서 내리는 명예로운 호칭이다. 따라서 '춘향'에게 내린 '정렬부인'이라는 호칭은 '모든 사람에게 칭송을 받을 만한 절개를 지닌 사람'을 기린다고 짐작할 수 있다.

15 「춘향전」은 신분제 사회였던 조선 시대를 배경으로 기생의 딸인 '춘향'과 양반인 '몽룡'이 혼인하는 내용을 담았는데, 이는 당시 백성들이 갈망했던 평등한 사회에 대한 요구를 반영한 것이라고 할 수 있다.

간단 체크 어휘 문제 본문 121~126쪽

121쪽 (1) 사령 (2) 차일
122쪽 (1) 거동 (2) 운자 (3) 남루하나
124쪽 (1) × (2) ○ (3) ×

제재 ❷ 만화 춘향전

학습콕 본문 127~135쪽

135쪽 크기, 하늘, 그림, 역동적, 재회, 느낌, 요약, 생략

간단 체크 내용 문제 본문 127~135쪽

127쪽 **01** 만화 **02** ④ **03** ④
128쪽 **04** ④ **05** ⑤ **06** 살금살금, 쓱
129쪽 **07** ② **08** 극대화 **09** ⑤
130쪽 **10** ③
131쪽 **11** ① **12** 탐관오리를 벌한다.
132쪽 **13** ① **14** ⑤ **15** ⑤
133쪽 **16** ② **17** ④
134쪽 **18** ③ **19** ⑤ **20** 행복한 결말
135쪽 **21** ④ **22** ④

01 만화는 '칸'을 기본 단위로 하여, 그 안에 여러 장면을 나누어 이야기를 전개하는 갈래이다. 보통 상황은 그림으로 표현하고, 등장인물의 대사나 심리는 말풍선으로 나타낸다.

02 ㉠은 일반 대화를 나타내는 둥근 모양의 말풍선과 달리, 날카롭고 비죽비죽한 모양의 말풍선을 사용하여 큰 소리임을 표현하고 있다.

03 이 작품은 글로 표현한 원작 소설을 만화로 재구성한 것으로, 소설의 내용을 그림과 말풍선 등으로 표현하였다.

04 만화는 글로 제시되는 소설과 달리 인물의 표정과 행동이 그림으로 표현되어, 인물의 표정과 행동을 생생하게 느낄 수 있다.

오답 풀이 ①, ② 소설과 만화는 모두 인물의 대사와 인물의 심리가 표현되며, 만화에서는 인물의 대사가 말풍선 안에 시각적으로 제시된다. 또한 만화에서는 인물의 심리가 대사뿐 아니라 인물의 표정과 행동 묘사를 통해 소설보다 직접적으로 제시되는 경향이 있다.
③ 소설과 만화 모두 이야기 속에 인물 간의 갈등이 표현되며, 어느 갈래가 인물 갈등이 더 효과적으로 나타난다고 말하기 어렵다.
⑤ 인물이 처한 상황이 줄글로 구체적으로 서술되는 갈래는 소설에 해당한다.

05 ㉠의 느낌표는 '몽룡'의 시를 들은 사람들이 그가 심상치 않은 인물이라는 것을 짐작하고 놀랐음을 표현한 것이다.

06 '살금살금', '쓱'은 걸인의 시를 듣고 그가 심상치 않은 인물임을 알아챈 사람들이 눈치를 살피며 자리를 피하는 모습을 표현한 의성어와 의태어이다.

07 ㉢에서 '변학도'는 혼자만 '어사또'의 정체를 눈치채지 못하고 여전히 술주정만 하고 있다. 이를 통해 '변학도'가 신경이 무디고 눈치가 없다는 것을 알 수 있다.

08 만화에서는 장면을 극대화하기 위해 특정한 부분에서 ㉣과 ㉤처럼 말풍선에 들어가는 글자의 모양을 바꾸거나, 글자와 말풍선의 크기를 크게 하여 표현한다.

09 마지막 칸은 '몽룡'이 "암행어사 출두야!"를 외침으로써, 핵심이 되는 사건과 이야기의 반전이 나타나는 부분이다. 이를 통해 잔치 분위기를 전환하고 읽는 이의 긴장감을 높일 수 있다.

10 [A]에서는 역졸들이 관아로 달려가 덮치는 모습을 그림으로 표현하여, 〈보기〉에 비해 상황을 더 역동적으로 전달할 수 있다.

오답 풀이 ①, ② 〈보기〉는 소설 속 암행어사 출두 장면을 글로 서술한 것이고, [A]는 이를 만화로 재구성하여 그 장면의 배경과 인물들의 행동이 그림으로 표현되어 있다. 즉, 〈보기〉와 [A]는 같은 장면을 갈래만 다르게 표현한 것이라고 할 수 있다.
④ 〈보기〉에서는 '산천초목인들 금수인들 아니 떨겠는가.'라는 설의적 표현을 사용하여, 암행어사의 출두 상황을 강조하고 있다.
⑤ 〈보기〉에서는 암행어사의 출두를 알리는 역졸들의 외침이 강산을 무너뜨리고 천지를 뒤집을 정도라고 표현하고 있다. 이를 통해 그들의 외침을 매우 과장되게 나타내고 있다.

11 ㉠의 하늘만 그려 놓은 칸은 사건이 일단락되었음을 나타내는 것이다. 즉, 암행어사 출두로 시끌벅적했던 상황이 정리되었음을 보여 준다.

12 암행어사가 ㉡과 같이 '본관 사또'를 봉고파직한 것은 백성들의 삶을 힘들게 한 탐관오리에게 벌을 내린 것이다.

13 ㉠은 '어사또'가 자신의 정체를 감추고 '춘향'의 마음을 떠보려고 던진 질문이다. 특히 이 내용을 눈에 띄는 글자체로 바꾸어서 이러한 '어사또'의 의도를 강조하고 있다.

14 ㉡은 탐관오리를 감찰하러 온 '어사또'마저 '변학도'와 다름없이 수청을 강요하자, 어이없어하는 '춘향'의 심리를 강한 색과 날카로운 모양의 말풍선으로 강조한 것이다.

15 만화는 칸을 기본 단위로 이야기를 전개하는 갈래로, 내용의 중요도에 따라 칸의 크기와 모양을 조절하여 표현한다.

16 〈보기〉를 만화에서는 효과선을 넣어 표현하였다. 고개를 드는 '춘향'의 시선과 '몽룡'을 보고 놀란 '춘향'의 표정이 이를 통해 강조된다.

오답 풀이 ① 만화에서는 '몽룡'의 얼굴을 확인한 '춘향'의 놀란 표정이 표현되어 있지만, '춘향'의 속마음이 직접적으로 드러나 있지 않다.
③ 만화에서 '춘향'의 시선 변화는 효과선을 통해 표현된다.
④ 〈보기〉에서 '몽룡'의 얼굴을 확인한 '춘향'이 깜짝 놀라 눈을 질끈 감았다가 떴다고 표현하였고, 만화에서도 '춘향'이 놀란 표정으로 '몽룡'을 바라본다. 따라서 〈보기〉와 만화 모두 '춘향'이 '어사또'의 정체를 몰랐다는 사실을 알 수 있다.
⑤ 만화에서 '춘향'은 '어사또'의 정체가 '몽룡'이라는 것을 확인하고 놀라지만, 정체를 속인 '몽룡'에 대해 불쾌한 감정을 표현하지는 않았다.

17 '춘향'과 '몽룡'이 재회하는 장면은 기본 배경을 화려한 색으로 처리하고, 색이 퍼지는 듯한 효과를 주어 재회의 기쁨과 감동을 강조하고 있다.

18 '어사또'가 남원에서 일을 처리한 후에 '춘향 모녀'와 '향단이'를 서울로 데려간다는 내용을 요약하여 ㉠으로 제시하였다.

19 ㉡은 서술자가 개입하여 '춘향'과 '몽룡'을 바라보는 세상 사람들의 마음을 전달하는 부분이다.

20 이 작품은 원작 소설인 「춘향전」의 결말과 마찬가지로 시련을 겪던 '춘향'이 '몽룡'과 혼인하여 다복한 가정을 꾸리면서 백년해로를 한다는 내용으로 끝을 맺는다. 이처럼 결말 부분에서 인물들의 행복한 모습을 제시하는 것은 고전 소설의 특징 중 하나이다.

21 소설을 만화로 재구성하면 생동감 있는 표현과 시각적 효과로 읽는 이의 흥미를 끌 수 있으며, 칸과 칸 사이에 생략된 내용을 유추해 보는 재미를 느낄 수 있다.

22 만화에서는 그림을 통해 대사가 없는 장면도 표현할 수 있고(ㄴ), 다양한 시각적 정보를 통해 장면의 상황과 인물의 심리를 드러낼 수 있다(ㄹ).

학습 활동

본문 136~140쪽

이해 봉고파직, 절개, 탐관오리, 하늘, 크기
적용 신분 상승

간단 체크 활동 문제

본문 136~140쪽

136쪽	01 ③	02 '몽룡'을 향한 '춘향'의 지고지순한 사랑	
137쪽	03 ③	04 ⑤	
138쪽	05 ①	06 ④	07 사랑
139쪽	08 ③	09 ①	
140쪽	10 ②		

01 '변학도'가 봉고파직을 당한 이유는 '춘향'을 가두었기 때문이 아니라, 백성을 괴롭히고 수탈했기 때문이다.

02 이 작품은 '춘향'이 고난과 역경을 이겨 내고 '몽룡'과 사랑을 이루는 과정을 통해, '몽룡'을 향한 '춘향'의 지고지순한 사랑이라는 주제를 제시하고 있다.

03 만화에서 줄글은 내용을 압축적으로 전달하기에 적합하며, 장면의 극적인 효과를 높이기 위해서는 줄글보다는 그림이나 말풍선을 활용하는 것이 좋다.

04 ㉣에서는 암행어사가 입을 굳게 다물고 매섭게 정면을 바라보는 모습을 통해, '변학도'를 벌하는 상황의 엄숙한 분위기를 나타내었다.

오답 풀이 ① 만화에서는 암행어사가 출두한 장면을 양쪽에 걸쳐 크게 그려 내어 강조하였다.
② 만화의 암행어사 출두 장면에서는 역졸들이 관아를 덮치며 부패한 관리들을 잡는 모습을 역동적으로 그려 내었다.
③ 만화에서는 암행어사 출두 이후 놀란 마음으로 엉뚱한 행동을 하는 관리들의 모습을 우스꽝스럽게 표현하였다.
④ 만화에서는 ㉢처럼 하늘만 그려 놓은 칸으로 암행어사 출두 이후 상황이 한차례 정리되었음을 나타내었다.

05 일반적인 대사를 나타내는 둥근 모양의 말풍선과 달리, 날카롭고 비죽비죽 튀어나온 형태의 말풍선은 대사의 느낌을 더욱 강조하는 효과가 있다.

06 소설을 만화로 재구성할 때는, 내용의 흐름을 고려하여 시각화하지 않는 부분도 있다. 따라서 소설을 만화로 재구성한 작품을 감상할 때, 칸과 칸 사이에 생략된 내용을 유추하는 것도 새로운 재미를 느낄 수 있는 부분이다.

07 '춘향'과 '몽룡'의 아름다운 사랑 이야기를 담은 「춘향전」은 시대를 넘어서 많은 사람들의 공감을 불러일으키며 현재에도 꾸준히 재구성되고 있다.

08 이 노랫말 속 '춘향'은 원작과 마찬가지로 '몽룡'을 사랑해서 그를 간절히 기다리며, '변 사또'의 수청을 거절하다 고초를 겪었다. 그러나 원작과 달리 부귀영화를 위해 '변 사또'의 장점을 찾아보며 수청을 허락하려는 모습을 보인다.

09 ㉠의 '모질고도 모진 형벌'을 '꿋꿋이 견뎌 내'는 모습은 사랑하는 '몽룡'을 애처롭게 기다리고 있던 '춘향'의 모습이다. 따라서 ㉠은 절개를 버리고 실리를 추구하는 '춘향'의 면모와는 관련이 없다.

오답 풀이 ② '춘향'이 '몽룡'을 선택한 실리적인 이유가 나타난 부분이다. 이 노랫말에서 '춘향'은 팔자를 고치려는 의도로 '몽룡'을 선택했는데, 이는 원작에서 '몽룡'을 향한 지고지순한 사랑을 보여 주는 '춘향'의 모습과 대비된다.
③ 이 노랫말에서의 '살길'은 '변 사또'의 수청을 허락하여 부귀영화를 누리려는 것을 의미한다. 따라서 이 역시 실리를 추구하는 '춘향'의 모습이 나타난 부분이다.
④ 이 노랫말에서의 '효녀 춘향'은 홀로 계실 어머니를 위하여 '변 사또'의 수청을 허락하고 부귀영화를 누릴 수 있는 자신의 상황을 비유한 표현이다. 따라서 이 부분도 '열녀 춘향'과는 대비되어 실리를 추구하는 '춘향'의 모습이 나타난 것이다.
⑤ 이 노랫말에서 '춘향'의 선택이 명확히 드러난 부분이다. 원작의 '춘향'과 달리 '변 사또'의 수청을 허락하여 신분을 상승하면서 부귀영화를 누리려는 '춘향'의 실리적인 모습이 나타나 있다.

10 〈보기〉의 내용 중 원작과 달라진 것은 어떠한 사건을 계기로 '콩쥐'와 '팥쥐'가 사이가 좋아진 것이다. 〈보기〉의 이러한 결말은 자매 사이의 우애를 강조한 것이라고 볼 수 있다.

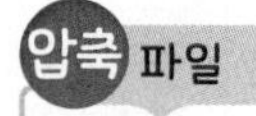

압축 파일

본문 141쪽

❶ 의태어 ❷ 말풍선 ❸ 직접적 ❹ 그림 ❺ 흥미
❻ 칸 ❼ 사랑 ❽ 공감

시험에 나오는 소단원 문제

본문 142~143쪽

01 ④, ⑤ **02** ③ **03** ④ **04** ① **05** ⑤ **06** '춘향'의 지조와 절개 **07** ⑤

01 (가)에서 시를 들은 사람들이 '!'로 반응한 것으로 보아, 이들은 시를 지은 걸인이 심상치 않은 인물임을 짐작하고 놀랐으며 좋지 않은 일이 생길 것 같은 불길한 느낌을 받았음을 알 수 있다.

02 〈보기〉에는 걸인의 정체를 눈치챈 사람들이 당황하여 자리를 피하는 모습이 나타난다. 〈보기〉에는 자리를 피하는 인물의 심리에 대한 설명이나 묘사가 나타나지 않으며, 인물들의 행동을 나타낸 그림과 짧은 대사로 상황을 표현하고 있다.

오답 풀이 ① (나)에서는 시를 듣고 '어사또'의 정체를 눈치챈 '운봉'이 주변을 단속하는 모습을 표현하고 있다. 그러나 〈보기〉에서는 '운봉'이라는 특정 인물을 내세우지 않고, 상황을 파악한 사람들이 눈치를 보며 자리를 피하는 모습을 그림으로 표현하고 있다.
②, ④ 〈보기〉에서는 걸인의 정체를 알아챈 사람들의 당황스럽고 긴장된 마음을, 땀을 흘리며 빨리 자리를 뜨려는 모습으로 그려 내었다.
⑤ 〈보기〉에서는 걸인이 '어사또'임을 알아챈 사람들이 눈치를 살피며 자리를 피하는 모습을 '살금살금', '쓱'과 같은 의성어와 의태어로 표현하였다.

03 (라)에는 체면을 중시하는 관리들이 엉뚱한 것을 들고 허둥대는 모습이 나타나 있으므로 우스꽝스럽게 표현하는 것이 적절하다.

04 (가)에는 절개를 지키는 '춘향'의 모습이 나타나므로, 이를 통해 드러나는 작품의 주제는 '몽룡'을 향한 '춘향'의 지고지순한 사랑이라고 할 수 있다.

오답 풀이 ②, ③ '춘향'과 '몽룡'의 사랑 이야기를 그린 「춘향전」은 인간의 보편적 정서인 '사랑'을 소재로 해서 시대를 넘어서서 많은 사람들의 공감을 불러일으킨다. 또한 다양한 관점에서 인물들을 재해석할 수 있어서 오늘날까지 다양한 갈래로 끊임없이 재구성되고 있다.
④ (가)~(나)는 원작 소설 「춘향전」을 만화로 재구성하면서, '칸'이라는 틀 안에 여러 장면을 나누어 그림과 말풍선 등을 사용하여 이야기를 전개하고 있다. 이처럼 소설을 다른 갈래로 재구성하면 그에 따라 표현 방식도 달라질 수 있다.
⑤ (다)에는 기생의 딸인 '춘향'과 양반인 '몽룡'이 부부의 연을 맺고 행복하게 사는 결말이 나타나 있다. 이 작품의 배경이 신분제 사회인 조선 후기임을 고려할 때, 이러한 결말에는 당대 백성들의 평등한 사회에 대한 소망이 담겨 있다고 해석할 수 있다.

05 (나)에서 기본 배경을 밝고 화려한 색으로 처리한 것은 '춘향'과 '몽룡'의 감격스러운 재회와 행복한 감정을 표현한 것이다.

06 서술형 ㉠과 ㉡은 시간이 지나도 변치 않는 것들로, '춘향'이 '몽룡'에 대한 자신의 굳은 지조와 절개를 비유한 표현이다.

07 〈보기〉의 '춘향'은 원작과 달리 절개보다 실리에 가치는 두는 모습을 보인다. '서희'도 거란과의 담판에서 명분을 주고 실제 이익을 얻었으므로, 〈보기〉의 '춘향'과 비슷한 인물이라고 할 수 있다.

(2) 효과적인 표현을 담은 글

학습 활동

본문 144~152쪽

이해 지혜, 관용 표현, 굴리다
적용 웃음, 재미

학습콕

본문 144~152쪽

146쪽 우리말, 재미
147쪽 관습적, 인상
149쪽 격언, 명언

간단 체크 활동 문제

본문 144~152쪽

144쪽	**01** ②	**02** ⑤	
145쪽	**03** ⑤	**04** ③	
146쪽	**05** ②	**06** ②	
147쪽	**07** 눈	**08** ③	**09** ③
148쪽	**10** ②	**11** ③	
149쪽	**12** ⑤	**13** ③	
150쪽	**14** ⑤	**15** ①	**16** 소파, 냉장고, 자동차
151쪽	**17** ④	**18** ④	
152쪽	**19** ②		

01 속담은 까마득한 옛날부터 우리 조상들이 터득해 온 지혜를 담고 있으며, 우리말의 고유한 표현이 잘 나타나 있다는 특징이 있다.

02 ⓑ는 ⓐ의 의미를 지닌 속담이다. 속담을 활용하면 전하려는 바를 간결하게 나타낼 수 있다.

03 〈보기〉에서 아이는 일의 질서와 차례를 무시하고, 성급한 태도를 보이고 있다. 그러나 ⑤는 교양이 있고 수양을 쌓은 사람일수록 겸손하고 남 앞에서 자기를 내세우려 하지 않는다는 의미로, 〈보기〉의 상황과는 어울리지 않는다.

오답 풀이 ①, ③ 모든 일에는 질서와 차례가 있는 법인데 일의 순서도 모르고 성급하게 덤빔.
② 빨리 결과를 얻으려고 성급히 굶.
④ 일에는 일정한 순서가 있고 때가 있는 것이므로, 아무리 급해도 순서를 밟아서 일해야 함.

04 〈보기〉는 서로 다투고 힘든 시간을 보낸 '민재'와 '영선'이 그 후 더 가까워진 과정을 담고 있다. 따라서 이 내용을 나타내기 위해서는 '어떤 시련을 겪은 뒤에 더 강해짐.'을 비유적으로 이르는 말인 ③을 활용할 수 있다.

오답 풀이 ① 쉬운 일이라도 협력하여 하면 훨씬 쉽다는 말
② 소를 도둑맞은 다음에서야 빈 외양간의 허물어진 데를 고치느라 수선을 떤다는 뜻으로, 일이 이미 잘못된 뒤에는 손을 써도 소용이 없음을 비꼬는 말
④ 부지런하고 꾸준히 노력하는 사람은 침체되지 않고 계속 발전한다는 말

⑤ 가늘게 내리는 비는 조금씩 젖어 들기 때문에 여간해서도 옷이 젖는 줄을 깨닫지 못한다는 뜻으로, 아무리 사소한 것이라도 그것이 거듭되면 무시하지 못할 정도로 크게 됨을 비유적으로 이르는 말

05 '파김치가 되다'는 '몹시 지쳐서 기운이 아주 느른하게 되다.'의 의미로, ②와 같이 피곤함을 느낄 수 있는 상황에서 쓰이는 것이 적절하다. ④에 쓰인 '파김치가 되다'는 관용 표현이 아닌, 문장 그대로의 직접적인 의미를 드러내므로 〈보기〉의 의미로 쓰였다고 보기 어렵다.

06 ⓐ는 관용 표현으로, '앞으로 해야 할 일들이 많이 남아 있다.'의 의미를 지닌다. 따라서 '거리'라는 의미와는 관련이 없다. 그러나 ⓑ는 문장 그대로 '가야 할 길이 멀다.'의 의미로, '거리'와 관련이 있다.

07 '눈을 붙이다'는 '잠을 자다.'의 의미, '눈이 높다'는 '정도 이상의 좋은 것만 찾는 버릇이 있다.'의 의미, '눈에 어리다'는 '어떤 모습이 잊히지 않고 머릿속에 뚜렷하게 떠오르다.'의 의미를 지닌 관용 표현이다. 따라서 빈칸에 공통적으로 들어갈 말은 '눈'이다.

08 '입을 맞추다'는 '서로의 말이 일치하도록 하다.'의 의미로, '그 일이 탄로 나지 않으려면 우리가 입을 맞춰야만 해.'와 같이 쓰이는 관용 표현이다.

오답 풀이 ① 시끄러운 소리나 자기에게 불리한 말을 하지 못하게 하다.
② 여러 사람이 같은 의견을 말하다.
④ 입맛에 맞다.
⑤ 가난하여 먹지 못하고 오랫동안 굶다.

09 '배를 내밀다'는 '남의 요구에 응하지 아니하고 버티다.' 또는 '자기밖에 없는 듯 몹시 우쭐거리다.'의 의미이다. 이는 '보다 먼 곳을 향해'라는 내용과도 어울리지 않지만, '오늘의 다짐'으로 쓰기에도 적절하지 않다.

오답 풀이 ① 귀를 기울이다: 남의 이야기나 의견에 관심을 가지고 주의를 모으다.
② 머리를 맞대다: 어떤 일을 의논하거나 결정하기 위하여 서로 마주 대하다.
④ 손을 내밀다: 도움, 간섭 따위의 행위가 어떤 곳에 미치게 하다.
⑤ 발을 디디다: 단체에 들어가거나 일의 계통에 참여하다.

10 ㄴ은 '우정', ㄹ은 '사랑'에 관한 격언과 명언이다. 나머지는 '도전, 노력'에 관한 것이다.

11 '영재'는 여행을 갈지 말지 망설이다가 시간을 낭비하고 말았다. 따라서 이러한 '영재'에게는 시간은 지체 없이 지나가므로 낭비하지 말라는 의미의 ③으로 조언할 수 있다.

오답 풀이 ① 실패와 성공에 관한 에디슨의 명언이다.
② 사랑에 관한 괴테의 명언이다.
④ 친구에 관한 에머슨의 명언이다.
⑤ 성품에 관한 존 맥스웰의 명언이다.

12 〈보기〉의 명언은 꿈을 이루기까지 과정이 힘들지만 포기하지 말라는 의미를 담고 있다. 그러므로 ⑤의 '혜나'에게 들려주기에 적절하다.

13 '똥 된다'는 것은 못 쓰게 된다는 의미의 비유적 표현이다. 따라서 ㉠은 물건을 너무 아끼기만 하다가는 잃어버리거나 못 쓰게 된다는 의미로 볼 수 있다.

14 (마)에서 고구마를 먹고 싶어 하는 반 아이들의 모습을 "침을 삼킨다."와 같이 관용 표현을 사용하여 표현하였다.

15 (마)에서 글쓴이는 아이들이 무언가를 귀하게 여기도록, 가진 게 좀 더 부족했으면 좋겠다고 말하고 있다. 이로 미루어 볼 때, 글쓴이는 모든 것을 귀하게 여기며 사는 삶의 태도를 긍정적으로 여기고 있음을 짐작할 수 있다.

16 ⓐ는 글쓴이가 아끼는 것들로, 요즘 아이들이 숙제 내용에 아끼는 것이라고 써 온 '소파, 냉장고, 자동차'와 대조적이다.

17 (사)에는 말하고자 하는 바와 반대로 말하여 내용을 강조하는 반어법은 사용되지 않았다.

18 '아끼다 똥 된다'와 같은 익숙한 속담을 재구성하여 표현하면, 글에 재미를 더하고 글쓴이의 생각을 강조할 수 있다.

19 ㉡의 '굴러온 돌이 박힌 돌 뺀다'는 외부에서 들어온 지 얼마 안 되는 사람이 오래전부터 있던 사람을 내쫓거나 해치려 함을 비유적으로 이르는 속담이다.

압축 파일

본문 153쪽

❶ 속담 ❷ 숭늉 ❸ 사공 ❹ 없음 ❺ 파김치 ❻ 눈 ❼ 명언

시험에 나오는 소단원 문제

본문 154쪽

01 ⑤ **02** ③ **03** ⑤ **04** ④ **05** ② **06** 갈 길이 멀다 **07** ②

01 관용 표현은 둘 이상의 낱말이 한 덩어리로 굳어져 하나의 낱말처럼 쓰이기 때문에, 그 표현을 마음대로 바꾸어 쓸 수 없다.

02 게으름을 부리다가 일을 한 번에 많이 해치우려고 하는 상황이므로 빈칸에 들어갈 속담으로는 ③이 적절하다.

오답 풀이 ① 대상에서 가까이 있는 사람이 도리어 대상에 대하여 잘 알기 어려움.
② 모든 일에는 질서와 차례가 있는 법인데 일의 순서도 모르고 성급하게 덤빔.
④ 아무리 사소한 것이라도 그것이 거듭되면 무시하지 못할 정도로 크게 됨.
⑤ 주관하는 사람 없이 여러 사람이 자기주장만 내세우면 일이 제대로 되기 어려움.

03 ㉡은 부지런하고 꾸준히 노력하는 사람은 침체되지 않고 계속 발전한다는 뜻의 속담이다.

04 ④에는 관용 표현이 사용되지 않았다. '눈이 아프다'는 원래 문장 그대로 해석되며, 관용 표현에 해당하지 않는다.

오답 풀이 ① 귀 아프다: 너무 여러 번 들어서 듣기가 싫다.

② 배 아프다: 남이 잘되어 심술이 나다.
③ 머리를 식히다: 흥분되거나 긴장된 마음을 가라앉히다.
⑤ 발을 구르다: 매우 안타까워하거나 다급해하다.

05 '손이 크다'는 씀씀이가 후하고 크다, 또는 수단이 좋고 많다는 의미의 관용 표현이다.

오답 풀이 ① 교제나 거래 따위를 중단하다.
③ 함께 일할 때 생각, 방법 따위가 서로 잘 어울리다.
④ 하던 일을 그만두다.
⑤ 무엇을 달라고 요구하거나 구걸하다.

06 서술형 〈보기〉의 밑줄 친 부분의 의미를 지닌 관용 표현은 '갈 길이 멀다'이다. '갈 길이 멀다'는 '앞으로 살아갈 생애가 많이 남아 있다.'의 의미로도 쓰인다.

07 ②는 아무리 힘든 일이라도 시간이 흐르면 다 지나가게 되고 결국 과거의 일이 된다는 의미이다. 따라서 〈보기〉의 학생에게 해 줄 조언으로는 적절하지 않다. 나머지는 모두 시간의 소중함을 전하는 내용에 해당한다.

어휘력 키우기

본문 155쪽

01 ⑤ **02** 댁, 모셔다드렸다.

01 '오매불망(寤寐不忘)'은 자나 깨나 잊지 못한다는 뜻이다. ⑤에는 문맥상 '백년해로(百年偕老)'가 들어가는 것이 적절하다.

02 '집'과 '데려다주다'의 높임말은 각각 '댁', '모셔다드리다'이다.

시험에 나오는 대단원 문제

본문 156~158쪽

01 ③ **02** ② **03** ① **04** '어사또'의 정체를 눈치챘기 때문이다. **05** ⑤ **06** '죽어 마땅하되 내 수청도 거역할까?'만 글자체를 다르게 썼다. **07** ⑤ **08** ④ **09** 등잔 밑이 어둡다 **10** ⑤ **11** ㉡, ㉢, ㉣ **12** ㉠은 신체 일부인 '손'의 크기가 크다는 의미로 낱말 그대로의 의미이나, ㉡은 씀씀이가 후하고 크다는 의미로 관용 표현이다. **13** ② **14** ①

01 (가)의 시 뒤에 이어지는 내용을 통해 '운봉'이 '어사또'가 단순한 걸인이 아님을 눈치채고 긴장하는 모습이 나타난다. 따라서 이 시는 내용 전개에 긴장감을 고조시키는 기능을 한다.

02 (다)에서 하늘만 그려 놓은 칸은 사건이 일단락되었음을 나타낸다. 또한 암행어사 출두로 시끌벅적했던 상황을 정리하여, 다음 사건이 자연스럽게 이어지도록 한다.

03 (나)에서는 암행어사가 출두하자 관리들이 혼비백산해 우스꽝스러운 모습으로 도망가는 장면을 보여 주고 있다.

04 서술형 '운봉'은 '어사또'가 지은 한시를 듣고 그가 단순한 걸인이 아님을 알아차렸다. 그래서 '공형'을 불러 암행어사의 출두에 대비하려 한다.

05 원작인 〈보기〉는 소설로, 인물의 심리를 서술자가 직접 서술한다. 반면 만화에서는 말풍선을 이용하여 인물의 심리를 간접적으로 드러낸다.

06 서술형 "죽어 마땅하되 내 수청도 거역할까?"는 '춘향'의 마음을 떠보려는 '어사또'의 말로, 글자체를 다르게 씀으로써 그 의도를 강조하고 있다.

07 (다)는 이 작품의 결말로, 편집자적 논평이 나타난 부분이다. 서술자는 글 속에 등장하여 '춘향'의 높은 절개, 그리고 '춘향'과 동행하여 서울로 가는 '어사또'의 모습에 대해 직접 평가하고 있다.

08 ㉠은 '춘향'에게 시련을 주는 대상을, ㉡은 시련의 상황을, ㉢은 구원자를 의미한다.

09 서술형 '등잔 밑이 어둡다'는 대상에서 가까이 있는 사람이 도리어 대상에 대하여 잘 알기 어렵다는 말이다.

10 ⑤는 실수를 깨닫고 다시 노력하여 결국 긍정적인 결과를 얻은 것이므로, '비 온 뒤에 땅이 굳어진다'를 활용하는 것이 적절하다. '소 잃고 외양간 고친다'는 일이 이미 잘못된 뒤에는 손을 써도 소용이 없음을 비꼬는 말이다.

오답 풀이 ① 교양이 있고 수양을 쌓은 사람일수록 겸손하고 남 앞에서 자기를 내세우려 하지 않는다는 것을 비유적으로 이르는 말
② 가늘게 내리는 비는 조금씩 젖어 들기 때문에 여간해서도 옷이 젖는 줄을 깨닫지 못한다는 뜻으로, 아무리 사소한 것이라도 그것이 거듭되면 무시하지 못할 정도로 크게 됨을 비유적으로 이르는 말
③ 모든 일에는 질서와 차례가 있는 법인데 일의 순서도 모르고 성급하게 덤빔을 비유적으로 이르는 말
④ 여러 사람이 저마다 제 주장대로 배를 몰려고 하면 결국에는 배가 물로 못 가고 산으로 올라간다는 뜻으로, 주관하는 사람 없이 여러 사람이 자기주장만 내세우면 일이 제대로 되기 어려움을 비유적으로 이르는 말

11 서술형 '시간 가는 줄 모르다'는 '몹시 바삐 진행되거나 어떤 일에 몰두하여 시간이 어떻게 지났는지 알지 못하다.'의 의미를 지닌 관용 표현이다.

오답 풀이 ㉠은 속담, ㉤은 명언에 대한 설명이다.

12 고난도 서술형 ㉠은 낱말 그대로의 의미를 지닌 표현으로, 앞뒤에 이어지는 내용에 따라 '발이 크다', '키가 크다'와 같이 다른 말과도 결합이 가능하다. 그러나 ㉡은 이미 한 덩어리로 굳어져 쓰이기 때문에 다른 말과의 결합이 불가능한 관용 표현이다.

평가 목표	관용 표현의 특징과 구체적인 의미 이해하기
채점 기준	✔ ㉠과 ㉡의 구체적인 의미의 차이점을 모두 바르게 쓴 경우 [상] ✔ ㉠과 ㉡의 의미 중 하나만 바르게 쓴 경우 [중] ✔ ㉠과 ㉡의 의미 모두를 바르게 쓰지 못한 경우 [하]

13 ②의 '배를 두드리다'는 '생활이 풍족하거나 살림살이가 윤택하여 안락하게 지내다.'의 뜻을 지닌 관용 표현이 아닌, 문장 그대로의 의미로 쓰인 예이다.

14 조언의 대상이 오디션에 떨어지고 속상해하는 상황에 있으므로, 다시 마음을 다잡고 최선을 다하면 좋은 결과가 있을 것이라는 조언이 필요하다. 따라서 늘 준비하는 자세를 강조하는 ①이 적절하다.

시험 대비 문제집

정답과 해설

1 소통하고 공감하는 삶

(1) 보는 이나 말하는 이의 관점

간단 복습 문제 본문 03쪽

쪽지 시험 **01** 서술자 **02** 1인칭 주인공 **03** 관점 **04** ○ **05** ○ **06** × **07** ㉣ **08** ㉡ **09** ㉠ **10** ㉢ **11** ㉡ **12** ㉠

어휘 시험 **01** 분개하다 **02** 갈취하다 **03** 눙치다 **04** ㉤ **05** ㉠ **06** ㉣ **07** ㉡ **08** ㉢ **09** 부득불 **10** 오리무중

03 같은 대상을 보더라도 어떤 관점으로 보느냐에 따라 그에 대한 생각이 달라지는 것처럼, 작품 속의 세계도 서술자의 관점에 따라 다르게 형상화될 수 있다.

06 '엄마'가 '나'에게 온 '미옥'의 편지를 압수하고 안 돌려준 진짜 이유는 '나'가 연애하느라 공부에 소홀할까 봐 걱정이 되었기 때문이다.

---

09 '불가분'은 '나눌 수가 없음.'을 의미하므로 제시된 문장에는 '하지 아니할 수 없어. 또는 마음이 내키지 아니하나 마지못하여'를 의미하는 '부득불'이 들어가는 것이 적절하다.

10 '첩첩산중'은 '여러 산이 겹치고 겹친 산속'을 의미하므로, 제시된 문장에는 '오 리나 되는 짙은 안개 속에 있다는 뜻으로, 무슨 일에 대하여 방향이나 갈피를 잡을 수 없음.'을 이르는 말인 '오리무중'이 들어가야 한다.

예상 적중 소단원 평가 본문 04~05쪽

01 ④ **02** ⑤ **03** '나'가 공부는 안 하고 여자애한테 신경 쓸까 봐 겁이 났기 때문이다. **04** ④ **05** ③ **06** ⑤ **07** '미옥'이 내 마음을 알아주지 않아 울. **08** ③

01 이 글은 1인칭 주인공 시점의 소설이다. 따라서 작품의 중심인물이 자신의 관점에서 사건의 내막이나 다른 인물들의 심리를 추측하여 서술한다.

오답 풀이 ① 이 글은 '나'가 주인공으로 등장하여 작품 내에서 자신이 겪은 일을 서술한다.
② 작품에 등장하는 주변 인물이 중심인물이나 사건에 대해 관찰한 내용을 서술하는 것은 1인칭 관찰자 시점이다.
③ 모든 등장인물의 심리를 구체적으로 서술하는 것은 전지적 작가 시점이다.
⑤ 객관적인 내용 전달은 1인칭 관찰자 시점이나 3인칭 관찰자 시점의 특징이다.

02 (나)로 보아, '나'는 '아버지'의 조언에 따라 '미옥'에게 편지를 보냈다. 따라서 '아버지'는 '나'가 이성 친구를 만나는 것을 긍정적으로 생각한다고 볼 수 있다.

03 서술형 (라)에서 '나'는 '엄마'가 '미옥'이 보낸 편지를 압수한 까닭이 여자 친구가 '나'의 공부에 방해가 될 것을 우려했기 때문이라고 짐작하고 있다.

04 '나'는 '아저씨'를 무섭게 생각하며 자신이 하고 싶은 일에 방해가 된다고 여긴다. 또한 처음 본 사람들이 일가라고 반가워하는 것에 ㉠처럼 속으로 비아냥거리고 있다. 따라서 이는 냉소적 태도라고 할 수 있다.

05 작가는 이 글을 통해 일가친척의 의미가 점점 사라져 가는 현대 사회에 대한 비판 의식을 드러내고, 독자들의 성찰을 유도하고 있다.

06 〈보기〉는 서술자를 '나'에서 '엄마'로 바꾸어 쓴 것이다. 이와 같은 변화는 사춘기 소년인 '나'의 순수한 시선에서 사건을 전달하는 효과를 없애는 대신에, 어른인 '엄마'의 감정을 더욱 자세하게 드러낼 수 있다.

오답 풀이 ① 〈보기〉는 1인칭 주인공 시점이기 때문에 서술자가 상황을 주관적으로 해석하여 전달한다고 볼 수 있다.
② 작가의 주제 의식을 직접 드러내는 것은 소설이 아니라 수필과 같은 갈래이다.
③ 등장인물의 내면 심리 등을 제시하지 않고, 객관적인 상황만을 묘사할 경우 독자는 그 안에 숨어 있는 내용을 상상해 보는 즐거움을 느낄 수 있다.
④ 사춘기 청소년 서술자의 순수한 시선으로 어른들의 세계를 바라보는 것은 〈보기〉가 아니라 (가)의 시점에 해당한다.

07 서술형 (라)에서 과거의 '나'는 '미옥'이 자신의 마음을 알아주지 않아 원통해서 울었지만, 현재의 '나'는 '아저씨'의 외로움이 전해져서 그것을 느끼며 운다고 하였다.

08 ㉠, ㉡, ㉣, ㉤은 모두 '나'의 일가인 '아저씨'를 가리킨다. '아저씨'와 '아버지'가 사촌 관계인 것은 맞지만, 문맥상 ㉢은 '아저씨'를 가리키는 것이 아니라 일반적인 사촌지간을 가리킨다.

고득점 서술형 문제 본문 06~07쪽

1단계 **01** 1인칭 주인공 시점 **02** 예의범절 **03** 갈취 **04** 꽃 **05** 엎드려 절받기

2단계 **06** '나'가 좋아하는 '미옥'을 볼 수 있을지도 모른다는 기대감 때문이다. / 혹시나 '미옥'을 볼 수 있을까 하는 마음 때문이다. **07** • ⓐ: '나' – 집을 나간 '엄마'가 그립고, '미옥'과의 관계가 끝나 아쉽고 막막하다. / • ⓑ: '아저씨' – '엄마'가 집을 나간 현재의 상황이 답답하고, '나'의 가족에게 미안하다. **08** • 시적 화자와 '민지'의 관점을 비교하여 '민지'의 순수한 성격을 더욱 강조한다. / • 시적 화자의 깨달음을 제시하여 독자의 성찰을 이끈다. / • '민지'를 바라보는 시적 화자의 따뜻한 시선이 시의 분위기를 따뜻하게 만들어 준다.

3단계 **09** • Ⓐ: '미옥'을 생각하는데도 눈물이 나지 않음. Ⓑ: '아저씨'를 생각하며 눈물을 흘림. / • '나'를 서술자로 설정한 이유: '나'가 사건을 겪으며 정신적으로 성장하는 모습(과정)을 보여 줌으로써, 가족 이기주의의 극복 가능성을 제시한다. **10** • 시적 화자가 하지 못한 말: 그건 잡초야 / • 이유: '민지'의 순수함을 지켜 주고 싶기도 했고, 어른으로서 세상의(세속적인) 때가 묻은 자신의 생각이 부끄럽기도 했기 때문이다.

1단계

01 (가)~(마)는 서술자인 '나'가 자신의 이야기를 직접 전달하는 1인칭 주인공 시점에서 주로 서술된다.

02 (나)에서 '아저씨'가 '나'에게 절을 하라고 요구하는 것으로 볼 때, '아저씨'는 예의범절을 중요시한다는 것을 알 수 있다.

03 (다)에서 '엄마'가 '나'에게 온 편지를 압수한 행동을 두고 '아버지'가 '갈취'라고 표현하면서, '엄마'와 '아버지'의 다툼이 커지고 있다.

04 (바)에서 '민지'는 '질경이, 나싱개, 토끼풀, 억새'와 같은 풀들을 '꽃'이라고 여기며 가치 있는 것으로 인식하고 있다.

05 (나)에서 '아저씨'는 절을 할 마음이 없는 '나'에게 조선 민족의 인사법을 운운하며 절을 요구하여 받고자 한다.

2단계

06 (가)에서 '나'는 '미옥'에게 쓴 편지를 부치러 가는 길에 '미옥'이 사는 동네 앞을 그냥 지나치지 않고, 마을 안 골목을 맴돌며 자전거 페달을 느리게 밟고 있다. 이는 혹시라도 '미옥'을 볼 수 있을지 모른다는 기대감 때문이다.

07 ⓐ는 '나'의 한숨 소리로, 집을 나간 '엄마'에 대한 그리움과 '미옥'과의 관계가 끝난 데서 느끼는 아쉬움, 막막함에서 나온 것이다. 반면 ⓑ는 '아저씨'의 한숨 소리로, 자신의 현재 상황에 대한 답답함과 '엄마'가 집을 나간 것과 관련하여 '나'의 가족에게 피해를 준 것에 대한 미안함에서 나온 것이다.

08 (바)의 시적 화자는 따뜻한 시선으로 '민지'를 바라보고 있으며, 순수하게 자연과 소통하는 '민지'의 말에 감동하여 세상의 때가 묻은 자신을 성찰하고 있다. 이와 같은 시적 화자의 태도는 시의 분위기를 따뜻하게 만들고 독자의 성찰을 이끌며, '민지'의 순수함을 강조한다.

3단계

09 과거의 '나'는 '미옥'과의 관계가 끝나서 눈물을 흘렸다. 그러나 곧 고등학생이 되는 현재의 '나'는 더 이상 '미옥' 때문에 울지 않고, '아저씨'를 떠올리며 눈물을 흘린다. 이처럼 이 작품에서 자기 자신의 감정에 충실하던 '나'는 예전에는 못마땅하게 여기던 '아저씨(타인)'의 마음에 공감할 수 있을 정도로 성장하고 있다. 작가는 이러한 과정을 통해 일가친척의 의미가 점점 사라져 가는 요즘 세태 속에서, 가족 이기주의의 극복 가능성을 제시하고 있다.

평가 목표	서술자 설정의 효과 이해하기
채점 기준	✔ Ⓐ와 Ⓑ, '나'를 서술자로 설정한 이유를 모두 바르게 쓴 경우 [20점] ✔ Ⓐ와 Ⓑ, '나'를 서술자로 설정한 이유를 모두 썼으나 그 중 하나의 내용이 미흡한 경우 [15점] ✔ Ⓐ와 Ⓑ, '나'를 서술자로 설정한 이유 중 하나만 바르게 쓴 경우 [10점] ✔ 띄어쓰기나 맞춤법이 잘못되었을 경우 [1점씩 감점]

10 (바)에서 '민지'는 질경이나 나싱개, 토끼풀, 억새와 같은 풀들을 '꽃'이라고 여기며 가치를 부여하고 있다. 반면 어른인 시적 화자의 눈에는 그것들이 그냥 풀로 보이거나 잡초로 보일 뿐이다. 시적 화자는 '민지'의 순수한 마음을 지켜 주고 싶은 마음과, 어른인 자신의 생각이 세속적이고 때가 묻었다는 부끄러움 때문에 '민지'에게 '그건 잡초야'라고 말하려다가 그만둔다.

평가 목표	시적 화자의 심리 및 태도 파악하기
채점 기준	✔ 시적 화자가 하지 못한 말과 그 말을 하지 못한 이유를 모두 바르게 쓴 경우 [20점] ✔ 시적 화자가 하지 못한 말은 썼으나, 그 이유를 쓰지 못한 경우 [10점] ✔ <조건>에 맞지 않게 쓴 경우 [5점씩 감점] ✔ 띄어쓰기나 맞춤법이 잘못되었을 경우 [1점씩 감점]

(2) 공감하며 듣기

간단 복습 문제 본문 09쪽

쪽지 시험 **01** × **02** ○ **03** × **04** 이해 **05** 의사소통 **06** 협력적 **07** ㉡ **08** ㉡ **09** ㉠ **10** ㉡ **11** ㉠ **12** 처지 **13** 공감
어휘 시험 **01** 의사소통 **02** 맥락 **03** 맞장구 **04** 반응 **05** ㉡ **06** ㉠ **07** ㉢

01 원만하게 대화하기 위해서는 자기가 하고자 하는 말보다 상대의 말을 듣는 것에 집중해야 한다.

03 고민을 털어놓는 사람에게는 그 사람의 장단점을 지적하기보다는 그 사람의 처지와 심정을 이해해 주려는 태도로 대해야 한다.

예상 적중 소단원 평가 본문 10쪽

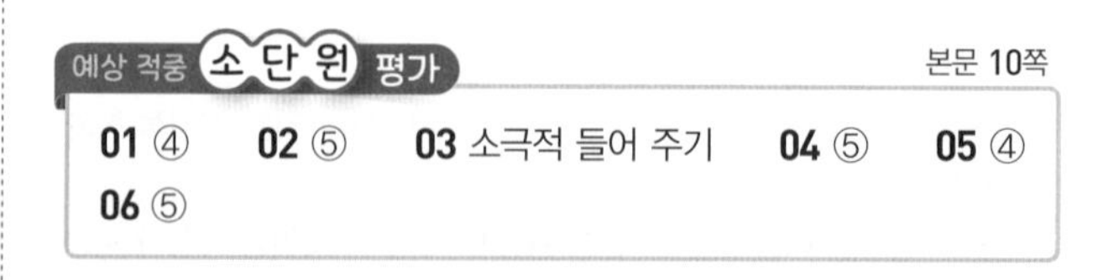
01 ④ **02** ⑤ **03** 소극적 들어 주기 **04** ⑤ **05** ④ **06** ⑤

01 공감적 듣기란 상대의 말을 분석하거나 비판하는 것이 아니라, 상대의 생각이나 감정을 깊이 있게 이해하려는 것을 목적으로 하는 듣기이다.

02 '황희 정승'은 처음 온 이웃은 제사 지내기를 원하고, 다음에 온 이웃은 제사 지내기를 원하지 않음을 파악하고, 두 이웃의 마음을 헤아려 각자에 맞게 대답한 것이다. '황희 정승'이 사람이 아이를 낳은 것과 개가 새끼를 낳은 것을 다르게 여겨서 각기 다른 대답을 한 것은 아니다.

오답 풀이 ① 처음 온 이웃은 제사를 지내고 싶었기 때문에, 아이를 낳았어도 제사를 지내야 하는 것 아니냐고 물었다.
② 다음에 온 이웃은 제사를 지내고 싶지 않았기 때문에, 개가 새끼를 낳았으니 제사를 안 지내는 것이 맞지 않느냐고 물었다.
③ '황희 정승'은 제사를 지내고 싶은 이웃에게는 제사를 지내라고 하고, 제사를 지내고 싶지 않은 이웃에게는 제사를 지내지 말라고 하였다.
④ '황희 정승'이 두 이웃에게 각기 다른 대답을 한 것은 두 이웃의 마음을 각각 헤아렸기 때문이다.

03 **서술형** 〈보기〉에서 설명하는 공감적 듣기 방법은 소극적 들어 주기이다. 소극적 들어 주기 방법에는 상대와 눈을 맞추면서 고개를 끄덕이기, 상대의 말에 적절하게 맞장구치기 등이 있다.

04 ①~④는 공감적 듣기 방법 중 소극적 들어 주기에 해당하고, ⑤는 적극적 들어 주기(상대의 말을 요약정리하기)에 해당한다.

05 '윤하'는 노래 대회에서 탈락해 속상해하고 있으므로 '윤하'의 마음을 헤아리면서 공감하는 대화를 할 필요가 있다. ④는 '윤하'의 마음에 공감하는 반응이라기보다는 '윤하'가 탈락한 이유를 객관적으로 분석한 반응이다.

06 공감적 듣기를 할 때는 상대의 말을 우호적인 태도로 끝까지 잘 들어 주면서 상대의 마음을 이해하려고 해야 한다. 상대의 말을 예측하며 간결하게 대화하는 것은 이러한 공감적 듣기 태도와는 거리가 멀다.

고득점 서술형 문제

본문 11쪽

1단계 **01** 공감 **02** 소극적 들어 주기
2단계 **03** 윤하야, 민재의 상황이나 감정을 이해하고, 민재의 말을 공감하며 들어 주렴. **04** 상대의 말에 공감하며 듣는다. / 고개를 끄덕이거나 눈을 맞추면서 상대의 말을 잘 듣고 있다는 표현을 해 준다. / 상대의 감정이나 상황을 이해하려고 노력한다.
3단계 **05** • 문제점: 동생의 심정을 이해하지 않고 제 생각만 말했다. / 동생의 감정을 고려하지 않고, 동생을 비난하는 듯한 태도로 말했다. / • 바꾼 대답: 그러니까 네 말은 축구부에 들어가도 잘할 수 있을지 고민이 된다는 거구나. **06** 상대가 객관적인 관점에서 문제를 바라보게 하여, 스스로 문제를 해결할 수 있도록 돕는다.

1단계

01 상대의 생각이나 감정을 이해하고 수용하는 반응이나 태도를 '공감'이라고 한다.

02 공감적 듣기는 크게 소극적 들어 주기와 적극적 들어 주기로 나눌 수 있다. 소극적 들어 주기는 상대가 대화를 계속할 수 있도록 상대와 눈을 맞추면서 고개를 끄덕이거나, 상대의 말에 적절하게 맞장구치는 등과 같이 대화의 맥락을 조절해 주는 방법이다.

2단계

03 〈보기〉에서 '윤하'는 '민재'의 말을 공감하며 듣지 않고, 자신의 감정에만 신경 쓰며 우울해지니까 떡볶이나 먹으러 가자고 말하고 있다.

04 제시된 학생의 경험으로 볼 때, 다른 사람과의 대화가 잘 이루어지지 않는 이유는 듣는 사람의 태도가 적절하지 않기 때문이다. 상대와 대화할 때는 상대의 말에 공감하며 듣고 적절하게 반응하는 태도가 중요하다.

3단계

05 〈보기〉에서 동생은 축구부에 들어가는 것에 대해 형에게 조언을 부탁했지만, 형은 동생의 관심사나 능력을 무시하고 공부에나 신경 쓰라며 비난하는 대답을 하고 있어 문제가 되고 있다.

평가 목표	공감적 듣기의 필요성 파악하기
채점 기준	✔ 형의 듣기 태도의 문제점과 바꾼 대답을 모두 바르게 쓴 경우 [30점] ✔ 형의 듣기 태도의 문제점과 바꾼 대답 중 하나를 잘못 쓴 경우 [10점씩 감점] ✔ 띄어쓰기나 맞춤법이 잘못되었을 경우 [1점씩 감점]

06 ㉠에서 '지연'은 '현정'의 감정에 공감하면서도, 어떤 일에 몰두하면 중요한 문제를 잊을 때도 있다며 문제 상황을 객관적으로 바라보게 하고 있다. 이는 '현정'에게 엄마의 상황을 이해하게 하고, 엄마와의 대화라는 해결책을 이끌어 내도록 돕는다.

평가 목표	적극적 들어 주기의 효과 파악하기
채점 기준	✔ 구체적인 듣기 방법과 효과를 모두 바르게 쓴 경우 [20점] ✔ 구체적인 듣기 방법과 효과 중 하나만 바르게 쓴 경우 [10점] ✔ 띄어쓰기나 맞춤법이 잘못되었을 경우 [1점씩 감점]

예상 적중 대단원 평가

본문 12~15쪽

01 ② **02** ④ **03** ④ **04** '아저씨'를 생각하면 눈물이 나기 때문이다. **05** '아저씨'의 심리가 구체적으로 드러난다. **06** ③ **07** 남의 외로움 **08** ④ **09** ② **10** ② **11** ㉠은 다른 사람의 외로움에 공감하며 흘린 것이고, 작년의 '눈물'은 자신의 슬픔 때문에 흘린 것이다. **12** ④ **13** ⑤ **14** ⑤ **15** ② **16** ④ **17** ④ **18** ㉠: 등장인물의 상황, ㉡: 등장인물을 보며 느낀 점

01 이 글에서 '나'는 중심인물로, '아저씨'가 집에 머물다 간 일, 좋아하는 '미옥'과 이루어지지 못한 일 등을 겪으며 정신적으로 성장하는 모습을 보여 준다.

오답 풀이 ① 이 글은 청소년의 눈을 통해 일가친척의 의미가 사라져 가는 현대 사회의 세태를 비판하고 있다.
③ 이 글은 '일가'라는 반어적 제목을 사용하였고, 청소년의 순수한 시선으로 내용을 서술하였다. 이를 통해 부정적인 인물의 모습이 아니라, 가족 이기주의가 만연한 사회상을 간접적으로 비판하고 있다.
④ 이 글에서 가족들이 '아저씨'와 직접적으로 갈등하는 모습은 나타나지 않으며 화해하는 과정도 없다.
⑤ 이 글은 1인칭 주인공 시점의 소설이므로, 작품 내의 주인공이 자신이 겪은 사건을 자신의 관점에서 서술한다.

02 (가)에서 '나'는 '미옥'과 결혼하고 싶어서 나이를 빨리 먹고 싶지만, 이제 겨우 열여섯 살이라는 게 분하고 원통할 지경이라고 하였다. 하지만 그런 말을 편지에는 쓰지 않았다고 하였다.

03 (나)에서 '나'는 '아저씨'의 북한 말투를 듣고 '아저씨'를 간첩이라고 오해하며 무서워한다. → (다)에서 '나'는 떠날 생각을 하지 않고, 요구도 많은 '아저씨'가 불편하고 못마땅하다. → (라)에서 '나'는 '아저씨'를 생각하고 미안해하며 '눈물'을 흘린다.

04 서술형 (라)에서 지금의 '나'는 '아저씨'를 생각하면서 눈물을 흘리기 때문에 '아저씨'를 한 번도 잊은 적이 없다고 말하고 있다. 이는 '아저씨'가 어느덧 '나'의 마음속에 자리 잡고 있었음을 표현한 말이다.

05 서술형 〈보기〉는 (가)~(나)의 서술자를 '아저씨'로 바꾸어 쓴 것이다. 〈보기〉에서는 '아저씨'가 자신의 이야기를 서술하고 있으므로 '아저씨'의 심리가 구체적으로 드러나는 효과가 있다.

06 (다)에서 '나'는 '엄마'와 '아버지'가 팽팽히 고집을 부리다가 화해할 때의 분위기를, 얼음이 녹아 풀리는 '해빙'과 온갖 꽃을 의미하는 '백화'에 비유하고 있다.

07 서술형 [A]에는 자신의 외로움 때문에 우는 사람은 아직 어리고, 남의 외로움 때문에 울 수 있는 사람은 성장한 것이라는 의미가 담겨 있다.

08 '갈취'는 '엄마'와 '아버지' 간의 갈등을 심화하는 말이다. 따라서 사건을 해결하는 실마리가 된다고 볼 수 없다.

오답 풀이 ① '그런데'는 전환의 의미를 지니는 말로, '아저씨'가 등장하며 새로운 사건이 일어날 것임을 암시한다.
② '한 남자'는 일가인 '아저씨'로, 새로운 인물이 등장하면서 사건이 일어날 것임을 예상할 수 있고 독자들도 호기심을 느낄 수 있다.
③ 중국에서 왔다고 하면 '옌벤'에서 온 것으로만 안다는 '아저씨'의 말에, '엄마'가 잠시 부끄러움을 느껴서 보인 반응으로 볼 수 있다.
⑤ '나'가 '아저씨'에 대해 생각하면서 자신의 성장에 대해 고민하고 있는 부분으로, 이 작품의 성장 소설로서의 성격을 엿볼 수 있다.

09 (가)~(다)에서는 서술자인 '나'가, (라)에서는 시적 화자인 '나'가 작품 속에 등장하여 내용을 전달하고 있다.

10 (나)에서 '아저씨'는 하얀 달빛에 젖은 과수원을 보며 영화 「림 해설원」의 한 장면 같다고 감탄하고 있다. 따라서 화목한 가족의 모습을 제시하는 것은 적절하지 않다.

11 고난도 서술형 작년의 '나'는 '미옥'과의 관계가 끝난 데 대한 슬픔 때문에 우는 미성숙한 존재였다. 하지만 현재의 '나'는 '아저씨'의 외로움을 이해하며 울 정도로 성숙했다.

평가 목표	등장인물의 심리 파악하기
채점 기준	✔ ㉠과 작년의 '눈물'의 의미를 비교하여 바르게 쓴 경우 [상] ✔ ㉠과 작년의 '눈물'의 의미를 비교하여 썼으나 그 내용이 미흡한 경우 [중] ✔ ㉠과 작년의 '눈물'의 의미 중 하나만 바르게 쓰고 그 비교도 잘못된 경우 [하]

12 (라)의 마지막 행은 '민지'의 순수함을 통해 시적 화자가 성찰한 바를 비유적으로 표현한 것이지, '민지'의 실제 행동을 표현한 것이 아니다.

13 공감적 듣기는 말하는 이의 처지와 상황을 살피고, 말하는 이의 상황에 감정을 이입하며 반응하는 방법이다. 공감적 듣기는 말하는 이의 문제점을 지적하거나, 그에 대해 조언하는 것을 목적으로 하지 않는다.

14 이 대화에서 동생은 자신의 고민을 형에게 말하고 조언을 구했다. 그러나 형은 딴짓을 하거나, 동생의 심정이나 상황에 공감하지 않고 동생을 비난하는 투로 자신의 생각만을 말했다.

15 ①, ③, ④, ⑤는 상대가 자기 생각을 편하게 말할 수 있도록 격려하는 것으로, 소극적 들어 주기에 해당한다. ②는 상대가 객관적 관점에서 문제를 바라볼 수 있게 해 주는 것으로, 적극적 들어 주기에 해당한다.

16 친구와 함께 읽을 문학 작품을 선정하고, 선정한 문학 작품을 가볍게 훑어보며 내용을 예측하는 활동은 '읽기 전 활동'에 해당한다.

17 책의 표지나 삽화에는 이야기의 주요 장면이 표현되어 있을 가능성이 높으며, 책의 제목과 차례에는 이야기의 주요 제재와 흐름이 나타나 있다. 따라서 이를 살펴보면 책 속에 담긴 이야기를 예측해 볼 수 있다.

오답 풀이 ① 책의 분량을 확인하는 것은 읽기 계획을 세울 때 사용할 수 있는 방법이다.
② 책의 내용을 구체적으로 예측하기 전에, 책의 분야나 전문성 정도 등을 파악할 때 사용할 수 있는 방법이다.
③ 작가의 관심사나 취미를 파악하면 작품 경향을 아는 데 도움이 될 수 있지만, 책에는 그것과 전혀 상관없는 내용이 전개될 수 있다. 또한 책의 구체적 내용을 예측하는 데는 큰 도움이 되지 않는 방법이다.
⑤ 최근의 사회적 논쟁거리를 찾아보는 것은 자신이 어느 분야의 책을 고를지 선택할 때 도움이 되는 방법이다.

18 서술형 ㉠의 내용은 등장인물이 처한 상황에 대한 객관적 정보이다. ㉡의 내용은 책을 읽으며 등장인물에 대해 느낀 점이다.

2 놀라운 한글, 바른 말글살이

(1) 한글의 창제 원리

간단 복습 문제 본문 17쪽

쪽지 시험 **01** ○ **02** ○ **03** × **04** ○ **05** × **06** × **07** ○ **08** ㉢ **09** ㉡ **10** ㉠ **11** ㉠ **12** ㉤ **13** ㉢ **14** ㉡ **15** ㉣

어휘 시험 **01** 가획 **02** 상형 **03** 반포 **04** 합성 **05** 창제 **06** 한계 **07** 실용 **08** 원리 **09** 표기

03 자음 기본자는 발음 기관을 본떠 만든 글자이고, 모음 기본자는 하늘과 땅, 그리고 사람의 모양을 본떠 만든 글자이다.

05 모음 기본자를 한 번 합성하여 만든 글자를 초출자라고 하는데 초출자에는 'ㅗ, ㅏ, ㅜ, ㅓ'가 있다.

06 '강'이라는 단어를 'ㄱㅏㅇ'이라고 쓰는 것이 풀어쓰기이고, '강'이라고 쓰는 것이 모아쓰기이다.

---

06 '경계'는 '사물이 어떠한 기준에 의하여 분간되는 한계'를 의미하고, '한계'는 '사물이나 능력, 책임 따위가 실제 작용할 수 있는 범위. 또는 그런 범위를 나타내는 선'을 의미하므로 '한계'가 들어가는 것이 적절하다.

08 '원리'는 '사물의 근본이 되는 이치'를 의미하고, '원료'는 '어떤 물건을 만드는 데 들어가는 재료'를 의미하므로 '원리'가 들어가는 것이 적절하다.

예상 적중 소단원 평가 본문 18~19쪽

01 ④ **02** ② **03** 우리말과 중국어는 말소리와 문장 구조가 달라서, 한자로 우리말을 표기하는 데에는 근본적으로 한계가 있다. **04** ② **05** ④ **06** ④ **07** 한글은 체계적인 글자이기 때문에 쉽게 배울 수 있다. **08** ① **09** ⑤

01 모음 기본자도 상형의 원리를 따르고 있는데, 하늘과 땅, 사람의 모양을 본떠 만들었다. 'ㆍ'는 하늘의 둥근 모양을, 'ㅡ'는 땅의 평평한 모양을, 'ㅣ'는 사람이 서 있는 모양을 본떠 만들었다.

02 'ㅅ'은 이[齒]의 모양을 본뜬 잇소리이다. 혀가 윗잇몸에 붙는 모양을 본뜬 혓소리는 'ㄴ'이다.

03 서술형 세종 대왕은 우리말이 중국어와 달라 중국의 글자인 한자로 우리말을 표기하는 데 한계가 있음을 인식하고, 우리말을 표기할 문자가 필요하다고 생각하였다. 세종 대왕이 중국 문자에 기대지 않고 우리만의 고유한 문자인 한글을 만들고자 했다는 것에서 자주정신을 알 수 있다.

04 ㉠과 ㉡에는 모두 어떤 물건(대상)을 본뜬다는 의미의 '상형'이 들어가야 한다.

05 〈보기〉의 글자들은 자음 기본자에 가획의 원리를 적용하여 만든 자음자들로, 소리의 세기가 세지는 것을 표현하였다.

오답 풀이 ①, ③ 자음 기본자를 위아래로 쓰거나 나란히 써서 글자를 만들기도 하지만 〈보기〉의 글자와는 관련이 없다.
② 자음 기본자 'ㄱ, ㄴ, ㅁ, ㅅ, ㅇ'만 발음 기관의 움직임이나 모양을 본떠 만들었다.
⑤ 〈보기〉의 글자들은 자음 기본자에 획을 더하여 만든 것들로, 여러 발음 기관에서 소리 나는 글자들이 함께 제시되었다.

06 ⓑ의 'ㅗ, ㅜ, ㅏ, ㅓ'는 모음 기본자인 'ㆍ'와 'ㅡ', 'ㆍ'와 'ㅣ'를 한 번만 합성하여 만든 초출자이고, ⓒ의 'ㅛ, ㅠ, ㅑ, ㅕ'는 초출자에 'ㆍ'를 합성하여 만든 재출자이다.

07 서술형 (나)에서 체계적인 원리를 바탕으로 한글 모음을 만들었음을 알 수 있는데, 세종 대왕은 이러한 원리를 익히면 사람들이 한글을 쉽게 배울 수 있을 것이라고 하였다.

08 ㉠은 발음 위치가 비슷한 글자들은 기본자에 획을 추가하는 방법으로 만들어서 모양도 비슷하다는 뜻이다. 따라서 기본자인 혓소리 'ㄴ'과 이에 획을 더하여 만든 'ㄷ, ㅌ'이 이 예에 해당한다.

09 'ㅸ, ㅸ, ㆄ, ㅹ'은 이미 만든 자음자를 위아래로 잇대어 합쳐서 다른 자음자를 만든 것이다. 'ㄲ, ㄸ, ㅃ, ㅆ, ㅉ'은 이미 만든 자음자인 'ㄱ, ㄷ, ㅂ, ㅅ, ㅈ'을 옆으로 나란히 써서 만든 자음자이다.

고득점 서술형 문제 본문 20~21쪽

1단계 **01** 중국의 반발을 염려했기 때문이다. **02** 애민 정신, 실용 정신 **03** 상형 **04** ⓐ: ㄷ, ㅌ ⓑ: ㄹ **05** (음절 단위로) 글자를 모아쓴다.

2단계 **06** 백성들이 글자를 몰라 어려움에 처하는 것을 안타깝게 여기는 애민 정신을 바탕으로 한글을 창제하였다. **07** 모음의 기본자는 하늘과 땅, 사람의 모양을 본뜨는 상형의 원리로 만들었다. 초출자는 기본자를 한 번만 합성하여 만들었고, 재출자는 초출자에 'ㆍ'를 다시 합성하여 만들었다. **08** 다시 쓴 문장: 나는 학교에 일찍 왔다. / 장점: 문장을 읽기가 편하고 문장의 뜻을 빠르게 이해할 수 있다.

3단계 **09** 자음자는 획을 더하여 거센 느낌을 표현하고 비슷한 발음 기관에서 나는 소리는 글자 모양도 비슷하게 나타내었다. 모음자는 합성의 방식으로 초출자와 재출자를 만들었다. 이렇듯 한글은 일정한 원리에 따라 만들어졌기 때문에 체계적인 글자로 평가받는다. **10** 한글 모음은 한 글자가 하나의 소리로 발음되지만 로마자의 모음은 한 글자가 다양한 소리로 발음된다. 이처럼 한글은 문자와 소리가 일치하여 기계 번역이나 음성 인식 등에 유리하다.

1단계

01 (가)에 따르면 일부 신하는 한자를 쓰지 않고 독자적인 글자를 만들었을 때, 중국이 반발할 것을 염려하여 한글의 창제를 반대하였다. 이는 대외적인 이유에 해당한다.

02 글자를 모르는 백성들이 책을 읽지 못하는 현실을 안타깝게 여겼다는 데서 '애민 정신'을, 누구나 쉽게 배우고 편히 쓸 수 있는 글자를 만들겠다고 결심했다는 데서 '실용 정신'을 확인할 수 있다.

03 모음자는 하늘과 땅, 사람의 모양을 본떠 만들었다는 설명으로 볼 때, 상형의 원리에 따라 만들어졌음을 알 수 있다.

04 자음자 'ㅋ, ㄷ, ㅌ, ㅂ, ㅍ, ㅈ, ㅊ, ㆆ, ㅎ'은 자음 기본자에 소리의 세기에 따라 획을 더하여 만든 글자이다. 이러한 원리를 가획이라고 하는데, 비슷한 발음 기관을 사용하기 때문에 글자 모양도 비슷하다. 예외적으로 이체자 'ㆁ, ㄹ, ㅿ'은 기본자에 획을 더하여 만들었지만 소리가 세지는 것은 아니다.

05 다른 문자는 자음과 모음을 늘어놓는 풀어쓰기 방식을 사용하지만, 한글은 자음과 모음을 음절로 결합하는 모아쓰기 방식을 사용한다.

2단계

06 제시된 만화에서 백성은 한자를 몰라 의도하지 않게 죄를 짓고 억울하게 벌을 받고 있다. (가)에서 세종 대왕은 이처럼 백성들이 글자를 알지 못하는 현실을 안타깝게 여기고 있으므로, 백성을 사랑하는 마음을 바탕으로 한글을 창제하였음을 알 수 있다.

07 모음의 기본자는 하늘, 땅, 사람의 모양을 본떠 만드는 상형의 원리를 바탕으로 한다. 이 기본자를 한 번만 합성하여 초출자를 만들었고, 이 초출자에 'ㆍ'를 다시 합성하여 재출자를 만들었다.

08 제시된 문장을 모아쓰기 방식으로 다시 쓰면 '나는 학교에 일찍 왔다.'이다. 이렇게 글자를 음절 단위로 모아쓰게 되면 단어나 문장의 뜻을 빠르게 이해할 수 있고, 문장을 읽기가 편하다.

3단계

09 (다)에서 한글의 자음자는 글자 모양과 소리를 관련지어 표현하고, 비슷한 발음 기관을 사용하여 내는 소리는 글자 모양도 비슷하게 만들었다고 하였다. (라)에서 한글의 모음자는 기본자를 합성하여 초출자를 만들고, 초출자에 다시 'ㆍ'를 더하여 재출자를 만드는 방법을 취하였다고 하였다. 이렇게 한글의 자음자와 모음자는 일정한 원리에 따라 짜임새 있게 글자를 구성하여 체계적으로 만들어졌다.

평가 목표	한글 창제 방법의 체계성 이해하기
채점 기준	✔ 자음자와 모음자의 창제 원리를 모두 제시하여 한글의 체계성을 서술한 경우 [20점] ✔ 자음자와 모음자 중 하나의 창제 원리만 제시하여 한글의 체계성을 서술한 경우 [10점] ✔ 띄어쓰기나 맞춤법이 잘못되었을 경우 [1점씩 감점]

10 한글은 하나의 문자가 하나의 소리를 내는 반면 로마자는 하나의 문자가 다양한 소리를 낸다. 따라서 문자와 소리가 일치하는 한글이 기계 번역이나 음성 인식 등에 유리하다.

평가 목표	정보화 사회에서 한글의 우수성 이해하기
채점 기준	✔ 한글이 기계 번역이나 음성 인식에 유리한 이유를 〈조건〉에 맞게 쓴 경우 [20점] ✔ 한글과 로마자의 발음 비교 내용과, 한글의 문자와 소리의 관계 가운데 하나만 서술한 경우 [10점] ✔ 띄어쓰기나 맞춤법이 잘못되었을 경우 [1점씩 감점]

(2) 올바른 발음과 표기

간단 복습 문제

본문 23쪽

쪽지 시험 **01** ○ **02** × **03** × **04** × **05** ○ **06** ○ **07** ○ **08** [무릅], [ㅂ] **09** [무르페], 모음 **10** 닫혀서 **11** 맞혔다 **12** 반드시 **13** 붙이지 **14** 않았다 **15** 된다며 **16** 웬일 **17** 어떡해

어휘 시험 **01** 합리성 **02** 표준어 **03** 보완 **04** 원칙 **05** 음절

02 우리말에서 받침소리는 'ㄱ, ㄴ, ㄷ, ㄹ, ㅁ, ㅂ, ㅇ' 7개뿐이다. 이 밖의 받침은 이 7개의 자음 중 하나로 바뀐다.

03 '젊다'는 [점:따]로 읽고, '읊다'는 [읍따]로 읽는다. 따라서 이 두 단어의 겹받침은 'ㄹ'로 발음하지 않는다.

04 용언의 어간 끝소리 'ㄺ'은 'ㄱ' 앞에서 [ㄹ]로 발음한다. 예를 들어 '맑게'는 [말께]로 발음한다.

11 '맞히다'는 '문제에 대한 답을 틀리지 않게 하다.'를 의미하고, '마치다'는 '어떤 일이나 과정, 절차 따위가 끝나다. 또는 그렇게 하다.'를 의미하므로 '맞히다'가 들어가는 것이 적절하다.

예상 적중 소단원 평가

본문 24~25쪽

01 ② **02** ⑤ **03** ③ **04** 발음을 잘못하면 상대에게 자기 생각을 분명하게 전달할 수 없기 때문에 표준 발음법이 필요하다. **05** ① **06** ④ **07** ① **08** ⑤ **09** ③ **10** ④ **11** ⑤ **12** ① **13** 표준어를 소리대로 적되, 어법에 맞도록 함

01 ① [지블], ③ [오슬], ④ [바께], ⑤ [부어케서]로 발음한다.

02 우리말에서는 받침소리로 'ㄱ, ㄴ, ㄷ, ㄹ, ㅁ, ㅂ, ㅇ'의 7개 자음만 발음된다. 따라서 '찾다'는 [찯따]로 발음해야 한다.

03 겹받침 'ㄺ'은 어말 또는 자음 앞에서 일반적으로 두 번째 받침의 대표음으로 발음하지만, 용언의 어간 끝소리 'ㄺ'은 'ㄱ' 앞에서 [ㄹ]로 발음한다. 따라서 '맑다'는 [막따]로, '맑고'는 [말꼬]로 발음해야 한다.

04 서술형 '빛을'은 [비츨]이라고 발음해야 하는데, 남학생이 [비슬]이라고 잘못 발음하였기 때문에 여학생이 이를 '빗을'로 이해하였다. 올바른 발음으로 자신의 생각을 명확하게 전달하기 위해서는 그 기준이 되는 표준 발음법이 필요하다.

05 '희망'의 '희'는 자음 'ㅎ'을 첫소리로 가진 음절에 'ㅢ'가 쓰인 것이므로, '희망'은 [히망]으로 발음해야 한다.

오답 풀이 ② '의리'는 단어의 첫음절로 'ㅢ'가 왔으므로 이중 모음으로 발음하여 [의:리]로 발음한다.
③, ⑤ 단어의 첫음절 이외의 '의'는 [ㅢ]로 발음해도 되고 [ㅣ]로 발음해도 되므로 [혀븨/혀비], [무성의/무성이]로 발음한다.
④ 조사 '의'는 [ㅢ]로 발음해도 되고 [ㅔ]로 발음해도 되므로 [우리의/우리에]로 발음한다.

06 'ㅢ'는 이중 모음이므로 [ㅢ]로 발음하는 것이 원칙이지만 발음이 어려워 예외적인 발음도 허용한다. 그래서 '민주주의의 의의'는 [민주주의의 의의], [민주주의의 의이], [민주주이에 의의], [민주주이에 의이], [민주주이의 의의], [민주주이의 의이], [민주주의에 의의], [민주주의에 의이]로 발음할 수 있다. '의의'는 단어의 첫음절로 온 앞의 '의'는 [ㅢ]로만 발음하고, 뒤의 '의'는 단어의 첫음절이 아니므로 [ㅣ], [ㅢ]로 발음할 수 있다.

07 제시된 문장을 소리 나는 대로 쓰면 [나는 기를 걷따가 본 하얀 꼬칙/꼬체 이르미 궁금핻따]이다. 따라서 표기와 발음이 일치하는 것은 '나는, 본, 하얀'이다.

08 '선호'가 발음은 같은데 표기와 뜻이 다른 '다치다'와 '닫히다'를 혼동하여 잘못 사용하였기 때문에 원활한 의사소통이 이루어지지 않았다.

09 '마치다'는 '어떤 일이나 과정, 절차 따위가 끝나다.'의 뜻이므로, ③에는 '맞히다'(문제에 대한 답을 틀리지 않게 하다.)가 사용되어야 한다.

오답 풀이 ① 걷히다: 구름이나 안개 따위가 흩어져 없어지다.
② 부딪치다: '무엇과 무엇이 힘 있게 마주 닿거나 마주 대다. 또는 닿거나 대게 하다.'는 뜻의 '부딪다'를 강조하여 이르는 말
④ 반드시: 틀림없이 꼭
⑤ 부치다: 편지나 물건 따위를 일정한 수단이나 방법을 써서 상대에게로 보내다.

10 '안'은 '아니'가 줄어든 말이고, '않'은 '아니하-'가 줄어든 말이다. 따라서 ⓓ는 '않았다'로 고쳐 써야 한다.

11 ① '낳아'는 [나아]로 발음하고, ② '희곡'은 [히곡]으로 발음한다. ③ '어떡해'가 맞는 표기이고, ④ '왠지'가 바른 표기이다.

오답 풀이 ① 받침 'ㅎ' 뒤에 모음으로 시작되는 어미가 오면 'ㅎ'을 발음하지 않으므로 '낳아'는 [나아]로 발음한다.
② 자음을 첫소리로 갖는 'ㅢ'는 [ㅢ]가 아니라 [ㅣ]로 발음하므로 '희곡'은 [히곡]으로 발음한다.
③ '어떡해'는 '어떻게 해'가 줄어든 말로 맞는 표기이다.
④ '왠지'는 '왜인지'가 줄어든 말로, '왜 그런지 모르게', '뚜렷한 이유도 없이'라는 의미의 맞는 표기이다.

12 겹받침 'ㄺ, ㄻ, ㄿ'은 어말 또는 자음 앞에서 일반적으로 두 번째 받침의 대표음인 [ㄱ, ㅁ, ㅂ]으로 발음된다. 따라서 '흙장난'은 [흑짱난], '읊조릴'은 [읍쪼릴], '젊고'는 [점:꼬]로 발음된다.

13 서술형 모든 말을 소리 나는 대로만 쓰면 의사소통이 원활하게 이루어지지 않기 때문에 한글 맞춤법이 필요하다.

고득점 서술형 문제

본문 26쪽

1단계 **01** 표준어 **02** ㄱ, ㄴ, ㄷ, ㄹ, ㅁ, ㅂ, ㅇ
2단계 **03** [저히는 히귀한 무니를 지닌 나비를 찯꼬 시퍼요]
04 ㉡: [ㅣ]로 발음할 수 있다. / ㉢: [ㅔ]로 발음할 수 있다.
05 〈보기〉의 문장을 소리 나는 대로 적으면 [나는 반드시 그 꼬칙/꼬체 이르를 아라내겓따]이다. 이처럼 모든 말을 소리 나는 대로만 쓰면 정확한 뜻을 알 수 없어 의사소통이 원활하게 이루어지지 않기 때문에 한글 맞춤법이 필요하다.
3단계 **06** '않 좋아하는데'의 '않'은 '아니'가 줄어든 말이므로 '안'으로 고친다. '안았다'는 '아니하였다'가 줄어든 말이므로 '아니하-'를 줄여 '않았다'로 고친다. '됀다며'는 '되언다며'로 쓸 수 없으므로 '되'로 적어서 '된다며'로 고친다.

1단계

01 표준 발음법은 표준어의 실제 발음을 따른다. 다만 여러 형태로 발음하는 경우에는 국어의 전통성과 합리성을 고려하여 표준 발음을 정한다.

02 한글에는 다양한 받침이 쓰이지만, 받침소리로는 'ㄱ, ㄴ, ㄷ, ㄹ, ㅁ, ㅂ, ㅇ'의 7개 자음만 발음한다. 받침 'ㄲ, ㅋ', 'ㅅ, ㅆ, ㅈ, ㅊ, ㅌ', 'ㅍ'은 어말 또는 자음 앞에서 각각 대표음 [ㄱ, ㄷ, ㅂ]으로 발음한다.

2단계

03 자음을 첫소리로 가지고 있는 음절의 'ㅢ'는 [ㅣ]로 발음하므로 '저희'는 [저히]로, '희귀한'은 [히귀한]으로, '무늬'는 [무니]로 발음한다. 받침 'ㅈ'은 대표음 [ㄷ]으로 발음되므로 '찾고'는 [찯꼬]로 발음한다. '싶어요'는 받침 'ㅍ'이 모음으로 시작되는 어미 '-어요'와 결합되는 경우이므로 제 음 그대로 뒤 음절 첫소리로 옮겨 [시퍼요]로 발음한다.

04 ㉡의 예에서 단어의 첫음절 이외의 '의'는 [ㅣ]로 발음함도 허용한다는 것을 알 수 있고, ㉢의 예를 통해 조사 '의'는 [ㅔ]로 발음함도 허용한다는 것을 알 수 있다.

05 〈보기〉의 문장을 소리 나는 대로 적으면 표기와 소리가 일치하는 낱말도 있고 그렇지 않은 낱말도 있다. 그런데 표기와 소리가 일치하지 않는 단어를 소리 나는 대로 적을 경우 단어의 뜻을 파악하기 어려워진다. 그러므로 한글 맞춤법이라는 원칙을 세워서 그에 맞게 표기해야 원활하게 의사소통할 수 있다.

3단계

06 '안'은 '아니'가 줄어든 말이고, '않'은 '아니하-'가 줄어든 말이다. '되-'는 동사 '되다'의 어간이고, '돼'는 어간 '되-'와 어미 '-어'가 결합된 '되어'가 줄어든 말이다.

평가 목표	'안'과 '않', '되'와 '돼' 구분하여 사용하기
채점 기준	✔ 틀린 세 부분을 모두 바르게 고치고, 고친 이유 세 가지를 모두 바르게 쓴 경우 [30점] ✔ 틀린 부분을 고친 내용이나 고친 이유를 잘못 쓴 경우 [10점씩 감점] ✔ 띄어쓰기나 맞춤법이 잘못되었을 경우 [1점씩 감점]

예상 적중 대단원 평가

본문 27~29쪽

01 ⑤ **02** ② **03** ③ **04** ② **05** 공통점: ⓐ와 ⓑ 모두 상형의 원리를 이용하여 글자를 만들었다. / 차이점: ⓐ는 소리를 내는 기관의 움직임이나 모양을 본뜬 것인데, ⓑ는 하늘과 땅, 사람의 모양을 본뜬 것이다. **06** ① **07** ⓐ: ㅣ, ⓑ: ㅏ, ⓒ: ㅠ **08** ③ **09** ② **10** ⑤ **11** ① **12** ④ **13** ③ **14** ① **15** ⑤ **16** 단어를 소리 나는 대로 적으면 한 글자를 여러 형태로 적게 되어 정확한 뜻을 파악할 수 없으므로, 단어의 뜻을 파악할 수 있게 하기 위해 어법에 맞도록 한 것이다.

01 (가)에서 우리말과 중국어가 말소리와 문장 구조가 달라 우리말을 한자로 표기하는 데 한계가 있다고 하였으므로, 중국어의 문장 구조를 참고하여 한글을 창제하였다는 것은 알맞지 않다.

02 한글을 만들기 전에는 우리말을 표기할 수 있는 우리의 고유한 글자가 없었기 때문에 한자를 빌려 썼다. 하지만 우리말과 중국어는 말소리와 문장 구조가 달라서 한자로 우리말을 표기하는 데 한계가 있었다.

03 'ㅇ'은 목구멍의 모양을 본떠 만든 목구멍소리이다.

04 ㉠은 한글을 창제하기 전 한자를 빌려 사용했으나 우리말을 표기하기에는 한계가 있었다는 내용이다. 이와 관련된 한글 창제 정신은 세종 대왕이 중국의 한자와 다른 문자를 새롭게 만들려고 했던 '자주정신'이다.

05 서술형 훈민정음의 창제 원리는 상형, 가획, 합성 등이 있다. 자음 기본자는 발음 기관의 움직임이나 모양을, 모음 기본자는 하늘, 땅, 사람의 모양을 본뜬 상형의 원리로 만들었다.

06 (가)에는 획을 더해 소리가 더 세지는 것을 나타내는 자음자의 창제 원리를 통해, 소리의 성질을 글자에 반영하는 한글의 특성이 드러난다. (나)에는 모음자를 만드는 방법을 통해 한글이 일정한 원리에 따라 체계적으로 만들어진 글자임이 드러난다. (다)에서는 자음자와 모음자를 조합하여 다양한 글자를 많이 만들어 쓸 수 있는 한글의 특성을 설명하고 있다. 그리고 이러한 (가)~(다)의 내용을 통해 한글이 독창적인 방식으로 창제되었음을 알 수 있다. 그러나 한글이 전 세계적으로 얼마나 많이 사용되는지는 (가)~(다)를 통해 알 수 없다.

07 서술형 모음자는 기본자 'ㆍ, ㅡ, ㅣ'를 먼저 만든 후, 'ㆍ'와 'ㅡ'를 합성하여 'ㅗ, ㅜ'를 만들고, 'ㆍ'와 'ㅣ'를 합성하여 'ㅏ, ㅓ'를 만들었다. 이렇게 만든 글자를 초출자라고 하며, 초출자에 다시 'ㆍ'를 합성하여 재출자 'ㅛ, ㅑ, ㅠ, ㅕ'를 만들었다.

08 'ㄲ, ㄸ, ㅃ, ㅆ, ㅉ'은 모두 같은 자음자를 옆으로 나란히 쓰는 방법으로 만든 글자이다.

오답 풀이 ① 자음 기본자를 창제할 때, 발음 기관을 본떠 만드는 상형의 원리를 적용하였다.
② 모음자를 창제할 때 기본자를 결합하는 합성의 원리를 적용하였다. 또한 자음 기본자는 'ㄱ, ㄴ, ㅁ, ㅅ, ㅇ'이다.
④ 소리의 세기에 따라 획을 더하는 방법은 가획의 원리이다.
⑤ 자음자 두 개를 위아래로 잇대어 쓰는 글자는 'ㅸ, ㅱ' 등이다.

09 ㉠은 풀어쓰기 방식으로, ㉡은 모아쓰기 방식으로 표기한 것이다. 모아쓰기 방식은 음절 단위로 글자를 쓰기 때문에 우리말의 의미를 빠르고 정확하게 파악할 수 있다.

10 한글은 컴퓨터 자판의 왼쪽, 오른쪽에 자음자와 모음자를 적절히 배치하여 양손을 번갈아 가며 글자를 입력할 수 있다. 그래서 한글은 컴퓨터 타자 속도가 로마자보다 빨라, 정보의 빠른 전달이 중요한 정보화 사회에서 활용 가치가 높다.

11 우리말에서는 받침소리로 'ㄱ, ㄴ, ㄷ, ㄹ, ㅁ, ㅂ, ㅇ'의 7개 자음만 발음된다. 받침 'ㄲ, ㅋ'은 [ㄱ]으로, 'ㅅ, ㅆ, ㅈ, ㅊ, ㅌ'은 [ㄷ]으로, 'ㅍ'은 [ㅂ]으로 발음된다. 따라서 '옷[옫]', '키읔[키윽]', '무릎[무릅]', '빛다[빋따]'로 발음된다.

12 겹받침 'ㄺ'은 어말 또는 자음 앞에서 [ㄱ]으로 발음하므로 '맑다'는 [막따]로 발음해야 한다.

13 '되어'로 쓸 수 있으면 '돼'로 적고, 그렇지 않으면 '되'로 적는다. ③의 '된다'는 '되언다'로 쓸 수 없으므로 '된다'로 적는 것이 바르다.

14 '웬일'은 '어찌 된 일'이라는 뜻의 말이고, '왠일'은 표준어가 아닌 방언이므로 '웬일'로 표기해야 한다.

오답 풀이 ② '맞히다'는 '문제에 대한 답을 틀리지 않게 하다.'는 뜻이다. 이 문장에서는 '어떤 일이나 과정, 절차 따위가 끝나다.'는 뜻의 '마치다'를 사용해야 한다.
③ '붙이다'는 '서로 맞닿아 떨어지지 않게 하다.'는 뜻이다. 이 문장에서는 '번철이나 프라이팬 따위에 기름을 바르고 빈대떡, 전병 따위의 음식을 익혀서 만들다.'는 뜻의 '부치다'를 사용해야 한다.
④ '안'은 '아니'가 줄어든 말, '않'은 '아니하-'가 줄어든 말이다. 제시된 말은 '아니하였다'를 줄인 말이므로 '않았다'로 표기해야 한다.
⑤ '반드시'는 '틀림없이 꼭'의 의미이다. 이 문장에서는 '비뚤어지거나 기울거나 굽지 않고 바르게'라는 뜻의 '반듯이'로 표기해야 한다.

15 '무늬'의 '늬'와 같이 자음을 첫소리로 가지고 있는 음절의 'ㅢ'는 [ㅣ]로 발음한다.

16 고난도 서술형 단어를 발음대로 '익따, 일꼬, 잉는'이라고 표기하면 이들이 '읽다'와 관련된 단어임을 파악하기 어렵다. 이를 보완하기 위해 한글 맞춤법에서는 본래의 형태를 밝혀서 어법에 맞게 적도록 하였다.

평가 목표	한글 맞춤법의 원칙 이해하기
채점 기준	✔ '어법에 맞도록 함'의 이유를 〈조건〉에 맞게 쓴 경우 [상] ✔ '어법에 맞도록 함'의 이유를 썼으나, 〈조건〉에 맞지 않게 쓴 경우 [중] ✔ 소리대로 적었을 때의 문제점만 쓴 경우 [하]

3 매체로 보는 세상

(1) 매체의 표현과 그 의도

간단 복습 문제
본문 31쪽

쪽지 시험 **01** 매체 **02** 어휘, 시각 **03** 수용, 의도 **04** ○ **05** ○ **06** × **07** ㉣ **08** ㉢ **09** ㉡ **10** ㉠ **11** ㉡ **12** ㉠

어휘 시험 **01** 모욕 **02** 위협 **03** 신상 **04** 쟁점 **05** 일침 **06** 초점 **07** 노안 **08** 해저

06 '사이버 불링' 관련 카드 뉴스는 익명성이라는 가상 공간의 특성과 그 특성을 악용하여 특정인을 괴롭히는 사이버 불링의 문제점을 중점적으로 다루고 있다.

08 '스마트폰 노안'을 다룬 블로그 글에 사용된 자료 중에서 그래프는 '대상별 스마트폰 과의존 위험군'을 나타내고 있다. 이 그래프는 다른 세대보다 청소년의 스마트폰 과의존 위험군 비율이 높음을 보여 줌으로써, 청소년들이 스마트폰 노안에 걸릴 가능성이 크다는 것을 강조하고 있다.

---

01 '모욕'은 '깔보고 욕되게 함.'을 의미하고, '모함'은 '나쁜 꾀로 남을 어려운 처지에 빠지게 함.'을 의미한다. '모욕'은 주로 '모욕을 주다/받다/느끼다' 등으로 쓰이고, '모함'은 주로 '모함을 받다/당하다', '모함에 빠지다' 등으로 쓰인다. 그러므로 제시된 문장에서는 '모욕'이 들어가는 것이 적절하다.

05 '일침'은 '침 한 대'라는 뜻으로, 따끔한 충고나 경고를 이르는 말이다.

예상 적중 소단원 평가
본문 32~33쪽

01 ⑤ **02** ④ **03** 스마트폰 중독을 경고하고 있다. **04** ③ **05** ① **06** ① **07** ② **08** ②

01 매체에 담긴 정보를 수용할 때는 매체에 담긴 내용의 적절성뿐 아니라, 표현 방법에 대해서도 비판적으로 수용하는 태도가 필요하다.

02 (나)~(라)는 인터넷 매체 중 카드 뉴스에 해당한다. 카드 뉴스는 스크롤바를 내리면서 읽어야 하는 장문의 기사와 달리, 짧은 글을 사진 여러 장에 얹어서 사진을 한 장씩 넘겨 보는 형식을 취한다.

오답 풀이 ①, ② (가)는 스마트폰 중독을 경고하는 내용을 사진과 글로 나타낸 광고문으로, 인쇄 매체에 해당한다.
③ (나)~(라)는 주요 쟁점을 그림이나 사진 등의 시각 자료와 간략한 글로 정리한 카드 뉴스로, 인터넷 매체에 해당한다.
⑤ (나)~(라)는 누리 소통망(SNS)에서 쉽게 볼 수 있다는 장점 덕분에 젊은 층 사이에서 인기가 높다.

03 서술형 (가)는 비슷한 형태의 두 문장을 나열한 광고 문구와, 스마트폰과 사람이 서로 잡고 있는 사진을 활용하여 스마트폰 중독의 위험성을 경고하고 있다.

04 (라)의 오른쪽 카드는 모양과 굵기 등 글자 형태에 변화를 주어 읽는 이에게 강한 인상을 남기려 하였다(ㄴ). 왼쪽 카드는 재구성한 문자 메시지를 제시함으로써, 상대방이 원하지 않는 사진이나 동영상을 유포하는 것도 사이버 불링에 해당함을 설명하고 있다(ㄷ).

오답 풀이 ㄱ. (라)의 왼쪽 카드는 문자 메시지 대화와 글을, 오른쪽 카드는 사진과 글을 제시하고 있을 뿐, 사진과 영상을 합성하고 있지 않다.
ㄹ. (라)의 왼쪽 카드에는 사진이 사용되지 않았다. 그리고 오른쪽 카드에는 스마트폰을 사용하는 모습, 얼굴을 감싸고 괴로워하는 사람의 모습을 나타낸 사진이 사용되었다. 이 사진들은 카드의 내용을 효과적으로 표현하기 위해 사용된 것일 뿐, 뉴스의 전체 주제를 상징하는 것은 아니다.

05 (나)의 모델이 겪은 일, (다)에 제시된 경찰청 통계, (라)에 나타난 사이버 불링의 피해를 바탕으로 볼 때, 사이버 불링은 가상 공간에서 특정인을 괴롭히는 행위라고 할 수 있다.

06 이 블로그 글은 젊은 환자들이 많이 겪고 있는 증상인 스마트폰 노안의 개념과 위험성에 관한 정보를 제공하고 있다. 따라서 이 글의 제목으로는 '스마트폰 노안이란 무엇인가'가 적절하다.

07 제시된 그래프는 스마트폰 과의존 위험군에 대한 통계 자료로, 청소년이 다른 세대에 비해 비율이 높음을 보여 준다. 이러한 결과는 젊은 세대에서 스마트폰 노안을 겪는 사람이 증가하고 있다는 (가)의 내용과 관련 있으므로, (가) 뒤에 이 그래프를 제시하는 것이 적절하다.

08 ㉠은 스마트폰을 과도하게 사용하여 눈이 나빠진 사람을 그린 그림으로, 글쓴이는 이를 통해 '스마트폰 노안'이라는 문제 상황을 시각적으로 보여 주면서 읽는 이의 흥미를 높이려고 하였다.

고득점 서술형 문제
본문 34~35쪽

1단계 **01** (가): 인쇄 매체 / (나)~(다): 인터넷 매체 **02** 문장 표현, 시각 자료(사진) **03** 위험성 **04** 합병증 **05** 사이버 불링

2단계 **06** 질문 형태의 비슷한 두 문장을 나열하였다. / 비슷한 형태의 두 의문문을 대구 형식으로 제시하였다. **07** 내용에 대한 읽는 이의 이해를 돕고, 내용의 신뢰도를 높이려 하였다. **08** 예의를 지키며 스스로를 닦으세요.

3단계 **09** • 카드 ❼의 표현 방법: 비난하는 듯한 손 모양과, 그 아래 괴로워하는 사람을 나타낸 그림을 제시함. / • 카드 ❽의 의도: 익명성이 보장되는 가상 공간의 특성과 이를 악용하는 사람들의 모습을 표현함.

1단계

01 (가)는 문자와 시각 자료를 사용한 광고문으로 인쇄 매체에 해당한다. (나)는 문자, 시각 자료, 동영상 등 다양한 형태의 표현 방법을 활용할 수 있는 블로그 글이고, (다)는 주요 쟁점을 그림이나 사진 등의 시각 자료와 간략한 글로 제시한 카드 뉴스로 모두 인터넷 매체에 해당한다.

02 (가)에서는 질문 형태의 두 문장을 나열하고, 이 문구의 내용을 형상화한 사진을 활용하고 있다.

03 (나)에서 글쓴이는 한창나이인 젊은 세대는 눈 건강에 크게 신경을 쓰지 않는다는 점, 스마트폰 노안에는 합병증이 뒤따른다는 점 등을 근거로 스마트폰 노안이 매우 위험하다고 설명하고 있다.

04 ㉡에는 거북목 증후군, 두통 및 만성 피로, 어지럼증 등의 증상들이 나타나 있는데, 이는 모두 스마트폰 노안에 뒤따르는 합병증이다.

05 (다)에는 가상 공간에서 특정인을 괴롭히는 행위인 사이버 불링의 문제점과 그 피해 사례가 나타나 있다. 이러한 내용을 통해 사이버 불링을 당하는 피해자의 고통이 크다는 것을 깨달을 수 있다.

2단계

06 [A]에서는 '잡고'와 '잡혀'를 사용한 질문 형태의 비슷한 두 문장을 대구 형식으로 제시하고 있다. 이를 통해 스마트폰 중독의 위험성을 경고하는 내용을 읽는 이에게 인상 깊게 전달하고 있다.

07 ㉢은 스마트폰 노안이 위험한 까닭에 대한 전문적인 내용을 담은 동영상이다. 글쓴이는 이와 같은 자료를 통해 읽는 이의 이해를 돕고, 스마트폰 노안에 관한 내용의 신뢰도를 높이려 했다고 볼 수 있다.

08 (다)에서는 가상 공간 내 명예 훼손과 모욕 범죄에 관한 경찰청의 통계, 대학생이 겪은 사이버 불링의 피해 사례, 사이버 불링을 장난처럼 여기는 현실 등을 제시하고 있다. 그리고 마지막에 사이버 불링 피해자의 고통을 강조하며 끝을 맺고 있다. 이러한 내용으로 볼 때, 이 카드 뉴스는 익명성이 보장되는 가상 공간에서도 예의를 지켜야 하며, 다른 사람을 괴롭히기 전에 자신을 먼저 돌아봐야 한다는 의미를 담고 있다고 할 수 있다. 이를 '두루마리 휴지'와 관련지어 보았을 때, ㉣에는 '예의를 지키며 스스로를 닦으세요.'라는 제목이 들어가는 것이 적절하다.

3단계

09 카드 ❼에서는 사이버 불링 피해 상황을 묘사한 그림으로 그 피해의 고통을 시각적으로 드러내려 하였다. 카드 ❽에서는 모니터 앞에 앉아 있는 사람들의 얼굴을 상자로 가린 사진과, 가상 공간에서의 대화 상황을 나타낸 그림을 합성하였다. 이를 통해 가상 공간의 익명성이라는 특성과 이 특성을 악용하여 사이버 불링을 저지르는 사람들의 모습을 표현하려 하였다.

평가 목표	카드 뉴스에 사용된 표현 방법과 그 의도 파악하기
채점 기준	✔ 카드 ❼의 '표현 방법'과 카드 ❽의 '의도'를 모두 맞게 쓴 경우 [30점] ✔ 카드 ❼의 '표현 방법'과 카드 ❽의 '의도' 중 한 가지만 맞게 쓴 경우 [20점] ✔ 〈조건〉에 맞지 않게 쓴 경우 [5점씩 감점] ✔ 띄어쓰기나 맞춤법이 잘못되었을 경우 [1점씩 감점]

(2) 매체 자료의 효과

간단 복습 문제

본문 37쪽

쪽지 시험 **01** ○ **02** × **03** ○ **04** 목적 **05** 내용 **06** ㉠ **07** ㉢ **08** ㉣ **09** ㉡ **10** ㉢ **11** ㉠ **12** ㉡

어휘 시험 **01** 지층 **02** 피해 **03** 대피하지 **04** ㉢ **05** ㉡ **06** ㉠

02 그림이나 사진은 대상의 모양이나 위치 등 언어로 표현하기 어려운 내용을 시각적으로 보여 주는 특성이 있다. 대상의 양상 및 변화 과정을 구조화하여 전체 내용을 한눈에 파악하도록 해 주는 것은 표나 그래프의 특성이다.

05 강연을 듣는 이는 강연에 활용된 매체 자료의 효과를 판단하기 위해서, 그 매체 자료가 강연 내용을 잘 뒷받침하는지 판단하면서 들을 필요가 있다.

---

02 '피해'는 '생명이나 신체, 재산, 명예 따위에 손해를 입음. 또는 그 손해'의 뜻이고, '파괴'는 '조직, 질서, 관계 따위를 와해하거나 무너뜨림.'의 뜻이다. 제시된 문장은 눈사태 때문에 지역 주민들이 많은 손해를 입었다는 뜻이므로 '피해'가 들어가는 것이 적절하다.

03 '대비하지'는 '앞으로 일어날지도 모르는 어떠한 일에 대응하기 위하여 미리 준비하지'의 뜻이고, '대피하지'는 '위험이나 피해를 입지 않도록 일시적으로 피하지'의 뜻이다. 제시된 문장은 갑작스러운 화재의 위험을 많은 사람들이 피하지 못했다는 뜻이므로 '대피하지'가 들어가는 것이 적절하다.

예상 적중 소단원 평가

본문 38~39쪽

01 ① **02** 듣는 이가 강연 주제에 관심을 기울이게 한다.
03 ② **04** ④ **05** ⑤ **06** ② **07** ④ **08** ④

01 강연 순서를 보면, 1~3에서 지진에 관한 다양한 정보를 소개한 후 마지막으로 지진의 대처 방법을 설명하고 있다. 따라서 이 강연은 만약에 지진이 발생한다면 어떻게 해야 할지를 설명하기 위한 것임을 알 수 있다. 그러므로 강연의 제목으로는 '만약에 지진이 일어난다면?'이 가장 적절하다.

02 서술형 (가)는 강연의 시작 부분이다. 강연자는 (가)에서 자신이 본 지진 관련 영화의 포스터를 제시하면서, 듣는 이의 흥미를 끌어 강연 주제인 지진에 관심을 기울이게 하고 있다.

03 ㉡은 지진이 발생하는 과정과 그 원인을 보여 주는 동영상으로, 강연 중에 제시되어 분위기를 환기하고 듣는 이가 지진의 발생 과정을 쉽게 이해하게 한다. 그러나 이 동영상이 앞으로 전개될 내용을 짐작하게 하지는 않는다.

04 (다)는 장소에 따른 지진 대처법을 표로 정리한 것으로, ⓐ와 ⓑ는 각각 건물 안, 건물 밖에 있을 때 지진이 나면 어떻게 대처해야 하는지 나타내고 있다.

05 강연에 활용되는 매체 자료의 효과를 판단하려면, 그 매체 자료가 강연의 장소와 시간, 듣는 이, 그리고 목적에 적합한지 살펴봐야 한다. 매체 자료는 듣는 이의 흥미를 끌 수 있어야 하지만, 강연의 목적에 부합하는 것이 더 중요하다.

오답 풀이 ①, ② 듣는 이는 강연자가 매체 자료를 적절한 부분에 제시하는지, 내용을 잘 뒷받침하는 자료를 제시하는지 살펴봐야 한다. ③, ④ 강연에 활용되는 매체 자료의 효과를 판단하려면, 그 매체 자료가 강연 장소에 적합한지, 듣는 이를 고려한 것인지 평가해야 한다.

06 (가)~(다)에서는 지진의 발생 원인과 지진의 피해, 그리고 지진이 주로 발생하는 지역에 대해 설명하고 있을 뿐, 우리나라의 지진 발생과 관련된 내용은 제시하고 있지 않다.

07 (가)에서 지층은 여러 퇴적물이 오랫동안 층층이 쌓이면서 만들어지고, 이렇게 만들어진 지층에 큰 힘이 작용하면 그 힘을 견디지 못한 지층이 끊어진다고 하였다.

08 ㉠은 사진, ㉡은 그림으로, 이와 같은 시각 자료는 대상의 모양이나 위치 등과 같이 언어로 표현하기 어려운 내용을 시각적으로 보여 주는 특성이 있다.

오답 풀이 ①, ② 대상을 구조화하거나, 대상의 양상 및 변화 과정을 나타내는 것은 표나 그래프의 특성이다.
③, ⑤ 상황이나 사건, 대상의 움직임을 보여 주는 것은 동영상으로, 운동 경기 장면이나 춤 동작과 같은 내용을 나타내기에 적합하다.

고득점 서술형 문제

본문 40~41쪽

1단계 **01** 주제 **02** (나), (다) **03** (라) **04** 불의 고리 **05** 오늘, 것입니다.
2단계 **06** (듣는 이가) 지진이 발생하는 과정과 원인을 쉽게 이해하게 한다. **07** ㉡은 지진 피해의 심각성을 실감 나게 느끼게 하므로, 지진의 피해를 설명한 (나)의 내용을 잘 뒷받침하고 있다. **08** • 내용: 지진 발생 지역이 나타나 있다. / • 효과: 지진이 자주 발생하는 지역을 한눈에 파악하도록 해 준다.('불의 고리'가 무엇을 가리키는지 쉽게 이해하게 한다.)
3단계 **09** ㉮에는 찾아오는 길이 글로만 제시되어 학교의 위치를 파악하기 어렵지만, ㉯에는 찾아오는 길이 약도로 제시되어 학교의 위치를 파악하기 쉽다. 이는 약도와 같은 시각 자료가 글로 표현하기 어려운 내용을 시각적으로 잘 보여 주기 때문이다.

1단계

01 이 강연에서는 강연자가 지진을 주제로 하여, 지진에 관한 다양한 정보를 제공하고 지진이 발생했을 때의 대처법을 설명하고 있다.

02 제시된 내용은 시각 자료인 사진과 그림의 특성이다. (나)에서는 지진 피해 사진을, (다)에서는 지진이 자주 발생하는 지역을 나타내는 그림을 활용하고 있다.

03 (라)에서는 지진이 발생한 경우 실내에 있을 때 어떻게 대처해야 하는지 설명하고 있다.

04 (다)에서는 지진이 자주 일어나는 지역인 환태평양 조산대를 설명하면서, 그림(지도)에서 그 부분을 가리켜 이 지역이 태평양을 중심으로 고리 모양을 하고 있어서 '불의 고리'로 불린다고 소개하고 있다.

05 (마)에서 강연자는 강연을 마무리하면서, 강연 내용을 잘 기억하여 지진이 발생했을 때 현명하게 대처할 것을 당부하고 있다.

2단계

06 (가)에서는 지진이 발생하는 과정과 지진의 개념을 밝히고 있다. 그리고 그와 관련된 영상을 제시하면서 지진의 발생 원인을 좀 더 자세히 설명하여, 듣는 이의 이해를 도우려 하고 있다.

07 ㉡은 네팔의 어느 마을이 지진으로 무너진 모습과 일본의 해안 마을이 해일에 휩쓸리는 모습의 사진으로, 지진 피해가 얼마나 심각한지 생생하게 느끼게 한다. 이는 지진으로 발생하는 피해를 설명하는 (나)의 내용을 잘 뒷받침하고 있다고 볼 수 있다.

08 (다)에서는 세계 지도의 그림을 제시하면서 지진 발생 지역을 표시해 놓은 지도라고 하였다. 강연자는 이 그림을 통해 지진이 자주 일어나거나 일어나기 쉬운 지역과 '불의 고리' 지역을 시각적으로 보여 주면서 이를 쉽게 이해할 수 있도록 하고 있다.

3단계

09 ㉮에는 찾아오는 길이 글로만 제시되어 위치를 파악하기 어려운 반면, ㉯에는 찾아오는 길이 약도로 제시되어 위치를 한눈에 파악하기 쉽다. 그래서 학생이 ㉮의 초대장을 받았을 때는 당황한 표정을, ㉯의 초대장을 받았을 때는 밝은 표정을 지은 것이다. 이를 통해 건물의 위치는 언어로 표현하기 어려우며 약도와 같은 시각 자료로 제시하는 것이 효과적임을 알 수 있다.

평가 목표	줄글과 그림이 주는 효과의 차이점과 시각 자료의 특성 이해하기
채점 기준	✔ ㉮와 ㉯에 제시된 '찾아오는 길'의 차이점과 시각 자료의 특성을 모두 맞게 쓴 경우 [30점] ✔ ㉮와 ㉯에 제시된 '찾아오는 길'의 차이점과 시각 자료의 특성 중 한 가지만 맞게 쓴 경우 [15점] ✔ 띄어쓰기나 맞춤법이 잘못되었을 경우 [1점씩 감점]

예상 적중 **대단원** 평가 본문 42~45쪽

01 ② 02 ② 03 ⑤ 04 ⑤ 05 ② 06 지층 07 ① 08 ⑤ 09 ③ 10 ④ 11 그림으로 제시된 〈보기〉가 더 효과적이다. (마)처럼 긴 줄글을 읽는 것보다 내용을 더 빠르고 쉽게 이해할 수 있기 때문이다. 12 ④ 13 ③ 14 ⑤

01 (가)는 비슷한 문장을 나열한 인상적인 광고 문구와 그것을 형상화한 사진을 제시하여, 스마트폰 중독을 경고하려는 의도를 드러내고 있다.

오답 풀이 ① (가)는 사진과 글을 활용한 광고문으로 인쇄 매체에 해당한다. 그러므로 스마트폰을 시청각 자료로 표현하지 않았다.
③, ⑤ (가)는 사람과 스마트폰이 서로 잡고 있는 사진을 활용하였으며, 사람의 얼굴을 다 보여 주지 않고 스마트폰 문자 메시지의 내용도 드러내지 않았다.
④ (가)는 사진의 한쪽이 아니라 중간에 글자를 배치해 사진과 글의 균형을 맞추었다.

02 (나)는 블로그 글로 인터넷 매체에 해당한다. 인터넷 매체는 정보가 그물망처럼 얽혀 있어 정보를 짧은 시간 안에 자유롭게 찾을 수 있는 특성이 있다.

03 (나)에서는 스마트폰 노안 검사 표를 제시하여 읽는 이가 자신의 눈 건강을 점검해 보게 하고 있다. 또한 스마트폰 노안을 적극적으로 치료하고 예방하기 위해 노력해야 한다고 하면서, 다음에 연재할 글의 내용을 소개하고 있다. 따라서 ㉠에는 '치료와 예방법'이 들어가는 것이 적절하다.

04 ⓐ는 일상에서 사람들이 무심코 저지를 수 있는 사이버 불링의 사례를 보여 주고 있고, ⓑ는 가상 공간에서도 예의를 지켜야 한다는 메시지를 강조하고 있다. 그러나 ⓐ와 ⓑ 모두 가상 공간이 법의 처벌로부터 자유롭다는 특성이 있음을 표현하고 있지는 않다.

오답 풀이 ①, ② ⓐ는 문자 메시지의 내용을 재구성하여 제시함으로써, 상대방이 원하지 않는 사진이나 동영상을 가상 공간에 유포하는 행위도 사이버 불링에 해당한다는 것을 설명하고 있다.
③, ④ ⓑ는 핵심 내용을 담은 문장을 제시하면서 글자 모양과 굵기에 변화를 주어, 읽는 이에게 강한 인상을 남기려 하고 있다.

05 (가)에는 '지진'이라는 강연 주제는 나타나지만, 강연의 목적은 구체적으로 제시되지 않았다. (가)에 나타나지 않은 이 강연의 목적은 지진과 관련된 다양한 정보와 지진 발생 시 대처법을 소개하는 것이다.

오답 풀이 ①, ③ (가)는 강연의 '처음' 부분으로, '행복 중학교 2학년 3반 학생'이라는 듣는 이와, '○○ 소방서에 근무하는 △△△'이라는 말하는 이가 나타난다.
④, ⑤ (가)에서 말하는 이는 가벼운 인사말로 자신을 소개하고, 듣는 이와 또래인 딸과 함께 본 영화와 딸의 반응을 언급하면서 듣는 이의 관심을 유도하고 있다.

06 서술형 (나)에서는 진흙, 모래, 자갈과 같은 여러 퇴적물이 쌓이면서 만들어진 지층에 큰 힘이 계속 작용하면 지층이 끊어지고, 그 과정에서 땅이 흔들리는 현상인 지진이 발생한다고 하였다.

07 (다)에서는 지진 피해 사례를 제시하고 있으며, ㉠ 뒤에서는 지진이 발생하면 지상 및 지하 구조물이 붕괴되거나 해일과 산사태가 일어나기도 한다고 하였다. 따라서 ㉠에는 지진으로 피해를 입은 마을, 다리와 도로, 항구, 산 등의 모습이 담길 것이다.

08 건물 밖에 있을 때 지진이 발생하면 전신주, 자판기, 벽돌담 등 넘어지기 쉬운 사물 옆은 피해야 한다. ①~④는 모두 건물 안에 있을 때의 지진 대처법에 해당한다.

09 (다)에서는 지진으로 발생하는 피해를 설명하고 있다. 산사태와 해일은 지진의 원인이 아니라 지진으로 발생하는 피해에 해당한다.

10 제시된 자료는 활화산과 판의 경계, '불의 고리'를 중심으로 한 지진대 분포 양상을 나타낸 지도이다. 따라서 이 자료는 지진 발생 지역과 '불의 고리'를 설명하는 (라)에서 활용하기에 적절하다.

11 고난도 서술형 (마)는 줄글, 〈보기〉는 그림으로 지진 대처법을 제시하고 있다. 〈보기〉가 더 효과적이라는 입장에서는 그림이 줄글보다 더 즉각적이고 빠르게, 그리고 더 쉽게 내용을 이해할 수 있다는 점을 근거로 들 수 있다.

평가 목표	자료의 제시 방법 평가하기
채점 기준	✔ 〈보기〉가 더 효과적인 까닭을 내용 이해 측면에서 바르게 쓴 경우 [상] ✔ 〈보기〉가 더 효과적이라고 썼지만, 그 까닭을 내용 이해 측면에서 쓰지 못한 경우 [중] ✔ 〈보기〉가 더 효과적이라고 썼지만, 그 까닭을 쓰지 못한 경우 [하]

12 (가)의 사진은 사람과 스마트폰이 서로를 잡고 있는 모습이다. 이는 광고 문구가 담고 있는 내용을 사진으로 구현한 것이므로, (가)의 광고 문구와 사진은 내용상 서로 대비되어 있다고 볼 수 없다.

13 제시된 개요에 따르면 (다)는 '처음', (라)는 '끝' 부분이므로, (다)와 (라) 사이에는 '가운데'에 해당하는 지진에 관한 여러 정보들이 제시될 것이다. 그런데 지진은 인간의 힘으로 예방할 수 없는 자연재해이므로, '가운데' 부분에서 지진을 예방하는 방법을 제시하기는 어렵다.

14 (다)에서 강연의 듣는 이는 '행복 중학교 2학년 3반 학생'이다. ㉤은 말하는 이의 딸로, 강연자는 듣는 이의 관심을 유도하기 위해 듣는 이와 또래인 딸을 언급하고 있다.

오답 풀이 ① 보통 노안은 노화 현상의 하나로 보기 때문에 젊은 세대들은 눈 건강에 그리 크게 신경을 쓰지 않는다고 하였다.
② 거북목 증후군은 스마트폰 노안의 합병증 중 하나로, 잘못된 자세로 스마트폰을 오래 사용하면 생길 수도 있는, 목이 앞으로 구부러지는 증세를 말한다.
③ ㉢은 스마트폰 노안의 합병증에 관한 의학적 내용을 담은 동영상이다. 글쓴이는 전문적인 내용을 동영상으로 보여 주어, 읽는 이의 이해를 돕고 내용의 신뢰도를 높이고 있다.
④ (다)에서 말하는 이는 가벼운 인사말로 강연을 시작하며 자신을 ㉣과 같이 소개하고 있다.

4 새롭게 보고, 다양하게 표현하고

(1) 문학 작품의 재구성

간단 복습 문제

본문 47쪽

쪽지 시험 **01** 보편적 **02** 평등한 **03** × **04** ○ **05** ○
06 ㉣ **07** ㉠ **08** ㉢ **09** ㉡
어휘 시험 **01** 어전 **02** 계계승승 **03** 금수 **04** 통분하지
05 순행하며 **06** 남루하다는 **07** 심산 **08** ㉡ **09** ㉠
10 ㉢

01 「춘향전」은 인간의 보편적 정서인 '사랑'을 소재로 하고 있어서, 시대를 넘어선 공감을 불러일으키며 오늘날까지 계속 재구성되고 있다.

03 만화는 인물의 표정과 행동을 표현한 그림이나 인물의 대사를 담은 말풍선으로 심리를 간접적으로 나타낸다. 인물의 심리를 상세하게 서술할 수 있는 갈래는 소설이다.

09 '본관 사또'의 "어, 추워라. 문 들어온다 바람 닫아라. 물 마르다 목 들여라."라는 말에는 낱말의 위치를 바꾸어 말하는 언어유희가 나타난다.

---

05 '순행하며'는 '감독하거나 단속하기 위해 돌아다녀'의 의미이고, '대령하며'는 '윗사람의 지시나 명령을 기다리며 또는 그렇게 하며'의 의미이다. 제시된 문장에서는 왕이 백성들의 삶이 어떠한지 돌아다니면서 살핀다는 뜻이므로 '순행하며'가 들어가는 것이 적절하다.

07 '수청'은 '아녀자나 기생이 높은 벼슬아치에게 몸을 바쳐 시중을 들던 일'이라는 의미이고, '심산'은 '속셈'이라는 의미이다. 제시된 문장에서는 탐관오리들을 혼내 주려는 속셈으로 자리에서 일어났다는 의미이므로 '심산'이 들어가는 것이 적절하다.

예상 적중 소단원 평가

본문 48~49쪽

01 ① **02** ④ **03** ③ **04** 백성들에게 횡포를 부린다. / 백성들에게 횡포를 부려 백성들의 삶을 힘들게 한다. **05** ③
06 ⑤ **07** ② **08** 효과선을 넣어 '춘향'의 시선과 놀란 표정을 강조한다.

01 이 글은 작품 밖 서술자가 신과 같은 입장에서 인물의 심리와 사건을 구체적으로 서술하는 전지적 작가 시점으로 쓰인 소설이다.

02 〈보기〉에서는 "암행어사 출두야!"라는 대사를 딱딱한 글자체로 제시하고, 날카로운 말풍선 모양을 사용하여 장면을 극대화하고 있다.

03 (라)에서 '본관 사또' 역시 침착한 모습이 아니라 다른 관리들처럼 암행어사 출두에 혼비백산하여 말의 순서까지 바꾸어 말하는 우스꽝스러운 모습을 보이므로, 만화에서도 이러한 모습으로 표현해야 한다.

04 서술형 [A]는 '몽룡'이 일부러 나서서 읊은 한시로, 사치스러운 잔치를 벌이며 백성들의 삶을 힘들게 하는 지배층의 횡포를 비판하는 내용이다.

05 천한 신분인 기생의 딸로 양반을 사랑하고 혼인까지 하게 된 '춘향'은 신분의 격차가 존재했던 조선 후기에 평등한 사회를 지향하는 당시 백성들의 소망이 투영된 인물이라고 볼 수 있다.

06 두 번째 칸의 말풍선 속 '향단'에게 전하는 말은 모두 '춘향'의 말이다. 이 장면에서는 '춘향'의 말과 '몽룡'의 모습을 함께 제시하여, '춘향'의 말을 들은 '몽룡'이 '춘향'의 변하지 않은 마음을 확인하고 흡족해함을 표현하고 있다.

07 소설을 만화로 재구성하면 그림과 말풍선 등으로 시각적인 효과를 주어 읽는 이의 흥미를 끌 수 있다(ㄱ). 또한 칸과 칸 사이에 생략된 내용이 무엇인지 원작과 비교해 보며 유추하는 재미도 줄 수 있다(ㄹ).

08 서술형 ㉠의 효과선은 '어사또'가 '몽룡'임을 알고 놀란 '춘향'의 시선과 표정을 두드러지게 하는 효과를 준다.

고득점 서술형 문제

본문 50~51쪽

1단계 **01** (다) **02** 갈비 한 대 먹읍시다. **03** 반어 표현
04 서술자 **05** 탐관오리에 대한 응징
2단계 **06** '변 사또'는 눈치가 없고 아둔하나, '운봉'은 눈치가 빠르다. **07** 탐관오리의 사치와 백성들의 고통을 대비함으로써, 탐관오리의 횡포를 비판하고자 한다. **08** 암행어사가 출두하자 지배 계층이 허둥대며 도망치는 모습을 희화화하여 웃음을 유발한다.
3단계 **09** 신분제 사회에서 기생의 딸인 '춘향'과 양반인 '몽룡'이 혼인을 하여 부부가 되는 결말에는, 평등한 사회를 원했던 백성들의 소망이 담겨 있다. **10** 이 작품의 '춘향'은 지고지순한 사랑을 중요시하지만, 〈보기〉의 '춘향'은 실리를 중요시한다. 이 중 현대인들에게는 실리를 중시하는 태도가 더 필요하다. 사랑을 위해 목숨을 버리는 것은 남은 가족들에게도 상처를 주며, 험한 세상에서 살아남으려면 실리를 생각하지 않을 수 없기 때문이다. / 이 작품의 '춘향'은 지고지순한 사랑을 중요시하지만, 〈보기〉의 '춘향'은 실리를 중요시한다. 이 중 현대인들에게는 사랑을 중시하는 태도가 더 필요하다. 삭막해진 현대 사회 속에서 순수한 사랑은 큰 가치를 지니기 때문이다.

1단계

01 (다)의 암행어사 출두 이후 화려한 잔치 장소가 '본관 사또'를 징벌하는 장소로 바뀌면서 극적으로 분위기가 반전된다.

02 (가)에는 사람의 신체 일부인 '갈비'와 음식인 '갈비'의 소리가 똑같은 것을 이용한 언어유희가 나타나 있다.

03 '춘향'이 말한 ㉠의 대사는 '변학도'처럼 수청을 강요하는 '어사또'의 말에, 기가 막힌 '춘향'이 '어사또'도 '변학도' 못지않은 부정한 관리라고 비꼬아 말하는 표현이다.

04 ㉡과 같이 서술자가 작품에 개입하여 인물과 사건에 대한 자기 생각과 판단을 직접 드러내는 것을 '편집자적 논평'이라고 한다.

05 (나)~(라)에는 백성들에게 횡포를 부리는 탐관오리들에 대한 한시와 그들이 암행어사 출두로 벌을 받게 되는 과정이 드러나 있다. 따라서 이를 통해 '탐관오리에 대한 응징'이라는 주제를 확인할 수 있다.

2단계

06 (나)에서 시를 듣고도 그 의미를 알아채지 못한 것으로 볼 때 '변 사또'는 아둔하고 눈치가 없다. 반면 '운봉'이 시를 듣고 가슴이 철렁 내려앉은 것은 '어사또'의 정체를 바로 눈치챘기 때문이다.

07 ⓐ는 탐관오리의 사치를, ⓑ는 백성들의 고통을 빗댄 표현이다. '어사또'는 (나)의 시에서 이와 같이 대비되는 의미의 시구를 제시함으로써 탐관오리의 횡포를 비판하고 있다.

08 (라)에서는 암행어사가 출두하자 체면을 중시하는 지배 계층이 엉뚱한 것을 들고 허둥대는 모습을 희화화하여 웃음을 유발하며 통쾌함을 준다.

3단계

09 이 작품의 시대적 배경은 신분제가 존재했던 조선 후기인데, 〈보기〉에는 천한 신분인 기생의 딸인 '춘향'과 양반인 '몽룡'이 혼인을 하는 장면이 나타난다. 이를 통해 볼 때, 당대 백성들은 평등한 사회를 갈망하고 있었음을 알 수 있다.

평가 목표	작품의 결말에 담긴 의미 파악하기
채점 기준	✔ 〈보기〉의 결말에 담긴 백성들의 소망을 작품의 시대적 배경과 관련지어 쓴 경우 [20점] ✔ 〈보기〉의 결말에 담긴 백성들의 소망을 잘못 썼거나, 작품의 시대적 배경과 관련지어 쓰지 못한 경우 [10점] ✔ 띄어쓰기나 맞춤법이 잘못되었을 경우 [1점씩 감점]

10 이 작품의 '춘향'은 '몽룡'에 대한 절개를 지키는 지고지순한 모습을 보인다. 그러나 〈보기〉의 '춘향'은 '몽룡'을 선택한 이유도 신분 상승 욕구 때문임을 밝히며 '변 사또'를 택해 자신의 실리를 챙기려 한다.

평가 목표	인물의 가치관을 이해하고 평가하기
채점 기준	✔ 이 작품과 〈보기〉의 '춘향'이 지닌 가치관 차이와 현대인들에게 필요한 가치관을 근거를 들어서 쓴 경우 [25점] ✔ 이 작품과 〈보기〉의 '춘향'이 지닌 가치관 차이를 바르게 밝히지 못했거나, 현대인들에게 필요한 가치관에 대한 근거가 부족한 경우 [15점] ✔ 띄어쓰기나 맞춤법이 잘못되었을 경우 [1점씩 감점]

(2) 효과적인 표현을 담은 글

간단 복습 문제 본문 53쪽

쪽지 시험 **01** 속담 **02** 관용 표현 **03** ○ **04** × **05** ○ **06** ㉣ **07** ㉤ **08** ㉡ **09** ㉠ **10** ㉢ **11** 내밀었다 **12** 굴렀다 **13** 두드리며 **14** ㉡ **15** ㉠ **16** ㉢
어휘 시험 **01** 증정하다 **02** 자린고비 **03** 자반

04 관용 표현은 둘 이상의 낱말이 결합하여 원래의 뜻과는 다른 특별한 뜻으로 사용되는 말이다. 관용 표현의 각 낱말을 사전적 의미 그대로 해석할 경우, 그 뜻을 이해하기 어렵다.

11 '머리를 맞대다'는 '어떤 일을 의논하거나 결정하기 위하여 서로 마주 대하다.'의 뜻이고, '머리를 내밀다'는 '어떤 자리에 모습을 나타내다.'의 뜻이다.

12 '발을 구르다'는 '매우 안타까워하거나 다급해하다.'의 뜻이고, '발을 뻗다'는 '걱정되거나 애쓰던 일이 끝나 마음을 놓다.'의 뜻이다.

13 '배를 두드리다'는 '생활이 풍족하거나 살림살이가 윤택하여 안락하게 지내다.'의 뜻이다. '배를 쥐다'라는 관용 표현은 없으며, '배꼽을 쥐다'는 '웃음을 참지 못하여 배를 움켜잡고 크게 웃다.'의 뜻이다.

---

01 '증정하다'는 '어떤 물건 따위를 성의 표시나 축하 인사로 주다.'의 뜻으로, '기증하다', '증여하다'와 비슷한 의미를 지니는 낱말이다.

02 '자린고비'는 인색한 사람을 낮잡아 이르는 말로, "있는 놈이 자린고비 노릇은 더 한다니까."와 같이 쓰일 수 있다.

예상 적중 소단원 평가 본문 54~55쪽

01 ④ **02** ⑤ **03** ⑤ **04** ③ **05** ⑤ **06** ② **07** 하던 일을 그만두다. / 하던 일을 끝마치고 다시 손대지 않다. **08** ④ **09** 발이 묶이다 **10** ①, ⑤ **11** ③ **12** • 관용 표현: 침을 삼키(킨)다 / • 의미: 음식 따위를 몹시 먹고 싶어 하(한)다.

01 속담은 처음 그 말을 한 사람이 누구인지 분명하지 않다. ④는 명언에 대한 설명이다.

02 ㉠에는 게으른 사람이 일하기 싫어 한 번에 많이 해치우려고 한다는 뜻의 '게으른 놈 짐 많이 진다'가, ㉡에는 아무리 큰 일도 작은 일로부터 비롯된다는 뜻의 '만 리 길도 한 걸음으로 시작된다'가 들어가는 것이 적절하다.

오답 풀이 • 가랑비에 옷 젖는 줄 모른다: 가늘게 내리는 비는 조금씩 젖어 들기 때문에 여간해서도 옷이 젖는 줄을 깨닫지 못한다는 뜻으로, 아무리 사소한 것이라도 그것이 거듭되면 무시하지 못할 정도로 크게 됨을 비유적으로 이르는 말

• 시작이 반이다: 무슨 일이든지 시작하기가 어렵지 일단 시작하면 일을 끝마치기는 그리 어렵지 아니함을 비유적으로 이르는 말
• 등잔 밑이 어둡다: 대상에서 가까이 있는 사람이 도리어 대상에 대하여 잘 알기 어렵다는 말

03 〈보기〉의 학생은 자신을 내세우며 잘난 척을 하고 있으므로, 교양이 있고 수양을 쌓은 사람일수록 겸손하고 남 앞에서 자기를 내세우려 하지 않는다는 ⑤의 속담을 들려줄 수 있다.

오답 풀이 ① 사람의 긴밀한 관계를 비유적으로 이르는 말
② 기본이 되는 것보다 덧붙이는 것이 더 많거나 큰 경우를 비유적으로 이르는 말
③ 몹시 고생을 하는 삶도 좋은 운수가 터질 날이 있다는 말
④ 자기가 남에게 말이나 행동을 좋게 하여야 남도 자기에게 좋게 한다는 말

04 '아니 땐 굴뚝에 연기 날까'는 원인이 없는 결과는 없다는 의미의 속담으로, 이를 재구성한 ③의 표현은 원인 없이 나타난 결과를 강조한 표현이다. 이는 노력과는 거리가 멀다.

오답 풀이 ① 실패는 성공의 어머니이다.: 실패하는 경험이 쌓이면 이를 밑거름 삼아 결국 성공할 수 있다는 말
② 암탉이 울면 집안이 망한다: 가정에서 아내가 남편을 제쳐 놓고 떠들고 간섭하면 집안일이 잘 안 된다는 말
④ 열 번 찍어 아니 넘어가는 나무 없다: 아무리 뜻이 굳은 사람이라도 여러 번 권하거나 꾀고 달래면 결국은 마음이 변한다는 말
⑤ 사공이 많으면 배가 산으로 간다: 여러 사람이 자기주장만 내세우면 일이 제대로 되기 어렵다는 말

05 관용 표현은 둘 이상의 낱말이 결합하여 한 덩어리로 굳어져 하나의 낱말처럼 쓰이는 말로, 원래의 뜻과는 다른 특별한 뜻으로 사용된다.

오답 풀이 ① 관용 표현은 특정 사회나 언어 공동체에서 쓰이는 관습적인 언어 표현 방식으로, 다른 언어를 사용하는 사람의 경우 이해하기가 어려울 수 있다.
② 관용 표현은 둘 이상의 낱말이 결합하여 원래의 뜻과는 다른 특별한 뜻으로 사용된다.
③ 관용 표현을 활용할 경우 생각이나 느낌을 참신하게 전할 수 있으나, 지나치게 사용할 경우에는 오히려 표현의 효과가 반감될 수 있다.
④ 격언에 대한 설명이다.

06 ②의 '눈이 높다'는 정도 이상의 좋은 것만 찾는 버릇이 있다는 뜻으로, 분위기를 즐겁게 하는 것과는 관련이 없다.

오답 풀이 ① 웃음을 참지 못하여 배를 움켜잡고 크게 웃다.
③ 상대방의 생각이나 행동을 꿰뚫다, 잘난 체하며 남을 업신여기다.
④ 시끄러운 소리나 자기에게 불리한 말을 하지 못하게 하다.
⑤ 소리가 날카롭고 커서 듣기에 괴롭다, 너무 여러 번 들어서 듣기가 싫다.

07 서술형 '손을 떼다'는 '하던 일을 그만두다.'의 의미를 지닌 관용 표현이다.

08 ㉡은 '앞으로 해야 할 일들이 많이 남아 있다.'의 뜻을 나타내는 관용 표현이다.

09 서술형 '몸을 움직일 수 없거나 활동할 수 없는 형편이 되다.'의 의미를 나타내는 관용 표현은 '발이 묶이다'이다.

10 시간을 허비하고 있는 상황이므로 빈칸에는 시간을 소중히 여겨야 한다는 내용의 격언이나 명언이 들어가는 것이 적절하다.

11 '아끼다 똥 된다'라는 속담은 물건을 너무 아끼기만 하다가는 잃어버리거나 못 쓰게 됨을 비유적으로 이르는 말로, 이 글에서는 속담의 원래 뜻과 상반되는 주제를 담고 있다.

12 서술형 (가)에서는 고구마를 먹고 싶어 하는 반 아이들의 모습을 '침을 삼키(킨)다'라는 관용 표현을 사용해 표현하였다.

고득점 서술형 문제

본문 56~57쪽

1단계 **01** ㉠: 속담, ㉡: 관용 표현, ㉢: 명언 **02** 사공이 많으면 배가 산으로 간다 **03** 귀 **04** 시간

2단계 **05** '표현 ❷'와 같이 속담을 활용하면 전하려는 바를 간결하게 나타낼 수 있다. / '표현 ❷'와 같이 속담을 활용하면 내용을 인상적으로 전할 수 있다. / '표현 ❷'와 같이 속담을 활용하면 말에 재미를 더하여 상대방의 관심을 불러일으킬 수 있다. 등 **06** • 속담: 우물에(보리밭에) 가 숭늉 찾는다 / 싸전에 가서 밥 달라고 한다 / 급하면 바늘허리에 실 매어 쓸까 등 • 교훈: 모든 일에는 질서와 차례가 있으니 성급하게 덤비지 말라. **07** ㉠은 '선 자리에서 발로 바닥을 힘주어 치다.'는 문장 본래의 의미(사전적 의미)로 쓰인 것이지만, ㉡은 '매우 안타까워하거나 다급해하다.'는 뜻의 관용 표현으로 쓰인 것이다. **08** • 관용 표현: 발이 넓다 / • 의미: 사귀어 아는 사람이 많아 활동하는 범위가 넓다. **09** 포기하지 말고 다양한 방법으로 시도해야 원하는 바를 얻을 수 있다.

3단계 **10** ㉠은 속담, ㉡은 명언으로 둘 다 '노력'을 강조하고 있다. 속담은 처음 그 말을 한 사람이 분명하지 않지만, 명언 대부분은 처음 그 말을 한 사람이 분명하다는 차이가 있다. **11** 속담 '아끼다 똥 된다'를 재구성하여 '모든 것을 귀하게 여기며 사는 태도의 중요성'을 강조한다. / 속담 '아끼다 똥 된다'를 활용해 속담의 원래 뜻과 상반되는 주제인 '모든 것을 귀하게 여기며 사는 태도의 중요성'을 강조한다.

1단계

01 ㉠의 '비 온 뒤에 땅이 굳어진다'는 속담이며, ㉡의 '나 몰라라 하다'는 관용 표현이다. ㉢은 유명한 사람의 입에서 나와 널리 알려진 말인 명언이다.

02 〈보기 1〉은 주말에 만나서 뭐 할지에 대해 각자의 주장을 내세우고 있어 의견이 모이지 않고 있는 상황이다. 이런 경우는 주관하는 사람 없이 여러 사람이 자기주장만 내세우면 일이 제대로 되기 어려움을 비유적으로 이르는 속담인 '사공이 많으면 배가 산으로 간다'로 표현할 수 있다.

03 귀에 익다: 들은 기억이 있다, 어떤 말이나 소리를 자주 들어 버릇이 되다. / 귀를 열다: 들을 준비를 하다. / 귀가 가렵다: 남이 제 말을 한다고 느끼다. / 귀가 아프다: 너무 여러 번 들어서 듣기가 싫다.

04 제시된 격언과 명언은 모두 시간의 중요성을 강조하는 말이다.

2단계

05 '표현 ❷'는 '표현 ❶'의 의미를 지닌 속담이다. '표현 ❷'와 같이 속담을 활용할 경우 내용을 인상적으로 전하거나, 전하려는 바를 간결하게 나타내는 등 자기의 생각이나 느낌, 경험 등을 효과적으로 전할 수 있다.

06 모든 일에는 질서와 차례가 있는 법인데, 〈보기〉의 '아이'는 일의 순서도 모르고 성급하게 덤비고 있다.

07 ㉠은 낱말 본래의 뜻으로 쓰였으나, ㉡은 원래의 뜻과는 다른 관용 표현으로 쓰였다.

08 빈칸에 들어갈 말은 '발이 넓은'이다. 이는 아는 사람이 많아 활동하는 범위가 넓다는 의미이다.

09 여우는 포도를 따려고 한 번 시도해 본 후 뜻대로 되지 않자 쉽게 포기하며 자기 합리화를 하는 모습을 보인다. ㉠은 꿈을 이루기까지 여러 번의 시련이 따르므로 좌절하지 말라는 교훈을 담은 명언이므로, 여우에게 포기하지 말고 노력하라는 의미를 전할 수 있다.

3단계

10 ㉠은 부지런하고 꾸준히 노력하는 사람은 침체되지 않고 계속 발전한다는 뜻의 속담이며, ㉡은 노력과 도전을 강조하는 명언이다.

평가 목표	속담과 명언의 차이점 이해하기
채점 기준	✔ ㉠과 ㉡이 공통적으로 강조하는 바와 차이점을 〈조건〉에 맞게 쓴 경우 [15점] ✔ ㉠과 ㉡이 공통적으로 강조하는 바와 차이점을 썼으나, 〈조건〉에 맞지 않은 경우 [10점] ✔ 띄어쓰기나 맞춤법이 잘못되었을 경우 [1점씩 감점]

11 속담 '아끼다 똥 된다'는 물건을 너무 아끼기만 하다가는 잃어버리거나 못 쓰게 됨을 비유적으로 이르는 말이다. 글쓴이는 이 속담을 재구성해 모든 것을 아끼고 귀하게 여겨야 한다는 상반된 주제를 강조하고 있다.

평가 목표	표현상의 특징을 주제와 관련지어 파악하기
채점 기준	✔ ㉠의 표현상 특징과 효과를 〈조건〉에 맞게 쓴 경우 [15점] ✔ ㉠의 표현상 특징과 효과를 썼으나 〈조건〉에 맞지 않은 경우 [10점] ✔ 띄어쓰기나 맞춤법이 잘못되었을 경우 [1점씩 감점]

예상 적중 대단원 평가

본문 58~60쪽

01 ④ **02** ⑤ **03** ④ **04** 큰 소리로 날카롭게 들리는 듯한 말의 느낌을 살리고, '암행어사 출두'라는 중심 사건을 강조하기 위해서이다. **05** ④ **06** ② **07** (다)와 〈보기〉에서는 '어사또(몽룡)'와 재회한 '춘향'의 감격스러운 심정을 강조한다. (다)는 비유적 표현을 통해 '춘향'의 상황과 감정을 드러냈지만, 〈보기〉에서는 대사를 절제하여 표현하였다. **08** ② **09** ⑤ **10** ⑤ **11** ④ **12** 귀를 기울인(이)다 **13** ⑤ **14** ②

01 원작을 재구성하는 과정에서 형식, 관점, 주제의 변화 등에 따라 얼마든지 생략된 부분이 나타날 수 있으므로, 이를 비판하는 것은 적절하지 않다.

02 말풍선 속의 느낌표는 '몽룡'의 시를 들은 사람들이 그가 심상치 않은 인물이라는 것을 짐작하고 놀란 상황임을 표현한 것이다.

03 (나)에서 하늘만 그려 놓은 칸은 사건이 일단락되었음을 나타내는 것으로, 암행어사 출두로 시끌벅적했던 상황을 정리하는 역할을 한다.

04 서술형 (나)에서는 "출두야!"라는 말풍선의 형태와 글자 크기의 변화를 통해 중심 사건인 '암행어사 출두'를 강조하고 있다.

05 (가)에서는 느낌표를 강한 색과 날카로운 모양의 말풍선을 통해 제시하여, '어사또'의 수청 요구를 들은 '춘향'의 어이없는 심리를 강조하고 있다.

06 (나)~(라)는 고전 소설 「춘향전」이다. 고전 소설에 등장하는 인물은 대부분 전형적 인물이며, 고전 소설에서는 인물의 성격이 잘 변하지 않는다.

07 고난도 서술형 (다)와 〈보기〉는 '어사또(몽룡)'와 재회한 '춘향'의 기쁨이 나타난 부분으로, (다)에서는 '춘향'의 속마음을 상세하게 서술하고 있으나 〈보기〉에서는 이를 절제하여 표현하고 있다.

평가 목표	중심 내용과 표현상의 특징 파악하기
채점 기준	✔ 공통적으로 강조하는 바와 표현상의 차이점을 〈조건〉에 맞게 쓴 경우 [상] ✔ 공통적으로 강조하는 바와 표현상의 차이점 중 하나만 바르게 쓴 경우 [중] ✔ 공통적으로 강조하는 바와 표현상의 차이점 모두를 바르게 쓰지 못한 경우 [하]

08 ㉠은 '춘향'에게 닥친 시련을 뜻한다. ⓑ 역시 '변학도'의 횡포를 뜻하므로 '춘향'의 시련으로 볼 수 있다.

09 조상들의 지혜와 교훈이 담긴 말로, 고유한 우리말 표현이 살아 있는 것은 속담이다.

10 〈보기〉의 상황은 주관하는 사람 없이 여러 사람이 자기주장만 내세우면 일이 제대로 되기 어려움을 뜻하는 속담인 ⑤로 표현할 수 있다.

11 속담 '우물에 가 숭늉 찾는다'는 일의 순서를 무시하고 성급하게 일을 처리하려고 할 때 쓸 수 있는 말이다.

12 서술형 '귀를 기울이다'는 '남의 이야기나 의견에 관심을 가지고 주의를 모으다.'의 의미를 지닌 관용 표현이다.

13 〈보기〉는 잘 알려진 속담 '하룻강아지 범 무서운 줄 모른다'를 활용하여 친숙한 느낌을 주고, 설명하기 복잡한 상황을 간결하게 표현하고 있다.

14 '배를 불리다'는 '재물이나 이득을 많이 차지하여 사리사욕을 채우다.'를 뜻한다.

실전에 강한 중간 고사 대비 모의고사 1회 본문 62~66쪽

01 ① 02 ③ 03 ① 04 ② 05 편지 06 ⑤
07 ③ 08 서술자가 '나'에서 '아버지'로 바뀌었다. 09 ③
10 ⑤ 11 ④ 12 ④ 13 ④ 14 ⑤ 15 ②
16 ㉠: 사람이 서 있는 모양, ㉡: 초출자 17 ② 18 한글은 문자와 소리가 일치하기 때문이다. 19 ② 20 ③ 21 ⑤
22 ② 23 어법에 맞게 적는다. 24 ④ 25 '않' → '안', '안았다' → '않았다' / '안'과 '않' 대신 '아니', '아니하-'를 넣어 보면 된다. 26 ⑤

01 이 글은 1인칭 주인공 시점의 소설로, 주인공의 시점에서 사건을 해석하여 서술하고 있다.

02 '아저씨'는 자신의 이야기를 계속하며 가족들을 꼼짝 못 하게 하고 있다. 이를 통해 '아저씨'의 넉살스러운 성격이 드러난다.

03 이 글은 일가인 '아저씨' 때문에 갈등을 겪는 가족들의 모습을 통해 일가친척의 의미가 퇴색하고 있는 현대 사회상을 비판하고 있다. 이 글에서 이웃과 관련된 내용은 다루고 있지 않다.

04 '나'는 사춘기 청소년으로, '아저씨'가 집에 찾아오면서 생긴 사건을 통해 성장하고 있다. 그러나 '나'에게서 '아저씨'와 '엄마'의 갈등을 중재하려는 모습은 보이지 않는다.

05 서술형 '나'는 '미옥'에게서 편지를 받았지만 이것을 '엄마'에게 빼앗겼고, '아버지'는 '엄마'의 이러한 행동을 '갈취'라고 표현하였다. 이 때문에 '엄마'와 '아버지'는 싸우게 된다.

06 (나)에서 '나'는 '엄마'를 지나치게 슬프게 만든 '아버지'에게 반항하고자, '아버지'가 자신을 부르는데도 모른 척한다.

07 지금의 '나'는 '미옥' 때문에 울었던 작년과 달리, '아저씨'의 외로움을 이해하며 눈물을 흘림으로써 성장했음을 보여 준다.

08 서술형 이 글은 서술자가 사춘기 소년인 '나'이지만, 〈보기〉에서는 서술자가 '아버지'로 달라지면서 글의 내용이나 분위기가 다르게 전달된다.

09 '나'가 '아저씨'를 떠올리며 눈물을 흘리는 것은, '나'가 '아저씨'의 외로움에 공감하는 정신적 성장을 보여 주어(ㄷ), 현대 사회의 가족 이기주의를 극복할 가능성을 제시한 것이다(ㄴ).

10 이 시의 화자는 어른으로, 순수함을 지닌 아이 '민지'와의 만남을 통해 얻은 깨달음과 감동을 전하고 있다.

11 '나'는 '민지'의 순수함을 지켜 주고 싶고, 세상의 때가 묻은 자신의 생각이 부끄러워서 '그건 잡초야'라고 말하지 못했다.

12 '민재'는 시험 결과가 좋지 않아 속상해하고 있으므로, '윤하'는 이러한 '민재'의 감정을 이해하고 위로해 줄 필요가 있다.

13 〈보기〉의 밑줄 친 부분은 상대가 객관적으로 문제에 접근하도록 상대의 말을 요약정리하는 적극적 들어 주기에 해당한다.

14 '자주정신'은 남에게 의지하지 않고 스스로 일어서려는 마음이다. 따라서 우리말과 중국어의 차이를 인식하고 우리말을 표기하기 위한 한글을 만들었다는 데서 자주정신을 느낄 수 있다.

15 〈보기〉는 발음 기관의 모양이나 움직임을 본떠 만드는 상형의 원리를 설명하고 있다. 상형의 원리를 이용한 기본 글자는 'ㄱ, ㄴ, ㅁ, ㅅ, ㅇ'의 다섯 글자이다.

16 서술형 모음의 기본자 중 'ㅣ'는 사람이 서 있는 모양을 본뜬 것이다. 그리고 기본자를 한 번 합성하여 만든 모음 'ㅗ, ㅏ, ㅜ, ㅓ'는 초출자라고 한다.

17 Ⓐ는 풀어쓰기 방식으로, Ⓑ는 모아쓰기 방식으로 문장을 쓴 것이다. Ⓐ에 비해 Ⓑ가 문장을 더 편하게 읽을 수 있고(ㄱ), 단어나 문장의 뜻도 더 빨리 이해된다(ㄹ).

18 서술형 한글 모음은 대부분 한 글자가 하나의 소리로 발음되는 반면, 로마자의 모음은 한 글자가 다양한 소리로 발음될 수 있다. 이처럼 한글은 문자와 소리가 일치하여 기계 번역이나 음성 인식 등에 유리하다.

19 '두'는 'ㄴ, 가획, ㅡ, ·, 합성'으로 분석해야 한다.

20 제시된 상황에서 여학생은 남학생의 잘못된 발음 때문에 그의 말을 다르게 알아들었다. 이처럼 의미를 바르게 전달하려면 표준 발음을 사용해야 한다.

21 겹받침 'ㅍ'은 어말 또는 자음 앞에서 두 번째 받침의 대표음 [ㅂ]으로 발음되므로, '읊조릴'은 [읍쪼릴]로 발음해야 한다.

22 '의리'의 '의'는 단어의 첫음절로, 자음을 첫소리로 가지고 있지 않고 조사가 아니므로 [의:리]로 발음하는 것이 원칙이다.

오답 풀이 ①, ⑤ 자음을 첫소리로 가지고 있는 'ㅢ'이므로, '띄어쓰기'는 [띠어쓰기/띠여쓰기]로, '희망'은 [히망]으로 발음한다.
③ '협의'는 단어의 첫음절 이외에 '의'가 쓰였으므로 [혀븨/혀비]로 발음한다.
④ '우리의'의 '의'는 조사이므로 [우리의/우리에]로 발음한다.

23 서술형 ㉡처럼 쓰면 '꽃'이라는 한 단어를 여러 형태로 적게 되어 뜻을 파악하기 어려우므로, ㉠처럼 어법에 맞게 적는 것이다.

24 '맞는 답을 내놓다.'라는 뜻을 지닌 단어는 '맞히다'이다.

25 고난도 서술형 '안'은 '아니'가, '않'은 '아니하-'가 줄어든 말이므로 '안 좋아하는데', '지워지지 않았다'가 옳은 표기이다. 줄어든 말 대신 원래의 말을 넣어 보면 옳은 표기를 알 수 있다.

평가 목표	'안'과 '않' 구별하기
채점 기준	✔ 잘못 쓴 단어를 바르게 고치고, 구별 방법을 바르게 쓴 경우 [상] ✔ 잘못 쓴 단어를 바르게 고쳤으나, 구별 방법 내용이 미흡한 경우 [중] ✔ 잘못 쓴 단어를 바르게 고쳤으나, 구별 방법을 못 쓴 경우 [하]

26 받침 'ㅎ'은 그 뒤에 'ㄷ'이 결합될 경우에 합쳐서 [ㅌ]으로 발음한다. 그래서 '낳다'는 [나:타]로 발음한다. 그런데 받침 'ㅎ' 뒤에 모음으로 시작되는 어미가 오면 'ㅎ'을 발음하지 않는다. 그래서 '낳아'는 [나아]로 발음한다.

실전에 강한 기말 고사 대비 모의고사 1회 본문 67~72쪽

01 ③ **02** ② **03** 청소년들도 스마트폰 노안에 걸릴 가능성이 크다는 사실을 강조한다. **04** ③ **05** ① **06** ④ **07** ③ **08** 문제점(심각성) **09** ① **10** ③ **11** ① **12** 듣는 이의 주의를 집중시키고 지진 피해의 심각성을 강조한다. **13** 탐관오리에 대한 응징 **14** ④ **15** ⑤ **16** ② **17** 지배 계층의 허둥대는 모습을 해학적으로 묘사한다. **18** ⑤ **19** ⑤ **20** ③ **21** 머리 **22** ② **23** ① **24** ⓐ는 앞으로 해야 할 일이 많이 남아 있다는 뜻이지만, 〈보기〉의 밑줄 친 말은 가야 하는 길이 멀다는 뜻이다. **25** ④

01 (가)와 (나)는 큰 광고 문구의 유무로 차이가 있으나, 둘 다 사진과 문자를 함께 활용하고 있다. 따라서 사진만으로 독자의 변화를 이끌어 낼 수 있음을 보여 준다고 할 수 없다.

02 (다)는 노안의 개념을 밝히고, 최근 젊은 세대에 노안 환자가 증가하는 경향과 그 원인을 설명하고 있다. 그러나 노안을 예방하는 방법에 대해서는 설명하고 있지 않다.

03 서술형 제시된 그래프는 대상별 스마트폰 과의존 위험군에서 청소년이 차지하는 비중이 가장 큼을 나타내고 있다. 이를 통해 스마트폰을 많이 사용하는 청소년 역시 노안에 걸릴 가능성이 크다는 것을 보여 주고 있다.

04 전문적인 연구 결과를 제시할 때에는 책이나 논문과 같은 매체를 활용하는 것이 더 적절하다.

05 (다)~(라)는 스마트폰의 장단점이 아니라 스마트폰으로 인한 노안의 위험성을 알리는 블로그 글이다.

06 (라)에서 글쓴이는 스마트폰 노안을 진단할 수 있는 검사 표를 제시하여 읽는 이가 자신의 상태를 진단하고 눈 건강을 돌아보게 하고 있다.

07 이 매체는 주요 쟁점을 그림이나 사진 등의 시각 자료와 간략한 글로 정리한 카드 뉴스로, 청각 정보는 제시하지 않는다.

08 서술형 이 카드 뉴스는 사이버 불링의 개념과 문제점, 사이버 불링을 하지 말아야 할 이유 등에 대해 설명하고 있다.

09 강연에서는 내용, 목적에 맞는 매체 자료를 활용해야 할 뿐, 자료를 청중들이 쉽게 구할 수 없는지는 고려할 필요가 없다.

10 이 강연에서는 지진으로 발생하는 피해를 설명하고 있으나, 이를 복구하는 방법에 대해서는 언급하고 있지 않다.

11 (가)에서 소개한 영화의 제작 후기는 지진에 관한 정보와 지진 발생 시 대처법을 다룬 이 강연의 주제와 크게 관련이 없다.

12 서술형 강연자는 ㉠에서 듣는 이가 알 법한 사건을 소개하여 주의를 집중시키고, 말하고자 하는 바를 강조하고 있다.

13 서술형 (가)~(다)에는 '몽룡'의 시를 듣고 그의 정체를 눈치챈 사람들과, 어사출두 후 도망치는 수령들의 모습이 나타난다. 이로써 탐관오리에 대한 응징이라는 주제가 드러난다.

14 (나)는 '어사또'의 등장을 예감한 사람들이 자리를 피하는 장면으로, 비장한 분위기가 드러나지는 않는다.

15 (가), (다)에는 조선 후기 당시 사회의 모습이 현실적으로 반영되어 있다. 비현실적이며 초월적인 내용은 나타나지 않는다.

16 소설을 만화로 재구성할 때는 갈래의 특성을 고려하여 내용을 표현해야 한다. 그러나 원작의 가치를 무시해서는 안 된다.

17 고난도 서술형 (다)는 어사출두 후 수령들이 도망치는 부분이다. 이를 제시된 만화로 재구성하면서 지배 계층이 허둥대는 모습을 해학적으로 묘사하여 그들의 허위성을 폭로하고 있다.

평가 목표	작품의 재구성 양상 이해하기
채점 기준	✔ 작품 재구성 시 고려한 사항을 〈조건〉에 맞게 쓴 경우 [상] ✔ 작품 재구성 시 고려한 사항을 썼으나, 그 내용이 미흡한 경우 [중] ✔ 작품 재구성 시 고려한 사항을 〈조건〉에 맞게 쓰지 않은 경우 [하]

18 (라)에서는 글 상자를 통해 '춘향'과 '어사또'의 이후 이야기를 요약하여 전달하고 있다.

19 〈보기〉의 밑줄 친 표현은 속담으로, 조상의 지혜와 교훈이 담긴 말이다. ⑤는 관용 표현에 대한 설명이다.

20 제시된 상황은 잘 아는 일이라도 세심하게 주의를 하라는 뜻의 속담인 '돌다리도 두들겨 보고 건너라'가 적절하다.

오답 풀이 ① 대상에서 가까이 있는 사람이 도리어 대상에 대하여 잘 알기 어렵다는 말이다.
② 모든 일에는 질서와 차례가 있는 법인데 일의 순서도 모르고 성급하게 덤빔을 비유적으로 이르는 말이다.
④ 주관하는 사람 없이 여러 사람이 자기주장만 내세우면 일이 제대로 되기 어려움을 비유적으로 이르는 말이다.
⑤ 교양이 있고 수양을 쌓은 사람일수록 겸손하고 남 앞에서 자기를 내세우려 하지 않는다는 것을 비유적으로 이르는 말이다.

21 서술형 제시된 뜻에 해당하는 관용 표현은 '머리를 굽히다', '머리 위에 앉다'이다.

22 ②는 실천의 힘과 노력을 강조한 말로, 친구처럼 열심히 노력할 것을 다짐한 '나'에게 적절한 명언이다.

23 ㉠에는 '부지런하고 꾸준히 노력하는 사람은 침체되지 않고 계속 발전한다.'는 뜻의 속담이, ㉡에는 '물건을 너무 아끼기만 하다가는 잃어버리거나 못 쓰게 됨'을 뜻하는 속담이 적절하다.

24 서술형 ⓐ는 둘 이상의 낱말이 결합하여 원래의 뜻과는 다른 특별한 뜻으로 사용되는 관용 표현이고, 〈보기〉의 밑줄 친 말은 관용 표현이 아니다.

25 ⓑ는 '웃음을 참지 못하여 배를 움켜잡고 크게 웃다.'라는 뜻의 관용 표현이다. 그러나 ④에는 관용 표현이 쓰이지 않았다.

오답 풀이 ① 발 빠르다: '알맞은 조치를 신속히 취하다.'라는 뜻의 관용 표현이다.
② 손 떼다: '하던 일을 그만두다.'라는 뜻의 관용 표현이다.
③ 눈 돌리다: '관심을 돌리다.'라는 뜻의 관용 표현이다.
⑤ 손 내밀다: '도움, 간섭 따위의 행위가 어떤 곳에 미치게 하다.'라는 뜻의 관용 표현이다.

한·끝·시·리·즈 필수 개념과 시험 대비를 한 권으로 끝! 국어 공부의 진리입니다.

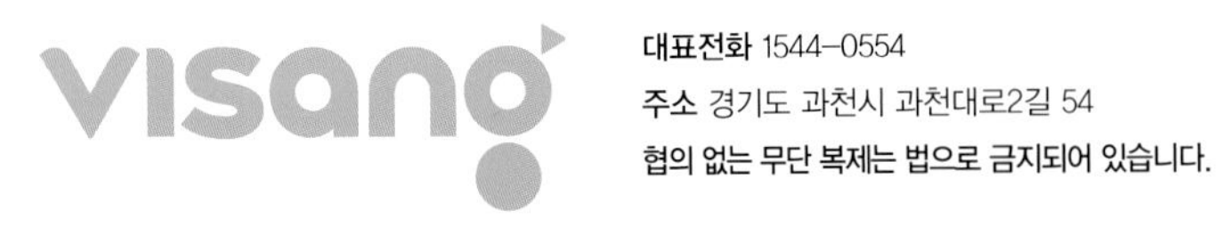

대표전화 1544-0554
주소 경기도 과천시 과천대로2길 54

비상 누리집에서 더 많은 정보를 확인해 보세요.

http://book.visang.com/

15개정 교육과정

한끝 시험대비 문제집

한권으로 끝!

시험 대비 자료
- 만점 마무리
- 간단 복습 문제
- 소단원 평가
- 서술형 문제
- 대단원 평가
- 중간·기말고사 대비 모의고사

중등 국어 2·2

교과서편

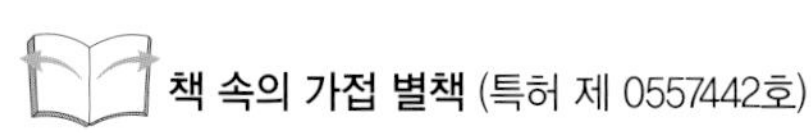

책 속의 가접 별책 (특허 제 0557442호)

'시험 대비 문제집'은 본책에서 쉽게 분리할 수 있도록 제작되었으므로 유통 과정에서 분리될 수 있으나 파본이 아닌 정상제품입니다.

우리는 남다른 상상과 혁신으로
교육 문화의 새로운 전형을 만들어
모든 이의 행복한 경험과 성장에 기여한다

시험 대비 문제집

비상교육 교과서편

중등 국어 2-2

만점 마무리 (1) 보는 이나 말하는 이의 관점

◆ 제재 선정 의도

이 소설은 일가의 의미가 퇴색한 현대 사회의 모습을 청소년 서술자의 관점에서 바라보고 있으며, 서술자가 여러 사건을 겪으며 정신적으로 성장하는 과정이 나타나 있다. 따라서 관점에 따른 작품 수용을 이해하고, 삶을 반성적으로 성찰하는 데 적합하여 제재로 선정하였다.

◆ 제재 이해

갈래	현대 소설, 단편 소설, 성장 소설
성격	비판적, 반어적
배경	• 시간: 봄 방학 • 공간: 시골 과수원
시점	1인칭 주인공 시점(부분적으로 1인칭 관찰자 시점)
제재	일가 '아저씨'
주제	일가친척의 의미가 점점 사라져 가는 현대 사회에 대한 비판과 반성
특징	• 청소년 서술자의 시선으로 가족 이기주의가 만연한 사회상을 비판함. • 작품의 주인공인 '나'가 사건을 겪으면서 성장하는 모습을 담아냄.

◆ 제재 요약

발단 '나'가 '미옥'에게서 답장을 받은 날, 일가인 '아저씨'가 '나'의 집에 찾아옴.

전개 '아저씨'가 자신의 이야기를 계속하여, '나'는 '미옥'이 보낸 편지를 읽어 보지 못함.

위기 '미옥'이 보낸 편지를 '엄마'가 압수한 일로 '엄마'와 '아버지'가 갈등함.

절정 부부 싸움 끝에 '엄마'가 집을 나가고, '아저씨'는 자신 때문이라며 '아버지'에게 미안해함.

결말 '아저씨'가 떠난 날 '엄마'가 돌아오고, 이후 열일곱 살이 된 '나'는 '아저씨'를 생각하며 눈물을 흘림.

◇ 서술자를 '나'로 설정한 의도

'나'의 특성

• 꾸밈없이 자신의 이야기를 들려줌.
• 일련의 사건을 겪으며 성장함.
• 아직 판단이 미숙한 열여섯 살의 사춘기 청소년임.
• 다른 인물의 심리나 행동, 사건을 나름대로 추측함.

↓

서술자 설정의 의도

• 청소년의 시선으로 사건을 전달함으로써 현대 사회를 간접적으로 비판하고 반성을 유도함.
• '나'가 '아저씨'의 외로움에 공감하며 성장하는 모습을 통해, 가족 이기주의가 만연한 현대 사회의 극복 가능성을 열어 둠.

◇ '아저씨'를 대하는 가족들의 태도 변화

	'나'	'아버지'	'엄마'
'아저씨'가 집에 찾아옴.	낯선 '아저씨'에 대해 기분 나빠하다가, 북한 말투를 듣고는 간첩으로 오해하며 무서워함.	'아저씨'를 반갑게 맞이하지만, 예의범절을 중시하는 '아저씨'의 눈치를 봄.	'아저씨'를 손님으로 대접하지만, 얼굴에는 수심이 깔림.
'아저씨'가 집에 오래 머묾.	'아저씨'가 불편하고 못마땅함.	'아저씨'가 계시는 동안 불편함 없이 잘 모시려고 하지만, 점점 소홀해짐.	'아저씨'를 몰상식한 사람이라고 생각하며, 빨리 집을 떠나기를 바람.
'아저씨'가 집을 떠남.	'아저씨'의 외로움을 이해하고 눈물을 흘림.	'아저씨'가 집을 떠난 것에 미안함을 느끼지만, 금세 '아저씨'를 잊음.	'아저씨'가 떠나던 날 집에 돌아와 여느 때처럼 부엌일을 함.

◇ '나'가 생각하는 '엄마'와 '아버지'의 갈등 원인

표면적 이유

'미옥'이 '나'에게 보낸 편지를 '엄마'가 압수한 것에 대해 '아버지'가 '갈취'라고 표현했기 때문임.

근본적 이유

손님으로 온 '아저씨'가 '나'의 집에 오래 머물고 있지만, '아버지'가 아무런 조치를 취하지 않기 때문임.

◇ '나'의 변화와 성장

일 년 전의 '나'

• '미옥'과의 관계가 끝난 것에 눈물을 흘림.
• '아저씨'를 못마땅하게 생각함.

'나' 자신의 슬픔과 외로움 때문에 눈물을 흘리고 '아저씨'를 이해 못함.

성장 →

현재의 '나'

• '미옥'을 생각하는데도 눈물이 나지 않음.
• '아저씨'를 생각하며 눈물을 흘림.

'아저씨(타인)'의 외로움에 공감하며 눈물을 흘릴 정도로 성숙함.

◇ 「민지의 꽃」에서 같은 대상에 대한 '민지'와 시적 화자의 관점 차이

두 인물이 바라보는 대상

질경이, 나싱개, 토끼풀, 억새……

'민지'

'꽃'이라고 여기며 가치를 부여함.
→ 세상의 때가 묻지 않은 순수한 아이

↔

시적 화자

'풀, 잡초'라고 여기며 사소한 것으로 생각함.
→ 세상의 때가 묻은 어른

간단 복습 문제

(1) 보는 이나 말하는 이의 관점

● 정답과 해설 23쪽

쪽지 시험

[01~03] 다음 문장에 들어갈 알맞은 낱말을 (　　)에서 골라 ○표 하시오.

01 작가가 소설 속에 내세운 대리인으로, 작가를 대신하여 허구적인 이야기를 전달하는 존재를 (서술자 / 절대자)라고 한다.

02 작품 속에서 중심인물인 '나'가 직접 자신의 이야기를 들려주는 소설의 시점을 (1인칭 관찰자 / 1인칭 주인공) 시점이라고 한다.

03 같은 대상이라도 서술자의 (관점 / 성격)에 따라 작품 속의 세계는 다르게 나타난다.

[04~06] 「일가」에 대한 다음 설명이 맞으면 ○표, 틀리면 ×표 하시오.

04 열여섯 살의 사춘기 청소년인 '나'의 성장 과정을 보여 준다. (　　)

05 일가친척의 의미가 점점 사라져 가는 현대 사회에 대한 비판과 반성을 주제로 한다. (　　)

06 '엄마'가 '미옥'에게서 온 편지를 압수하고 '나'에게 돌려주지 않은 진짜 이유는 '나'가 소중한 편지를 잘 간수하지 못했기 때문이다. (　　)

[07~10] 「일가」를 읽고, 다음 문장의 빈칸에 들어갈 알맞은 낱말의 기호를 〈보기〉에서 골라 쓰시오.

보기
㉠ '나'　㉡ '엄마'　㉢ '아버지'　㉣ '아저씨'

07 (　　　)는 한국에 돈을 벌기 위해 온 조선족 이주 노동자로, 예의범절을 중시하고 넉살이 좋다.

08 (　　　)는 아들의 이성 교제를 부정적으로 생각하며, '아저씨'가 집에서 빨리 떠나기를 바란다.

09 (　　　)는 처음에 손님으로 찾아온 '아저씨'를 못마땅하게 여기지만, '아저씨'가 떠난 뒤에 그의 외로움에 공감하며 눈물을 흘린다.

10 (　　　)는 '아저씨'에게 예의를 갖춰 잘 모시려고 하지만 점차 소홀하게 대접하며, '아저씨'가 떠난 뒤에는 금세 '아저씨'를 잊는다.

[11~12] 「민지의 꽃」에 나타난 두 인물과 그들의 인식을 바르게 연결하시오.

11 '민지' •　　• ㉠ '질경이, 나싱개, 토끼풀, 억새' 등을 '잡초'라고 생각함.

12 '나' •　　• ㉡ '질경이, 나싱개, 토끼풀, 억새' 등을 '꽃'이라고 생각함.

어휘 시험

[01~03] 다음 설명에 해당하는 낱말을 〈보기〉에서 골라 쓰시오.

보기
눙치다, 갈취하다, 분개하다

01 몹시 분하게 여기다. (　　　)

02 남의 것을 강제로 빼앗다. (　　　)

03 어떤 행동이나 말 따위를 문제 삼지 않고 넘기다. (　　　)

[04~08] 다음 각 호칭과 그것이 가리키는 대상을 바르게 연결하시오.

04 당숙 •　　• ㉠ 아버지의 형.

05 백부 •　　• ㉡ 어머니의 여자 형제.

06 고모 •　　• ㉢ 어머니의 남자 형제.

07 이모 •　　• ㉣ 아버지의 여자 형제.

08 외숙부 •　　• ㉤ 아버지의 사촌 형제.

[09~10] 다음 문장에 들어갈 알맞은 낱말을 (　　)에서 골라 ○표 하시오.

09 그 영화를 보기 싫었지만, 동생이 너무 졸라서 (불가분 / 부득불) 함께 볼 수밖에 없었다.

10 학자들의 많은 노력이 있었지만 그의 마지막 행적은 여전히 (오리무중 / 첩첩산중)이었다.

(1) 보는 이나 말하는 이의 관점

01~04 다음 글을 읽고, 물음에 답하시오.

(가) 그날은 봄 방학을 한 날이었다. 학교가 끝나고 여느 날과 다름없이 자전거를 타고 귀가했다. 우리 집으로 오르는 언덕길에서부터는 자전거를 타고 가기가 좀 힘들다. 내려서 자전거를 끌고 갈까 어쩔까 하다가 힘들더라도 그냥 타고 가기로 했다. 오늘은 어쩐 일인지 다른 날보다 힘이 남아도는 것 같았다. 그 이유가 무엇일까. 그것이 미옥이 때문이라고 한다면 좀 남세스러운가? 하여간 날은 다른 날과 똑같은 날이지만 내 기분만은 특별한 날이었다. 나는 지난주 월요일에 미옥이에게 편지를 보냈었다.

(나) 나는 아버지 말대로 미옥이에게 정중하게 편지를 썼다. 나는 사실 겨울 방학 내내 미옥이만 생각했다. 나는 나중에 꼭 미옥이와 결혼하리라는 결심을 굳히고 또 굳혔다. 미옥이와 결혼할 수 있기 위해서는 나이를 빨리 먹어야 하는데, 이제 겨우 열여섯 살이라는 게 분하고 원통할 지경이었다.

(다) "야야, 내가 무섭네? 무서워할 것 없다. 나는 너의 일가니까니." / 일가니까니? 일가니까니가 뭐람. 나는 미옥이의 편지를 뜯어보고 싶었지만 마루에 있는 '일가니까니'라는 사람이 신경이 쓰여 편지를 뜯어보지도 못하고 책상 앞에 멍하니 앉아 있었다.

"오오, 형님, 어서 오세요." / "아아, 일가가 좋긴 좋구만이. 첨 보는데도 고저 피가 확 땡기는 거이."

"그러게 말입니다, 형님. 안으로 들어가시지요."

㉠<u>바야흐로 혈육 상봉의 감격적인 순간인가? 나가서 사진이라도 찍어 줘야 하나?</u>

(라) "엄마, 그 편지 도로 저에게 주세요."

"자기한테 온 편지를 제대로 간수하지도 못하는 애한테 내가 왜 주냐?" / 엄마는 편지 압수한 이유를 그런 식으로 눙치고 있다. 내가 간수를 못해서 압수해 간 게 아니라, 내가 공부는 안 하고 여자애한테 신경 쓸까 봐 겁나서 그랬다고 엄마가 솔직히 말했으면 나는 끝내 악을 쓰는 우를 범하진 않았으리라.

"그건, 저 손님 때문이었잖아아!" / 악을 써 놓고 나서 나는 내 발등을 내가 찍는 것 같은 아픔을 느꼈다.

01 이 글에 대한 설명으로 알맞은 것은?

① 작품 밖의 서술자가 관찰한 내용을 전달한다.
② 작품 속 주변 인물이 관찰한 내용을 서술한다.
③ 모든 등장인물의 심리를 구체적으로 표현한다.
④ 중심인물이 자신의 시각에서 사건을 서술한다.
⑤ 객관적인 내용 전달로 독자의 상상력을 자극한다.

02 이 글의 내용과 일치하지 <u>않는</u> 것은?

① '나'는 '미옥'을 좋아하고, '미옥'과 결혼하고 싶어 한다.
② '아버지'는 '아저씨'를 형님이라고 부르며 반갑게 맞이했다.
③ '나'는 '미옥'에게 편지를 썼고, 봄 방학을 한 날 답장을 받았다.
④ '아저씨'는 혈연관계에 있는 '아버지'에게 친밀감을 느끼고 있다.
⑤ '아버지'는 '나'가 이성 친구를 사귀려고 하는 것을 용납하지 않는다.

서술형

03 '엄마'가 편지를 압수한 이유를 다음과 같이 정리할 때, 빈칸에 들어갈 알맞은 내용을 쓰시오.

'엄마'가 말한 이유		'나'가 생각하는 이유
'나'가 편지를 제대로 간수하지 못했기 때문이다.	↔	

조건
① (라)의 내용을 활용하여 쓸 것
② '~ 때문이다.'의 형식으로 쓸 것

04 ㉠으로 보아, '아버지'와 '아저씨'의 만남에 대한 '나'의 태도로 알맞은 것은?

① 긍정적　② 비관적　③ 예찬적
④ 냉소적　⑤ 낭만적

05~08 다음 글을 읽고, 물음에 답하시오.

가 나는 알고 있었다. 사실 엄마, 아버지가 저렇게 대립할 수밖에 없는 밑바닥 감정에는 분명 아저씨의 존재가 작용하고 있다는 것을. 그러나 엄마도, 아버지도 아저씨에 대한 말은 입 끝에도 올리지 않았다. 그 이유는 아저씨가 바로 지척에 있는 우사에서 거름을 내는 척하면서 집 안의 상황에 낱낱이 귀를 기울이고 있을지도 모르기 때문이었을 것이다.

나 "나 때문에 제수씨가 집을 나간 게라면 정말 동생한테 미안하오."
"아이고 형님, 그게 무슨 말씀이십니까. 그건 전혀 그렇지 않습니다. 부부가 살다 보면 부부 싸움이란 것도 가끔 하게 되는 거고 애 엄마가 집을 나간 것도 결코 형님 때문이 아니라……."
"참말 미안하오, 동생."
"형님 자꾸 그러시면 제가 들 낯이 없습니다."
"하아, 내가 ㉠죄인이오."
"아니라니까요, 형님."

다 아침에 밥을 먹으면서 나는 아버지한테 물었다.
"아버지, ㉡일가라는 분요." / "누구?"
"아니, 아버지도 잊으셨어요?"
"아, 그 형님 말이야?" / "네. 지금도 연락하시나요?"
"글쎄다. 워낙에 형님들이 많아서 말이지."
"그런데 아버지, 정말 그분이 아버지 사촌 형님이 맞아요?"
"이 세상에 ㉢사촌 아닌 사람이 어디 있니?"

라 작년 이맘때 나는 미옥이 때문에 울었다. 그러나 지금 나는 나의 일가, 나의 ㉣당숙 때문에 울고 있는 나를 종종 발견하게 된다. 미옥이를 생각하며 울 때는 미옥이가 내 마음을 알아주지 않은 게 원통해서 울었던 것임을 나는 알고 있다. 그런데 지금 이 눈물은 왜 나오는 것일까. 이것도 나중에 저절로 알아지는 눈물일까. 그것은 아직 알 수 없었다. 다만, 한 가지 내가 알 수 있는 것은 ㉤어떤 한 사람의 외로움이 이제사 내게로 전해져 왔다는 것뿐. 나는 이제 열일곱 살이다. 더는 어린 애가 아닌 것이다.

05 이 글을 통해 작가가 보여 주고자 한 삶의 모습으로 가장 알맞은 것은?

① 핵가족화에 따른 인구 감소 문제
② 조선족 이주 노동자들의 고단한 삶
③ 일가친척의 의미가 사라져 가는 세태
④ 조국 분단의 현실로 인한 민족의 아픔
⑤ 가족 간의 불화로 인해 고통받는 아이들의 삶

06 (가)를 〈보기〉와 같이 바꾸어 썼을 때, 달라지는 점으로 적절한 것은?

보기
나는 희창이에게 온 편지를 압수한 일을 두고 남편이 내게 '갈취'라고 표현한 것에 화가 나서 남편과 크게 다투었다. 하지만 내가 남편에게 화를 낸 진짜 이유는 다른 데 있었다. '갈취'라는 말을 취소하라며 남편과 싸울 때, 남편의 비난보다는 집에서 떠날 생각을 하지 않는 시숙의 몰상식함 때문에 내가 화를 내고 있다는 것을 알 수 있었다. 하지만 그 말은 절대 꺼낼 수 없었다.

① 상황을 더욱 객관적으로 제시할 수 있다.
② 작가의 주제 의식을 직접 드러낼 수 있다.
③ 독자의 호기심과 상상력을 더욱 자극할 수 있다.
④ 순수한 시선으로 어른들의 세계를 살펴볼 수 있다.
⑤ 다툼의 당사자인 엄마의 내면 심리를 잘 드러낼 수 있다.

서술형

07 (라)에 제시된 '나'의 변화를 다음과 같이 정리할 때, 빈칸에 들어갈 알맞은 내용을 쓰시오.

작년의 '나'		지금의 '나'
	➡	'아저씨'의 외로움에 공감하며 울.

08 ㉠~㉤ 중, 가리키는 대상이 나머지와 다른 것은?

① ㉠ ② ㉡ ③ ㉢ ④ ㉣ ⑤ ㉤

고득점 서술형 문제

(1) 보는 이나 말하는 이의 관점

01~10 다음을 읽고, 물음에 답하시오.

가 편지를 부치기 위해 면 소재지 우체국으로 자전거를 타고 가면서 미옥이가 사는 동네 앞을 지날 때는 혹시 미옥이가 골목에 나와 있지는 않은지 마을 안 골목으로 들어가 괜히 맴을 돌기도 하면서 ㉠자전거 페달을 한없이 느리게 굴렸다.

나 "야야, 조선 민족의 인사법이 무에 그리니. 좀 정식으로 하라우."

"요새 애들이 통 버릇이 없어서요. 뭐 하니, 정식으로 하지 않고."

나는 무릎을 꿇고 아저씨한테 절을 했다.

"[㉡]가 바로 요런 것이로구만그래, 이? 허허허."

아버지가 무슨 잘못이라도 저지른 사람처럼 안절부절못했다.

다 "뭐야? 여보, 당신 왜 그래? 창이한테 온 편지를 왜 당신이 가져?"

"그걸 몰라서 물어요? 지금 쟤 나이가 몇 살이야? 이제 겨우 열여섯 살짜리한테 무슨 놈의 연애편지야? 딱 사 년만 참아라. 스무 살만 되면 그때부터는 연애편지가 아니라, 누구하고 연애를 하든 결혼을 하든, 내가 간섭하지 않을 테니."

"여보, 당신 이제 보니 참 야만인이군그래. 아니, 어떻게 자식한테 온 편지를 갈취해?" / "가, 갈취? 당신 지금 나보고 갈취했다고 했어요?"

"그럼 그것이 갈취한 것이 아니고 뭐야?"

라 휴우, ⓐ한숨 소리가 절로 나왔다. 그런데 내 한숨 소리가 끝났는데도 어디선가 ⓑ또 하나의 한숨 소리가 들려오는 것이었다. 마치 내 한숨 소리가 밖으로 나가 저 혼자 살아 있는 것처럼 말이다. 방문을 왈칵 열었다. 마루에 아저씨가 앉아 있었다. / "아직 안 자네? 아직 안 자면 이리 오라."

내키진 않았지만 '조선의 예의범절'로 인하여 안 나갈 수는 없었다.

마 나는 이제 곧 고등학생이 된다. 중학교 삼 년을 돌아본다. 그중에 잊을 수 없는 사람이나 사건이 무엇일까. 벽에 등을 기대고 생각해 본다. 사람이라면 단연코 미옥이가 떠오른다. 나는 언젠가 미옥이 때문에 지금처럼 벽에 등을 기대고 앉아서 굵은 눈물을 흘린 적이 있다. 나는 그것을 똑똑히 기억하고 있다. 그런데 참 이상하다. 똑같이 미옥이를 생각하는데도 지금은 왜 눈물이 나지 않는 걸까. 내가 큰 것일까? 〈중략〉 사건이라면? 물론 부부 싸움으로 인한 어머니의 가출 건일 것이다. 그때, 일가라는 사람이 있었지. 중국에서 온 아저씨, 나의 당숙. 나는 왜 그를 까맣게 잊고 있었던 것일까. 그러나 나는 맹세코 아저씨를 한 번도 잊은 적이 없다. 내가 아저씨를 잊었다면 지금 이 순간 왜 그를 생각하고 눈물이 난단 말인가.

바 질경이 나싱개 토끼풀 억새……

이런 풀들에게 물을 주며 / 잘 잤니, 인사를 하는 것이었다

그게 뭔데 거기다 물을 주니? / 꽃이야, 하고 민지가 대답했다

그건 잡초야, 라고 말하려던 내 입이 다물어졌다 / 내 말은 때가 묻어

천지와 귀신을 감동시키지 못하는데 / 꽃이야, 하는 그 애의 말 한마디가

풀잎의 풋풋한 잠을 흔들어 깨우는 것이었다

1단계 단답식 서술형 문제

01 (가)~(마)의 주된 서술 시점을 쓰시오. [5점]

02 (나)에 드러나는 '아저씨'의 성격을 다음과 같이 정리할 때, 빈칸에 들어갈 말을 쓰시오. [5점]

> '나'에게 정식으로 인사를 하라고 요구하는 것으로 보아, '아저씨'는 □□□□을/를 중요시한다.

03 (다)에서, '아버지'와 '엄마'의 다툼이 커지는 계기가 되는 표현을 찾아 2음절로 쓰시오. [5점]

04 (바)에서 다음 대상에 대한 '민지'의 인식이 나타난 시어를 찾아 1음절로 쓰시오. [5점]

> 질경이, 나싱개, 토끼풀, 억새

05 〈보기〉를 참고하여 ㉡에 들어갈 알맞은 속담을 쓰시오. [5점]

> 보기
>
> 상대편은 마음에 없는데 자기 스스로 요구하여 대접을 받는 경우를 비유적으로 이르는 말

2단계 기본형 서술형 문제

06 '나'가 ㉠과 같이 행동한 이유를 쓰시오. [10점]

> 조건 ① '~ 때문이다.' 형식의 한 문장으로 쓸 것

07 〈보기〉는 (라)의 앞부분이다. 〈보기〉와 (라)를 참고하여, ⓐ와 ⓑ를 낸 사람이 누구인지 밝히고, ⓐ와 ⓑ에 담긴 심정을 각각 쓰시오. [10점]

보기

그런 생각을 하고 있자니, 엄마 없는 집 안이 사람 사는 집 같지가 않았다. 엄마가 집을 나간 지 사흘째 되는 날 밤에는 하도 잠이 안 와서 어둠 속에서 벽에 등을 기대고 앉아 있는데 눈물 한 줄기가 주르르 볼을 타고 흘러내렸다. 이제 나는 누구와의 결혼을 꿈꿀 수 있을까. 미옥이가 없는 빈자리를 채워 줄 여자애는 도무지 떠오르지 않았다. 막막하기 짝이 없었다.

> 조건 ① ⓐ와 ⓑ로 나누어 쓸 것
> ② 각각의 심정에 영향을 미친 인물을 포함하여 한 문장으로 쓸 것

08 (바)의 시적 화자의 태도가 (바)의 주제와 분위기에 미치는 영향을 쓰시오. [15점]

> 조건 ① 두 가지 이상 쓸 것
> ② 각각 한 문장으로 쓸 것

3단계 고난도 서술형 문제

09 (마)를 중심으로 '나'의 변화 내용을 다음 표에 정리하고, 이를 바탕으로 '나'를 서술자로 설정한 이유를 서술하시오. [20점]

과거의 '나'		지금의 '나'
• '미옥'과의 관계가 끝난 것에 눈물을 흘림. • '아저씨'를 못마땅하게 생각함.	➲	• (Ⓐ) • (Ⓑ)

> 조건 ① '나'의 변화 내용은 Ⓐ와 Ⓑ를 각각 쓸 것
> ② '나'를 서술자로 설정한 이유는 작품의 주제와 관련하여 쓸 것

10 (바)의 시적 화자가 '민지'에게 하지 못한 말을 쓰고, 그 말을 하지 못한 이유 두 가지를 서술하시오. [20점]

> 조건 ① 시적 화자가 '민지'에게 하지 못한 말은 (바)에서 찾아 2어절로 쓸 것
> ② 그 말을 하지 못한 이유 두 가지를 한 문장으로 연결하여 쓸 것

만점 마무리 (2) 공감하며 듣기

◆ 활동 의도
대화를 원만하게 지속하기 위해 공감하며 듣는 태도가 중요함을 인식하고, 여러 대화 상황에서 상대의 생각이나 감정에 공감하는 방법을 배울 수 있도록 하였다. 또한 공감적 듣기가 상대와 대화를 이어 나갈 수 있도록 할 뿐만 아니라, 상대가 객관적 관점에서 문제에 접근하여 스스로 문제를 해결하도록 도와주는 활동임을 이해하도록 하였다.

◆ 활동 목표
- 공감적 듣기의 필요성 파악하기
- 공감적 듣기의 개념과 효과 파악하기
- 공감적 듣기의 방법 이해하기
- 공감적 듣기의 방법을 활용하여 대화하기

◆ 활동 요약

공감적 듣기의 필요성 파악하기
공감적 듣기가 잘 이루어지지 않는 상황을 살펴보면서 공감적 듣기의 필요성을 인식함.

공감적 듣기의 개념과 효과 파악하기
'황희 정승'의 듣기 태도를 참고하여 공감적 듣기가 무엇인지 이해하고, 이를 일상의 대화 상황에 적용하여 공감적 듣기의 효과를 파악함.

공감적 듣기의 방법 이해하기
공감적 듣기가 잘 나타난 담화를 살펴보면서 공감적 듣기의 방법을 구체적으로 이해함.

공감적 듣기의 방법을 활용하여 대화하기
공감적 듣기의 방법을 활용하여 친구와 대화를 해 봄.

◇ 바람직한 대화 태도

잘못된 대화 태도	문제점
상대의 말을 집중하지 않고, 자기 생각만 말하거나 상대를 비난하는 태도	말하는 이의 마음을 상하게 하여 대화가 잘 이루어지지 않음.

바람직한 대화 태도
상대에게 공감하고, 상대를 배려하는 대화하기

◇ '황희 정승'의 말하기 방식

처음 온 사람의 말	"오늘이 제삿날인데 아내가 아이를 낳았습니다. 그래도 제사를 지내야겠지요?"	'황희 정승'의 대답	"그렇지, 지내야지."
나중에 온 사람	"오늘이 제삿날인데 키우는 개가 새끼를 낳았지 뭡니까? 개가 새끼를 낳았으니 제사를 지내면 안 되겠지요?	'황희 정승'의 대답	"그래, 안 지내야지."

상대의 처지와 심정을 헤아리며 대화함.
제사를 지내고 싶어 하는 사람에게는 제사를 지내야 한다고 말하고, 제사를 지내고 싶지 않은 사람에게는 제사를 안 지내야 한다고 말함.

◇ 공감적 듣기의 개념과 효과

개념	상대의 생각이나 감정을 깊이 있게 이해하는 것을 목적으로 하는 듣기 → 상대의 말을 분석하거나 비판하는 것이 아니라, 듣는 이가 말하는 이를 이해하기 위해 노력하고 있음을 보여 주는 의사소통 방식임.
효과	• 상대가 편하게 이야기할 수 있도록 함. • 상대와 긍정적인 관계를 맺거나 유지하는 데 도움을 줌. • 상대의 관점에서 문제를 바라보며 협력적으로 소통할 수 있게 함.

◇ 공감적 듣기의 방법과 효과

소극적 들어 주기	방법	• 상대를 집중해서 바라보고 고개를 끄덕이기 • 상대의 말에 "그래?", "맞아."와 같이 맞장구치기 • "계속 말해 봐."와 같이 상대가 이야기를 이어 갈 수 있도록 돕기
	효과	말하는 이가 자연스러운 분위기에서 자기 생각과 느낌을 이어 갈 수 있음.
적극적 들어 주기	방법	"네 말은 ……라는 말이구나."와 같은 표현으로 상대의 말을 요약정리하기
	효과	상대가 객관적으로 문제에 접근하고, 스스로 문제를 해결할 수 있음.

간단 복습 문제 (2) 공감하며 듣기

• 정답과 해설 24쪽

쪽지 시험

[01~03] 다음 설명이 맞으면 ○표, 틀리면 ×표 하시오.

01 대화를 할 때는 상대의 말을 듣기보다 자기가 하고자 하는 말에 집중해야 한다. (　　)

02 바람직한 대화는 상대에 대한 공감과 배려를 통해 이루어질 수 있다. (　　)

03 고민을 털어놓는 사람에게는 그 사람의 장단점을 정확하게 지적하여 결정을 내리는 데에 도움이 되도록 해야 한다. (　　)

[04~06] 다음 문장에 들어갈 알맞은 낱말을 (　　)에서 골라 ○표 하시오.

04 공감적 듣기는 상대의 생각이나 감정을 깊이 있게 (조율 / 이해)하는 것을 목적으로 한다.

05 공감적 듣기는 듣는 이가 말하는 이를 이해하기 위해 노력하고 있음을 보여 주는 (의사소통 / 의사 결정) 방식이다.

06 공감적 듣기는 상대의 관점에서 문제를 바라보며 (경쟁적 / 협력적)으로 소통할 수 있게 한다.

[07~11] 공감적 듣기의 구체적 방법과 그 종류를 바르게 연결하시오.

07 고개를 끄덕이기 •

08 적절하게 맞장구치기 •

09 상대의 말 요약정리하기 •

10 상대가 이야기를 이어 갈 수 있도록 돕기 •

11 상대가 문제에 객관적으로 접근할 수 있도록 돕기 •

• ㉠ 적극적 들어 주기

• ㉡ 소극적 들어 주기

[12~13] '황희 정승'의 일화에 대한 다음 설명의 빈칸에 들어갈 알맞은 말을 쓰시오.

12 '황희 정승'이 두 이웃 사람의 질문에 다르게 대답한 까닭은 '황희 정승'이 두 사람의 (　　　)와/과 심정을 헤아렸기 때문이다.

13 '황희 정승'의 일화에서 나타나는 듣기 태도로 볼 때, '황희 정승'이 두 이웃 사람에게 한 듣기 방법이 바로 (　　　)적 듣기이다.

어휘 시험

[01~04] 다음 설명에 해당하는 낱말을 〈보기〉에서 골라 쓰시오.

보기
반응, 맥락, 맞장구, 의사소통

01 가지고 있는 생각이나 뜻이 서로 통함. (　　)

02 사물 따위가 서로 이어져 있는 관계나 연관 (　　)

03 남의 말에 덩달아 호응하거나 동의하는 일 (　　)

04 자극에 대응하여 어떤 현상이 일어남. 또는 그 현상 (　　)

[05~07] 다음 낱말과 그 뜻풀이를 바르게 연결하시오.

05 소극적 •

06 적극적 •

07 객관적 •

• ㉠ 대상에 대한 태도가 긍정적이고 능동적인. 또는 그런 것

• ㉡ 스스로 앞으로 나아가거나 상황을 개선하려는 기백이 부족하고 비활동적인. 또는 그런 것

• ㉢ 자기와의 관계에서 벗어나 제삼자의 입장에서 사물을 보거나 생각하는. 또는 그런 것

예상 적중 소단원 평가 (2) 공감하며 듣기

• 정답과 해설 24쪽

01 공감적 듣기에 대한 설명으로 알맞지 않은 것은?

① 상대와 협력하며 소통할 수 있게 한다.
② 상대가 편하게 이야기할 수 있도록 한다.
③ 상대와 친밀감을 형성하는 데 도움을 준다.
④ 상대의 말을 분석하거나 비판하는 방법이다.
⑤ 상대의 생각이나 감정을 깊이 이해하는 듣기이다.

02 '황희 정승'과 이웃이 나눈 다음 대화 상황에 대한 설명으로 알맞지 않은 것은?

① 처음 온 이웃은 제사를 지내고 싶어 했다.
② 다음에 온 이웃은 제사를 지내고 싶지 않았다.
③ '황희 정승'은 두 이웃에게 각각 다른 답변을 하였다.
④ '황희 정승'은 두 이웃의 처지와 심정을 헤아려 대답하였다.
⑤ '황희 정승'은 사람이 아이를 낳은 것과 개가 새끼를 낳은 것을 다르게 보았다.

서술형

03 〈보기〉에서 설명하는 공감적 듣기의 방법을 3어절로 쓰시오.

보기

이 듣기 방법은 상대에게 관심을 드러내어 말하는 이가 자연스러운 분위기에서 자신의 생각과 느낌을 이어 갈 수 있도록 대화 맥락을 조절해 주는 격려하기 기술이 중심을 이룬다.

04 〈보기〉의 대화 상황에서 선생님이 보인 반응 중, 그 성격이 나머지와 다른 것은?

보기

옆 반의 '도현'과 친해지고 싶은데 '도현'이 반응하지 않아 우울한 '민정'이 선생님과 나누는 대화

① 민정아! 너 얼굴이 안 좋아 보이는데, 무슨 일 있니?
② (민정이의 눈을 부드럽게 바라보며) 아니긴, 얼굴에 다 쓰여 있는데?
③ 무슨 일인지 말해 봐. 혹시 선생님이 도와줄 수 있는 일인지도 모르잖아.
④ 응, 계속 이야기해 봐.
⑤ 그러니까 네가 용기 내서 마음을 표현했는데, 도현이가 반응이 없어서 속상한가 보구나.

05 다음 '윤하'의 말에 대답한 반응 중, 공감적 듣기로 보기 어려운 것은?

윤하: 이번에 노래 대회에 나가서 꼭 상을 타고 싶었는데 탈락하고 말았어. 내 나름대로는 노래를 잘 부른다고 생각했는데, 그렇지 않았나 봐. 가수가 되는 것은 아무래도 포기해야 할 것 같아.

① (시선을 맞추고 고개를 끄덕이며) 그랬구나.
② 노래 대회에서 네가 기대하던 결과가 나오지 않아서 속상했구나.
③ 그렇지만 윤하야. 나는 네가 노래 부를 때마다 정말 감탄하는걸!
④ 하지만 너보다 노래를 더 잘하는 친구들이 많은 것도 사실이야.
⑤ 네 노래 실력을 제대로 발휘할 수 있도록 같이 연습해 보는 건 어때?

06 공감적 듣기 태도를 평가하는 항목으로 알맞지 않은 것은?

① 서로를 존중하며 대화하였는가?
② 집중해서 상대를 바라보며 대화하였는가?
③ 상대의 처지와 입장을 이해하며 대화하였는가?
④ 상대의 감정을 깊이 이해하려고 노력하였는가?
⑤ 상대가 할 말을 예측하며 간결하게 대화하였는가?

고득점 서술형 문제

(2) 공감하며 듣기

1단계 단답식 서술형 문제

01 다음 빈칸에 들어갈 알맞은 말을 쓰시오. [10점]

> □□적 듣기란 상대의 말을 분석하거나 비판하는 것이 아니라, 상대의 생각이나 감정을 깊이 있게 이해하려는 것을 목적으로 하는 듣기를 말한다.

02 다음에 해당하는 공감적 듣기의 방법을 쓰시오. [10점]

> • 상대를 집중해서 바라보고 고개를 끄덕이기
> • 상대의 말에 "그래?", "맞아."와 같이 맞장구치기
> • 상대가 이야기를 이어 갈 수 있도록 돕기

2단계 기본형 서술형 문제

03 〈보기〉에 나타난 '윤하'의 듣기 태도의 문제점을 고려하여 '윤하'에게 해 줄 수 있는 조언을 쓰시오. [15점]

보기

> 민재: 윤하야, 나 진짜 열심히 공부했는데, 이번 시험 너무 못 봤어. 어떡하지?
> 윤하: 아이참, 너 때문에 나까지 우울해진다. 민재야, 우리 떡볶이나 먹으러 가자!

조건 ① '~ 주렴.' 형식의 한 문장으로 쓸 것

04 다음 학생의 경험을 참고하여, 다른 사람과 대화할 때 지녀야 할 태도를 쓰시오. [15점]

> 학생: 친구에게 "나, 오늘 힘든 일이 있었어."라고 말했는데, 친구가 "너만 힘드니? 다 힘들어."라고 대꾸하더라고. 더는 대화할 수가 없었어.

조건 ① 두 가지 이상 쓸 것

3단계 고난도 서술형 문제

05 〈보기〉에서 '형'의 듣기 태도의 문제점을 쓰고, '형'의 말을 공감적 듣기의 대답으로 바꾸어 쓰시오. [30점]

보기

> 동생: 형, 내 말 좀 들어 봐. 내가 운동하는 걸 좋아하잖아. 나 축구부에 들어가도 잘할 수 있을까? 형은 어떻게 생각해?
> 형: 아서라. 축구부 애들이 실력이 얼마나 대단한데……. 괜히 헛바람 들지 말고 공부나 해. 곧 시험인 거 알지?

06 〈보기〉의 ㉠에 활용된 듣기 방법의 효과를 서술하시오. [20점]

보기

> 지연: (따뜻한 목소리로) 무슨 일이 있었어?
> 현정: 엄마께서 동생의 피아노 대회 때문에 내 생일을 잊으셨어.
> 지연: 가족들이 네 생일을 잊어서 속상했구나.
> 현정: 응. 온종일 울었어. 아직도 엄마가 미워.
> 지연: (고개를 끄덕이며) ㉠<u>네 맘 이해해. 그런데 가끔 어떤 일에 몰두하다 보면 중요한 문제를 깜빡하기도 하더라.</u>
> 현정: 동생한테 중요한 대회라서 엄마께서 신경을 많이 쓰시긴 했어.
> 지연: 응. 그래서 그러셨나 봐. 엄마와 이야기해 봤어?
> 현정: 아직. 내가 이야기하면 엄마께서 미안해하실까?
> 지연: 그럼. 아마 깜짝 놀라서 너에게 사과하실걸?
> 현정: 그러면 말씀드려 봐야겠다. 고마워.

조건 ① 적극적 들어 주기의 구체적인 방법을 포함하여 한 문장으로 쓸 것

01~04 다음 글을 읽고, 물음에 답하시오.

(가) 나는 아버지 말대로 미옥이에게 정중하게 편지를 썼다. 나는 사실 겨울 방학 내내 미옥이만 생각했다. 나는 나중에 꼭 미옥이와 결혼하리라는 결심을 굳히고 또 굳혔다. 미옥이와 결혼할 수 있기 위해서는 나이를 빨리 먹어야 하는데, 이제 겨우 열여섯 살이라는 게 분하고 원통할 지경이었다. 그러나 편지에는 그런 말을 쏙 빼고 그저, 방학을 어떻게 보내고 있는지, 공부는 열심히 하고 있는지, 3학년에 올라가서는 더 열심히 공부하자는 말과 함께 편지 끝에 슬쩍 혹시 나 보고 싶은 마음은 없는지 물어보는 것으로 내 마음을 표현했다.

(나) "야야, 너 어데로 갑네?"

'어데로 갑네?'

말이 좀 이상하다. 잉? 부, 북한 사람? 가, 간첩? 어따, 뛰자 뛰어.

좀 전의 재수 없다는 생각은 온데간데없고 나는 갑자기 남자가 왈칵 무서워졌다. 나는 휙 돌아서서 자전거 바퀴를 굴렸다. 그러자, 남자가 뒤에 서서 — 나에게는 분명히 비웃는 것으로 들렸다. — 킥킥 웃으며,

"허어, 고놈 차암." / 하는 것이었다.

(다) "엄마, 저 아저씨 언제 간대요?"

"낸들 아니?"

그러고 보니 엄마도 답답하기는 마찬가지인 것 같았다. 엄마를 답답하게 하는 것은 사실 내가 느끼는 답답함보다도 더 심각한 것이었다.

"원, 아무리 일가래도 저건 몰상식이야."

"맞아, 몰상식."

"아무리 일가래도 엄연히 손님으로 와 놓구선 날마다 술을 달래지 않나, 옷을 빨아 달래지 않나."

"맞아, 아무리 일가래도."

(라) 사건이라면? 물론 부부 싸움으로 인한 어머니의 가출 건일 것이다. 그때, 일가라는 사람이 있었지. 중국에서 온 아저씨, 나의 당숙. 나는 왜 그를 까맣게 잊고 있었던 것일까. 그러나 나는 ㉠맹세코 아저씨를 한 번도 잊은 적이 없다. 내가 아저씨를 잊었다면 지금 이 순간 왜 그를 생각하고 눈물이 난단 말인가.

01 이 글에 대한 설명으로 가장 알맞은 것은?

① 청소년의 눈을 통해 산업화된 현대를 묘사한다.
② 다양한 사건을 겪으며 중심인물이 성장하는 모습이 나타난다.
③ 상징적 제목과 풍자적 어조로 부정적인 인물의 모습을 비판한다.
④ 친척 간의 갈등과 화해 과정을 통해 혈연관계의 중요성을 부각한다.
⑤ 작품 밖 서술자가 신적인 입장에서 모든 내용을 구체적으로 설명한다.

02 (가)를 참고할 때, '나'가 '미옥'에게 쓴 다음 편지의 내용으로 알맞지 않은 것은?

> 미옥이에게
> 안녕, ①방학은 잘 보내고 있니? ②공부는 열심히 하고? 나는 잘 못 지냈어. 공부도 그냥 그렇고.
> 겨울 방학이 끝나면, 우리도 이제 곧 3학년이 되는구나. ③3학년에 올라가면 우리 더 열심히 공부하자.
> 사실 나는 방학 내내 네 생각만 했어. 그리고 결심도 했단다. ④나는 너와 결혼하고 말 거야. 그런데 이제 겨우 열여섯 살이라니 안타까울 뿐이야.
> 너는 어떠니? ⑤가끔 내가 보고 싶기도 한지 궁금하다. 하고 싶은 말은 많지만, 이만 줄일게.
> 남은 방학 잘 보내고, 곧 건강한 모습으로 만나자.

03 (나)~(라)에서 '아저씨'에 대한 '나'의 심리 변화로 알맞은 것은?

① 무서움 → 불편함 → 안심함
② 유쾌함 → 불편함 → 미안함
③ 불쾌함 → 난처함 → 무심함
④ 무서움 → 못마땅함 → 미안함
⑤ 당혹감 → 못마땅함 → 황당함

서술형

04 '나'가 ㉠과 같이 생각하는 근거를, (라)를 참고하여 한 문장으로 쓰시오.

05~08 **다음 글을 읽고, 물음에 답하시오.**

가 바로 이런 게 어른들이 흔히 말하는 '살맛'이 아닐까, 라고 나는 막연히 생각하며 언덕이 막 시작되는 과수원 초입에서부터 엉덩이를 힘껏 들어 올리고 페달을 힘차게 굴렸다. ㉠그런데, / "아아, 그 궁뎅이두 차암." 하는 말이 들려오지 않는가. 반사적으로 소리 나는 쪽을 바라보았다. 저기 과수원 한복판에서부터 나를 향해 천천히 걸어오는 ㉡한 남자가 있었다. 처음 보는 사람이었다.

나 "첨 보는 사이도 아닌데 웬 악을 지르고 그러네?"

아저씨는 나를 향해 눈을 찡끗해 보이기까지 한다. 그때 부엌에서 밥을 차리고 있던 엄마가 내 비명에 놀라 손에 반찬 그릇을 든 채로 마루에 나왔다.

"아주마니, 안녕하십네까?"

"아, 네에. 연변에서 오신 그분이신가요?"

아니, 저 이상한 말 쓰는 아저씨가 미리 연락하고 오는 우리 집 손님이었단 말인가?

"옌벤이라니요, 어째 한국 사람들은 중국서 왔다면 고저 다아 옌벤서 왔다고 알고 있습네까? 저는 저어 랴오닝성 다롄서 왔지요."

㉢엄마는 얼굴이 벌게져 버렸다.

"아이구, 그렇다고 뭐 그렇게 부끄러워할 필요는 없습네다. 반갑습네다, 제수씨."

다 아버지가 끝내 그놈의 ㉣'갈춰'라는 말을 고집하는 모습은 사람을 질리게 하기에 충분했다. 내가 질릴 정도면 엄마는 오죽했겠는가. 가만 생각해 보면 엄마, 아버지의 싸움이란 게 늘 그런 식이었다. 어느 한쪽이 그냥 대충 넘어가 주면 유야무야 끝날 수도 있는 문제를 가지고 두 양반은 그렇게 이따금 팽팽히 고집을 부리는 것이다. 그러고 나서 얼마간 냉기와 해빙 분위기와 함께 백화가 만발했다가 다시 공포의 고집 부리는 날이 그동안 깜빡 잊고 있었다는 듯이 찾아오고.

라 갈수록 오리무중이었다. ㉤그런데 나야말로 왜 새삼스럽게 그 아저씨를 궁금해하는 것일까. 내가 정말 크기는 큰 것일까? 이제야말로 누군가에 대해서 알고 싶어 하는 것을 보니 말이다. 국어 선생님이 그랬다.

[A] "내가 내 외로움 때문에 울 때는 아직 그가 덜 컸다는 증거고 나와 상관없는 남의 외로움 때문에 울 수 있다면 이미 그가 다 컸다는 것을 의미한다. 그는 이제 더 이상 어린애가 아니다."

서술형

05 **(가)~(나)를 〈보기〉와 같이 바꾸어 썼을 때의 효과를 한 문장으로 쓰시오.**

| 보기 |

사촌이 농사짓고 산다는 과수원에서 집 방향을 몰라 헤맸는데 자전거를 타고 가는 남자아이를 따라가니 집을 찾을 수 있었다. 처음 봤을 때도 남자아이의 얼굴이 낯설지 않았는데 핏줄은 못 속인다더니 역시 우리 일가였다. 제수씨는 내가 어디서 왔는지는 잘 몰랐지만, 수줍어하는 모습을 보니 마음씨가 착한 것 같다.

06 **(다)에서 '엄마'와 '아버지'의 화해를 비유한 표현을 찾아 바르게 묶은 것은?**

① 갈춰, 냉기 ② 냉기, 해빙 ③ 해빙, 백화
④ 백화, 공포 ⑤ 냉기, 공포

서술형

07 **[A]의 의미를 다음과 같이 정리할 때, 빈칸에 들어갈 알맞은 말을 2어절로 쓰시오.**

자신의 외로움이 아니라 (   )에 공감하고 함께 아파할 수 있다면 그는 다 성장한 것이다.

08 **㉠~㉤에 대한 설명으로 알맞지 않은 것은?**

① ㉠: 새로운 사건이 일어날 것임을 알 수 있다.
② ㉡: 사건의 실마리가 되는 인물이 등장하며 독자의 호기심을 유발한다.
③ ㉢: 처음 만난 '아저씨'의 직설적인 표현에 무안하고 부끄러운 마음이 들어 나타난 반응이다.
④ ㉣: '아버지'와 '나'의 갈등을 심화하는 말이면서 사건 해결의 실마리가 된다.
⑤ ㉤: 이 작품에서 성장 소설로서의 성격이 드러나는 부분이다.

09~12 다음을 읽고, 물음에 답하시오.

가 이번에도 둘 중 한 곳에 갔겠거니, 하고 아버지나 나나 안심하고 엄마가 돌아오길 기다리며 남자 셋이서 밥을 해 먹고 낮에는 일하고 밤에는 텔레비전을 보다가 잠을 잤다. 밥하는 것은 주로 내가 하고 국은 아버지가 끓이고 반찬은 그냥 있는 대로 먹었다.

나 "아직 안 자네? 아직 안 자면 이리 오라."

내키진 않았지만 '조선의 예의범절'로 인하여 안 나갈 수는 없었다.

"참으로, 영화 「림해설원」의 한 풍경이로구나야."

마루에서 내려다보이는 과수원 가득히 하얀 달빛이 쏟아져 내리고 있었다. / "저기 한가운데 무투팡자 한 채 짓고 내 평생 살았으면 좋갔구나야."

안방에서는 아버지의 코 고는 소리가 들려왔다. 림해설원이니, 무투팡자니, 나는 그저 그런 영화가 있는가 부다, 그런 집이 있는가 부다, 짐작만 할 뿐이다.

다 그런데 지금 ㉠이 눈물은 왜 나오는 것일까. 이것도 나중에 저절로 알아지는 눈물일까. 그것은 아직 알 수 없었다. 다만, 한 가지 내가 알 수 있는 것은 어떤 한 사람의 외로움이 이제사 내게로 전해져 왔다는 것뿐. 나는 이제 열일곱 살이다. 더는 어린애가 아닌 것이다.

라 강원도 평창군 미탄면 청옥산 기슭
덜렁 집 한 채 짓고 살러 들어간 제자를 찾아갔다
거기서 만들고 거기서 키웠다는 / 다섯 살배기 딸 민지
민지가 아침 일찍 눈 비비고 일어나
저보다 큰 물뿌리개를 나한테 들리고
㉡질경이 나싱개 토끼풀 억새……
이런 풀들에게 물을 주며
잘 잤니, 인사를 하는 것이었다
그게 뭔데 거기다 물을 주니?
꽃이야, 하고 민지가 대답했다
그건 잡초야, 라고 말하려던 내 입이 다물어졌다
내 말은 때가 묻어
천지와 귀신을 감동시키지 못하는데
꽃이야, 하는 그 애의 말 한마디가
풀잎의 풋풋한 잠을 흔들어 깨우는 것이었다

09 (가)~(다)와 (라)의 공통점으로 알맞은 것은?

① 작가의 실제 경험을 소재로 하고 있다.
② 작품에 '나'가 등장하여 내용을 전달하고 있다.
③ 대사와 행동을 중심으로 사건을 전달하고 있다.
④ 순수한 어린아이를 서술 주체로 설정하고 있다.
⑤ 삶에서 얻은 생각이나 느낌을 운율이 있는 언어로 형상화하고 있다.

10 (가)~(다)를 영화로 제작하기 위해 계획한 내용으로 적절하지 않은 것은?

① (가): 남자 셋의 생활 모습들을 각각 찍은 뒤, 배경 음악과 함께 연결해서 짧게 보여 줘야겠어.
② (나): 영화 「림해설원」에서 가족끼리 화목하게 지내는 장면을 가져와 삽입해야겠어.
③ (나): '아저씨'가 애틋한 표정으로 달빛이 쏟아지는 과수원을 바라보는 장면을 넣어야겠어.
④ (다): '나'의 성찰 내용을 내레이션으로 표현해야겠어.
⑤ (다): '나'의 눈에 눈물이 맺힌 모습을 클로즈업해서 화면에 크게 잡아야겠어.

고난도 서술형

11 ㉠의 의미를 다음의 눈물과 비교하여 쓰시오.

> 작년 이맘 때 나는 미옥이 때문에 울었다.

12 ㉡에 대한 '민지'와 시적 화자의 태도 차이로 알맞지 않은 것은?

	'민지'	시적 화자
①	'꽃'이라고 부름.	'잡초'라고 생각함.
②	가치를 부여함.	사소하게 여김.
③	친구처럼 인사를 함.	물을 왜 주는지 모름.
④	잎을 잡고 잠을 흔들어 깨움.	입을 다물고 아무 말도 하지 않음.
⑤	순수하고 맑은 시선으로 바라봄.	어른의 세속적인 시선으로 바라봄.

13 공감적 듣기의 효과로 알맞지 않은 것은?

① 말하는 이와 협력적으로 소통할 수 있게 한다.
② 말하는 이가 대화에 편하게 참여하게 해 준다.
③ 말하는 이와 긍정적 관계를 맺는 데 도움을 준다.
④ 말하는 이의 관점에서 문제를 바라볼 수 있게 한다.
⑤ 말하는 이의 문제점에 대해 효과적으로 조언할 수 있게 한다.

14 다음 상황에서 '형'의 대화 태도의 문제점으로 알맞지 않은 것은?

① 동생을 비난하는 듯한 태도로 말했다.
② 동생의 처지나 상황을 고려하지 않았다.
③ 동생의 심정을 이해하지 않고 자기 생각만 말했다.
④ 동생이 말을 꺼냈지만, 고개도 들지 않고 딴짓을 했다.
⑤ 축구에 대한 지식이 부족해서 동생에게 제대로 조언하지 못했다.

15 다음 듣기 방법 중, '소극적 들어 주기'로 볼 수 없는 것은?

① 상대와 눈 맞추기
② 상대의 말을 요약정리하기
③ 상대의 말에 적절하게 맞장구치기
④ 상대의 말에 고개를 끄덕이며 호응하기
⑤ 상대가 대화를 이어 갈 수 있도록 맥락 조절해 주기

16 친구와 함께 문학 작품을 읽을 때, 읽기 단계에 따른 활동으로 적절하지 않은 것은?

① 읽기 전: 친구와 함께 읽을 문학 작품을 선정한다.
② 읽는 중: 등장인물에 집중하여 책을 읽는다.
③ 읽는 중: 등장인물의 상황이나 인상 깊은 말과 행동 등을 일지에 정리한다.
④ 읽는 중: 문학 작품을 훑어보며 어떤 인물의 이야기가 담겨 있을지 예측한다.
⑤ 읽은 후: 자신의 책 읽기 경험을 친구들과 공유한다.

17 책 속에 담긴 이야기를 예측하기 위한 방법으로 가장 적절한 것은?

① 책의 전체 쪽수를 확인해 본다.
② 책을 읽는 주요 독자가 누구인지 확인해 본다.
③ 작가의 관심사와 취미에 대한 정보를 찾아본다.
④ 책 표지, 제목과 차례, 삽화 등을 가볍게 훑어본다.
⑤ 최근 사회적으로 관심이 높았던 논쟁거리가 무엇이었는지 알아본다.

서술형

18 다음 독서 일지에서 ㉠과 ㉡에 들어갈 항목을 쓰시오.

작품 제목	우아한 거짓말	
회차	읽은 날짜	쪽수
1회	20○○년 ○○월 ○○일	9~129쪽
㉠		
이 책의 주인공은 '천지'다. '천지'는 가정 형편 때문에 이사를 자주 다녀서 친한 친구가 없다.		
등장인물이 한 말이나 행동 중 인상 깊은 것		
• "공기 청정기는 있는데 왜 마음 청정기는 없을까?" • '천지'가 암묵적으로 '화연'을 노려 '선입견'이라는 주제로 발표하는 행동		
㉡		
친구들의 괴롭힘과 외로움을 못 이겨 내고 극단적인 선택을 한 '천지'가 너무 안타깝다.		
등장인물에게 하고 싶은 한마디		
천지야, 그동안 많이 아프고 슬펐지? 많이 힘들어했을 너의 모습이 떠올라서 마음이 먹먹해.		

만점 마무리 (1) 한글의 창제 원리

◆ 제재 선정 의도

세종 대왕과의 가상 면담 형식으로 한글의 창제 배경, 한글의 창제 원리, 모아쓰기의 특성, 한글의 가치와 우수성을 이해할 수 있도록 설명한 글이다. 가상 면담을 읽으며 한글의 창제 원리와 특성을 흥미롭게 학습하고, 정보화 시대에 주목받는 한글의 우수성을 탐구할 수 있어 제재로 선정하였다.

◆ 제재 이해

갈래	면담
성격	설명적
제재	한글
주제	한글의 창제 원리와 특성
특징	• 한글의 창제 배경과 창제 원리를 대화체로 풀어 제시함. • 만화를 활용하여 내용을 쉽고 재미있게 드러냄.

◆ 제재 요약

1. 한글의 창제 배경	한자를 빌려 사용하였으나 우리말을 표기하는데 어려움을 겪음. 자주정신, 애민 정신, 실용 정신을 바탕으로 한글을 창제함.
2. 한글의 창제 원리	한글 자음자는 상형, 가획의 원리, 모음자는 상형의 원리, 합성의 방법을 사용하여 만듦. 그 외의 자음자는 위아래로 잇대어 쓰거나, 좌우로 나란히 써서 만들고, 모음자는 모음자끼리 글자를 더하여 만듦.
3. 모아쓰기	자음자와 모음자를 음절 단위로 모아써서 의미를 빠르게 이해할 수 있도록 함.
4. 한글, 창제 600년 후	세종 대왕은 한글을 널리 알리고자 하였음. 현대에 한글은 우리나라 국민 모두 사용하고, 세계적으로도 훌륭한 문자로 평가받고 있음.

◇ 한글의 창제 정신

자주정신	우리말과 중국어는 말소리와 문장 구조가 달라 한자를 빌려 우리말을 표기하는 데에는 한계가 있음을 인식함.
애민 정신	백성이 글자를 몰라 억울한 일을 당하지 않고, 책을 읽어 지혜로워지기를 바람.
실용 정신	누구나 쉽게 배우고 편하게 쓸 수 있는 글자를 원함.

◇ 한글의 창제 원리와 '모아쓰기'의 특성

• 자음자를 만든 방법

상형	소리를 내는 발음 기관의 움직임이나 모양을 본떠 자음 기본자를 만듦. 예 ㄱ, ㄴ, ㅁ, ㅅ, ㅇ
가획	• 자음 기본자 'ㄱ, ㄴ, ㅁ, ㅅ, ㅇ'에 획을 더해 새로운 글자를 만듦(획을 더하면 소리의 세기가 세짐.). 예 ㄱ → ㅋ • 'ㅇ, ㄴ, ㅅ'에 획을 더하여 만든 이체자 'ㆁ, ㄹ, ㅿ'은 소리가 세지지 않음.

본뜬 모양	기본자	가획자	이체자
혀뿌리가 목구멍을 막는 모양	ㄱ	ㅋ	
혀가 윗잇몸에 붙는 모양	ㄴ	ㄷ, ㅌ	ㄹ
입의 모양	ㅁ	ㅂ, ㅍ	
이의 모양	ㅅ	ㅈ, ㅊ	ㅿ
목구멍의 모양	ㅇ	ㆆ, ㅎ	ㆁ

• 모음자를 만든 방법

상형	하늘, 땅, 사람의 모양을 본떠 모음 기본자를 만듦. 예 ㆍ, ㅡ, ㅣ
합성	• 초출자: 모음 기본자 'ㆍ, ㅡ, ㅣ'를 한 번만 합성하여 만듦. 예 ㆍ+ㅡ → ㅗ, ㅜ • 재출자: 초출자 'ㅗ, ㅏ, ㅜ, ㅓ'에 'ㆍ'를 합성하여 만듦. 예 ㅗ+ㆍ → ㅛ

본뜬 모양	기본자	초출자	재출자
하늘의 둥근 모양	ㆍ	ㅗ, ㅏ, ㅜ, ㅓ	ㅛ, ㅑ, ㅠ, ㅕ
땅의 평평한 모양	ㅡ		
사람이 서 있는 모양	ㅣ		

• 그 외의 글자를 만든 방법

• 자음자 둘을 위아래로 잇대어 쓰는 방법 예 ㅱ, ㅸ, ㆄ, ㅹ
• 자음자 둘 이상을 옆으로 나란히 쓰는 방법 예 ㄲ, ㄸ, ㅃ, ㅆ, ㅉ, ㅳ, ㅴ, ㅺ
• 모음자끼리 글자를 더하여 쓰는 방법 예 ㅘ, ㅝ, ㆎ, ㅢ, ㅚ, ㅟ, ㅐ, ㅙ, ㅞ 등

• 모아쓰기의 특성

한글은 자음자와 모음자를 합쳐서 음절 단위로 모아씀.
예 학교(모아쓰기) ↔ school(풀어쓰기)
→ 단어와 문장을 읽기 편하고, 의미를 빠르게 파악할 수 있음.

◇ 한글의 우수성

창제 원리가 과학적, 체계적인 문자	• 발음 기관의 움직임이나 모양을 본떠서 기본 글자를 만듦. • 소리의 관련성을 획을 더함으로 표시하고, 같은 위치에서 소리 나는 글자는 모양이 비슷함.
실용적이고 효율적인 문자	적은 수의 자모만으로 일만 개 이상의 글자를 만들 수 있음.
정보화 사회에 유용한 문자	• 컴퓨터나 휴대 전화 사용 시 문자 입력 속도가 빠름. • 문자와 소리의 일치성이 뛰어나 한글 정보화에 유리함.

간단 복습 문제

(1) 한글의 창제 원리

● 정답과 해설 27쪽

쪽지 시험

[01~07] 다음 설명이 맞으면 ○표, 틀리면 ×표 하시오.

01 한글 창제 전에는 우리말을 표기하는 글자가 없어서 중국의 글자인 한자를 빌려 사용하였다. (　　)

02 '훈민정음'은 '백성을 가르치는 바른 소리'라는 뜻이다. (　　)

03 자음 기본자는 발음 기관의 움직임이나 모양을 본떠서, 모음 기본자는 하늘과 땅, 나무의 모양을 본떠서 만들었다. (　　)

04 자음 기본자인 'ㄱ, ㄴ, ㅁ, ㅅ, ㅇ'에 획을 더해서 새로운 글자를 만들었는데, 획을 하나씩 더할 때마다 소리가 세지는 특성이 있다. (　　)

05 기본자 이외의 모음자는 기본자를 합성하는 방식으로 만들었다. 기본자를 한 번만 합성하여 만든 초출자 'ㅏ, ㅡ, ㅣ'와, 이것에 'ㆍ'를 다시 합성하여 만든 재출자 'ㅛ, ㅑ, ㅠ, ㅕ'가 있다. (　　)

06 한글은 다른 문자와 다르게 '강'이라는 단어를 'ㄱㅏㅇ'이라고 모아쓰지 않고 '강'처럼 풀어쓰는 특징이 있다. (　　)

07 한글은 문자와 소리의 일치성이 뛰어나 정보화 사회에 유용한 문자이다. (　　)

[08~10] 다음 한글의 창제 정신과 그 설명을 바르게 연결하시오.

08 자주 정신 •　　• ㉠ 누구나 쉽게 배우고 편하게 쓸 수 있는 글자를 만듦.

09 애민 정신 •　　• ㉡ 백성이 글자를 몰라 억울한 일을 당하지 않고, 지혜로워지기를 바라 글자를 만듦.

10 실용 정신 •　　• ㉢ 우리말과 중국어는 말소리와 문장 구조가 달라서, 중국의 글자인 한자를 빌려 우리말을 표기하는 데에는 한계가 있음을 인식하여 글자를 만듦.

[11~15] 다음 표의 빈칸에 들어갈 알맞은 낱말의 기호를 〈보기〉에서 골라 쓰시오.

보기
㉠ 혀뿌리　㉡ 이　㉢ 입　㉣ 목구멍　㉤ 윗잇몸

본뜬 모양		기본자
11 (　　　)이/가 목구멍을 막는 모양	상형 →	ㄱ
12 혀가 (　　　)에 붙는 모양		ㄴ
13 (　　　)의 모양		ㅁ
14 (　　　)의 모양		ㅅ
15 (　　　)의 모양		ㅇ

어휘 시험

[01~05] 다음 설명에 해당하는 낱말을 〈보기〉에서 골라 쓰시오.

보기
창제　가획　상형　합성　반포

01 원글자에 획을 더함. (　　)

02 어떤 물건의 형상을 본뜸. (　　)

03 세상에 널리 퍼뜨려 모두 알게 함. (　　)

04 둘 이상의 것을 합쳐서 하나를 이룸. (　　)

05 전에 없던 것을 처음으로 만들거나 제정함. (　　)

[06~09] 다음 문장에 들어갈 알맞은 낱말을 (　　)에서 골라 ○표 하시오.

06 내 인내심도 이제 (경계 / 한계)에 다다랐다.

07 그 가방은 예쁘지만 (실존 / 실용) 가치가 떨어진다.

08 에디슨은 전기의 (원리 / 원료)를 분석하여 실생활에 이용했다.

09 영어는 발음과 (의미 / 표기)가 일치하지 않는 경우가 많다.

예상 적중 소단원 평가 (1) 한글의 창제 원리

01~04 다음을 읽고, 물음에 답하시오.

가 학생 2: 그런데 세종 대왕님, 한 나라의 군주가 직접 글자를 만든 것은 특별한 경우라고 하던데……. 세종 대왕님께서 한글을 만드신 까닭은 무엇인가요?

세종 대왕: 학생들도 알고 있겠지만 한글을 만들기 전에는 우리말을 표기하는 글자가 없어서 중국의 글자인 한자를 빌려 쓸 수밖에 없었어요. 그러나 우리말과 중국어는 말소리와 문장 구조가 달라서, 한자로 우리말을 표기하는 데에는 근본적으로 한계가 있었지요.

학생 1: 정말 그랬겠네요. 다른 나라의 문자로는 우리의 생각을 자유롭게 표현하기가 어려웠을 것 같아요.

나 학생 1: 세종 대왕님, 한글은 자음자와 모음자로 구성되어 있잖아요. 이 글자들을 어떤 원리로 만드셨는지 궁금합니다.

세종 대왕: 한글의 자음자는 소리를 내는 기관의 움직임이나 모양을 본뜨려고 했어요. 그래서 왕자들과 공주들을 불러 소리를 내게 하고, 이를 관찰하고 연구했답니다. 심지어 의원까지 불러 확인했지요. 그 결과, '가락', '곱다'와 같은 말을 할 때 공통적으로 나는 첫소리는 혀뿌리가 목구멍을 막으면서 난다는 것을 알아냈어요. 이 모양을 본떠 어금닛소리 'ㄱ'을 만들었죠. 다른 글자도 이러한 과정을 거쳤어요. 그래서 혀가 윗잇몸에 붙는 모양을 본떠 혓소리 'ㄴ'을, 입의 모양을 본떠 입술소리 'ㅁ'을, 이[齒]의 모양을 본떠 잇소리 'ㅅ'을, 목구멍의 모양을 본떠 목구멍소리 'ㅇ'을 만들었어요. 자음자의 기본 다섯 글자는 이렇게 '[㉠]의 원리'를 이용하여 완성했습니다.

다 세종 대왕: 모음자도 '[㉡]의 원리'를 따랐지요. 하늘과 땅, 사람의 모양을 본떴습니다. 하늘의 둥근 모양을 본떠 'ㆍ(아래아)'를, 땅의 평평한 모양을 본떠 'ㅡ'를, 사람이 서 있는 모양을 본떠 'ㅣ'를 만들었지요. 'ㆍ'는 혀가 오그라들고 깊게 나는 소리, 'ㅡ'는 혀가 조금 오그라들고 깊지도 얕지도 않게 나는 소리, 'ㅣ'는 혀가 오그라들지 않고 얕게 나는 소리를 표현한 글자입니다.

학생 1: 그렇군요. 한글이 왜 독창적인 글자인지 이제야 알겠어요!

---

01 이 면담에서 알 수 있는 내용으로 알맞지 않은 것은?

① 한글은 세종 대왕이 창제한 글자이다.
② 한글은 자음자와 모음자로 구성되어 있다.
③ 한글은 우리말을 표기하기 위해 만든 글자이다.
④ 모음 기본자는 소리의 모양을 상상하여 만들었다.
⑤ 자음 기본자는 발음 기관의 움직임이나 모양을 본떠 만들었다.

02 이 면담으로 보아, 한글 자음자와 모음자에 대한 설명으로 알맞지 않은 것은?

①	ㄱ	혀뿌리가 목구멍을 막으며 나는 모양을 본뜬 어금닛소리
②	ㅅ	혀가 윗잇몸에 붙는 모양을 본뜬 혓소리
③	ㅇ	목구멍의 모양을 본뜬 목구멍소리
④	ㆍ	혀가 오그라들고 깊게 나는 소리
⑤	ㅡ	혀가 조금 오그라들고 깊지도 얕지도 않게 나는 소리

서술형

03 <보기>의 밑줄 친 부분을 뒷받침할 내용을 (가)의 세종 대왕의 말에서 찾아 한 문장으로 쓰시오.

보기
세종 대왕이 만든 한글의 옛 이름은 '훈민정음'인데 '백성을 가르치는 바른 소리'라는 뜻이다. 이 훈민정음에는 창제 정신인 자주정신, 애민 정신, 실용 정신이 담겨 있다.

04 ㉠, ㉡에 들어갈 말에 대한 설명으로 알맞은 것은?

① 획을 더하여 만듦.
② 대상의 모양을 본떠 만듦.
③ 글자에 글자를 더하여 만듦.
④ 한자의 모양을 변형하여 만듦.
⑤ 자연을 관찰하고 연구하여 만듦.

05~09 다음을 읽고, 물음에 답하시오.

(가) 학생 2: 세종 대왕님, 그럼 기본자를 제외한 나머지 글자들은 어떻게 만드셨나요?

세종 대왕: 자음자는 기본자에 획을 하나씩 더해서 만들기도 했어요. 이를 '가획의 원리'라고 합니다. 'ㄱ'에 획을 더해서 'ㅋ'을, 'ㄴ'에 획을 더해서 'ㄷ, ㅌ'을, 'ㅁ'에 획을 더해서 'ㅂ, ㅍ'을, 'ㅅ'에 획을 더해서 'ㅈ, ㅊ'을, 'ㅇ'에 획을 더해서 'ㆆ(여린히읗), ㅎ'을 만들었는데, 획을 하나씩 더할 때마다 소리가 더 세지는 특성이 있지요.

학생 1: '울걱'보다 '울컥'이 더 거센 느낌이 들어요. 그럼 글자 모양과 소리가 관련이 있는 거네요?

세종 대왕: 그렇지요. 그래서 ㉠비슷한 발음 기관을 사용하는 같은 계열의 글자는 모양도 비슷해요.

(나) 세종 대왕: 모음자는 기본자를 합성하는 방식으로 만들었습니다. 기본자 'ㆍ'와 'ㅡ'의 합성으로 'ㅗ, ㅜ'를, 'ㆍ'와 'ㅣ'의 합성으로 'ㅏ, ㅓ'를 만들었어요. 이를 기본자를 한 번만 합성하여 첫 번째로 만든 것이라 하여 '초출자(初出字)'라 하였습니다. 초출자 'ㅗ, ㅏ, ㅜ, ㅓ'에 'ㆍ'를 다시 합성하여 'ㅛ, ㅑ, ㅠ, ㅕ'를 만들었는데, 이는 두 번 합성하여 거듭 생겨난 것이니 '재출자(再出字)'라 했지요.

학생 1: 우아! 한글이 체계적인 글자로 평가받는 까닭이 여기에 있군요.

세종 대왕: 나는 이러한 원리를 이용하면 모든 백성이 한글을 쉽게 배울 것이라고 생각했습니다.

(다) 세종 대왕: 일단 자음자 둘을 위아래로 잇대어 쓰는 방법으로 ㉡'ㅱ, ㅸ, ㆄ, ㅹ'을 만들었어요. 그리고 자음자 둘 이상을 옆으로 나란히 쓰는 방법으로 ㉢'ㄲ, ㄸ, ㅃ, ㅆ, ㅉ'과 'ㅳ, ㅴ, ㅺ'과 같은 글자도 만들었습니다.

학생 2: 그러면 다른 모음자들은 어떻게 만드셨나요?

세종 대왕: 아, 그러한 모음자는 모음자끼리 글자를 더하여 쓰는 방법을 사용하였어요. 'ㅗ'와 'ㅏ', 'ㅜ'와 'ㅓ'를 더하여 'ㅘ, ㅝ'를 만들고, 'ㆍ, ㅡ, ㅗ, ㅏ, ㅜ, ㅓ'에 'ㅣ'를 더하여 'ㆎ, ㅢ, ㅚ, ㅐ, ㅟ, ㅔ'를 만들었지요. 그리고 'ㅛ, ㅑ, ㅠ, ㅕ'와 'ㅘ, ㅝ'에 다시 'ㅣ'를 더하여 'ㆉ, ㅒ, ㆌ, ㅖ, ㅙ, ㅞ' 등과 같은 글자를 만들어 썼어요.

05 〈보기〉에 제시된 자음자에 대한 설명으로 알맞은 것은?

보기
ㅋ, ㄷ, ㅌ, ㅂ, ㅍ, ㅈ, ㅊ, ㆆ, ㅎ

① 자음 기본자를 합성해서 만든 글자이다.
② 발음 기관의 모양을 본떠 만든 기본자이다.
③ 이미 만들어진 자음자를 옆으로 나란히 써서 만든 글자이다.
④ 자음 기본자에 획을 더해 소리의 세기를 표현한 글자이다.
⑤ 아홉 개의 글자 모두 비슷한 위치의 발음 기관에서 나는 소리이다.

06 〈보기〉의 ⓐ~ⓒ에 대한 설명으로 알맞지 않은 것은?

보기
ⓐ ㆍ, ㅡ, ㅣ
ⓑ ㅗ, ㅜ, ㅏ, ㅓ
ⓒ ㅛ, ㅠ, ㅑ, ㅕ

① ⓐ는 모음의 기본자이다.
② ⓐ를 바탕으로 ⓑ와 ⓒ를 만들었다.
③ ⓑ는 모음 기본자를 한 번만 합성하여 만들었다.
④ ⓑ는 ⓐ에 한 번씩 획을 더해 만들었다.
⑤ ⓒ는 ⓑ에 'ㆍ'를 합성하여 만들었다.

서술형

07 (나)를 통해 알 수 있는 한글의 우수성과 실용성을 한 문장으로 쓰시오.

08 ㉠에 해당하는 예로 알맞은 것은?

① ㄴ, ㄷ, ㅌ
② ㄷ, ㅂ, ㅈ
③ ㅊ, ㆆ, ㅎ
④ ㅋ, ㅌ, ㅍ
⑤ ㄱ, ㄴ, ㅁ, ㅅ, ㅇ

09 ㉡과 ㉢의 공통점으로 알맞은 것은?

① 발음 기관의 모양을 본떠 만들었다.
② 서로 다른 글자를 합하여 만들었다.
③ 기본자를 한 번만 합성하여 만들었다.
④ 이미 만든 글자에 획을 더하여 만들었다.
⑤ 이미 만든 글자를 합쳐 다른 글자를 만들었다.

(1) 한글의 창제 원리

01~09 다음을 읽고, 물음에 답하시오.

가 세종 대왕: ㉠맞아요. 또한 글자를 모르니 평생 책을 한 권도 읽지 못한 백성도 많았어요. 나는 모든 백성이 책을 읽으면서 삼강오륜과 같은 유교의 기본적인 도리를 배우고, 지혜로워지길 바랐어요. 그래서 누구나 쉽게 배우고 편히 쓸 수 있는 글자를 만들기로 결심한 것입니다.
학생 2: 세종 대왕님의 의견에 신하들도 찬성했나요?
세종 대왕: 그렇진 않아요. 신하 중 일부는 중국의 반발을 염려했어요. 또 백성이 글을 알고 지식을 쌓게 되면, 그들을 통치하기 어려울 것이라고 생각하기도 했지요.

나 세종 대왕: 모음자도 '[㉡]의 원리'를 따랐지요. 하늘과 땅, 사람의 모양을 본떴습니다. 하늘의 둥근 모양을 본떠 'ㆍ(아래아)'를, 땅의 평평한 모양을 본떠 'ㅡ'를, 사람이 서 있는 모양을 본떠 'ㅣ'를 만들었지요. 'ㆍ'는 혀가 오그라들고 깊게 나는 소리, 'ㅡ'는 혀가 조금 오그라들고 깊지도 얕지도 않게 나는 소리, 'ㅣ'는 혀가 오그라들지 않고 얕게 나는 소리를 표현한 글자입니다.

다 세종 대왕: 자음자는 기본자에 획을 하나씩 더해서 만들기도 했어요. 이를 '가획의 원리'라고 합니다. 'ㄱ'에 획을 더해서 'ㅋ'을, 'ㄴ'에 획을 더해서 'ㄷ, ㅌ'을, 'ㅁ'에 획을 더해서 'ㅂ, ㅍ'을, 'ㅅ'에 획을 더해서 'ㅈ, ㅊ'을, 'ㅇ'에 획을 더해서 'ㆆ(여린히읗), ㅎ'을 만들었는데, 획을 하나씩 더할 때마다 소리가 더 세지는 특성이 있지요.
학생 1: '울걱'보다 '울컥'이 더 거센 느낌이 들어요. 그럼 글자 모양과 소리가 관련이 있는 거네요?
세종 대왕: 그렇지요. 그래서 비슷한 발음 기관을 사용하는 같은 계열의 글자는 모양도 비슷해요. 예를 들어, 혓소리 'ㄴ, ㄷ, ㅌ'은 모두 혀가 윗잇몸에 붙는 소리이니 모양도 비슷하게 만든 것이랍니다. 이 외에 'ㆁ(옛이응)', 'ㄹ', 'ㅿ(반치음)'도 각각 'ㅇ', 'ㄴ', 'ㅅ'에 획을 더하여 만들었지만, 앞의 경우처럼 소리가 세지는 것은 아니랍니다. 이를 '이체자'라고 해요.

라 세종 대왕: 모음자는 기본자를 합성하는 방식으로 만들었습니다. 기본자 'ㆍ'와 'ㅡ'의 합성으로 'ㅗ, ㅜ'를, 'ㆍ'와 'ㅣ'의 합성으로 'ㅏ, ㅓ'를 만들었어요. 이를 기본자를 한 번만 합성하여 첫 번째로 만든 것이라 하여 '초출자(初出字)'라 하였습니다. 초출자 'ㅗ, ㅏ, ㅜ, ㅓ'에 'ㆍ'를 다시 합성하여 'ㅛ, ㅑ, ㅠ, ㅕ'를 만들었는데, 이는 두 번 합성하여 거듭 생겨난 것이니 '재출자(再出字)'라 했지요.

마 학생 1: 세종 대왕님, 그런데 한글은 다른 문자와 다르게 '강'이라는 단어를 'ㄱㅏㅇ'이라고 풀어쓰지 않고 '강'처럼 모아쓰는데, 이렇게 하신 특별한 의도가 있나요?
세종 대왕: 말소리의 특성을 문자에 담고 싶었어요. 사람의 말소리는 자음과 모음으로 나눌 수 있는데, 실제로 말을 할 때는 이것들이 한 덩어리로 소리 납니다. 그래서 글자는 음소 단위로 만들었지만, 적을 때에는 소리를 내는 단위인 음절로 모아쓰게 한 것입니다.

1단계 단답식 서술형 문제

01 (가)를 참고하여 일부 신하가 한글 창제를 반대한 대외적인 이유를 쓰시오. [5점]

02 ㉠에 드러난 한글의 창제 정신 두 가지를 쓰시오. [5점]

03 ㉡에 들어갈 한글 창제의 원리를 2음절로 쓰시오. [5점]

04 다음은 (다)에 제시된 자음자의 창제 원리를 정리한 표이다. ⓐ, ⓑ에 들어갈 자음자를 모두 쓰시오. [5점]

기본자	획을 더한 글자	
	가획자	이체자
ㄱ	ㅋ	
ㄴ	ⓐ	ⓑ
ㅁ	ㅂ, ㅍ	
ㅅ	ㅈ, ㅊ	ㅿ
ㅇ	ㆆ, ㅎ	ㆁ

05 (마)를 참고하여 한글을 적을 때의 특징을 쓰시오. [5점]

2단계 기본형 서술형 문제

06 (가)의 내용과 다음 상황을 관련지어 세종 대왕이 한글을 창제한 이유를 쓰시오. [10점]

조건 ① 만화에서 한글 창제의 배경을 추측하여 서술하고, 이와 관련된 한글의 창제 정신을 쓸 것

07 〈보기〉는 (나)와 (라)에 제시된 한글 모음자의 제자 원리를 정리한 것이다. 〈보기〉를 참고하여 모음의 기본자와 초출자, 재출자를 만든 방법을 쓰시오. [10점]

보기

본뜬 모양	기본자	초출자	재출자
하늘의 둥근 모양	·	ㅗ, ㅏ, ㅜ, ㅓ	ㅛ, ㅑ, ㅠ, ㅕ
땅의 평평한 모양	ㅡ		
사람이 서 있는 모양	ㅣ		

조건 ① 초출자와 재출자의 관계가 드러나도록 쓸 것

08 다음 문장을 모아쓰기 방식으로 다시 적고, 모아쓰기의 장점을 쓰시오. [15점]

ㄴㅏㄴㅡㄴㅎㅏㄱㄱㅛㅇㅔㅇㅣㄹㅉㅣㄱㅇㅘㅆㄷㅏ.

조건 ① 모아쓰기의 장점을 두 가지 이상 쓸 것

3단계 고난도 서술형 문제

09 다음 질문에 대한 답을 (다)와 (라)에 드러난 한글의 창제 원리를 바탕으로 서술하시오. [20점]

[질문] 한글이 체계적인 글자로 평가받는 까닭은 무엇인가?

조건 ① 근거가 되는 자음자와 모음자의 창제 원리를 제시할 것

10 다음 표를 보고 한글이 기계 번역이나 음성 인식 등에 유리한 이유를 서술하시오. [20점]

'ㅏ'의 발음	
	가족[가족]
	나비[나비]
	박수[박쑤]
	자전거[자전거]

'a'의 발음	
	almond[아몬드]
	about[어바웃]
	apple[애플]
	able[에이블]

조건 ① 한글과 로마자의 발음을 비교하여 쓸 것
② 문자와 소리의 관계를 중심으로 서술할 것

만점 마무리 (2) 올바른 발음과 표기

◆ 활동 의도

표준 발음법과 한글 맞춤법의 필요성과 원칙을 이해하고, 일상생활의 여러 사례를 통해 올바른 발음과 표기를 적용할 수 있도록 하였다. 또한 발음과 표기에 대해 다양하게 질문하고 답변을 마련해 보며 정확한 발음과 표기를 실천하는 태도를 기를 수 있도록 하였다.

◆ 활동 목표

- 표준 발음법의 개념과 필요성 이해하기
- 표준 발음법의 원칙 이해하기
- 한글 맞춤법의 규정과 필요성 이해하기
- 틀리기 쉬운 표기 바로잡기
- 정확한 발음과 표기를 실천하는 태도 기르기

◆ 활동 요약

표준 발음법의 개념과 필요성 이해하기
표준 발음법의 원칙과 개념을 파악하며, 실생활 속 사례를 통해 표준 발음법의 필요성을 이해함.

⬇

표준 발음법의 원칙 이해하기
다양한 단어를 발음해 보면서 받침소리의 원칙, 겹받침의 발음, 이중 모음 'ㅢ'의 올바른 발음을 알아봄.

⬇

한글 맞춤법의 규정과 필요성 이해하기
표기와 소리가 일치하지 않는 단어들을 바탕으로 한글 맞춤법이 필요한 이유를 알아봄.

⬇

틀리기 쉬운 표기 바로잡기
표기는 다른데 발음이 같아서 헷갈리는 단어들을 구별하고, 일상생활에서 잘못 표기하는 사례를 찾아 고쳐 봄.

⬇

정확한 발음과 표기를 실천하는 태도 기르기
국립 국어원 누리집 게시판에 올라온 질문을 찾고 답변을 마련해 봄.

◇ 올바른 발음

- 받침의 발음: 우리말은 받침소리로 'ㄱ, ㄴ, ㄷ, ㄹ, ㅁ, ㅂ, ㅇ'의 7개 자음만 발음함.

받침	대표음	예
ㄱ, ㄲ, ㅋ	ㄱ	박[박], 닦다[닥따], 키읔[키윽]
ㄷ, ㅌ, ㅅ, ㅆ, ㅈ, ㅊ	ㄷ	곧[곧], 솥[솓], 옷[옫], 있다[읻따], 빚다[빋따], 쫓다[쫃따]
ㅂ, ㅍ	ㅂ	집[집], 앞[압], 덮다[덥따]

- 겹받침의 발음 ①: 첫 번째 받침의 대표음으로 발음하는 경우

받침	대표음	예
ㄳ	ㄱ	넋[넉], 몫[목]
ㄵ	ㄴ	앉다[안따], 얹다[언따]
ㄼ, ㄽ, ㄾ	ㄹ	여덟[여덜], 짧다[짤따], 외곬[외골/웨골], 훑다[훌따]
ㅄ	ㅂ	값[갑], 없다[업:따]

〈예외〉 • '밟-'은 자음 앞에서 [밥]으로 발음함. 예 밟다[밥:따], 밟지[밥:찌], 밟고[밥:꼬]
• '넓-'은 다음과 같은 경우에 [넙]으로 발음함. 예 넓죽하다[넙쭈카다], 넓둥글다[넙뚱글다]

- 겹받침의 발음 ②: 두 번째 받침의 대표음으로 발음하는 경우

받침	대표음	예
ㄺ	ㄱ	흙[흑], 칡[칙], 맑다[막따]
ㄻ	ㅁ	앎[암:], 삶[삼:], 젊다[점:따]
ㄿ	ㅂ	읊조리다[읍쪼리다], 읊다[읍따]

〈예외〉 용언의 어간 끝소리 'ㄺ'은 'ㄱ' 앞에서 [ㄹ]로 발음함. 예 맑게[말께], 묽고[물꼬]

- 이중 모음 'ㅢ'의 발음

• 'ㅢ'는 이중 모음 [ㅢ]로 발음함을 원칙으로 함. 예 의리[의:리]
• 자음을 첫소리로 가지고 있는 음절의 'ㅢ'는 [ㅣ]로 발음함. 예 희망[히망], 무늬[무니]
• 단어의 첫음절 이외의 '의'는 [ㅣ]로, 조사 '의'는 [ㅔ]로 발음함도 허용함.
 예 주의[주의/주이], 우리의[우리의/우리에]

◇ 올바른 표기

- 발음이 같아서 헷갈리는 표기

팔을 다치다.	[다치다]	창문이 닫히다.
일을 마치다.	[마치다]	정답을 맞히다.
책을 소포로 부치다.	[부치다]	포스터를 벽에 붙이다.
약속을 반드시 지킨다.	[반드시]	자세를 반듯이 하다.

- 틀리기 쉬운 표기

안	'아니'의 준말 예 나한테 그 물건을 안 줬어.
않	'아니하-'의 준말 예 나한테 그 물건을 주지 않았어.

되	'되어'로 풀 수 없는 말 예 그거 먹어도 되니?
돼	'되어'로 풀 수 있는 말 예 그거 먹어도 돼요?

간단 복습 문제 (2) 올바른 발음과 표기

• 정답과 해설 28쪽

쪽지 시험

[01~07] 다음 설명이 맞으면 ○표, 틀리면 ×표 하시오.

01 발음을 잘못하면 상대에게 자기의 생각을 명확하게 전달할 수 없으므로 올바르게 발음해야 하며, 올바른 발음의 기준이 되는 표준 발음법이 필요하다. (　　)

02 우리말에서는 받침소리로 'ㄱ, ㄴ, ㄹ, ㅁ, ㅂ, ㅅ, ㅇ'의 7개 자음만 올 수 있다. 이 밖의 받침은 이 7개의 자음 중 하나로 바뀐다. (　　)

03 '여덟, 외곬, 핥다, 젊다, 읊다'의 겹받침은 모두 [ㄹ]로 발음된다. (　　)

04 겹받침 'ㄺ, ㄻ, ㄿ'은 어말 또는 자음 앞에서 각각 [ㄱ, ㅁ, ㅂ]으로 발음한다. 다만, 용언의 어간 끝소리 'ㄺ'은 'ㄱ' 앞에서 [ㄱ]으로 발음한다. (　　)

05 'ㅢ'는 [ㅢ]로 발음하는 것이 원칙이지만 발음이 어려워서, '희망'과 같이 자음을 첫소리로 가지고 있는 음절의 'ㅢ'는 [ㅣ]로 발음한다. (　　)

06 한글 맞춤법은 표준어를 소리대로 적되, 어법에 맞도록 함을 원칙으로 한다. 표준어를 소리 나는 대로만 적을 경우 정확한 뜻을 파악할 수 없기 때문에, 이를 보완하기 위해 어법에 맞도록 써야 한다는 원칙이 더해진 것이다. (　　)

07 '되어'로 풀어 쓸 수 없는 말은 '되'로 적고, '되어'로 풀어 쓸 수 있는 말은 '돼'로 적는다. (　　)

[08~09] 다음 (　　) 안에 들어갈 알맞은 말을 쓰시오.

08 '무릎'은 (　　　)(으)로 발음한다. 받침 'ㅍ'은 뒤에 이어지는 말이 없는 경우, 음절의 끝소리에서 대표음 (　　　)(으)로 발음한다.

09 '무릎에'는 (　　　)(으)로 발음한다. 이처럼 홑받침이나 쌍받침이 (　　　)(으)로 시작된 조사나 어미와 결합하는 경우, 제 음 그대로 뒤 음절 첫소리로 옮겨 발음한다.

[10~17] 다음 문장에 들어갈 알맞은 낱말을 (　　)에서 골라 ○표 하시오.

10 어제 문구점이 (다쳐서 / 닫혀서) 수업 준비물을 사지 못했다.

11 나는 내 친구가 낸 수수께끼의 정답을 (맞혔다 / 마쳤다).

12 이번 축제에는 (반듯이 / 반드시) 흥미로운 행사를 준비할 거야.

13 친구에게 보낼 편지에 깜빡하고 우표를 (부치지 / 붙이지) 않았다.

14 나는 얼른 물휴지로 얼룩을 닦아 보았지만 지워지지 (안았다 / 않았다).

15 선호가 체육복을 입고 있으면 (된다며 / 됀다며) 내게 싱긋 웃어 주었다.

16 네가 이렇게 일찍 일어나다니, 이게 (왠일 / 웬일) 이냐?

17 아무리 기뻐도 그렇게 소리를 지르면 (어떻해 / 어떡해).

어휘 시험

[01~05] 다음 설명에 해당하는 낱말을 〈보기〉에서 골라 쓰시오.

보기
음절　보완　원칙　표준어　합리성

01 이론이나 이치에 합당한 성질 (　　)

02 한 나라에서 공용어로 쓰는 규범으로서의 언어 (　　)

03 모자라거나 부족한 것을 보충하여 완전하게 함. (　　)

04 어떤 행동이나 이론 따위에서 일관되게 지켜야 하는 기본적인 규칙이나 법칙 (　　)

05 하나의 종합된 음의 느낌을 주는 말소리의 단위. 몇 개의 음소로 이루어짐. (　　)

(2) 올바른 발음과 표기

01 〈보기〉의 원칙을 바탕으로 발음을 바르게 한 것은?

보기
표준 발음법에 따르면, 홑받침이나 쌍받침이 모음으로 시작된 조사나 어미와 결합할 경우에는, 제 음 그대로 뒤 음절 첫소리로 옮겨 발음한다.

① 집을[집을] ② 꽃이[꼬치]
③ 옷을[오듣] ④ 밖에[바께]
⑤ 부엌에서[부어게서]

02 〈보기〉의 원칙에 따라 발음할 때, 바르지 않은 것은?

보기
우리말에서는 받침소리로 'ㄱ, ㄴ, ㄷ, ㄹ, ㅁ, ㅂ, ㅇ'의 7개 자음만 발음한다. 이 밖의 받침은 이 7개의 자음 중 하나로 바뀐다. 따라서 받침 'ㄲ, ㅋ'은 [ㄱ]으로, 'ㅅ, ㅆ, ㅈ, ㅊ, ㅌ'은 [ㄷ]으로, 'ㅍ'은 [ㅂ]으로 발음한다.

① 낮[낟] ② 짚[집]
③ 밭[받] ④ 키읔[키윽]
⑤ 찾다[찻따]

03 〈보기〉를 참고할 때, 질문에 대한 답으로 바른 것은?

보기
표준 발음법 제11항 겹받침 'ㄺ, ㄻ, ㄿ'은 어말 또는 자음 앞에서 각각 [ㄱ, ㅁ, ㅂ]으로 발음한다.
다만, 용언의 어간 말음(끝소리) 'ㄺ'은 'ㄱ' 앞에서 [ㄹ]로 발음한다.

〈질문〉 '맑다'와 '맑고'는 각각 어떻게 발음하나요?

① '맑다'는 [막따]로, '맑고'는 [막꼬]로 발음합니다.
② '맑다'는 [말따]로, '맑고'는 [말꼬]로 발음합니다.
③ '맑다'는 [막따]로, '맑고'는 [말꼬]로 발음합니다.
④ '맑다'는 [말따]로, '맑고'는 [막꼬]로 발음합니다.
⑤ '맑다'는 [막다]로, '맑고'는 [막고]로 발음합니다.

서술형

04 다음 상황에서 여학생의 반응을 볼 때, 표준 발음법이 필요한 이유를 쓰시오.

남학생: 신이시여! 제게 빛을[비슬] 내려 주소서!
여학생: 빗? 나 빗 있는데 빌려줄까?

05~06 다음을 읽고, 물음에 답하시오.

서우: 삼촌, 이 숙제 좀 도와주실 수 있어요?
삼촌: 그럼. 숙제가 뭔데?
서우: '민주주의의 의의'를 어떻게 발음해야 하는지 조사하는 거예요.
삼촌: 'ㅢ' 발음에 관한 숙제인가 보구나. 'ㅢ'는 발음할 때 입술 모양이나 혀의 위치가 변하는 이중 모음 중 하나야. 그렇지만 발음하기가 너무 어려워서 ㉠자음을 첫소리로 가지고 있는 음절의 'ㅢ'는 [ㅣ]로 발음해야 한단다. 그리고 단어의 첫음절 이외의 '의'는 [ㅣ]로, 조사 '의'는 [ㅔ]로 발음하는 것도 허용하고 있단다.
서우: 아, 그러면 '(㉡)'라고 발음해도 되는 건가요?
삼촌: 그렇지.

05 ㉠의 예로 들 수 있는 단어로 알맞은 것은?

① 희망 ② 의리
③ 협의 ④ 우리의
⑤ 무성의

06 ㉡에 들어갈 발음으로 알맞지 않은 것은?

① [민주주의의 의의] ② [민주주의에 의의]
③ [민주주이에 의이] ④ [민주주이에 이이]
⑤ [민주주이의 의의]

07 다음 문장을 발음할 때, 표기와 발음이 일치하는 말을 모두 골라 묶은 것은?

나는 길을 걷다가 본 하얀 꽃의 이름이 궁금했다.

① 나는, 본, 하얀 ② 나는, 길을, 하얀
③ 본, 하얀, 이름이 ④ 본, 꽃의, 궁금했다
⑤ 하얀, 꽃의, 이름이

08 다음은 '윤하'와 '선호'가 주고받은 문자 메시지이다. 의사소통이 원활하게 이루어지지 못한 이유는?

① '선호'가 어려운 단어를 많이 사용하였다.
② '선호'와 '윤하'가 관심을 둔 분야가 달랐다.
③ '윤하'의 문자 메시지에 중심 내용이 없었다.
④ '윤하'가 표기는 같은데 발음이 다른 단어를 혼동하였다.
⑤ '선호'가 표기는 다른데 발음이 같은 단어를 혼동하여 잘못 사용하였다.

09 다음 밑줄 친 부분의 단어가 잘못 사용된 것은?

① 안개가 걷히면 창문을 열어 놓으렴.
② 달걀을 그릇에 부딪쳐서 깨는 방법도 있다.
③ 수수께끼에 대한 답을 마치면 상품을 드립니다.
④ 지진이 일어난 뒤에는 반드시 해일이 일어난다.
⑤ 선물을 택배로 부치지 않고 직접 갖다주려고 한다.

10 ⓐ~ⓔ 중, 올바른 표기가 아닌 것은?

> 나는 덜렁거리는 것을 ⓐ안 좋아하는데, 그날은 이상했다. 발을 ⓑ헛디뎌 옆에 있던 선호에게 음식을 쏟아, 선호의 옷이 엉망이 ⓒ돼 버린 것이다. 나는 얼른 물휴지로 얼룩을 닦아 보았지만, 지워지지 ⓓ안았다. 무척 난처했다. 그런데 선호가 체육복을 입고 있으면 ⓔ된다며, 내게 싱긋 웃어 주는 것이 아닌가! 선호에게 정말 미안하고 고마웠다.

① ⓐ ② ⓑ ③ ⓒ ④ ⓓ ⑤ ⓔ

11 다음 질문에 대한 대답으로 알맞은 것은?

	질문	대답
①	'낳다', '낳아'는 어떻게 발음해요?	'낳다'는 [나:타]로, '낳아'는 [나하]로 발음합니다.
②	'희곡'을 [히곡]으로 발음하나요?	자음을 첫소리로 갖는 'ㅢ'는 항상 [ㅢ]로만 발음합니다.
③	'어떡해', '어떻해' 어떤 것이 맞는 표기인가요?	'어떡해'는 '어떡게 해'가 줄어든 말이므로 '어떻해'가 맞는 표기입니다.
④	'웬지', '왠지' 중 어느 것이 맞나요?	'웬지'는 '어찌 된 일'이라는 뜻을 나타내는 말로, 올바른 표기입니다.
⑤	'잎이'의 올바른 발음이 [이피]인지, [이비]인지 알려 주세요.	홑받침이 모음으로 시작된 조사와 결합할 경우, 제 음 그대로 뒤 음절 첫소리로 옮겨 발음하므로 [이피]로 발음합니다.

12 ⓐ~ⓒ의 발음을 모두 바르게 연결한 것은?

> ⓐ흙장난을 하던 꼬마는 사랑을 ⓑ읊조릴 줄 아는, ⓒ젊고 아름다운 청년으로 자랐어요.

	ⓐ	ⓑ	ⓒ
①	[흑짱난]	[읍쪼릴]	[점:꼬]
②	[흑짱난]	[읍조릴]	[절:고]
③	[흘장난]	[읖쪼릴]	[점:고]
④	[흘장난]	[읍조릴]	[점:고]
⑤	[흘짱난]	[읊조릴]	[절:꼬]

서술형

13 다음 빈칸에 들어갈 알맞은 말을 쓰시오.

> 한글 맞춤법은 (   )을/를 원칙으로 한다. 예를 들어, '꽃', '꽃이', '꽃만'은 [꼳], [꼬치], [꼰만]으로 소리 나는데, 이대로 적으면 '꽃'이라는 단어를 여러 형태로 쓰게 되어 뜻을 파악하기 어려워진다. 이처럼 표준어를 소리 나는 대로만 적을 경우 정확한 뜻을 파악할 수 없어서, 그것을 보완하려고 어법에 맞도록 써야 한다는 원칙이 더해진 것이다.

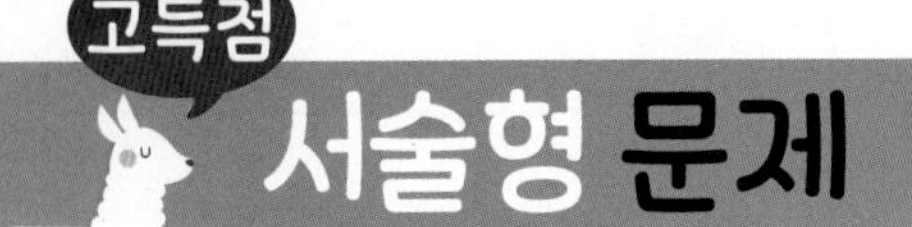

고득점 서술형 문제

(2) 올바른 발음과 표기

1단계 단답식 서술형 문제

01 다음 빈칸에 공통으로 들어갈 알맞은 말을 쓰시오. [10점]

> 표준 발음법은 □□□을/를 발음할 때의 표준을 정한 규범이다. 표준 발음법은 □□□의 실제 발음을 따르되, 국어의 전통성과 합리성을 고려하여 정함을 원칙으로 한다.

02 다음 단어들의 받침소리를 참고하여 우리말에서 받침소리로 사용할 수 있는 자음을 모두 쓰시오. [10점]

> 닦다[닥따]　산[산]　있다[읻따]　좇다[졷따]
> 물[물]　마음[마음]　덮다[덥따]　콩[콩]

2단계 기본형 서술형 문제

03~04 다음을 읽고, 물음에 답하시오.

서우: 삼촌, 이 숙제 좀 도와주실 수 있어요?
삼촌: 그럼. 숙제가 뭔데?
서우: '민주주의의 의의'를 어떻게 발음해야 하는지 조사하는 거예요.
삼촌: 'ㅢ' 발음에 관한 숙제인가 보구나. 'ㅢ'는 발음할 때 입술 모양이나 혀의 위치가 변하는 이중 모음 중 하나야. 그렇지만 발음하기가 너무 어려워서 ㉠자음을 첫소리로 가지고 있는 음절의 'ㅢ'는 [ㅣ]로 발음해야 한단다. 그리고 단어의 첫음절 이외의 '의'는 (㉡), 조사 '의'는 (㉢).

03 ㉠을 참고하여 〈보기〉의 문장을 소리 나는 대로 바르게 쓰시오. [15점]

> 보기
> 저희는 희귀한 무늬를 지닌 나비를 찾고 싶어요.

> 조건 ① 'ㅢ'가 없는 글자도 표준 발음법에 맞게 소리 나는 대로 쓸 것

04 다음을 참고하여 ㉡과 ㉢에 들어갈 규정을 각각 한 문장으로 쓰시오. [15점]

㉡의 예	㉢의 예
토의[토:의/토:이]	사랑의[사랑의/사랑에]

05 〈보기〉의 문장을 소리 나는 대로 적고, 이를 통해 알 수 있는 한글 맞춤법의 필요성을 쓰시오. [20점]

> 보기
> 나는 반드시 그 꽃의 이름을 알아내겠다.

3단계 고난도 서술형 문제

06 〈보기2〉를 참고하여 〈보기1〉에서 틀린 표기를 찾아 고치고, 그렇게 고친 이유를 서술하시오. [30점]

> 보기1
> 나는 덜렁거리는 것을 않 좋아하는데, 그날은 이상했다. 발을 헛디뎌 옆에 있던 선호에게 음식을 쏟아, 선호의 옷이 엉망이 돼 버린 것이다. 나는 얼른 물휴지로 얼룩을 닦아 보았지만, 지워지지 안았다. 무척 난처했다. 그런데 선호가 체육복을 입고 있으면 됀다며, 내게 싱긋 웃어 주는 것이 아닌가! 선호에게 정말 미안하고 고마웠다.

> 보기2
> ↳ 비밀 댓글: 민재의 글을 재미있게 읽었어. 그런데 이 글을 읽다 보니 민재가 몇 가지 표기를 헷갈려 하네. 먼저 '안'은 '아니'가 줄어든 말이고, '않'은 '아니하-'가 줄어든 말이야. '안'과 '않' 대신 '아니', '아니하-'를 넣어 보면 둘 중에 어떤 표기가 옳은지 쉽게 알 수 있을 거야.^^ 그리고 '돼'는 '되어'가 줄어든 말이므로 '되어'로 쓸 수 있으면 '돼'로 적고, 그렇지 않으면 '되'로 적어.

> 조건 ① 틀린 표기를 모두 찾아 고칠 것
> ② 각 표기마다 고친 이유를 쓸 것

• 정답과 해설 30쪽

01~05 다음을 읽고, 물음에 답하시오.

가 학생 2: 그런데 세종 대왕님, 한 나라의 군주가 직접 글자를 만든 것은 특별한 경우라고 하던데……. 세종 대왕님께서 한글을 만드신 까닭은 무엇인가요?

세종 대왕: 학생들도 알고 있겠지만 한글을 만들기 전에는 우리말을 표기하는 글자가 없어서 중국의 글자인 한자를 빌려 쓸 수밖에 없었어요. 그러나 ㉠우리말과 중국어는 말소리와 문장 구조가 달라서, 한자로 우리말을 표기하는 데에는 근본적으로 한계가 있었지요.

나 학생 1: 세종 대왕님, 한글은 자음자와 모음자로 구성되어 있잖아요. 이 글자들을 어떤 원리로 만드셨는지 궁금합니다.

세종 대왕: 한글의 자음자는 소리를 내는 기관의 움직임이나 모양을 본뜨려고 했어요. 그래서 왕자들과 공주들을 불러 소리를 내게 하고, 이를 관찰하고 연구했답니다. 심지어 의원까지 불러 확인했지요. 그 결과, '가락', '곱다'와 같은 말을 할 때 공통적으로 나는 첫소리는 혀뿌리가 목구멍을 막으면서 난다는 것을 알아냈어요. 이 모양을 본떠 어금닛소리 'ㄱ'을 만들었죠. 다른 글자도 이러한 과정을 거쳤어요. 그래서 혀가 윗잇몸에 붙는 모양을 본떠 혓소리 'ㄴ'을, 입의 모양을 본떠 입술소리 'ㅁ'을, 이[齒]의 모양을 본떠 잇소리 'ㅅ'을, 목구멍의 모양을 본떠 목구멍소리 'ㅇ'을 만들었어요. ⓐ자음자의 기본 다섯 글자는 이렇게 '상형의 원리'를 이용하여 완성했습니다.

다 학생 2: 와, 그림을 보니 더 쉽게 이해가 돼요. 그래서 한글은 발음 기관을 상형하여 만든 유일한 글자라고 하는군요. 그럼 ⓑ모음자의 기본 글자는 어떻게 만드셨어요?

세종 대왕: 모음자도 '상형의 원리'를 따랐지요. 하늘과 땅, 사람의 모양을 본떴습니다. 하늘의 둥근 모양을 본떠 'ㆍ(아래아)'를, 땅의 평평한 모양을 본떠 'ㅡ'를, 사람이 서 있는 모양을 본떠 'ㅣ'를 만들었지요. 'ㆍ'는 혀가 오그라들고 깊게 나는 소리, 'ㅡ'는 혀가 조금 오그라들고 깊지도 얕지도 않게 나는 소리, 'ㅣ'는 혀가 오그라들지 않고 얕게 나는 소리를 표현한 글자입니다.

01 한글에 대한 설명으로 알맞지 않은 것은?

① 한글은 세종 대왕이 만든 글자이다.
② 한글은 자음자와 모음자로 구성되었다.
③ 한글은 발음 기관을 본떠 만든 유일한 글자이다.
④ 한글의 자음 기본자는 'ㄱ, ㄴ, ㅁ, ㅅ, ㅇ' 5개이다.
⑤ 한글을 만들기 위해 중국어의 문장 구조를 참고하였다.

02 이 면담에서 알 수 있는 한글 창제 이전의 문자 생활로 알맞은 것은?

① 여러 종류의 문자가 함께 사용되었다.
② 중국의 글자인 한자를 빌려 쓸 수밖에 없었다.
③ 우리말을 적는 데에 적합한 문자를 도입하였다.
④ 우리말의 문장 구조를 바꾸어 한자를 사용하였다.
⑤ 우리말의 말소리와 달랐지만 일상에서 한자를 사용하는 데 어려움이 없었다.

03 (나)와 (다)로 보아, 글자와 글자를 상형한 대상이 바르게 연결되지 않은 것은?

① ㄴ – 혀의 모양　② ㅅ – 이의 모양
③ ㅇ – 입술의 모양　④ ㆍ – 하늘의 모양
⑤ ㅣ – 사람의 모양

04 한글의 창제 정신 중, ㉠과 관련된 내용을 〈보기〉에서 고른 것은?

보기
ㄱ. 백성들이 글자를 쉽게 익혀 쓸 수 있도록 하려는 실용 정신
ㄴ. 글로 의사소통을 제대로 할 수 없는 백성을 불쌍히 여긴 애민 정신
ㄷ. 중국의 한자에 기대지 않고 우리말을 표현하는 문자를 가지고자 하는 자주정신

① ㄱ　② ㄷ　③ ㄱ, ㄴ
④ ㄴ, ㄷ　⑤ ㄱ, ㄴ, ㄷ

서술형

05 ⓐ와 ⓑ의 창제 원리를 공통점과 차이점으로 나누어 쓰시오.

06~09 다음을 읽고, 물음에 답하시오.

(가) 학생 2: 세종 대왕님, 그럼 기본자를 제외한 나머지 글자들은 어떻게 만드셨나요?

세종 대왕: 자음자는 기본자에 획을 하나씩 더해서 만들기도 했어요. 이를 '가획의 원리'라고 합니다. 'ㄱ'에 획을 더해서 'ㅋ'을, 'ㄴ'에 획을 더해서 'ㄷ, ㅌ'을, 'ㅁ'에 획을 더해서 'ㅂ, ㅍ'을, 'ㅅ'에 획을 더해서 'ㅈ, ㅊ'을, 'ㅇ'에 획을 더해서 'ㆆ(여린히읗), ㅎ'을 만들었는데, 획을 하나씩 더할 때마다 소리가 더 세지는 특성이 있지요.

(나) 학생 2: 다른 모음자를 만드신 방법도 궁금해요.

세종 대왕: 모음자는 기본자를 합성하는 방식으로 만들었습니다. 기본자 'ㆍ'와 'ㅡ'의 합성으로 'ㅗ, ㅜ'를, 'ㆍ'와 'ㅣ'의 합성으로 'ㅏ, ㅓ'를 만들었어요. 이를 기본자를 한 번만 합성하여 첫 번째로 만든 것이라 하여 '초출자(初出字)'라 하였습니다. 초출자 'ㅗ, ㅏ, ㅜ, ㅓ'에 'ㆍ'를 다시 합성하여 'ㅛ, ㅑ, ㅠ, ㅕ'를 만들었는데, 이는 두 번 합성하여 거듭 생겨난 것이니 '재출자(再出字)'라 했지요.

(다) 세종 대왕: 일단 자음자 둘을 위아래로 잇대어 쓰는 방법으로 'ㅱ, ㅸ, ㆄ, ㅹ'을 만들었어요. 그리고 자음자 둘 이상을 옆으로 나란히 쓰는 방법으로 'ㄲ, ㄸ, ㅃ, ㅆ, ㅉ'와 'ㅳ, ㅴ, ㅺ'과 같은 글자도 만들었습니다.

학생 2: 그러면 다른 모음자들은 어떻게 만드셨나요?

세종 대왕: 아, 그러한 모음자는 모음자끼리 글자를 더하여 쓰는 방법을 사용하였어요. 'ㅗ'와 'ㅏ', 'ㅜ'와 'ㅓ'를 더하여 'ㅘ, ㅝ'를 만들고, 'ㆍ, ㅡ, ㅗ, ㅏ, ㅜ, ㅓ'에 'ㅣ'를 더하여 'ㆎ, ㅢ, ㅚ, ㅐ, ㅟ, ㅔ'를 만들었지요. 그리고 'ㅛ, ㅑ, ㅠ, ㅕ'와 'ㅘ, ㅝ'에 다시 'ㅣ'를 더하여 'ㆉ, ㅒ, ㆌ, ㅖ, ㅙ, ㅞ' 등과 같은 글자를 만들어 썼어요.

(라) 학생 1: 세종 대왕님, 그런데 한글은 다른 문자와 다르게 '강'이라는 단어를 ㉠'ㄱㅏㅇ'이라고 풀어쓰지 않고 ㉡'강'처럼 모아쓰는데, 이렇게 하신 특별한 의도가 있나요?

세종 대왕: 말소리의 특성을 문자에 담고 싶었어요. 사람의 말소리는 자음과 모음으로 나눌 수 있는데, 실제로 말을 할 때는 이것들이 한 덩어리로 소리 납니다. 그래서 글자는 음소 단위로 만들었지만, 적을 때에는 소리를 내는 단위인 음절로 모아쓰게 한 것입니다.

06 (가)~(다)에 드러난 한글의 우수성으로 알맞지 않은 것은?

① 전 세계적으로 가장 많이 사용하는 글자이다.
② 다른 글자를 모방하지 않고 독창적으로 만든 글자이다.
③ 일정한 원리를 적용하여 여러 글자를 만든 체계적인 글자이다.
④ 글자와 소리의 관계를 글자 모양에 반영하여 표현한 글자이다.
⑤ 자음과 모음을 다양하게 조합하여 많은 글자를 만들 수 있는 경제적인 글자이다.

서술형

07 (나)의 내용을 다음과 같이 요약할 때, ⓐ~ⓒ에 해당하는 글자를 쓰시오.

기본자		초출자		재출자
ㆍ, ㅡ, ⓐ	→	ㅗ, ⓑ, ㅜ, ㅓ	→	ㅛ, ㅑ, ⓒ, ㅕ

08 (다)로 보아, 다음 글자를 만든 방법으로 알맞은 것은?

ㄲ, ㄸ, ㅃ, ㅆ, ㅉ

① 발음 기관을 본떠 만드는 방법
② 기본자를 합성하여 만드는 방법
③ 같은 자음자 둘을 나란히 쓰는 방법
④ 소리의 세기에 따라 획을 더하는 방법
⑤ 자음자 두 개를 세로로 붙여 쓰는 방법

09 ㉠을 ㉡과 같이 표기했을 때의 효과로 알맞은 것은?

① 자음과 모음을 구분할 수 있다.
② 빠르게 읽고 의미를 정확하게 이해할 수 있다.
③ 음소 단위로 써서 실제 말소리를 표현할 수 있다.
④ 우리말을 다른 나라의 말로 쉽게 번역할 수 있다.
⑤ 알파벳을 쓰는 방법과 표기 방식을 통일할 수 있다.

10 〈보기〉를 통해 알 수 있는 한글의 특성으로 가장 적절한 것은?

| 보기 |

한글은 자음자와 모음자의 수가 비슷하여 컴퓨터 자판에서 왼쪽과 오른쪽에 자음자와 모음자를 적절히 배치할 수 있다. 그리하여 왼손과 오른손을 번갈아 가며 글자를 입력할 수 있어서 타자 속도가 알파벳보다 훨씬 빠르다.

① 한 글자가 하나의 소리로 발음된다.
② 발음이 비슷한 글자는 모양도 비슷하다.
③ 적은 수의 글자로 많은 소리를 표현한다.
④ 글자 입력을 정확하게 할 수 있어 번역 속도가 빠르다.
⑤ 컴퓨터 자판 배열에 적절하여 정보화 사회에 유리하다.

11 다음 단어의 받침소리가 표기된 대로 발음되는 것끼리 묶은 것은?

옷, 집, 키읔, 불다, 마음, 무릎, 빚다

① 집, 불다, 마음　　② 옷, 키읔, 마음
③ 키읔, 무릎, 빚다　　④ 불다, 무릎, 빚다
⑤ 키읔, 마음, 빚다

12 다음 밑줄 친 부분을 표준 발음법에 따라 발음한 것으로 알맞지 않은 것은?

① 흰머리가 많이 났다. → [힌머리가]
② 너희 담임 선생님은 누구셔? → [다밈]
③ 시커먼 굴뚝들이 숲을 이룬다. → [수플]
④ 오랜만에 하늘을 보니 매우 맑다. → [말따]
⑤ 그의 코는 뭉툭하고 입은 넓죽하다. → [넙쭈카다]

13 다음 밑줄 친 부분의 '되'가 바르게 사용된 것은?

① 그러면 안 되.　　② 그렇게 해도 되.
③ 정말 걱정이 된다.　　④ 방이 엉망이 됐어.
⑤ 벌써 밤이 되 버렸어.

14 다음 밑줄 친 부분의 단어가 바르게 쓰인 것은?

① 그는 웬일인지 눈물이 핑 돌았다.
② 우리 수업 맞히고 떡볶이 먹으러 갈래?
③ 배가 너무 고파서 달걀을 붙여 먹었어.
④ 휴지로 얼룩을 닦아 보았지만 지워지지 안았다.
⑤ 자를 반드시 놓은 후 칼로 잘라야 비뚤어지지 않는단다.

15 다음 질문에 대한 답으로 가장 적절한 것은?

〈질문〉 '무늬'는 [무늬]로 발음하면 되나요?

① 'ㅢ'는 발음하기 어려우므로 [ㅣ]로 발음하세요.
② 'ㅢ'는 이중 모음이므로 [ㅢ]로만 발음하는 것이 원칙이에요.
③ 조사 '의'는 [ㅔ]로 발음하는 것도 허용하므로 [무네]로 발음하세요.
④ 단어의 첫음절 이외의 '의'는 [ㅣ]로 발음해도 되므로 [무니]도 맞아요.
⑤ 자음을 첫소리로 갖는 'ㅢ'는 항상 [ㅣ]로만 발음하므로 [무니]로 발음하세요.

고난도 서술형

16 〈보기〉는 한글 맞춤법 총칙 제1항과 그 예이다. 밑줄 친 부분의 원칙을 만든 이유를 쓰시오.

| 보기 |

제1항　한글 맞춤법은 표준어를 소리대로 적되, 어법에 맞도록 함을 원칙으로 한다.

표기	읽다	읽고	읽는
발음	익따	일꼬	잉는

조건

① 소리대로 적었을 경우의 문제점과 관련지어 쓸 것

만점 마무리

(1) 매체의 표현과 그 의도

◆ 활동 의도

광고문과 블로그, 카드 뉴스 등 여러 매체 자료를 살펴보며, 다양한 매체의 특성과 표현 방법을 이해할 수 있도록 하였다. 또한 매체의 표현 방법에 담긴 생산자의 의도를 파악하여 평가해 보도록 하였다.

◆ 활동 목표

- 광고문에 사용된 표현 방법과 그 의도 평가하기
- 블로그 글에 사용된 표현 방법과 그 의도 이해하기
- 카드 뉴스에 사용된 표현 방법과 그 의도 이해하기

◆ 활동 요약

광고문에 사용된 표현 방법과 그 의도 평가하기
'스마트폰 중독'에 관한 광고문의 표현 방법과 제작 의도를 이해하고 표현 방법의 적절성을 평가함.

⬇

블로그 글에 사용된 표현 방법과 그 의도 이해하기
'스마트폰 노안'에 관한 블로그 글의 표현 방법과 글쓴이의 의도를 파악하고, 예상 독자와 관련하여 블로그라는 매체를 활용한 이유를 생각함.

⬇

카드 뉴스에 사용된 표현 방법과 그 의도 이해하기
카드 뉴스에 담긴 정보와 카드 뉴스에 사용된 표현 방법 및 그 의도를 정리하고, 카드 뉴스라는 매체를 활용한 이유를 생각함.

◇ 매체의 표현 방법

매체의 표현 방법은 어휘나 문장 표현뿐 아니라, 시각 자료(도표·그림·사진), 동영상 자료 등을 모두 포함함.

➡

인쇄 매체	인터넷 매체
문자나 시각 자료를 사용함.	문자, 시각 자료, 동영상 자료 등 다양한 형태의 자료를 사용함.

◇ 매체에 담긴 정보를 수용하는 방법

- 각 매체의 특성을 이해하고, 매체에 사용된 표현 방법과 그 표현 방법에 담긴 매체 생산자의 의도를 파악해야 한다.
- 매체에 담긴 정보의 적절성을 평가하고, 매체에 사용된 표현 방법을 비판적으로 수용해야 한다.

◇ '스마트폰 중독 경고' 광고문에 사용된 표현 방법과 그 의도

사진	• 표현 방법: 사람과 스마트폰이 서로 잡고 있는 상황을 나타냄. • 의도: 광고 문구의 내용을 시각적으로 전달함.
글	• 표현 방법: 비슷한 형태의 두 의문문을 대구 형식으로 제시함. • 의도: 읽는 이에게 깊은 인상을 남김.

◇ '스마트폰 노안'을 다룬 블로그 글에 사용된 표현 방법과 그 의도

그림	• 표현 방법: 글쓴이가 말하고자 하는 문제 상황을 시각적으로 보여 줌. • 의도: 읽는 이의 흥미를 높임.
그래프	• 표현 방법: 통계 자료를 시각적으로 제시함. • 의도: 청소년들도 스마트폰 노안에 걸릴 가능성이 크다는 것을 강조함.
동영상	• 표현 방법: 전문적인 내용을 동영상으로 제시함. • 의도: 읽는 이의 이해를 돕고 내용의 신뢰도를 높임.

◇ 카드 뉴스의 특징

- 이동 통신 맞춤형 뉴스 형태이다.
- 짧은 글을 여러 장의 사진에 얹어 제시하는 형식이다.
- 화면을 옆으로 밀어 보는 방식이다.
- 누리 소통망(SNS)에서 쉽게 볼 수 있다는 장점 덕분에 젊은 층 사이에서 인기가 높다.

◇ '사이버 불링' 관련 카드 뉴스에 사용된 표현 방법과 그 의도

	표현 방법	➡	의도
글	• 두세 문장으로 마지막 내용을 제시함. • 글자 모양과 굵기에 변화를 줌.		• 내용을 압축하여 핵심을 강조함. • 읽는 이에게 강한 인상을 남김.
그림과 사진	• 특정 장면을 확대함. • 사례의 실제 인물 사진을 제시함. • 그림으로 상황을 묘사함.		• 글의 내용을 뒷받침하여 설득력을 높임. • 상황을 구체적으로 전함.

간단 복습 문제 (1) 매체의 표현과 그 의도

• 정답과 해설 31쪽

쪽지 시험

[01~03] 다음 문장에 들어갈 알맞은 낱말을 (　　)에서 골라 ○표 하시오.

01 내용을 전하는 수단을 (매개 / 매체)라고 한다.

02 매체의 표현 방법에는 (대구 / 어휘)나 문장 표현뿐 아니라 도표·그림·사진 등과 같은 (시각 / 청각) 자료, 동영상 자료 등이 있다.

03 매체에 담긴 정보를 (수용 / 공유)할 때는 매체에 사용된 표현 방법과 그 표현에 담긴 생산자의 (의지 / 의도)를 파악해야 한다.

[04~06] 다음 설명이 맞으면 ○표, 틀리면 ×표 하시오.

04 '스마트폰 중독 경고' 광고문에서는 의문문 형식의 비슷한 두 문장을 대구 형식으로 제시하였다. (　　)

05 '스마트폰 노안'을 다룬 블로그 글에는 문자와 시각 자료, 동영상 자료를 모두 활용할 수 있는 인터넷 매체의 특성이 나타난다. (　　)

06 '사이버 불링' 관련 카드 뉴스는 가상 공간 내 가짜 정보 배포의 문제점을 중점적으로 다룬다. (　　)

[07~10] 다음 문장의 빈칸에 들어갈 알맞은 낱말의 기호를 〈보기〉에서 골라 쓰시오.

보기

㉠ 굵기　㉡ 카드　㉢ 그래프　㉣ 스마트폰

07 '스마트폰 중독 경고' 광고문에서는 사람과 (　　) 이/가 서로 잡고 있는 상황을 사진으로 나타내었다.

08 '스마트폰 노안'을 다룬 블로그 글에서는 (　　) 을/를 활용하여 청소년들도 스마트폰 노안에 걸릴 가능성이 크다는 것을 강조하였다.

09 주요 쟁점을 그림이나 사진 등의 시각 자료와 간략한 글로 정리한 뉴스를 (　　) 뉴스라고 한다.

10 '사이버 불링' 관련 카드 뉴스는 마지막 카드에서 글자 모양과 (　　)에 변화를 준 문장을 제시하였다.

[11~12] 다음 인터넷 매체와 그 특성을 바르게 연결하시오.

11 블로그 •　　• ㉠ 화면을 옆으로 밀어서 보는 것으로, 이동 통신에 어울리는 형식이다.

12 카드 뉴스 •　　• ㉡ 글을 자유롭게 올릴 수 있고 편하게 연재할 수 있다.

어휘 시험

[01~04] 다음 문장에 들어갈 알맞은 낱말을 (　　)에서 골라 ○표 하시오.

01 그는 많은 사람들 앞에서 나에게 큰 (모욕 / 모함)을 주었다.

02 환경이 파괴되면서 인간은 생존에 (위기 / 위협)을/를 받고 있다.

03 범죄자는 경찰에게 자신의 (신상 / 전신)에 관한 것들을 사실대로 말했다.

04 선생님께서는 최근 가장 큰 정치적 (쟁점 / 증상)에 관한 기사를 조사해 오라고 하셨다.

[05~08] 다음 문장의 빈칸에 들어갈 알맞은 낱말을 〈보기〉에서 골라 쓰시오.

보기

노안, 일침, 초점, 해저

05 선생님의 말씀은 방황하던 내게 뼈아픈 (　　) 이/가 되었다.

06 렌즈의 (　　)이/가 맞지 않아서 내가 찍은 사진들이 모두 흐릿하게 나왔다.

07 언제부터인가 작은 글자가 희미하게 보여서 나에게 (　　)이/가 찾아왔구나 하는 생각이 들었다.

08 이 무인도의 (　　)에는 유용한 자원들이 많이 흩어져 있다고 하였다.

(1) 매체의 표현과 그 의도

01 매체에 대한 설명으로 알맞지 않은 것은?

① 매체란 어떠한 내용을 전하는 수단을 의미한다.
② 매체의 종류에는 인쇄 매체, 방송 매체, 인터넷 매체 등이 있다.
③ 매체에 담긴 정보를 수용할 때는 각 매체의 특성을 이해해야 한다.
④ 매체는 어휘나 문장 표현, 시각 자료, 동영상 자료 등으로 표현된다.
⑤ 매체에 담긴 내용의 적절성을 판단하되, 표현 방법의 적절성은 판단할 필요가 없다.

02~05 다음을 읽고, 물음에 답하시오.

(가)

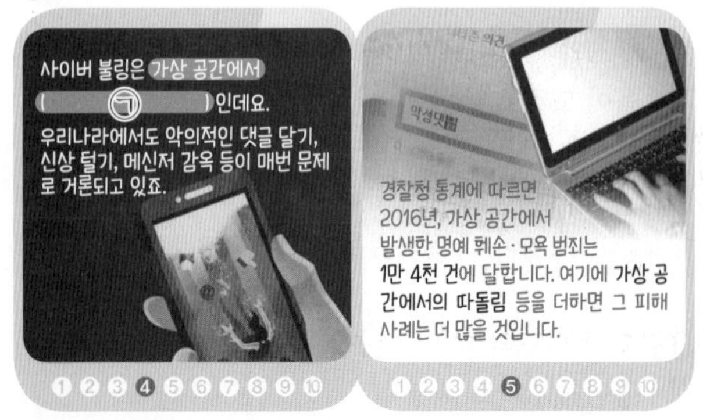

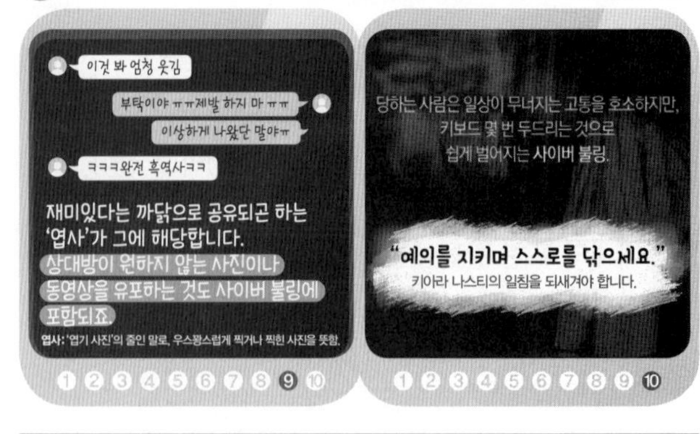

02 (가)와 (나)~(라)에 대한 설명으로 알맞은 것은?

① (가)는 광고문으로 인터넷 매체에 해당한다.
② (가)는 시각 자료와 동영상 자료를 활용하였다.
③ (나)~(라)는 카드 뉴스로 인쇄 매체에 해당한다.
④ (나)~(라)는 사진을 한 장씩 넘겨 보는 형식이다.
⑤ (가)와 (나)~(라) 모두 장년층에게 인기가 높다.

서술형

03 (가)에서 전하고자 하는 바를 한 문장으로 쓰시오.

04 (라)에 사용된 표현 방법과 그 의도를 〈보기〉에서 골라 바르게 묶은 것은?

보기
ㄱ. 사진과 영상을 합성하여 단조로움을 피한다.
ㄴ. 글자 모양과 굵기에 변화를 주어 강한 인상을 남긴다.
ㄷ. 재구성한 문자 메시지를 제시하여 사이버 불링의 범위를 설명한다.
ㄹ. 뉴스의 전체 주제를 상징하는 사진을 제시하여 핵심 내용을 강조한다.

① ㄱ, ㄴ　② ㄱ, ㄷ　③ ㄴ, ㄷ
④ ㄴ, ㄹ　⑤ ㄷ, ㄹ

05 (나)~(라)의 내용을 바탕으로, ㉠에 들어갈 내용을 바르게 추측한 것은?

① 특정인을 괴롭히는 행위
② 창의적인 행동을 장려하는 모임
③ 상대방에게 정보를 알려 주는 방법
④ 누리 소통망(SNS)을 반대하는 단체
⑤ 익명성을 활용하여 다른 사람에게 베푸는 선행

06~08 다음을 읽고, 물음에 답하시오.

가 젊은 노안?

㉠

"노안이요? 나이 들어서 눈이 침침해지는 거 말이에요? 전 겨우 중학생인걸요!"

이 반응처럼 노안은 노화 현상의 하나로, 나이를 먹으면서 가까운 곳의 사물이나 글씨가 잘 보이지 않는 증세를 말한다. 그런데 최근에는 이러한 증상을 겪는 젊은 환자가 늘어나고 있다. 젊은 세대가 상대적으로 스마트폰을 자주, 오래 사용하는 경향이 있어, 이들을 중심으로 '신종 노안'을 겪는 사람이 빠르게 증가한 것이다. 특히 청소년의 '스마트폰 과의존 위험군' 비율이 다른 세대보다 높게 나타나는 것으로 보아, '스마트폰 노안'은 청소년들도 위협하고 있음을 알 수 있다.

나 스마트폰 노안의 위험성

스마트폰 노안이 위험한 까닭은 다음과 같다.

첫째는 환자 대부분이 한창나이이기 때문이다. 젊은 세대는 눈 건강에 크게 신경을 쓰지 않는다. 그러다 보니 스마트폰 노안의 증상을 자각하지 못하여 상황을 악화시킬 수 있다.

둘째는 합병증이 뒤따르기 때문이다. 스마트폰 노안으로 눈 주변의 근육이 손상되면 어깨로 이어지는 신경에도 악영향을 준다. 이 때문에 어깨와 목에 통증이 생기고, 그 주변이 딱딱하게 굳거나 결려 시큰거리기도 한다. 흔히 말하는 거북목 증후군에 걸릴 수도 있고, 두통 및 만성 피로, 어지럼증이 생길 수도 있다.

다 나도 스마트폰 노안일까?

스마트폰 노안은 위험한 질환이므로, 될 수 있는 대로 빨리 자신의 상태를 점검하고 대책을 마련해야 한다. 혹시 나도 스마트폰 노안은 아닌지, 아래 검사 표로 진단해 보자.

- ☐ 스마트폰을 하루 세 시간 이상 사용한다.
- ☐ 저녁이 되면 스마트폰 화면이 잘 보이지 않는다.
- ☐ 어깨가 결리고 목이 뻐근하며 가끔 두통이 있다.
- ☐ 눈을 찌푸려야 스마트폰 화면의 글씨가 겨우 보인다.
- ☐ 먼 곳을 보다가 가까운 곳을 보면 눈이 침침하다.
- ☐ 가까운 곳을 보다가 먼 곳을 보면 초점이 잘 맞지 않는다.
- ☐ 화면에서 눈을 떼면 한동안 초점이 잘 맞지 않는다.

라 댓글 쓰기

↳ 눈 사랑 : 스마트폰이 유용한 점도 많으니, 이를 올바르게 활용하려는 노력이 필요하겠네요.

↳ ♬ 즐겁게 살기 : 유익한 내용 고마워요.^^ 스마트폰 노안이 아닌 것 같아서 마음이 놓여요.

↳ 스마트폰이 좋아

저는 스마트폰을 너무 좋아하는 중학생이에요. 그래서 스마트폰 노안 예방법이 정말 궁금해요!)_(

댓글 등록

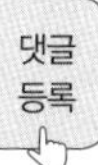

06 이 글의 제목으로 가장 적절한 것은?

① 스마트폰 노안이란 무엇인가
② 스마트폰 사용 습관을 어떻게 바꿔야 할까
③ 스마트폰 노안의 치료와 예방법을 알아보자
④ 눈을 건강하게 하는 방법 열 가지를 실천하라
⑤ 스마트폰을 올바르게 사용하는 방법을 찾아라

07 다음 그래프가 제시될 수 있는 곳으로 알맞은 것은?

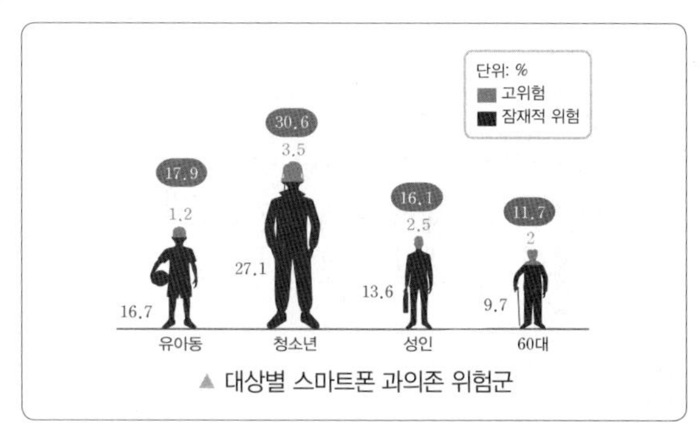

▲ 대상별 스마트폰 과의존 위험군

① (가)의 앞 ② (가)의 뒤 ③ (나)의 뒤
④ (다)의 뒤 ⑤ (라)의 뒤

08 ㉠에 담긴 글쓴이의 의도로 알맞은 것은?

① 청소년들의 과다한 스마트폰 사용 시간을 강조한다.
② 스마트폰 과다 사용의 문제를 시각적으로 보여 준다.
③ 노화로 발생하는 노안의 증상을 구체적으로 드러낸다.
④ 전문적인 자료를 제시하여 글 내용의 신뢰도를 높인다.
⑤ 스마트폰 노안 합병증 환자의 고통을 사실적으로 나타낸다.

01~09 다음을 읽고, 물음에 답하시오.

가

나 스마트폰 노안의 (㉠)

스마트폰 노안이 위험한 까닭은 다음과 같다.

첫째는 환자 대부분이 한창나이이기 때문이다. 젊은 세대는 눈 건강에 크게 신경을 쓰지 않는다. 그러다 보니 스마트폰 노안의 증상을 자각하지 못하여 상황을 악화시킬 수 있다. / 둘째는 합병증이 뒤따르기 때문이다. 스마트폰 노안으로 눈 주변의 근육이 손상되면 어깨로 이어지는 신경에도 악영향을 준다. 이 때문에 어깨와 목에 통증이 생기고, 그 주변이 딱딱하게 굳거나 결려 시큰거리기도 한다. ㉡흔히 말하는 거북목 증후군에 걸릴 수도 있고, 두통 및 만성 피로, 어지럼증이 생길 수도 있다.

㉢ 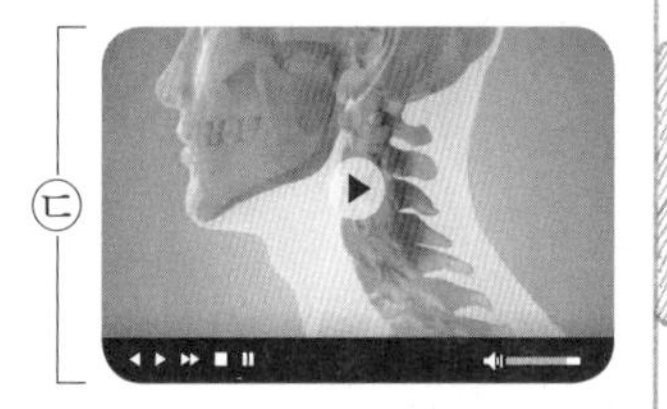
▲ 스마트폰 건강 주의보

다

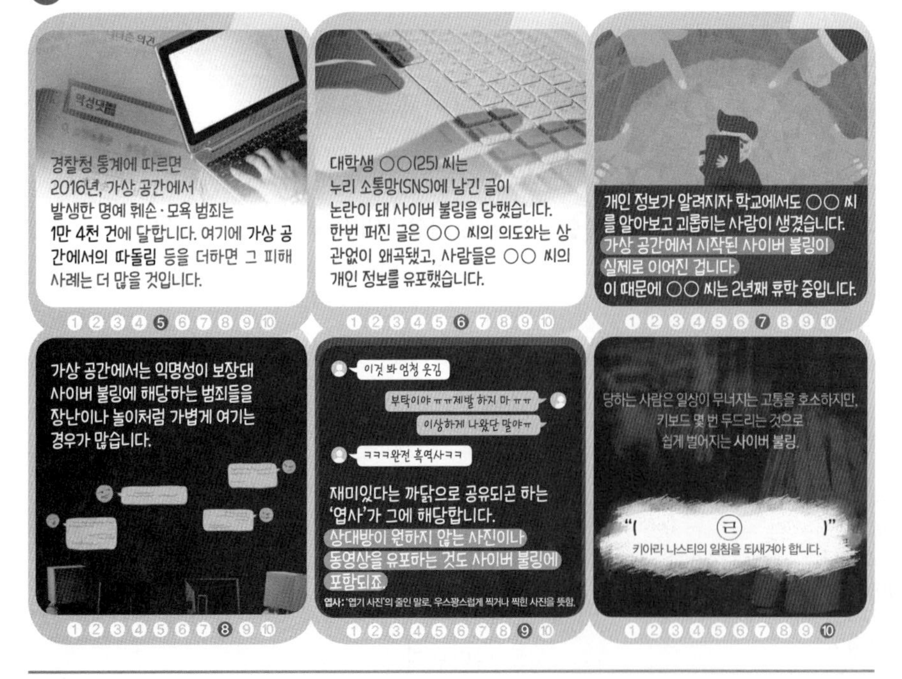

1단계 단답식 서술형 문제

01 (가)와 (나)~(다)에서 활용한 매체의 종류를 각각 쓰시오. [5점]

02 <보기>를 참고하여 (가)에 사용된 표현 방법 두 가지를 쓰시오. [5점]

보기
매체의 표현 방법은 문장 표현, 시각 자료(도표·그림·사진 등), 동영상 자료 등을 모두 포함한다.

03 (나)의 내용을 바탕으로, ㉠에 들어갈 말을 한 단어로 쓰시오. [5점]

04 ㉡에 나타난 증상들을 아울러 일컫는 말을 (나)에서 찾아 한 단어로 쓰시오. [5점]

05 다음을 예상 독자가 (다)를 보고 깨달은 내용이라고 할 때, 빈칸에 들어갈 알맞은 말을 쓰시오. [5점]

그저 가볍고 재미있는 장난으로 생각했던 □□□ □□이/가 그것을 당하는 입장에서는 큰 고통이 될 수 있다는 것을 깨달았다.

2단계 기본형 서술형 문제

06 [A]에 사용된 표현 방법을 한 문장으로 쓰시오. [15점]

> 조건 ① 문장의 형태와 관련된 내용을 쓸 것

07 〈보기〉는 ⓒ에 대한 설명이다. (나)와 〈보기〉를 참고하여 ⓒ과 같은 자료를 제시한 글쓴이의 의도를 쓰시오. [15점]

> ┤보기├
> 한 텔레비전 방송 프로그램 중 일부로, 의학 전문가와의 면담 내용, 과도한 스마트폰 사용으로 발생하는 여러 증상과 그 원인을 보여 주고 있다.

08 (다)와 〈보기〉의 내용을 바탕으로, ⓔ에 들어갈 이 카드 뉴스의 제목을 쓰시오. [15점]

┤보기├

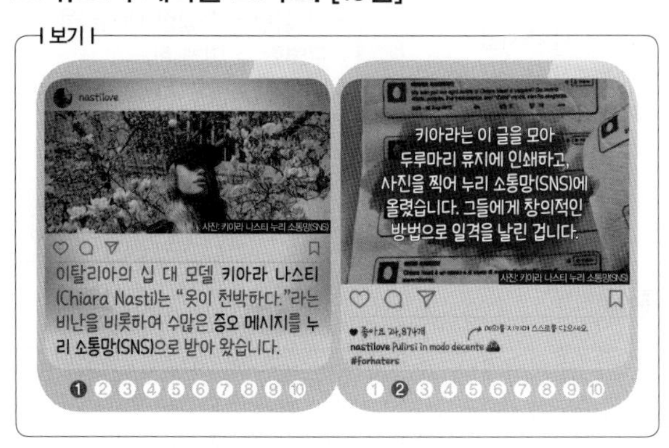

> 조건 ① 가상 공간에서의 '예의'와 관련된 내용을 쓸 것
> ② '스스로를 경계해야 한다'는 의미를 포함하되, 이를 '두루마리 휴지'의 쓰임과 관련지어 쓸 것
> ③ '~(으)세요.' 형태의 한 문장으로 쓸 것

3단계 고난도 서술형 문제

09 다음은 (다)의 카드별 표현 방법과 그 의도를 정리한 것이다. 카드 ❼의 '표현 방법'과 카드 ❽의 '의도'에 들어갈 내용을 쓰시오. [30점]

카드 ❺	• 표현 방법: 인터넷 사용 모습을 사진으로 제시하고, 글 중 주요 어구의 글자 색을 달리함. • 의도: 가상 공간에서 발생하는 범죄에 관한 글 내용을 강조함.

카드 ❻	• 표현 방법: 키보드에 드리워진 손 그림자 사진을 제시함. • 의도: 피해자의 개인 정보가 유포되는 상황의 부정적인 분위기를 부각함.

카드 ❼	• 표현 방법: ______________ • 의도: 사이버 불링이 주는 고통을 시각적으로 보여 줌.

카드 ❽	• 표현 방법: 상자로 얼굴을 가린 사람들의 사진과 대화 상황을 나타낸 그림을 합성하여 제시함. • 의도: ______________

카드 ❾	• 표현 방법: '엽사'가 공유되는 상황을 대화로 재구성하여 제시함. • 의도: 일상에서 흔히 일어날 수 있는 사이버 불링의 사례를 보여 줌.

카드 ❿	• 표현 방법: 주제와 관련하여 모델이 한 말을 글자 형태에 변화를 주어 인용함. • 의도: 핵심 내용을 강조하고 읽는 이에게 강한 인상을 남김.

> 조건 ① '~함.' 형태로 문장을 끝맺을 것

만점 마무리 (2) 매체 자료의 효과

◆ 활동 의도

강연(문)을 읽고 강연에 활용된 매체 자료의 효과를 판단하도록 하였다. 그리고 강연에 추가할 수 있는 매체 자료를 찾아보도록 하였다. 또한 매체 자료를 활용하여 사회 현상에 대한 자신의 생각을 발표하고, 발표에서 사용한 매체 자료의 효과를 판단해 보도록 하였다.

◆ 활동 목표

- 강연의 상황과 개요 정리하기
- 강연에 활용된 매체 자료의 효과 판단하기
- 매체 자료의 특성을 비교하고, 강연에 추가할 수 있는 매체 자료 찾기
- 매체 자료를 활용하여 발표한 후, 발표에 사용한 매체 자료의 효과 판단하기

◆ 활동 요약

강연의 상황과 개요 정리하기
강연의 말하는 이, 듣는 이, 목적과 장소를 정리하고, 구성 단계별 핵심 내용과 사용한 매체 자료를 정리함.

↓

강연에 활용된 매체 자료의 효과 판단하기
강연에 활용된 사진, 동영상, 그림, 표 등의 효과를 판단함.

↓

매체 자료의 특성을 비교하고, 강연에 추가할 수 있는 매체 자료 찾기
표와 그림으로 표현된 매체 자료의 특성을 비교하고, 지진에 관한 강연 내용을 보충할 수 있는 자료를 찾음.

↓

매체 자료를 활용하여 발표한 후, 발표에 사용한 매체 자료의 효과 판단하기
사회 현상을 주제로 다양한 매체 자료를 활용하여 발표한 후, 사용한 매체 자료 중 가장 효과적인 것이 무엇인지 평가함.

◇ '만약 지진이 일어난다면?'의 짜임

처음	강연자의 자기소개 및 강연 내용 안내
가운데	지진에 대한 다양한 정보와 지진 발생 시 대처법 설명
끝	당부의 말과 감사 인사

◇ '만약 지진이 일어난다면?'에서 활용한 매체 자료의 효과

매체 자료	내용	효과
영화 포스터 사진	• 강연 내용: 지진을 다룬 영화를 본 강연자의 경험 • 자료 내용: 땅이 갈라지면서 사람들이 사는 세상도 갈라지는 장면	• 듣는 이가 강연 주제에 관심을 기울이게 함. • 앞으로 전개될 강연 내용을 짐작하게 함.
지진 발생 과정을 보여 주는 동영상	• 강연 내용: 지진의 개념과 발생 원인 • 자료 내용: 지진이 발생하는 과정과 그 원인	• 강연 중에 제시되어 분위기를 환기함. • 지진이 발생하는 과정을 쉽게 이해하게 함.
지진 피해 사진	• 강연 내용: 지진 피해 사례 • 자료 내용: 네팔의 어느 마을이 지진으로 무너진 모습, 일본의 해안 마을이 해일에 휩쓸리는 모습	지진 피해의 심각성을 실감 나게 느끼게 함.
세계의 지진대 그림	• 강연 내용: 지진이 자주 발생하는 지역 • 자료 내용: 활화산과 판의 경계, '불의 고리'를 중심으로 한 지진대 분포 양상	• 지진이 자주 발생하는 지역을 한눈에 파악하도록 함. • '불의 고리'가 가리키는 것을 쉽게 이해하게 함.
지진 대처법 표	• 강연 내용: 지진 발생 시 대처법 • 자료 내용: 건물 안에 있을 경우와 건물 밖에 있을 경우의 지진 대처법	• 각 상황에 적합한 대처법을 명확히 구별할 수 있게 함. • 지진 대처법을 다시 한번 확인하게 해 줌.

◇ 매체 자료의 종류와 특성

표, 그래프	대상을 체계적으로 구조화하거나, 대상의 양상 및 변화 과정을 나타내어 전체 내용을 한눈에 파악하도록 해 줌. 예 초·중·고 독서 시간 비교, 우리나라의 연령대별 인구 분포, 중학생의 진로 희망 조사 등
그림, 사진	대상의 모양이나 위치 등 언어로 표현하기 어려운 내용을 시각적으로 보여 줌. 예 여행지의 풍경, 올가을 유행할 옷, 지도나 흐름도 등
동영상	상황이나 사건, 대상의 움직임을 실감 나게 보여 줌. 예 자전거 조립 방법, 운동 경기 장면, 춤 동작 등

◇ 매체 자료의 효과를 판단하며 듣는 방법

- 매체 자료가 내용을 잘 뒷받침하는지 판단하며 듣는다.
- 매체 자료가 적절한 부분에 사용되었는지 판단하며 듣는다.
- 매체 자료가 장소와 시간, 듣는 이, 목적에 적합한지 판단하며 듣는다.

간단 복습 문제 (2) 매체 자료의 효과

• 정답과 해설 32쪽

쪽지 시험

[01~03] 다음 설명이 맞으면 ○표, 틀리면 ×표 하시오.

01 매체 자료에는 표나 그래프, 그림과 사진, 동영상 등이 있다. (　　)

02 그림이나 사진은 대상의 양상 및 변화 과정을 구조화하여 표현한다. (　　)

03 동영상은 상황이나 사건, 대상의 움직임을 실감 나게 보여 준다. (　　)

[04~05] 다음 빈칸에 들어갈 알맞은 말을 쓰시오.

04 강연자는 강연의 장소와 시간, 듣는 이, (　　　)에 적합한 매체 자료를 활용해야 한다.

05 강연을 듣는 이는 강연에 활용된 매체 자료가 강연의 (　　　)을/를 잘 뒷받침하는지 판단하면서 들어야 한다.

[06~09] '만약 지진이 일어난다면?'을 읽고, 지진 발생 시 대처법에 대한 다음 설명의 빈칸에 들어갈 알맞은 낱말의 기호를 〈보기〉에서 골라 쓰시오.

보기
㉠ 탁자　㉡ 벽돌담　㉢ 승강기　㉣ 운동장

06 건물 안에 있을 경우 책상이나 (　　　) 밑으로 몸을 숨긴다.

07 건물 안에 있을 경우 (　　　)을/를 이용하지 않고 밖으로 나간다.

08 건물 밖에 있을 경우 (　　　)처럼 넓은 공간으로 대피한다.

09 건물 밖에 있을 경우 전신주, 자판기, (　　　) 등 넘어지기 쉬운 사물 옆은 피한다.

[10~12] '만약 지진이 일어난다면?'의 강연에서 활용한 매체 자료와 그 효과를 바르게 연결하시오.

10 지진 대처법 표 •　　• ㉠ 앞으로 전개될 내용을 짐작하게 함.

11 영화 포스터 사진 •　　• ㉡ 지진이 자주 발생하는 지역을 한눈에 파악하게 함.

12 세계의 지진대 그림 •　　• ㉢ 각 상황에 적합한 대처법을 명확히 구별하게 해 줌.

어휘 시험

[01~03] 다음 문장에 들어갈 알맞은 낱말을 (　　)에서 골라 ○표 하시오.

01 (지상 / 지층)이 끊어지는 과정에서 땅이 흔들리는 현상을 지진이라고 한다.

02 얼마 전에 일어난 눈사태 때문에 이 지역 주민들은 많은 (피해 / 파괴)를 입었다.

03 갑작스럽게 화재가 발생하여 많은 사람들이 (대비하지 / 대피하지) 못하고 건물 안에 갇혔다.

[04~06] 다음 낱말과 그 뜻풀이를 바르게 연결하시오.

04 차단 •　　• ㉠ 어떤 재해에 대하여 위험이 없는 지대

05 고군분투 •　　• ㉡ 남의 도움을 받지 아니하고 힘에 벅찬 일을 잘해 나감.

06 안전지대 •　　• ㉢ 액체나 기체 따위의 흐름 또는 통로를 막거나 끊어서 통하지 못하게 함.

예상 적중 소단원 평가 (2) 매체 자료의 효과

01~04 다음을 읽고, 물음에 답하시오.

가 행복 중학교 2학년 3반 학생 여러분, 안녕하세요? 저는 오늘 지진을 주제로 강연할 ○○ 소방서에 근무하는 △△△입니다. 본론에 들어가기에 앞서, 중학교에 다니는 제 딸과 함께 며칠 전에 본 영화를 소개하려 합니다. 화면을 볼까요? 「샌 안드레아스」라는 영화의 포스터인데요, 무엇을 다룬 영화일까요?

㉠

나 그럼 다음 영상을 보면서 지진이 발생하는 원인을 좀 더 자세히 살펴볼까요? (잠시 후에) 이처럼 지진은 대륙의 이동이나 해저의 확장, 산맥의 형성 등에 작용하는 지구 내부의 커다란 힘 때문에 발생합니다. 이 밖에 화산 활동으로 지진이 일어나기도 하죠.

㉡

▲ 지진이 어떻게 일어나는지 보여 주는 동영상

다

ⓐ	ⓑ
• 책상이나 탁자 밑으로 몸을 숨긴다. • 방석, 베개 등으로 머리를 보호한다. • 가스와 전기 등을 차단한다. • 승강기를 이용하지 않고 밖으로 나간다.	• 가방, 책 등으로 머리를 보호한다. • 운동장처럼 넓은 공간으로 대피한다. • 전신주, 자판기, 벽돌담 등 넘어지기 쉬운 사물 옆은 피한다.

라 (잠시 후에) 제가 준비한 내용은 여기까지입니다. 지진이 무엇인지 알 수 있는 유익한 시간이었나요? 오늘 강연 내용을 잘 기억해 둔다면, 지진이 발생하더라도 현명하게 대처할 수 있을 것입니다.

이만 강연을 마칩니다. (고개를 숙이며) 고맙습니다.

01 다음은 이 강연의 순서이다. 이를 참고할 때, 이 강연의 제목으로 가장 적절한 것은?

강연 순서	1. 지진의 개념과 발생 원인 2. 지진 피해 사례 3. 지진이 자주 발생하는 지역 4. 지진 발생 시 대처법

제목	(　　　　　　　　　　　)

① 만약 지진이 일어난다면?
② 지진에는 어떤 힘이 작용하는가?
③ 지진의 피해는 어떻게 복구되는가?
④ 지진에서 가장 안전한 지역은 어디인가?
⑤ 우리나라에서 가장 강력한 지진이 일어났던 곳은 어디인가?

서술형

02 (가)에서 ㉠을 제시한 효과를 '듣는 이'와 관련지어 쓰시오.

03 ㉡에 대한 설명으로 알맞지 <u>않은</u> 것은?

① 강연 중에 분위기를 환기하는 역할을 한다.
② 듣는 이가 앞으로 전개될 내용을 짐작하게 한다.
③ 지진이 발생하는 여러 원인에 대한 동영상 자료이다.
④ 듣는 이가 지진이 발생하는 과정을 쉽게 이해하게 한다.
⑤ 사진으로 느낄 수 없는 대상의 움직임이 실감 나게 나타난다.

04 ⓐ와 ⓑ에 들어갈 내용으로 알맞은 것은?

	ⓐ	ⓑ
①	지진 대피 전	지진 대피 후
②	낮은 지역일 때	높은 지역일 때
③	지진 안전지대일 때	지진 위험 지대일 때
④	건물 안에 있을 경우	건물 밖에 있을 경우
⑤	넓은 공간에 있을 경우	좁은 공간에 있을 경우

05~08 **다음을 읽고, 물음에 답하시오.**

가 지진이 왜 일어나는지 파악하려면, 우선 우리가 딛고 있는 이 땅의 특성을 알아야 합니다. 땅은 여러 지층으로 이루어져 있습니다. 지층은 진흙, 모래, 자갈과 같은 퇴적물이 오랫동안 층층이 쌓이면서 만들어집니다. 여기에 큰 힘이 계속 작용하면 그 힘을 견디지 못한 지층은 결국 끊어집니다. 그 과정에서 땅이 흔들리는 현상을 바로 지진이라고 합니다.

나 그럼 지진이 일어나면 어떤 피해가 생길까요? 지진의 강도에 따라 다르겠지만, 강한 지진이 발생하면 그 피해는 매우 큽니다. (사진을 가리키며) 지진이 발생하면 이 사진 속 모습처럼 땅이 뒤틀리면서 지상 및 지하 구조물이 붕괴되기도 하고, 해일과 산사태가 일어나기도 합니다. 그 과정에서 친구나 이웃, 가족을 잃는 참혹한 일이 생길 수도 있습니다. 수도·가스·통신 등의 사회 기반 시설이 파괴되면서 사회가 혼란스러워지기도 하지요.

㉠

▲ 지진으로 삶의 터전이 무너진 네팔의 어느 마을

▲ 거대한 해일로 큰 피해를 입은 일본의 해안 마을

다 이렇게 무서운 지진은 주로 어디에서 일어날까요? 다음은 지진 발생 지역을 표시해 놓은 지도입니다. 지진이 자주 일어나거나 일어나기 쉬운 지역을 붉은 띠로 나타내고 있습니다. (그림을 가리키며) 이 지역은 '환태평양 조산대'입니다. 태평양을 중심으로 고리 모양을 하고 있다고 하여 '불의 고리[Ring of Fire]'라고 불리기도 하지요. 세계에서 발생하는 지진 대부분은 바로 이곳에서 집중적으로 일어났습니다.

㉡

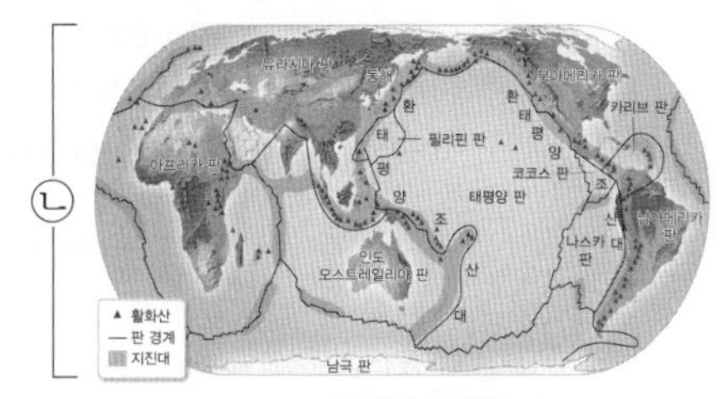

▲ 세계의 지진대

05 이 강연을 듣기 전에 학생들이 나눈 대화로 알맞지 <u>않은</u> 것은?

① 나은: 강연에 쓰이는 사진이 적절한 부분에 제시되는지 판단해야겠어.
② 지유: 강연자가 내용을 잘 뒷받침하는 매체 자료를 제시하는지 봐야겠어.
③ 민철: 강연에 활용되는 그림이 우리 교실에서 보기에 적합한지 평가해야겠어.
④ 혜란: 강연자가 우리 반 학생들을 고려해서 매체 자료를 준비했는지 살펴봐야겠어.
⑤ 진호: 매체 자료가 강연 목적보다는 우리 반 학생들의 흥미를 높이는 데 적합한지 봐야겠어.

06 이 강연에서 알 수 있는 내용이 <u>아닌</u> 것은?

① 지진이 발생하면 땅이 뒤틀린다.
② 우리나라는 지진의 안전지대에 해당한다.
③ 지진의 강도에 따라 피해가 다르게 나타난다.
④ 지진은 '불의 고리'에서 집중적으로 일어난다.
⑤ 지진의 발생 원인을 알기 위해서는 땅의 특성을 알아야 한다.

07 (가)의 내용을 정리한 것으로 알맞지 <u>않은</u> 것은?

①<u>중심 내용: 지진이 발생하는 과정</u>

⬇

②<u>땅은 지층으로 이루어져 있음.</u> → ③<u>지층은 여러 퇴적물이 쌓이면서 만들어짐.</u> → ④<u>퇴적물에 큰 힘이 작용하여 지층이 끊어짐.</u> → ⑤<u>지층이 끊어지는 과정에서 땅이 흔들리는 현상, 즉 지진이 발생함.</u>

08 ㉠, ㉡과 같은 매체 자료의 특성으로 알맞은 것은?

① 대상을 체계적으로 구조화한다.
② 대상의 양상과 변화 과정을 나타낸다.
③ 상황이나 사건, 대상의 움직임을 나타낸다.
④ 언어로 표현하기 어려운 내용을 시각적으로 나타낸다.
⑤ 운동 경기 장면, 춤 동작과 같은 내용을 보여 주기에 적합하다.

01~08 다음을 읽고, 물음에 답하시오.

가 지진이 왜 일어나는지 파악하려면, 우선 우리가 딛고 있는 이 땅의 특성을 알아야 합니다. 땅은 여러 지층으로 이루어져 있습니다. 지층은 진흙, 모래, 자갈과 같은 퇴적물이 오랫동안 층층이 쌓이면서 만들어집니다. 여기에 큰 힘이 계속 작용하면 그 힘을 견디지 못한 지층은 결국 끊어집니다. 그 과정에서 땅이 흔들리는 현상을 바로 지진이라고 합니다. / 그럼 ㉠다음 영상을 보면서 지진이 발생하는 원인을 좀 더 자세히 살펴볼까요?

나 그럼 지진이 일어나면 어떤 피해가 생길까요? 지진의 강도에 따라 다르겠지만, 강한 지진이 발생하면 그 피해는 매우 큽니다. (사진을 가리키며) 지진이 발생하면 이 사진 속 모습처럼 땅이 뒤틀리면서 지상 및 지하 구조물이 붕괴되기도 하고, 해일과 산사태가 일어나기도 합니다. 그 과정에서 친구나 이웃, 가족을 잃는 참혹한 일이 생길 수도 있습니다. 수도·가스·통신 등의 사회 기반 시설이 파괴되면서 사회가 혼란스러워지기도 하지요.

㉡

▲ 지진으로 삶의 터전이 무너진 네팔의 어느 마을

▲ 거대한 해일로 큰 피해를 입은 일본의 해안 마을

다 이렇게 무서운 지진은 주로 어디에서 일어날까요? 다음은 지진 발생 지역을 표시해 놓은 지도입니다. 지진이 자주 일어나거나 일어나기 쉬운 지역을 붉은 띠로 나타내고 있습니다. (그림을 가리키며) 이 지역은 '환태평양 조산대'입니다. 태평양을 중심으로 고리 모양을 하고 있다고 하여 '불의 고리[Ring of Fire]'라고 불리기도 하지요. 세계에서 발생하는 지진 대부분은 바로 이곳에서 집중적으로 일어났습니다. 최근에도 이 지역에 있는 일본 구마모토현과 남미 에콰도르 등에서 대형 지진이 발생했습니다.

라 우리가 서 있는 이 땅에서도 지진이 일어날 수 있습니다. 만약 지금 당장 지진이 발생한다면, 우리는 어떻게 대처해야 할까요? 지진이 발생했을 때 실내에 있다면 일단 책상이나 탁자 밑으로 몸을 피하고 방석, 베개 등으로 머리를 보호합니다. 강한 흔들림이 멈추면 가스와 전기 등을 차단하여 화재를 예방하고, 밖으로 나갑니다.

마 (잠시 후에) 제가 준비한 내용은 여기까지입니다. 지진이 무엇인지 알 수 있는 유익한 시간이었나요? 오늘 강연 내용을 잘 기억해 둔다면, 지진이 발생하더라도 현명하게 대처할 수 있을 것입니다.

이만 강연을 마칩니다. (고개를 숙이며) 고맙습니다.

1단계 단답식 서술형 문제

01 다음 빈칸에 들어갈 알맞은 말을 쓰시오. [5점]

> 이 글은 강연의 내용을 글로 옮긴 것으로, 강연은 강연자가 일정한 ☐☐에 대한 내용을 듣는 이에게 설명하는 말하기이다.

02 이 강연에서 다음과 같은 특성을 지닌 매체 자료를 활용하는 문단의 기호를 모두 쓰시오. [5점]

> 대상의 모양이나 위치 등 말이나 글로 표현하기 어려운 내용을 시각적으로 보여 준다.

03 지진 발생 시 대처법을 소개하고 있는 문단의 기호를 쓰시오. [5점]

04 (다)에서 다음 설명에 해당하는 개념을 찾아 2어절로 쓰시오. [5점]

> 지진이 집중적으로 발생하는 지역인 환태평양 조산대를 이르는 말이다.

05 (마)에서 듣는 이에 대한 강연자의 당부가 드러나는 문장을 찾아 첫 어절과 마지막 어절을 쓰시오. [5점]

2단계 기본형 서술형 문제

06 다음은 ㉠에 제시된 내용이다. 이를 참고하여 ㉠의 효과를 쓰시오. [15점]

> • 대륙의 이동, 해저의 확장, 산맥의 형성 등에 작용하는 지구 내부의 커다란 힘 때문에 지진이 발생하는 모습
> • 화산 활동으로 지진이 발생하는 모습

> 조건 ① (가)의 중심 내용을 포함하여 쓸 것
> ② '~게 한다.'의 형태로 쓸 것

07 다음에 제시된 기준에 따라 ㉡의 효과를 평가하여 쓰시오. [15점]

> • 매체 자료가 내용을 잘 뒷받침하는가?

> 조건 ① 평가의 근거를 포함하여 쓸 것

08 다음은 (다)에서 활용한 자료이다. (다)를 바탕으로 이 자료에 담긴 내용과 그 효과를 각각 한 문장으로 쓰시오. [15점]

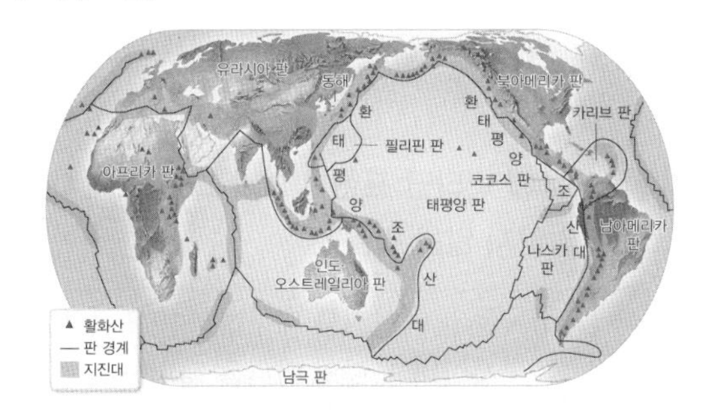

3단계 고난도 서술형 문제

09 〈보기〉에서 초대장을 받은 학생의 반응이 ㉮, ㉯에서 서로 다른 까닭을 쓰시오. [30점]

보기

㉮

㉯

> 조건 ① ㉮와 ㉯에서 제시한 '찾아오는 길'의 차이점을 중심으로 쓸 것
> ② 약도와 같은 시각 자료의 특성을 언급할 것

01~04 다음을 읽고, 물음에 답하시오.

(가)

(나) 나도 스마트폰 노안일까?

스마트폰 노안은 위험한 질환이므로, 될 수 있는 대로 빨리 자신의 상태를 점검하고 대책을 마련해야 한다. 혹시 나도 스마트폰 노안은 아닌지, 아래 검사 표로 진단해 보자.

- ☐ 스마트폰을 하루 세 시간 이상 사용한다.
- ☐ 저녁이 되면 스마트폰 화면이 잘 보이지 않는다.
- ☐ 어깨가 결리고 목이 뻐근하며 가끔 두통이 있다.
- ☐ 눈을 찌푸려야 스마트폰 화면의 글씨가 겨우 보인다.
- ☐ 먼 곳을 보다가 가까운 곳을 보면 눈이 침침하다.
- ☐ 가까운 곳을 보다가 먼 곳을 보면 초점이 잘 맞지 않는다.
- ☐ 화면에서 눈을 떼면 한동안 초점이 잘 맞지 않는다.

자신이 위 항목 중 세 가지 이상에 해당한다면 스마트폰 노안일 가능성이 크다. 이를 일시적인 증상이라고 가볍게 생각해서는 안 된다. 자신이 스마트폰 노안이라고 생각한다면 적극적으로 치료해야 하고, 스마트폰 노안이 아니라면 예방을 위해 노력해야 한다. 다음 글에서 스마트폰 노안의 [㉠]을 자세하게 알아보자.

(다)

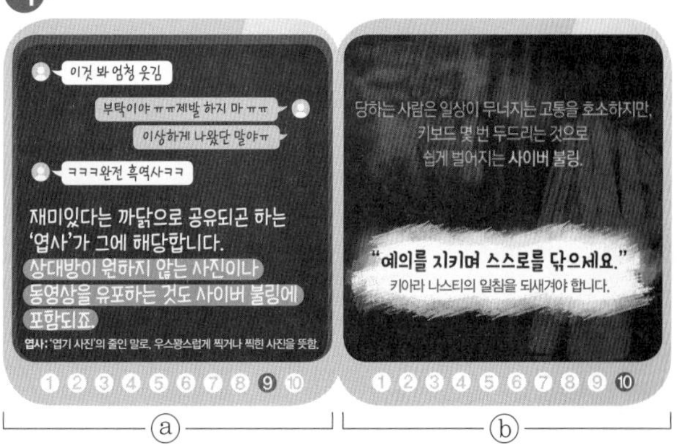

ⓐ ⓑ

01 (가)의 표현 방법에 대한 설명으로 알맞은 것은?

① 스마트폰을 시청각 자료로 표현하였다.
② 광고 문구의 내용을 사진으로 구현하였다.
③ 사람과 스마트폰이 서로 단절된 장면을 형상화하였다.
④ 글자를 한쪽으로 치우치게 배치하여 사진을 강조하였다.
⑤ 스마트폰 문자 메시지의 내용과 사람의 얼굴을 모두 드러내었다.

02 (나)와 같은 매체의 특성으로 알맞지 않은 것은?

① 글쓴이가 글을 자유롭게 연재할 수 있다.
② 해당 정보를 찾기 위해 거쳐야 할 과정이 복잡하다.
③ 인터넷 환경만 갖추면 읽는 이가 글을 접할 수 있다.
④ 글쓴이와 읽는 이가 댓글을 통해 서로 소통할 수 있다.
⑤ 문자, 사진이나 그림, 동영상 등의 다양한 자료를 활용할 수 있다.

03 ㉠에 들어갈 말로 알맞은 것은?

① 검사법 ② 장단점
③ 다양한 원인 ④ 신체적 증상
⑤ 치료와 예방법

04 ⓐ와 ⓑ에 나타난 표현 방법과 그 의도에 대한 설명으로 알맞지 않은 것은?

ⓐ	• 문자 메시지를 재구성하여 표현함. ······ ① • 사이버 불링의 범위를 설명하려 함. ······ ②
ⓑ	• 글자 모양과 글자 굵기에 변화를 주어 표현함. ······ ③ • 읽는 이에게 강한 인상을 남기려 함. ······ ④
ⓐ, ⓑ	법의 처벌로부터 자유로운 가상 공간의 특성을 악용하는 모습을 표현하려 함. ······ ⑤

05~08 다음을 읽고, 물음에 답하시오.

가 행복 중학교 2학년 3반 학생 여러분, 안녕하세요? 저는 오늘 지진을 주제로 강연할 ○○ 소방서에 근무하는 △△△입니다. 본론에 들어가기에 앞서, 중학교에 다니는 제 딸과 함께 며칠 전에 본 영화를 소개하려 합니다. 화면을 볼까요? 「샌 안드레아스」라는 영화의 포스터인데요, 무엇을 다룬 영화일까요? (잠시 후에) 네, 맞습니다. 지진입니다. '샌 안드레아스'라는 단층대가 무너지면서 지진이 발생하자, 주인공이 가족을 구하려고 고군분투하는 이야기예요. 영화를 본 후, 제 딸은 영화 속 상황이 실제로 벌어지면 어떡하냐며 무척 걱정했답니다.

나 지진이 왜 일어나는지 파악하려면, 우선 우리가 딛고 있는 이 땅의 특성을 알아야 합니다. 땅은 여러 지층으로 이루어져 있습니다. 지층은 진흙, 모래, 자갈과 같은 퇴적물이 오랫동안 층층이 쌓이면서 만들어집니다. 여기에 큰 힘이 계속 작용하면 그 힘을 견디지 못한 지층은 결국 끊어집니다. 그 과정에서 땅이 흔들리는 현상을 바로 지진이라고 합니다.

다 그럼 지진이 일어나면 어떤 피해가 생길까요? 지진의 강도에 따라 다르겠지만, 강한 지진이 발생하면 그 피해는 매우 큽니다. (㉠사진을 가리키며) 지진이 발생하면 이 사진 속 모습처럼 땅이 뒤틀리면서 지상 및 지하 구조물이 붕괴되기도 하고, 해일과 산사태가 일어나기도 합니다. 그 과정에서 친구나 이웃, 가족을 잃는 참혹한 일이 생길 수도 있습니다. 수도·가스·통신 등의 사회 기반 시설이 파괴되면서 사회가 혼란스러워지기도 하지요.

라 우리가 서 있는 이 땅에서도 지진이 일어날 수 있습니다. 만약 지금 당장 지진이 발생한다면, 우리는 어떻게 대처해야 할까요? 지진이 발생했을 때 실내에 있다면 일단 책상이나 탁자 밑으로 몸을 피하고 방석, 베개 등으로 머리를 보호합니다. 강한 흔들림이 멈추면 가스와 전기 등을 차단하여 화재를 예방하고, 밖으로 나갑니다. 이동할 때에는 승강기를 타지 말고, 운동장이나 공원 등 넓은 공간으로 대피합니다. 대피한 다음에는 전신주나 자판기 등 넘어질 우려가 있는 사물 근처에 서 있지 않아야 합니다. 지금까지 말씀드린 지진 발생 시 대처법을 건물 안에 있을 경우와 ㉡건물 밖에 있을 경우로 나누어 표로 정리해 보았습니다.

05 (가)에 대한 설명으로 알맞지 않은 것은?

① 강연의 '처음' 부분에 해당한다.
② 강연 주제와 목적을 구체적으로 제시한다.
③ 듣는 이와 말하는 이가 누구인지 나타난다.
④ 말하는 이가 가벼운 인사말로 자신을 소개한다.
⑤ 듣는 이와 또래인 딸의 반응을 말하며 듣는 이의 관심을 유도한다.

서술형

06 다음은 (나)를 바탕으로 지진의 개념을 정리한 것이다. 빈칸에 공통으로 들어갈 말을 쓰시오.

(   )에 큰 힘이 작용하여 (   )이/가 끊어지는 과정에서 땅이 흔들리는 현상을 말한다.

07 ㉠에 담길 내용으로 적절한 것은?

① 지진으로 무너진 다리
② 지진에도 무사히 견딘 문화재
③ 지진 복구에 구슬땀을 흘리는 사람들
④ 지진 후에 다시 만난 가족의 환한 얼굴
⑤ 지진의 상황을 실제처럼 촬영한 영화의 장면

08 ㉡에 해당하는 지진 발생 시 대처법으로 알맞은 것은?

① 책상이나 탁자 밑으로 몸을 숨긴다.
② 방석, 베개 등으로 머리를 보호한다.
③ 승강기를 이용하지 않고 밖으로 대피한다.
④ 가스와 전기 등을 차단하여 화재를 예방한다.
⑤ 전신주나 자판기 등 넘어질 우려가 있는 사물 근처에 서 있지 않는다.

09~11 다음을 읽고, 물음에 답하시오.

가 지진이 왜 일어나는지 파악하려면, 우선 우리가 딛고 있는 이 땅의 특성을 알아야 합니다. 땅은 여러 지층으로 이루어져 있습니다. 지층은 진흙, 모래, 자갈과 같은 퇴적물이 오랫동안 층층이 쌓이면서 만들어집니다. 여기에 큰 힘이 계속 작용하면 그 힘을 견디지 못한 지층은 결국 끊어집니다. 그 과정에서 땅이 흔들리는 현상을 바로 지진이라고 합니다.

나 그럼 다음 영상을 보면서 지진이 발생하는 원인을 좀 더 자세히 살펴볼까요? (잠시 후에) 이처럼 지진은 대륙의 이동이나 해저의 확장, 산맥의 형성 등에 작용하는 지구 내부의 커다란 힘 때문에 발생합니다. 이 밖에 화산 활동으로 지진이 일어나기도 하죠.

다 그럼 지진이 일어나면 어떤 피해가 생길까요? 지진의 강도에 따라 다르겠지만, 강한 지진이 발생하면 그 피해는 매우 큽니다. (사진을 가리키며) 지진이 발생하면 이 사진 속 모습처럼 땅이 뒤틀리면서 지상 및 지하 구조물이 붕괴되기도 하고, 해일과 산사태가 일어나기도 합니다. 그 과정에서 친구나 이웃, 가족을 잃는 참혹한 일이 생길 수도 있습니다. 수도·가스·통신 등의 사회 기반 시설이 파괴되면서 사회가 혼란스러워지기도 하지요.

라 이렇게 무서운 지진은 주로 어디에서 일어날까요? 다음은 지진 발생 지역을 표시해 놓은 지도입니다. 지진이 자주 일어나거나 일어나기 쉬운 지역을 붉은 띠로 나타내고 있습니다. (그림을 가리키며) 이 지역은 '환태평양 조산대'입니다. 태평양을 중심으로 고리 모양을 하고 있다고 하여 '불의 고리[Ring of Fire]'라고 불리기도 하지요. 세계에서 발생하는 지진 대부분은 바로 이곳에서 집중적으로 일어났습니다.

마 우리가 서 있는 이 땅에서도 지진이 일어날 수 있습니다. 만약 지금 당장 지진이 발생한다면, 우리는 어떻게 대처해야 할까요? 지진이 발생했을 때 실내에 있다면 일단 책상이나 탁자 밑으로 몸을 피하고 방석, 베개 등으로 머리를 보호합니다. 강한 흔들림이 멈추면 가스와 전기 등을 차단하여 화재를 예방하고, 밖으로 나갑니다. 이동할 때에는 승강기를 타지 말고, 운동장이나 공원 등 넓은 공간으로 대피합니다. 대피한 다음에는 전신주나 자판기 등 넘어질 우려가 있는 사물 근처에 서 있지 않아야 합니다.

09 (가)~(마)에 대한 설명으로 알맞지 않은 것은?

① (가): 지진의 발생 과정을 바탕으로 지진의 개념을 설명하고 있다.
② (나): 지진이 발생하는 다양한 원인을 제시하고 있다.
③ (다): 산사태와 해일 때문에 발생하는 지진의 모습을 설명하고 있다.
④ (라): 지진이 많이 발생하는 지역인 '불의 고리'의 개념을 설명하고 있다.
⑤ (마): 실내와 실외에 있을 때 지진 대처법을 제시하고 있다.

10 (가)~(마) 중, 다음 자료를 활용하기에 적절한 것은?

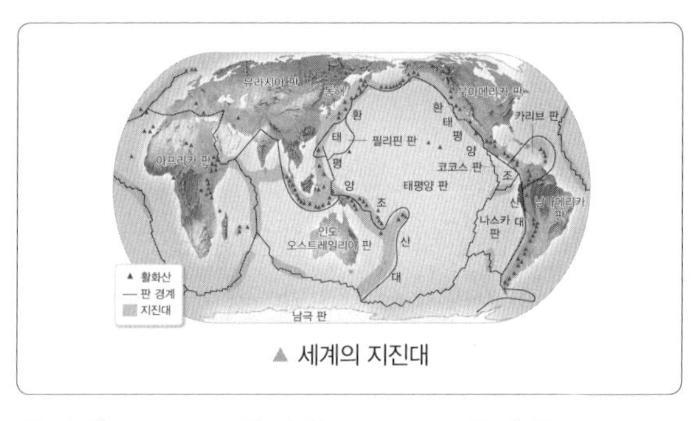

▲ 세계의 지진대

① (가) ② (나) ③ (다) ④ (라) ⑤ (마)

고난도 서술형

11 지진 발생 시 대처법을 제시할 때, (마)와 〈보기〉 중에서 어떤 것이 더 효과적인지 쓰시오.

보기

조건
① (마)를 줄글로 가정하여 쓸 것
② 〈보기〉가 더 효과적이라는 입장에서 그 까닭을 내용 이해 측면에서 쓸 것

12~14 다음을 읽고, 물음에 답하시오.

가

나 스마트폰 노안이 위험한 까닭은 다음과 같다.

첫째는 환자 대부분이 한창나이이기 때문이다. ㉠젊은 세대는 눈 건강에 크게 신경을 쓰지 않는다. 그러다 보니 스마트폰 노안의 증상을 자각하지 못하여 상황을 악화시킬 수 있다.

둘째는 합병증이 뒤따르기 때문이다. 스마트폰 노안으로 눈 주변의 근육이 손상되면 어깨로 이어지는 신경에도 악영향을 준다. 이 때문에 어깨와 목에 통증이 생기고, 그 주변이 딱딱하게 굳거나 결려 시큰거리기도 한다. 흔히 말하는 ㉡거북목 증후군에 걸릴 수도 있고, 두통 및 만성 피로, 어지럼증이 생길 수도 있다.

㉢

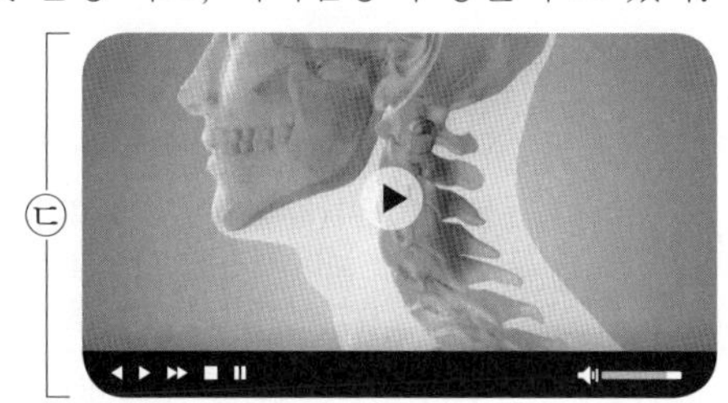

▲ 스마트폰 건강 주의보

다 행복 중학교 2학년 3반 학생 여러분, 안녕하세요? 저는 오늘 지진을 주제로 강연할 ㉣○○ 소방서에 근무하는 △△△입니다. 본론에 들어가기에 앞서, ㉤중학교에 다니는 제 딸과 함께 며칠 전에 본 영화를 소개하려 합니다. 화면을 볼까요? 「샌 안드레아스」라는 영화의 포스터인데요, 무엇을 다룬 영화일까요? (잠시 후에) 네, 맞습니다. 지진입니다.

라 (잠시 후에) 제가 준비한 내용은 여기까지입니다. 지진이 무엇인지 알 수 있는 유익한 시간이었나요? 오늘 강연 내용을 잘 기억해 둔다면, 지진이 발생하더라도 현명하게 대처할 수 있을 것입니다.

이만 강연을 마칩니다. (고개를 숙이며) 고맙습니다.

12 (가)에 대한 설명으로 알맞지 않은 것은?

① 인쇄 매체에 해당하는 공익 광고이다.
② 사람과 스마트폰이 서로를 잡고 있는 사진을 사용하였다.
③ 비슷한 형태의 두 문장을 나열하면서 질문의 방식을 활용하고 있다.
④ 광고 문구와 사진이 내용상 대비되어 보는 이에게 깊은 인상을 남기고 있다.
⑤ 무분별한 스마트폰 사용 태도를 경고하는 제작 의도를 명확하게 파악할 수 있다.

13 다음은 (다)~(라)의 내용을 포함한 강연 전체의 개요이다. 이를 참고할 때, (다)와 (라) 사이에 제시할 수 있는 내용으로 적절하지 않은 것은?

처음	• 자기소개 • 강연 내용 안내
가운데	• 지진에 대한 다양한 정보 • 지진이 일어났을 때의 대처 방안
끝	• 당부의 말 • 감사 인사

① 지진의 개념
② 지진 피해의 심각성
③ 지진을 예방하는 방법
④ 지진의 발생 과정과 원인
⑤ 지진이 자주 발생하는 지역

14 ㉠~㉤에 대한 설명으로 알맞지 않은 것은?

① ㉠: 노안을 노화 현상으로 여기는 인식과 관련된다.
② ㉡: '잘못된 자세 때문에 거북처럼 목이 앞으로 구부러지는 증세'를 의미한다.
③ ㉢: 읽는 이의 이해를 돕고 내용의 신뢰도를 높인다.
④ ㉣: 강연의 말하는 이에 해당한다.
⑤ ㉤: 강연의 듣는 이에 해당한다.

만점 마무리 (1) 문학 작품의 재구성

◆ 제재 선정 의도

「춘향전」은 사랑 이야기 속에 시대적 가치가 담겨 있는 작품으로, 오늘날까지 다양한 갈래로 재창조되고 있어, 작품의 재구성 양상을 살펴보기에 적합하여 제재로 선정하였다.

◆ 제재 ❶ 소설 「춘향전」

갈래	고전 소설, 판소리계 소설, 애정 소설
성격	해학적, 풍자적
시점	전지적 작가 시점
배경	• 시간: 조선 후기 • 공간: 전라북도 남원
제재	'춘향'의 정절
주제	지고지순한 남녀 간의 사랑, 탐관오리에 대한 응징, 평등한 사회에 대한 갈망
특징	• 판소리 영향으로 운문체, 산문체가 함께 나타남. • 서술자의 편집자적 논평이 나타남.

◆ 제재 ❷ 만화 「춘향전」

갈래	만화
성격	해학적, 풍자적
배경	• 시간: 조선 후기 • 공간: 전라북도 남원
제재	'춘향'의 정절
주제	지고지순한 남녀 간의 사랑, 탐관오리에 대한 응징, 평등한 사회에 대한 갈망
특징	다양한 시각적 표현을 활용하여 생동감을 주고, 원작의 내용을 잘 살림.

◆ 제재 요약

발단 기생의 딸 '춘향'과 남원 부사의 아들 '몽룡'이 사랑에 빠짐.

전개 아버지를 따라 '몽룡'이 한양으로 가면서 '춘향'과 '몽룡'이 이별함.

위기 새로운 남원 부사 '변학도'가 '춘향'에게 수청을 강요하고, 이를 거역한 '춘향'을 옥에 가둠.

절정 장원 급제한 '몽룡'이 암행어사로 돌아와 '변학도'와 탐관오리를 숙청하고 '춘향'을 구함.

결말 '춘향'과 '몽룡'이 함께 서울로 올라가 백년해로함.

◆ 「춘향전」에 등장하는 인물의 성격

'성춘향'	• 신분을 뛰어넘는 사랑을 추구하는 진취적인 모습을 보임. • 위협 속에서도 끝까지 절개를 지키며 당당한 여성의 모습을 보여 줌.
'이몽룡'	• 신분과 상관없이 '춘향'을 진심으로 사랑함. • 백성을 생각하고 탐관오리를 응징하는 바람직한 지배 계층의 모습을 보임.
'변학도'	• '춘향'에게 수청을 강요하고, '춘향'이 거부하자 권력을 남용해 괴롭힘. • 백성들을 돌보지 않고 사리사욕만 채우는 부패한 관리의 전형적인 모습을 보임. • 가렴주구를 비판하는 '어사또'의 한시를 듣고도 '어사또'의 정체를 눈치채지 못할 만큼 눈치가 없고 아둔함.

◆ 작품 속 갈등 양상에 따른 주제

갈등			주제
인물 간 외적 갈등 ①	'춘향'에게 수청을 강요하는 '변학도' ↔	수청을 거부하는 '춘향'	'춘향'의 지고지순한 사랑
인물 간 외적 갈등 ②	백성에게 횡포를 부리는 '변학도' ↔	탐관오리를 응징하는 암행어사 '몽룡'	탐관오리에 대한 응징
인물과 사회 간 외적 갈등	조선 후기 신분제 사회 ↔	기생의 딸인 '춘향'과 양반인 '몽룡'의 사랑	평등한 사회에 대한 갈망

◆ 「춘향전」의 재구성 양상

소설 「춘향전」	만화 「춘향전」
'운봉'이 '어사또'의 정체를 눈치채고 수하를 단속하는 장면을 자세히 서술함.	'운봉'이란 인물을 내세우지 않고, 주변 사람들이 눈치를 보며 자리를 뜨는 장면을 의성어와 의태어, 효과선 등으로 보여 줌.
암행어사 출두 장면을 과장된 표현과 상세한 묘사로 서술함.	칸, 말풍선, 글씨체와 글씨 크기에 변화를 주어 장면을 강조하고, 인물들의 움직임과 표정을 그림으로 생동감 있게 표현함.
'몽룡'이 '춘향'의 마음을 떠보자 어이없어하는 '춘향'의 심리를 서술자가 직접적으로 서술함.	어이없어하는 '춘향'의 심리를 말풍선과 대사를 이용해 간접적으로 드러냄.
'몽룡'과 '춘향'이 재회의 기쁨을 누리는 장면을 비유적 표현과 편집자적 논평을 활용하여 서술함.	• 화려한 배경 색과 색이 퍼지는 듯한 효과를 통해 '몽룡'과 '춘향'의 감격스러운 재회를 강조함. • 대사를 절제하여 상황 전달에 초점을 둠.
'춘향'과 '몽룡'의 혼인과 이어지는 행복한 여생을 서술함.	혼인 후의 뒷이야기를 줄글로 요약하여 전달하면서, '춘향'과 '몽룡'의 혼례 장면을 통해 행복한 결말을 단적으로 드러냄.

◆ 「춘향전」이 꾸준히 재구성되는 까닭

• 남녀 간의 사랑이라는 인간의 보편적 정서를 담음.
• 다양한 관점에서 인물을 재해석할 수 있음.

→ 시대를 넘어선 공감을 불러일으켜 오늘날까지 활발히 재구성됨.

간단 복습 문제 (1) 문학 작품의 재구성

• 정답과 해설 35쪽

쪽지 시험

[01~02] 다음 문장에 들어갈 알맞은 낱말을 (　　)에서 골라 ○표 하시오.

01 「춘향전」이 끊임없이 재구성되는 것은 그 작품이 인간의 (특수한 / 보편적) 정서를 담고 있기 때문이다.

02 기생의 딸 '춘향'과 양반인 '몽룡'의 사랑이 이루어진 것에는 (평등한 / 공정한) 사회에 대한 갈망이라는 백성들의 소망이 담겨 있다.

[03~05] 다음 설명이 맞으면 ○표, 틀리면 ×표 하시오.

03 소설을 만화로 재구성하면 인물의 심리를 좀 더 상세하게 서술할 수 있다. (　　)

04 만화 「춘향전」은 원작 소설과 달리 그림, 말풍선, 줄글 등으로 구성되어 있다. (　　)

05 '춘향'과 '변학도'의 갈등을 통해 '춘향'의 지고지순한 사랑이라는 주제가 두드러진다. (　　)

[06~09] 다음 문장의 빈칸에 들어갈 알맞은 낱말의 기호를 〈보기〉에서 골라 쓰시오.

보기	
㉠ 희화화	㉡ 언어유희
㉢ 반어적	㉣ 편집자적

06 '춘향의 높은 절개가 광채 있게 되었으니 어찌 아니 좋을 것인가.'에는 (　　　) 논평이 나타난다.

07 소설 「춘향전」과 만화 「춘향전」에서는 암행어사 출두에 수령들이 도망가느라 허둥대는 장면을 (　　　) 하여 묘사함으로써 통쾌함을 준다.

08 자신의 수청을 들라는 '어사또'의 말을 듣고 '춘향'은 "내려오는 사또마다 빠짐없이 명관이로구나!"라는 (　　　) 표현으로 비꼰다.

09 어사출두 후 도망치는 '본관 사또'가 한 말 "어, 추워라. 문 들어온다 바람 닫아라. 물 마르다 목 들여라."는 낱말의 위치를 바꾼 (　　　)에 해당한다.

어휘 시험

[01~03] 다음 설명에 해당하는 낱말을 〈보기〉에서 골라 쓰시오.

보기
금수, 어전, 계계승승

01 임금이 있는 궁전을 이르는 말 (　　　)

02 선대에서 하던 일을 후대 사람이 내리 이어받음. (　　　)

03 날짐승과 길짐승이라는 뜻으로, 모든 짐승을 이르는 말 (　　　)

[04~07] 다음 문장에 들어갈 알맞은 낱말을 (　　)에서 골라 ○표 하시오.

04 일제에 나라를 빼앗겼는데 어찌 (통분하지 / 포악하지) 않으랴.

05 왕이 여러 고을을 (순행하며 / 대령하며) 백성들의 삶을 살폈다.

06 나는 행색이 (영화롭다는 / 남루하다는) 이유로 무시를 당했다.

07 그는 탐관오리들을 혼내 줄 (수청 / 심산)으로 자리에서 일어났다.

[08~10] 다음 낱말과 그 뜻풀이를 바르게 연결하시오.

08 사령 • 　　• ㉠ 물려받아 내려옴.

09 유전 • 　　• ㉡ 조선 시대에, 각 관아에서 심부름하던 사람

10 봉고파직 • 　　• ㉢ 어사나 감사가 못된 짓을 많이 한 고을의 원을 파면하고 관가의 창고를 봉하여 잠금.

예상 적중 소단원 평가 (1) 문학 작품의 재구성

01~04 다음 글을 읽고, 물음에 답하시오.

가 이렇듯 요란한 가운데 깃발들이 휘날리고, 삼현 육각 음악 소리 공중에 떠 있고, 초록 저고리에 붉은 치마를 입은 기생들이 하얀 손을 높이 들어 춤을 춘다.

"지화자, 두둥실, 좋다." / 하는 소리에 어사또 마음이 심란하다. 화를 누르고 한번 놀려 줄 심산으로 어슬렁어슬렁 잔치판으로 걸어 들어갔다.

"여봐라, 사령들아. 너희 사또께 여쭈어라. 먼 데 있는 걸인이 마침 잔치를 만났으니 고기하고 술이나 좀 얻어먹자고 여쭈어라."

나 "이 걸인도 어려서 글을 좀 읽었는데, 좋은 잔치를 맞아 술과 안주를 포식하고 그냥 가기가 염치가 아니니 한 수 하겠소이다."

운봉이 반갑게 듣고 붓과 벼루를 내주니, 백성들의 사정과 본관 사또의 정체를 생각하여 시 한 편을 써 내려갔다.

[A]
금준미주(金樽美酒)는 천인혈(天人血)이요
옥반가효(玉盤佳肴)는 만성고(萬姓膏)라
촉루낙시(燭淚落時)에 민루락(民淚落)이요
가성고처(歌聲高處)에 원성고(怨聲高)라

다 이때 청파역 역졸들이 달 같은 마패를 햇빛같이 번쩍 들고 우렁차게 소리를 질렀다.

"암행어사 출두야!"

역졸들이 일시에 외치는 소리에 강산이 무너지고 천지가 뒤집히는 듯하니 산천초목인들 금수인들 아니 떨겠는가.

라 본관 사또 똥을 싸고, 멍석 구멍에 생쥐 눈 뜨듯 하면서 관아 깊숙한 안채로 들어가며 급히 내뱉는 말이,

"어, 추워라. 문 들어온다 바람 닫아라. 물 마르다 목 들여라."

관청색은 상을 잃고 문짝을 이고 내달으니 서리, 역졸 달려들어 후다닥 딱 친다. / "애고, 나 죽네."

이때 암행어사 분부하되, / "이 고을은 대감께서 계시던 곳이다. 소란을 금하고 객사로 옮기라."

관아를 한차례 정리하고 동헌에 올라앉은 후에,

"본관은 봉고파직하라."

01 이 글에 대한 설명으로 알맞지 않은 것은?

① 3인칭 관찰자 시점에서 사건을 서술한다.
② 조선 후기의 신분제 사회를 배경으로 한다.
③ 오늘날까지도 활발하게 재구성되는 작품이다.
④ 부정적인 인물의 모습을 풍자적으로 표현한다.
⑤ 판소리계 소설로 운문체 표현이 자주 나타난다.

02 (다)와 비교할 때, 〈보기〉에서 달라진 점에 해당하는 것은?

보기

① 인물의 표정으로 내적 갈등을 표현한다.
② 비유적 표현으로 장면에 생생함을 더한다.
③ 어사출두의 위엄과 주변 반응을 함께 드러낸다.
④ 글자체와 말풍선 모양을 활용하여 장면을 극대화한다.
⑤ 인물의 표정을 확대하여 보여 줌으로써 상황의 긴박감을 강조한다.

03 (라)를 만화로 재구성하는 방법으로 적절하지 않은 것은?

① '본관 사또'의 "어, 추워라. ~ 목 들여라."라는 말을 말풍선 안에 넣는다.
② 관아에 있던 사람들이 각기 허둥지둥하는 모습을 칸으로 나누어 보여 준다.
③ 어사출두로 혼비백산한 사람들과 침착한 '본관 사또'의 모습을 대조적으로 그린다.
④ 서리와 역졸들이 관청색을 내리치는 장면에는 이를 표현하는 의성어를 함께 제시한다.
⑤ 소동이 벌어진 장면에 이어 하늘만 그려 놓은 칸을 넣어 관아가 한차례 정리됐음을 표현한다.

04 [A]에 나타난 지배층의 모습을 한 문장으로 쓰시오.

05~08 다음을 읽고, 물음에 답하시오.

05 이 작품에 대한 감상으로 적절하지 않은 것은?

① '몽룡'을 향한 '춘향'의 지고지순한 사랑이라는 주제가 잘 드러나.
② 여성의 정절을 중시한 조선 시대의 유교적 가치관이 반영된 작품이야.
③ 신분이 천한데도 양반을 사랑하는 '춘향'은 당시 백성들의 반감을 살 만했구나.
④ 원작 소설이 글로 상황을 전달한다면 이 만화는 주로 그림으로 상황을 전달하는군.
⑤ '춘향'의 마음을 시험하는 '몽룡'의 행동은 오늘날의 관점에서 비판을 받을 수도 있어.

06 이 작품에 반영된 재구성 계획이 아닌 것은?

① 대사를 절제하여 '춘향'과 '몽룡'의 감격스러운 재회를 강조한다.
② '춘향'의 슬픈 표정으로 '어사또' 수청 요구에 대한 심정을 표현한다.
③ 배경을 밝은 색으로 칠하여 '춘향'과 '몽룡'의 재회의 기쁨을 표현한다.
④ 고개 숙인 '춘향'과 고개를 든 '춘향'의 표정 변화를 대비하여 제시한다.
⑤ '춘향'과 '몽룡'이 각각 '향단'에게 전하는 말풍선을 대비하여 상황을 간략히 표현한다.

07 원작 소설을 이와 같이 만화로 재구성했을 때의 효과를 〈보기〉에서 골라 바르게 묶은 것은?

보기

ㄱ. 읽는 이가 시각 효과에 흥미를 느낄 수 있다.
ㄴ. 인물과 배경을 사람마다 달리 상상할 수 있다.
ㄷ. 인물의 심리 변화를 상세하게 서술할 수 있다.
ㄹ. 칸과 칸 사이에 생략된 내용을 유추하는 재미를 느낄 수 있다.

① ㄱ, ㄴ　② ㄱ, ㄹ　③ ㄴ, ㄷ
④ ㄴ, ㄹ　⑤ ㄷ, ㄹ

서술형

08 ㉠이 주는 효과를 쓰시오.

조건

① '효과선을 ~한다.' 형태의 한 문장으로 쓸 것

고득점 서술형 문제

(1) 문학 작품의 재구성

01~10 다음을 읽고, 물음에 답하시오.

(가) 어사또 들어가 단정히 앉아 좌우를 살펴보니 마루 위의 모든 수령이 다과상을 앞에 놓고 진양조 느린 가락을 즐기는데, 어사또 상을 보니 어찌 아니 통분하랴. 귀퉁이가 떨어진 개다리소반에 닥나무 젓가락, 콩나물에 깍두기, 막걸리 한 사발이 놓였구나. 상을 발로 탁 차 던지며 운봉의 갈비를 슬쩍 집어 들고,

"갈비 한 대 먹읍시다." / "다리도 잡수시오."

(나) ⓐ금 술잔의 좋은 술은 ⓑ수많은 사람의 피요
옥쟁반의 좋은 안주는 만백성의 기름이라
촛농이 떨어질 때 백성들 눈물도 떨어지고
노랫소리 높은 곳에 원망의 소리도 높구나

이렇게 시를 지어 보이니 술에 취한 변 사또는 무슨 뜻인지도 모르지만, 글을 받아 본 운봉은 속으로, / '아뿔싸! 일 났다.' / 가슴이 철렁 내려앉았다.

(다)

(라) 좌수·별감은 넋을 잃고, 이방·호장은 혼을 잃고, 삼색 옷 입은 나졸들은 분주하네. 모든 수령이 도망하는데 그 꼴이 가관이다. 도장 궤 잃고 유밀과 들고, 병부 잃고 송편 들고, 탕건 잃고 용수 쓰고, 갓 잃고 밥상 쓰고, 칼집 쥐고 오줌 누기, 부서지니 거문고요, 깨지나니 북·장고라.

(마) 이 어사는 춘향의 마음을 떠보려고 짐짓 한번 다그쳐 보는 것인데, 춘향은 어이가 없고 기가 콱 막힌다.

"㉠내려오는 사또마다 빠짐없이 명관이로구나! 어사또 들으시오. 층층이 높은 절벽 높은 바위가 바람이 분들 무너지며, 푸른 솔 푸른 대가 눈이 온들 변하리까. 그런 분부 마옵시고 어서 빨리 죽여 주오."

(바)

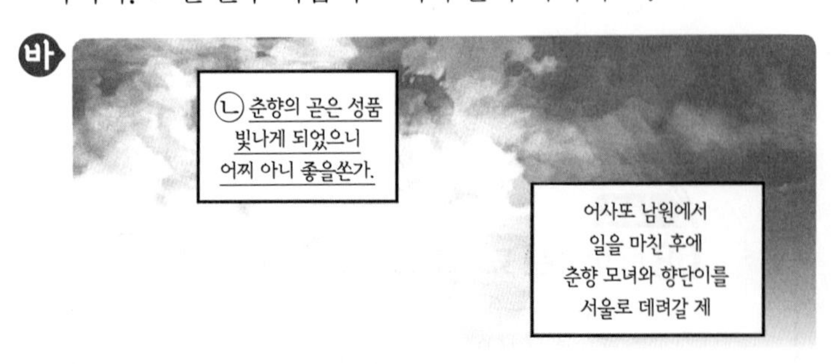

1단계 단답식 서술형 문제

01 이 작품에서 극적인 반전이 나타나는 문단의 기호를 쓰시오. [5점]

02 (가)에서 언어유희가 나타난 대사를 찾아 쓰시오. [5점]

03 ㉠에 사용된 표현 방법의 명칭을 쓰시오. [5점]

04 다음은 ㉡에 대한 설명이다. 빈칸에 들어갈 알맞은 내용을 쓰시오. [5점]

> '편집자적 논평'은 □□□ 이/가 작품에 개입하여 자기 생각과 판단을 직접 드러내는 방법이다.

05 (나)~(라)에서 드러나는 이 작품의 주제를 쓰시오. [5점]

2단계 기본형 서술형 문제

06 (나)를 통해 알 수 있는 '변 사또'와 '운봉'의 성격을 쓰시오. [10점]

조건 ① "변 사또'는 ~하나, '운봉'은 ~다.' 형태의 한 문장으로 쓸 것

07 ⓐ와 ⓑ의 의미를 바탕으로, (나)의 시를 쓴 '어사또'의 의도를 쓰시오. [10점]

조건 ① ⓐ와 ⓑ가 비유하는 바를 쓸 것
② '대비'와 '비판'이라는 말을 포함하여 쓸 것

08 (라)에 나타난 표현상 특징과 그 효과를 쓰시오. [10점]

조건 ① 어떤 모습을 표현하는지 쓸 것
② '~하여 ~한다.' 형태의 한 문장으로 쓸 것

3단계 고난도 서술형 문제

09 이 작품의 시대적 배경이 '조선 후기'임을 고려할 때, (바)에 이어지는 〈보기〉의 결말에 담긴 당대 백성들의 소망을 쓰시오. [20점]

보기

조건 ① 〈보기〉의 장면을 작품의 시대적 배경과 관련지어 쓸 것
② 당대 백성들이 소망했던 사회의 모습을 쓸 것

10 이 작품의 '춘향'과 〈보기〉의 '춘향'이 지닌 가치관 차이를 밝히고, 이 중 현대인들에게 필요한 가치관이 무엇인지 쓰시오. [25점]

보기

팔자 한번 고쳐 보려 고르고 골랐건만 남은 것은 죽을 날뿐이오.
이렇게 허망하게 죽느니 나 살길 찾을라요. 〈중략〉
변 사또 나리 나이가 좀 많다지만 영웅은 아니라도 호걸은 될 듯하고 / 기력이며 권세도 흠잡을 곳 가히 없소.

조건 ① 현대인들에게 필요한 가치관에 대한 근거를 제시할 것

만점 마무리 (2) 효과적인 표현을 담은 글

◆ 활동 의도

속담, 관용 표현, 격언과 명언의 개념과 특성을 살펴보고, 적절한 표현을 활용하여 짧은 글을 써 보도록 하였다. 또한, 수필을 읽고 다양한 표현의 효과를 파악하고, 자신의 생각과 느낌을 직접 글로 쓰도록 하였다.

◆ 활동 목표

- 속담을 이해하고 속담을 활용하여 짧은 글 쓰기
- 관용 표현을 이해하고 관용 표현을 이용하여 짧은 글귀 쓰기
- 격언과 명언을 이해하고 이를 활용하여 쪽지 쓰기
- 수필을 읽으며 다양한 표현의 효과를 알고, 자신의 생각과 느낌을 글로 쓰기

◆ 활동 요약

속담을 이해하고 속담을 활용하여 짧은 글 쓰기
속담의 개념, 특징, 예를 살펴보고, 자신의 경험을 속담을 사용하여 짧은 글로 써 봄.

↓

관용 표현을 이해하고 관용 표현을 활용하여 짧은 글귀 쓰기
관용 표현의 개념, 특징, 예를 살펴보고, 관용 표현을 활용하여 오늘의 다짐을 짧은 글귀로 표현함.

↓

격언과 명언을 이해하고 이를 활용하여 쪽지 쓰기
격언과 명언의 개념, 특징, 예를 살펴보고, 이를 활용하여 조언하는 내용의 쪽지를 씀.

↓

수필을 읽으며 다양한 표현의 효과를 알고, 자신의 생각과 느낌을 글로 쓰기
「아끼다가 똥 될지라도」를 읽고 글에 쓰인 표현의 뜻과 글쓴이가 속담을 제목에 활용한 까닭을 살펴봄. 글의 주제를 정해 자신의 생각과 느낌을 나타낼 수 있는 표현을 찾아 이를 활용해 글을 써 봄.

◇ 속담

개념	예로부터 전하여 오는 조상들의 지혜, 교훈이나 풍자가 담긴 쉽고 짧은 말	
가치	• 우리 조상들이 터득해 온 지혜가 담겨 있음. • 우리말의 고유한 표현이 살아 있음.	
효과	• 설명하기 복잡한 상황을 간결하게 표현할 수 있고, 내용을 인상적으로 전할 수 있음. • 글(말)에 재미를 더하여 읽는 이(듣는 이)의 관심을 불러일으킬 수 있음.	
예	게으른 놈 짐 많이 진다	게으른 사람이 일하기 싫어 한 번에 많이 해치우려고 하거나, 능력도 없으면서 일에 대한 욕심이 지나치게 많음.
	시작이 반이다	무슨 일이든지 시작하기가 어렵지 일단 시작하면 일을 끝마치기는 그리 어렵지 아니함.
	등잔 밑이 어둡다	대상에서 가까이 있는 사람이 도리어 대상에 대하여 잘 알기 어려움.
	우물에 가 숭늉 찾는다	모든 일에는 질서와 차례가 있는 법인데 일의 순서도 모르고 성급하게 덤빔.
	가랑비에 옷 젖는 줄 모른다	아무리 사소한 것이라도 그것이 거듭되면 무시하지 못할 정도로 크게 됨.

◇ 관용 표현

개념	특정 사회나 언어 공동체에서 쓰이는 관습적인 언어 표현 방식으로, 둘 이상의 낱말이 결합하여 원래의 뜻과는 다른 특별한 뜻으로 사용되는 말	
특성	• 둘 이상의 낱말이 한 덩어리로 굳어져 표현을 마음대로 바꿀 수 없음. • 상황을 간결하고 함축적으로 표현할 수 있으며, 상대에게 깊은 인상을 남길 수 있음.	
예	파김치가 되다	몹시 지쳐서 기운이 아주 느른하게 되다.
	갈 길이 멀다	앞으로 해야 할 일들이 많이 남아 있다.
	나 몰라라 하다	어떤 일에 무관심한 태도로 상관하지도 아니하고 간섭하지도 아니하다.
	배가 아프다	남이 잘되어 심술이 나다.
	머리를 굽히다	굴복하거나 저자세를 보이다.

◇ 격언과 명언

격언	명언
• 오랜 생활 체험을 통하여 이루어진, 인생에 대한 교훈이나 경계 따위를 간결하게 표현한 짧은 글 • 주로 삶의 올바른 이치, 도덕률, 행동 규범 등을 강조함.	• 유명한 사람의 입에서 나와 널리 알려진 말로, 사리에 맞는 훌륭한 말 • 교훈이나 가르침을 줌. • 대부분은 처음 그 말을 한 사람이 분명함.

◇「아끼다가 똥 될지라도」에서 속담을 제목에 활용한 효과

제목에 활용한 속담: 아끼다 똥 된다: 물건을 너무 아끼기만 하다가는 잃어버리거나 못 쓰게 됨을 비유적으로 이르는 말

↓

활용 효과:
- 읽는 이에게 친숙한 속담을 재구성해 글을 읽는 재미를 더함.
- 속담의 원래 뜻과 상반되는 주제를 담고 있음을 강조함.

간단 복습 문제 (2) 효과적인 표현을 담은 글

• 정답과 해설 36쪽

쪽지 시험

[01~02] 다음 문장에 들어갈 알맞은 낱말을 ( )에서 골라 ○표 하시오.

01 (속담 / 명언)은 예로부터 전하여 오는 조상들의 지혜, 교훈이나 풍자가 담긴 짧고 쉬운 말이다.

02 (격언 / 관용 표현)은 둘 이상의 낱말이 한 덩어리로 굳어져 그 표현을 마음대로 바꾸어 쓸 수 없다.

[03~05] 다음 설명이 맞으면 ○표, 틀리면 ×표 하시오.

03 속담과 관용 표현을 사용하면 내용을 인상적으로 전할 수 있다. ( )

04 관용 표현의 각 낱말은 사전적 의미대로 사용되므로 그 뜻을 파악하기 쉽다. ( )

05 속담은 우리말의 고유한 표현이 살아 있어서 때 묻지 않은 진짜 우리말도 배울 수 있다는 가치가 있다. ( )

[06~10] 다음 설명에 해당하는 속담의 기호를 〈보기〉에서 골라 쓰시오.

보기
㉠ 소 잃고 외양간 고친다
㉡ 우물에 가 숭늉 찾는다
㉢ 구르는 돌은 이끼가 안 낀다
㉣ 만 리 길도 한 걸음으로 시작된다
㉤ 벼 이삭은 익을수록 고개를 숙인다

06 아무리 큰 일도 작은 일로부터 비롯된다는 말이다. ( )

07 교양이 있고 수양을 쌓은 사람일수록 겸손하고 남 앞에서 자기를 내세우려 하지 않는다는 것을 비유적으로 이르는 말이다. ( )

08 모든 일에는 질서와 차례가 있는 법인데 일의 순서도 모르고 성급하게 덤빔을 비유적으로 이르는 말이다. ( )

09 일이 잘못된 뒤에는 손을 써도 소용이 없음을 비꼬는 말이다. ( )

10 부지런하고 꾸준히 노력하는 사람은 침체되지 않고 계속 발전한다는 말이다. ( )

[11~13] 관용 표현의 의미를 고려하여, 다음 문장에 들어갈 알맞은 낱말을 ( )에서 골라 ○표 하시오.

11 그는 오랜만에 모임에 머리를 (맞댔다 / 내밀었다).

12 내 친구는 눈앞에서 기차를 놓치자 발을 (굴렀다 / 뻗었다).

13 나는 열심히 산 덕분에 이제 배를 (두드리며 / 쥐며) 세월 좋게 산다.

[14~16] 다음 격언과 명언에 해당하는 주제의 기호를 〈보기〉에서 골라 쓰시오.

보기
㉠ 도전, 노력 ㉡ 시간 ㉢ 우정

14 당신은 지체할 수도 있지만 시간은 그러하지 않을 것이다. – 벤자민 프랭클린 ( )

15 기회는 준비된 사람에게 찾아온다. – 파스퇴르 ( )

16 친구를 얻는 유일한 방법은 스스로 완전한 친구가 되는 것이다. – 에머슨 ( )

어휘 시험

[01~03] 다음 설명에 해당하는 낱말을 〈보기〉에서 골라 쓰시오.

보기
자반, 자린고비, 증정하다

01 어떤 물건 따위를 성의 표시나 축하 인사로 주다. ( )

02 인색한 사람을 낮잡아 이르는 말 ( )

03 생선을 소금에 절여서 만든 반찬감 ( )

(2) 효과적인 표현을 담은 글

01 속담에 대한 설명으로 알맞지 않은 것은?

① 우리말의 고유한 표현이 살아 있다.
② 내용을 인상적으로 전하는 효과가 있다.
③ 조상들의 지혜, 교훈이나 풍자가 담겨 있다.
④ 처음 그 말을 한 사람이 누구인지 알려져 있다.
⑤ 설명하기 복잡한 상황을 간결하게 표현할 수 있다.

02 다음 ㉠과 ㉡에 들어갈 속담을 바르게 묶은 것은?

> 하루 종일 놀다가 밤늦게 허겁지겁 숙제를 하려는데 "(㉠)더니, 쯧쯧……." 하는 핀잔을 들어 본 적 있는가? 또 방학이 거의 다 끝나 가도록 방학 숙제에 손도 안 대서 걱정하고 있는데, 할머니가 등을 툭툭 두드리며 이렇게 말씀하시기도 한다. "인석아, (㉡)(라)고 했으니 지금부터 부지런히 하면 돼."

	㉠	㉡
①	가랑비에 옷 젖는 줄 모른다	시작이 반이다
②	가랑비에 옷 젖는 줄 모른다	등잔 밑이 어둡다
③	가랑비에 옷 젖는 줄 모른다	만 리 길도 한 걸음으로 시작된다
④	게으른 놈 짐 많이 진다	등잔 밑이 어둡다
⑤	게으른 놈 짐 많이 진다	만 리 길도 한 걸음으로 시작된다

03 〈보기〉의 학생에게 들려줄 속담으로 적절한 것은?

> 보기
> "난 얼굴도 잘생겼고, 운동도 잘하는 데다 공부도 잘해. 나야말로 학급 회장의 자격이 있지."

① 바늘 가는 데 실 간다
② 배보다 배꼽이 더 크다
③ 쥐구멍에도 볕 들 날 있다
④ 가는 말이 고와야 오는 말이 곱다
⑤ 벼 이삭은 익을수록 고개를 숙인다

04 다음 재구성한 표현 중, 그 의도에 맞지 않는 것은?

① 도전하는 태도를 강조하고 싶을 때 – 도전은 성공의 어머니이다.
② 여성의 활약을 강조하고 싶을 때 – 암탉이 울면 황금알을 낳는다.
③ 노력의 중요성을 강조하고 싶을 때 – 아니 땐 굴뚝에도 연기 난다.
④ 헛된 희망은 버릴 것을 강조하고 싶을 때 – 안 넘어갈 나무는 열 번 찍어도 소용없다.
⑤ 여러 사람의 의견이 필요함을 강조하고 싶을 때 – 사공이 많아야 풍랑을 헤쳐 나갈 수 있다.

05 관용 표현에 대한 설명으로 알맞은 것은?

① 어느 사회에서나 일반적으로 두루 쓰는 표현이다.
② 각 낱말의 원래의 뜻을 그대로 살려 사용되는 말이다.
③ 글이나 말에서 많이 사용할수록 표현의 효과를 높일 수 있다.
④ 인생에 대한 교훈이나 경계 등을 간결하게 표현한 짧은 글이다.
⑤ 두 개 이상의 낱말이 한 덩어리로 굳어져 하나의 낱말처럼 쓰인다.

06 다음 밑줄 친 관용 표현의 쓰임이 바르지 않은 것은?

① 우리는 배꼽을 쥐고 웃지 않을 수 없었다.
② 그녀는 눈이 높아서 분위기를 즐겁게 한다.
③ 그는 우리 머리 꼭대기에 올라앉아 있었다.
④ 독재자는 민중의 입을 막으려 권력을 휘둘렀다.
⑤ 이제 게임을 그만하라는 소리에 귀가 따가웠다.

서술형

07 〈보기〉의 밑줄 친 관용 표현의 뜻을 쓰시오.

> 보기
> 지금껏 해 오던 일에서 손을 떼다.

08 〈보기〉에 대한 설명으로 알맞지 않은 것은?

> 보기
> 학생 1: 아, 축제 준비를 하느라 (　㉠　). 축제가 코앞인데도 아직 ㉡갈 길이 멀어. 누가 좀 도와주면 좋겠다.
> 학생 2: 내가 도와줄게. 친구 일인데, ㉢나 몰라라 할 수는 없잖아.

① ㉠에는 '파김치가 됐네'가 들어갈 수 있다.
② ㉠에는 '진을 빼다'라는 관용 표현을 쓸 수 있다.
③ ㉡은 '앞길이 멀다'라는 관용 표현으로 바꿔 쓸 수 있다.
④ ㉡은 '가야 할 길이 많이 남아 있다.'를 뜻하는 관용 표현이다.
⑤ ㉢은 '어떤 일에 무관심한 태도로 상관하지도 아니하고 간섭하지도 아니하다.'의 뜻이다.

09 〈보기〉의 밑줄 친 말을 나타내는 '발' 관련 관용 표현을 2어절로 쓰시오.

> 보기
> 한꺼번에 쏟아져 나온 귀경 차량들로 귀성객들이 도로에서 몸을 움직일 수 없는 형편이 되었다.

10 다음 빈칸에 들어갈 격언이나 명언으로 알맞은 것은? (정답 2개)

> 방학 동안 늦잠을 자고 빈둥거리다 보면 어느덧 밤이 되곤 했다. 그러다 나는 "(　　　　)"라는 말을 떠올리며 마음을 다잡기로 했다.

① 당신은 지체할 수도 있지만 시간은 그러하지 않을 것이다.
② 과거에서 교훈을 얻을 수는 있어도 과거 속에 살 수는 없다.
③ 인생에서 가장 의미 없이 보낸 날은 웃지 않고 보낸 날이다.
④ 인간이 불행한 이유는 자신이 행복하다는 사실을 모르기 때문이다.
⑤ 내가 헛되이 보낸 오늘 하루는 어제 죽은 이들이 그토록 바라던 하루이다.

11~12 다음 글을 읽고, 물음에 답하시오.

(가) 아침에 고구마를 스무 개쯤 쪄서 출근할 때 가져가면 우리 반 아이들은 사흘은 굶은 녀석들처럼 침을 삼킨다. 반씩 잘라서 나눠 줄 때에는 조금이라도 더 큰 걸 고르려고 난리를 피운다. 만약 한 바구니 넘치게 고구마를 가져간다면 그러지 않을 것이다. 〈중략〉 우리 아이들이 가진 게 좀 더 부족했으면 좋겠다. 가진 게 너무 많아서, 똥이 될 만큼 아끼는 대상이 없다.

(나) 교실을 청결하게 정돈할 때 기분이 참 좋다. 승식이가 신문지에 물을 묻혀 거울을 깨끗이 닦아 줄 때, 법성이가 칠판을 파랗게 닦아 놓을 때 기쁘다. 나는 게시판에 예쁜 그림을 걸기도 하고 창가의 화분을 바꿔 놓기도 한다. 아이들은 책상 서랍과 가방 속, 필통을 정돈하고 체육복을 차곡차곡 개어 놓고, 청소 용구함에 빗자루를 단정하게 포개어 놓는다. 비 오는 날에는 교실 뒤에 우산을 영화처럼 펼쳐 놓는다. 그러면 선생님이 좋아하면서 자신들을 칭찬해 주니까 그렇게 해 주는 것 같다. 하지만 자주 하면 습관이 될 것이다. 함부로 구기지 말고 함부로 버리지 말고 함부로 쓰지 않고 모든 걸 아끼면서, 귀하게 다독이면서 살자. 아끼다 똥 될지라도.

11 이 글에 대한 설명으로 알맞지 않은 것은?

① 글쓴이의 일상적인 경험을 바탕으로 한 글이다.
② '아끼다 똥 된다'라는 속담을 재구성해 글에 재미를 주고 있다.
③ '아끼다 똥 된다'라는 속담의 원래 뜻을 강조하는 주제를 담고 있다.
④ 글쓴이는 아껴 쓸 만큼 소중한 것이 없는 요즘의 아이들을 안타까워하고 있다.
⑤ 글의 마지막 부분에서는 문장 구조에 변화를 주어 글쓴이의 바람을 강조하고 있다.

서술형

12 (가)에 쓰인 관용 표현을 찾고, 그 의미를 쓰시오.

고득점 서술형 문제

(2) 효과적인 표현을 담은 글

1단계 단답식 서술형 문제

01 다음 ㉠~㉢에 사용된 표현의 명칭을 쓰시오. [5점]

- 오늘 모둠별 과제를 하다가 현우와 말다툼을 했다. 현우의 장난을 그냥 웃어넘길 수도 있었는데 속 좁게 토라졌던 내 모습이 부끄럽다. 과제가 어려워서 서로 예민해졌나 보다. ㉠"비 온 뒤에 땅이 굳어진다."라고 했으니 현우에게 사과하고, 앞으로 현우와 더 깊은 우정을 나누어야겠다.
- 오늘의 다짐: 우리 학급 일에 ㉡나 몰라라 하지 않기
- ㉢사랑은 서로를 마주 보는 게 아니라, 서로 같은 방향을 바라보는 것이다. – 생텍쥐페리

02 〈보기 1〉의 상황을 평가한 〈보기 2〉의 빈칸에 들어갈 알맞은 속담을 쓰시오. [5점]

보기1

보기2

(   )더니 여러 사람이 자기주장만 내세우니 결론을 내기 어렵네.

03 다음 관용 표현들에 공통으로 들어갈 낱말을 쓰시오. [5점]

• □에 익다	• □를 열다
• □가 가렵다	• □가 아프다

04 다음 격언과 명언에서 공통적으로 강조하는 주제를 한 낱말로 쓰시오. [5점]

- 내가 헛되이 보낸 오늘 하루는 어제 죽은 이들이 그토록 바라던 하루이다. – 소포클레스
- 당신은 지체할 수도 있지만 시간은 그러하지 않을 것이다. – 벤자민 프랭클린

2단계 기본형 서술형 문제

05 〈보기〉에서 '표현 ❶'을 '표현 ❷'와 같이 말했을 때의 효과를 두 가지 이상 쓰시오. [10점]

보기

조건 ① '표현 ❷'에 사용된 표현의 명칭을 포함하여 쓸 것

06 〈보기〉에 등장하는 '아이'의 행동에 어울리는 속담과 그 교훈을 쓰시오. [10점]

보기

아이: 엄마! 토마토 열매 아직 안 열렸어요?
엄마: 아니, 어제 심었잖니.

조건 ① 속담과 교훈을 각각 한 문장으로 쓸 것

07 다음 ㉠과 ㉡의 차이점을 구체적으로 쓰시오. [10점]

• 공연장에서 우리는 박자에 맞춰 ㉠발을 구르며 가수의 노래를 따라 불렀다.
• 멀리서 불이 난 광경을 보며 사람들은 저마다 ㉡발을 굴렀다.

조건 ① ㉠, ㉡의 의미의 차이를 중심으로 쓰되, 표현의 명칭을 밝혀 쓸 것
② '㉠은 ~(으)로 쓰인 것이지만, ㉡은 ~(으)로 쓰인 것이다.'의 형식으로 쓸 것

08 〈보기〉의 빈칸에 들어가기에 알맞은 '발' 관련 관용 표현과 그 의미를 쓰시오. [10점]

보기
지호: 그 애는 정말 아는 사람이 많아. 다른 학교 친구들까지도 두루 친하고, 선배들과도 잘 알더라고.
수빈: 맞아. 우리 학교에서 아마 가장 (　　　　　) 학생일 거야.

조건 ① 관용 표현의 서술어는 기본형으로 쓸 것

09 〈보기〉에서 ㉠의 명언을 통해 여우에게 전할 수 있는 교훈을 한 문장으로 쓰시오. [10점]

보기

• 여우에게 하는 조언: 여우야, 영국의 정치가였던 '윈스턴 처칠'은 "㉠꿈은 이루어지기 전까지는 꿈꾸는 사람을 가혹하게 다룬다."라는 말을 남겼대.

조건 ① 여우가 보인 행동의 문제점과 관련해 ㉠이 주는 교훈을 한 문장으로 쓸 것

3단계 고난도 서술형 문제

10 〈보기〉의 ㉠과 ㉡에서 공통적으로 강조하는 바와, 이와 같은 표현의 차이점을 쓰시오. [15점]

보기
㉠ 구르는 돌은 이끼가 안 낀다
㉡ 스스로의 힘으로 실천하지 않는 것은 자포자기와 같다. – 이황

조건 ① 각 표현의 명칭을 밝히고, 말을 한 사람과 관련된 차이점을 쓸 것

11 〈보기〉의 ㉠의 표현상 특징과 효과를 글의 주제와 관련지어 쓰시오. [15점]

보기
교실을 청결하게 정돈할 때 기분이 참 좋다. 승식이가 신문지에 물을 묻혀 거울을 깨끗이 닦아 줄 때, 법성이가 칠판을 파랗게 닦아 놓을 때 기쁘다. 나는 게시판에 예쁜 그림을 걸기도 하고 창가의 화분을 바꿔 놓기도 한다. 아이들은 책상 서랍과 가방 속, 필통을 정돈하고 체육복을 차곡차곡 개어 놓고, 청소 용구함에 빗자루를 단정하게 포개어 놓는다. 비 오는 날에는 교실 뒤에 우산을 영화처럼 펼쳐 놓는다. 그러면 선생님이 좋아하면서 자신들을 칭찬해 주니까 그렇게 해 주는 것 같다. 하지만 자주 하면 습관이 될 것이다. 함부로 구기지 말고 함부로 버리지 말고 함부로 쓰지 않고 모든 걸 아끼면서, 귀하게 다독이면서 살자. ㉠아끼다 똥 될지라도.

조건 ① ㉠의 바탕이 된 표현을 밝혀 쓸 것
② 한 문장으로 쓸 것

01~04 다음을 읽고, 물음에 답하시오.

다 관아를 한차례 정리하고 동헌에 올라앉은 후에,
"본관은 봉고파직하라." / "본관은 봉고파직이오."
동서남북 문밖에 봉고파직이라는 암행어사의 명이 나붙었다. 절차에 따라 옥의 형리를 불러 분부하되,
"옥에 갇힌 죄인들을 다 올리라."

01 (가)~(나)와 같이 재구성된 작품을 원작과 비교하며 감상할 때 주의할 점이 아닌 것은?

① 갈래나 매체에 따른 차이점을 파악해 본다.
② 재구성된 작품에 담긴 작가의 관점을 살펴본다.
③ 표현 방식의 차이를 찾고, 그 이유를 생각해 본다.
④ 재구성 과정에서 생략된 부분을 찾고 이를 비판해 본다.
⑤ 재구성된 작품에 반영된 새로운 상상과 가치를 발견해 본다.

02 (가)에 대한 설명으로 알맞지 않은 것은?

① 현실 상황에 대한 비판 의식을 나타낸다.
② 대구와 은유를 통해 탐관오리의 횡포를 드러낸다.
③ 새로운 사건의 전개가 예고되며 긴장감을 조성한다.
④ 주변 사람들의 심정이 말풍선 속 느낌표로 제시된다.
⑤ 주인공의 의도를 파악하지 못한 사람들의 반응이 드러난다.

03 재구성된 작품인 (나)와 원작인 (다)를 비교한 내용으로 적절하지 않은 것은?

① (다)의 내용이 (나)에서는 그림과 말풍선을 통해 표현되었다.
② (나)와 (다) 모두 '본관 사또'의 봉고파직을 '어사또'의 말로 제시하였다.
③ (나)에서는 '어사또'의 모습을 근엄한 표정으로 드러냈다.
④ (나)에서는 시끌벅적한 관아의 상황을 하늘만 그려 놓은 칸으로 암시하였다.
⑤ (나)에서는 암행어사의 명이 동서남북 문밖에 나붙었다는 내용이 생략되었다.

서술형

04 (나)에서 글자의 크기를 키우고, 날카롭고 비죽비죽 튀어나온 형태의 말풍선을 활용한 이유를 쓰시오.

05~08 다음을 읽고, 물음에 답하시오.

나 이 어사는 춘향의 마음을 떠보려고 짐짓 한번 다그쳐 보는 것인데, 춘향은 어이가 없고 기가 콱 막힌다.

"내려오는 사또마다 빠짐없이 명관이로구나! 어사또 들으시오. 층층이 높은 절벽 높은 바위가 ㉠바람이 분들 무너지며, ⓐ푸른 솔 푸른 대가 눈이 온들 변하리까. 그런 분부 마옵시고 어서 빨리 죽여 주오."

다 어사또는 즉시 춘향의 몸을 묶은 오라를 풀고 동헌 위로 모시라고 명을 내렸다. 몸이 풀린 춘향은 웃음 반 울음 반으로, / "얼씨구나 좋을씨고, 어사 낭군 좋을씨고. 남원읍에 ⓑ가을 들어 ⓒ낙엽처럼 질 줄 알았더니 객사에 ⓓ봄이 들어 봄바람에 핀 ⓔ오얏꽃이 날 살리네. 꿈이냐 생시냐? 꿈이 깰까 염려로다."

라 그 후 이몽룡은 벼슬이 점점 높아져 이조 판서, 호조 판서, 우의정, 좌의정, 영의정을 다 지내고 벼슬에서 물러난 후에 정렬부인 성춘향과 더불어 백년해로했다. 이몽룡은 정렬부인에게서 세 아들과 세 딸을 두었는데, 자식들은 모두 총명하여 그 부친보다도 오히려 재주가 나은 점이 많더니 부친을 이어 계계승승 모두 일품의 벼슬자리를 만세토록 유전하더라.

05 (가)에 나타난 재구성 양상으로 가장 알맞은 것은?

① '춘향'의 표정을 통해 내적 갈등을 그려 내었다.
② 글자체의 변화로 '어사또'의 권위를 드러내었다.
③ '춘향'의 뒷모습을 통해 '어사또'에 대한 못마땅한 심리를 나타내었다.
④ 강한 색과 날카로운 모양의 말풍선을 통해 '춘향'의 심리를 강조하였다.
⑤ 인물들의 눈, 코, 입을 생략하여 독자가 인물의 정체를 알 수 없게 하였다.

06 (나)~(라)에 대한 설명으로 알맞지 않은 것은?

① 행복한 결말로 글이 마무리되고 있다.
② 개성적 인물이 등장하여 성격이 변하고 있다.
③ 평등한 사회에 대한 민중의 갈망이 담겨 있다.
④ 여인의 절개에 대한 긍정적 시각이 드러나 있다.
⑤ 등장인물들의 여생이 요약적으로 제시되어 있다.

고난도 서술형

07 (다)와 〈보기〉에서 '춘향'의 대사를 통해 공통적으로 강조하는 바와 표현상의 차이점을 쓰시오.

보기

조건

① (다)와 〈보기〉가 공통적으로 강조하는 바와 표현상의 차이점을 각각 한 문장으로 쓸 것

08 ⓐ~ⓔ 중, ㉠과 함축적 의미가 비슷한 것은?

① ⓐ ② ⓑ ③ ⓒ ④ ⓓ ⑤ ⓔ

09 각 표현에 대한 설명으로 알맞지 않은 것은?

① 관용 표현은 그 표현을 마음대로 바꾸어 쓸 수 없다.
② 명언은 유명한 사람들이 남긴, 사리에 맞는 훌륭한 말이다.
③ 격언과 속담은 교훈이나 가르침을 준다는 점에서 비슷하다.
④ 속담을 활용하면 설명하기 복잡한 상황을 간결하게 표현할 수 있다.
⑤ 관용 표현에는 우리 조상들의 지혜가 담겨 있고 우리말의 고유한 표현이 살아 있다.

10 〈보기〉의 상황을 속담으로 표현할 때 적절한 것은?

보기

소풍 장소를 두고 학생들이 제각기 의견이 엇갈려 장소를 정하지 못할 때

① 불난 집에 부채질한다
② 꾸어다 놓은 보릿자루
③ 낙숫물이 댓돌을 뚫는다
④ 굴러온 돌이 박힌 돌 뺀다
⑤ 사공이 많으면 배가 산으로 간다

11 다음 각 상황에서 활용할 속담으로 적절하지 않은 것은?

① 잘난 체하는 사람에게 조언할 때
 – 벼 이삭은 익을수록 고개를 숙인다
② 자기 지식만 믿고 경솔하게 행동할 때
 – 돌다리도 두들겨 보고 건너라
③ 어려운 일을 겪고 있는 사람을 격려할 때
 – 비 온 뒤에 땅이 굳어진다
④ 자그마한 행동을 반복하여 큰 손해를 입을 때
 – 우물에 가 숭늉 찾는다
⑤ 일이 잘못된 뒤에야 뒤늦게 일을 수습하려 할 때
 – 소 잃고 외양간 고친다

서술형

12 〈보기〉의 빈칸에 공통적으로 들어갈 관용 표현을 2어절로 쓰시오.

보기

- 우리 학교 학생회장은 학생들의 의견에 언제나 (   ). 또한 이를 적극적으로 반영해 학생회를 이끌어 간다.
- 우리 누나는 형과 달리 내 말에 (   ). 그렇기 때문에 누나와는 소통이 원활하게 된다.

13 〈보기〉에 대한 설명으로 적절하지 않은 것은?

보기

① 재미를 더하고 생각을 참신하게 전하는 광고이다.
② '하룻강아지'는 서민들을 갈취하는 이들을 가리킨다.
③ "하룻강아지 범 무서운 줄 모른다."라는 속담을 활용하였다.
④ 서민을 괴롭히고 갈취하는 행위를 근절하겠다는 경찰의 의지가 드러난다.
⑤ 보는 사람들에게 낯선 느낌을 주어 그 의미에 대한 호기심을 불러일으킨다.

14 관용 표현과 그 의미의 연결이 바르지 않은 것은?

① 귀가 가렵다 – 남이 제 말을 한다고 느끼다.
② 배를 불리다 – 자기밖에 없는 듯 우쭐거리다.
③ 머리가 가볍다 – 상쾌하여 마음이나 기분이 거뜬하다.
④ 나 몰라라 하다 – 어떤 일에 무관심한 태도로 상관하지도 아니하고 간섭하지도 아니하다.
⑤ 시간 가는 줄 모르다 – 몹시 바삐 진행되거나 어떤 일에 몰두하여 시간이 어떻게 지났는지 알지 못하다.

실전에 강한 중간 · 기말고사 대비 모의고사

01~09 다음 글을 읽고, 물음에 답하시오.

1(1) 단원

가 그날은 아저씨의 연변 이야기, 아니 랴오닝성 이야기, 큰할아버지 이야기, 아저씨의 중국 생활 이야기, 아저씨의 외갓집 이야기, 이북에 살고 있다는 아저씨의 외삼촌 이야기, 아저씨가 한국에 들어와 산 이야기를 듣느라 온 식구가 꼼짝도 못 하고 지나가 버렸다. 아저씨는 말하자면 한국에 돈을 벌러 온 '조선족' 이주 노동자인 것이다. 술잔 비워지는 속도가 점점 빨라지면서 아저씨의 흥분 상태도 고조되고 있었다. 우사에서는 소가 밥 달라고 매애거렸다. 아버지는 안절부절못하였다. 그러나 아저씨는 아버지를 도통 놓아주려 하질 않는 것이었다. 엄마가 잠깐 "과일이라도." 하면서 일어설라치면 "과일은 무슨, 일없습네다." 하면서 극구 만류하는 통에 엄마 또한 주저앉을 수밖에 없곤 하였다. 나는 적당한 때를 봐서 슬쩍 일어서야지, 하고서 아저씨의 말에 귀를 기울이는 체하면서 속으로는 계속 미옥이의 편지만 생각하고 있었다.

나 나는 아버지가 부르는데도 못 들은 척했다. 실은 아버지한테 내가 보내는 모종의 반항의 몸짓이라고나 할까. 그것은 그러니까, 엄마를 지나치게 슬프게 만든 것에 대해 아버지가 지금쯤 고통을 좀 느껴야 하지 않겠느냐는 무언의 압력 같은 것이었다. 내 감정은 정말 나도 잘 모르겠다. 엄마가 나한테 온 편지를 가져간 것을 아버지가 '갈취'했다고 했을 때는 일면 통쾌함까지 느껴졌던 것이 사실이었다. 그런데 아버지가 끝내 그놈의 '갈취'라는 말을 고집하는 모습은 사람을 질리게 하기에 충분했다. 내가 질릴 정도면 엄마는 오죽했겠는가.

다 "나 때문에 제수씨가 집을 나간 게라면 정말 동생한테 미안하오."

"아이고 형님, 그게 무슨 말씀이십니까. 그건 전혀 그렇지 않습니다. 부부가 살다 보면 부부 싸움이란 것도 가끔 하게 되는 거고 애 엄마가 집을 나간 것도 결코 형님 때문이 아니라……."

"참말 미안하오, 동생."

"형님 자꾸 그러시면 제가 들 낯이 없습니다."

"하아, 내가 죄인이오."

"아니라니까요, 형님."

라 휴우, 한숨 소리가 절로 나왔다. 그런데 내 한숨 소리가 끝났는데도 어디선가 또 하나의 한숨 소리가 들려오는 것이었다. 마치 내 한숨 소리가 밖으로 나가 저 혼자 살아 있는 것처럼 말이다. 방문을 왈칵 열었다. 마루에 아저씨가 앉아 있었다.

"아직 안 자네? 아직 안 자면 이리 오라." / 내키진 않았지만 '조선의 예의범절'로 인하여 안 나갈 수는 없었다. / "참으로, 영화 「림해설원」의 한 풍경이로구나야."

마루에서 내려다보이는 과수원 가득히 하얀 달빛이 쏟아져 내리고 있었다.

"저기 한가운데 무투팡자 한 채 짓고 내 평생 살았으면 좋갔구나야."

마 작년 이맘때 나는 미옥이 때문에 울었다. 그러나 지금 나는 나의 일가, 나의 당숙 때문에 울고 있는 나를 종종 발견하게 된다. 미옥이를 생각하며 울 때는 미옥이가 내 마음을 알아주지 않은 게 원통해서 울었던 것임을 나는 알고 있다. 그런데 지금 이 ㉠눈물은 왜 나오는 것일까. 이것도 나중에 저절로 알아지는 눈물일까. 그것은 아직 알 수 없었다. 다만, 한 가지 내가 알 수 있는 것은 어떤 한 사람의 외로움이 이제사 내게로 전해져 왔다는 것뿐. 나는 이제 열일곱 살이다. 더는 어린애가 아닌 것이다.

01 이 글의 서술상 특징으로 알맞은 것은?

① 특정 인물의 시점에서 사건을 전개하고 있다.
② 관찰한 내용을 전달하는 데 중점을 두고 있다.
③ 현재형 문장으로 서술하여 생동감을 주고 있다.
④ 같은 사건을 각기 다른 시점으로 제시하고 있다.
⑤ 서술자가 다른 인물들의 속마음까지 전달하고 있다.

02 이 글의 '아저씨'를 표현하는 인물 카드를 만든다고 할 때, 그 내용으로 적절한 것은?

① 몸은 어른, 마음은 어린 왕자
② 타인을 무서워하는 소심쟁이
③ 이야기를 시작하면 끝을 모르는 넉살꾼
④ 어떤 환경에서도 살아남을 수 있는 생존왕
⑤ 눈치가 없고, 주변 사람을 무시하는 민폐남

03 이 글의 제목인 '일가'에 대한 설명으로 알맞지 않은 것은?

① 이웃 간의 무관심과 단절을 상징한다.
② 이 글의 내용과 비교할 때 반어성을 띤다.
③ '일가'는 중국에서 온 '아저씨'를 가리킨다.
④ '나'의 가족이 일가인 '아저씨'를 맞이하며 겪는 사건과 관련된다.
⑤ 일가친척의 의미가 점점 사라져 가는 현대 사회에 대한 부정적 인식이 담겨 있다.

04 이 글을 통해 알 수 있는 '나'에 대한 설명으로 알맞지 않은 것은?

① 사춘기에 일어난 일들을 통해 성장한다.
② '아저씨'와 '엄마'의 갈등을 중재하려 한다.
③ '아버지'와 싸운 '엄마'의 심정을 이해한다.
④ 열여섯 살의 '나'는 '미옥'에게 신경을 집중한다.
⑤ 열일곱 살의 '나'는 아저씨의 외로움에 공감한다.

서술형

05 〈보기〉에서 설명하는 소재를 이 글에서 찾아 2음절로 쓰시오.

보기
- '나'가 '미옥'에게서 받은 것
- '아버지'와 '엄마'의 갈등을 유발하는 소재

06 이 글을 읽고 나눈 대화의 내용으로 알맞은 것은?

① 한결: '나'는 '아저씨'의 살아온 내력에 흥미를 느끼고 있군.
② 지민: '아저씨'는 중국으로 돌아가 집을 짓고 가정을 이루는 게 꿈이구나.
③ 윤서: '미옥'과의 만남을 반대하는 '아버지' 때문에 '나'는 많이 속상했을 거야.
④ 현준: '엄마'가 집을 나간 진짜 이유는 '나'가 '엄마'의 말을 무시했기 때문이군.
⑤ 연우: '나'는 '엄마'를 지나치게 슬프게 만든 '아버지'에게 반항을 하고 싶었나 봐.

07 이 글을 읽은 후 작성한 독서 일지의 내용으로 알맞지 않은 것은?

등장인물에 집중하여 책 읽기	
등장인물의 상황	'나'는 못마땅하게 여겼던 '아저씨'가 떠난 후, 그의 외로움을 이해하게 되었다. ········ ①
등장인물이 한 말 중 인상 깊은 것	어떤 한 사람의 외로움이 이제사 내게로 전해져 왔다는 것뿐. ···· ②
등장인물을 보며 느낀 점	• 자신 때문이 아니라 '미옥', '아저씨' 등 타인의 외로움 때문에 눈물을 흘리는 '나'의 모습에서 '나'가 성장했음을 느낄 수 있었다. ········ ③ • 나는 소설의 '나'처럼 어떤 이의 외로움에 눈물을 흘린 적이 있었는지 생각해 보았다. ········ ④
등장인물에게 하고 싶은 한마디	다른 사람의 마음을 헤아리며 점점 어른이 되어 가는 너의 성장을 응원해. ········ ⑤

서술형

08 (다)를 〈보기〉와 같이 바꾸어 썼을 때, 무엇이 달라졌는지 한 문장으로 쓰시오.

보기

형님과 대화하는 내내 마음이 불편했다. 아내의 마음을 모르는 것은 아니지만, '일가'라며 찾아온 형님을 박대할 수는 없지 않은가. 우리 부부의 싸움을 들었는지 술을 들이켜는 형님의 모습이 더욱 쓸쓸해 보인다.

09 ㉠의 의미를 〈보기〉에서 골라 바르게 묶은 것은?

보기
ㄱ. '미옥'에 대한 '나'의 안타까움을 드러낸다.
ㄴ. 가족 이기주의의 극복 가능성을 제시한다.
ㄷ. '아저씨'의 감정에 공감하였음을 보여 준다.
ㄹ. 사춘기의 정신적 방황에 대한 후회가 나타난다.

① ㄱ, ㄴ ② ㄱ, ㄷ ③ ㄴ, ㄷ
④ ㄴ, ㄹ ⑤ ㄷ, ㄹ

10~11 다음 시를 읽고, 물음에 답하시오.

| 1(1) 단원 |

강원도 평창군 미탄면 청옥산 기슭
덜렁 집 한 채 짓고 살러 들어간 제자를 찾아갔다
거기서 만들고 거기서 키웠다는
다섯 살배기 딸 민지
민지가 아침 일찍 눈 비비고 일어나
저보다 큰 물뿌리개를 나한테 들리고
질경이 나싱개 토끼풀 억새……
이런 풀들에게 물을 주며
잘 잤니, 인사를 하는 것이었다
그게 뭔데 거기다 물을 주니?
꽃이야, 하고 민지가 대답했다
그건 잡초야, 라고 말하려던 ㉠내 입이 다물어졌다
내 말은 때가 묻어
천지와 귀신을 감동시키지 못하는데
꽃이야, 하는 그 애의 말 한마디가
풀잎의 풋풋한 잠을 흔들어 깨우는 것이었다

10 시적 화자를 중심으로 이 시를 이해한 다음 내용 중, 알맞지 않은 것은?

① 시적 화자의 깨달음이 독자의 성찰을 이끈다.
② 시적 화자와 '민지'의 대화가 그대로 제시되어 생동감을 준다.
③ 시적 화자와 비교하여 '민지'의 순수한 성격이 더욱 강조된다.
④ 시적 화자의 따뜻한 시선이 시의 분위기를 따뜻하게 만들어 준다.
⑤ 시적 화자를 5살 아이로 설정하여 대상을 바라보는 순수한 마음이 전해진다.

11 ㉠의 이유로 알맞은 것은?

① 풀에도 꽃이 핀다는 생각이 들었기 때문에
② '민지'가 집중하고 있는 모습이 예뻤기 때문에
③ '잡초'라는 한자어를 쓰고 싶지 않았기 때문에
④ '민지'의 순수함을 지켜 주고 싶은 마음 때문에
⑤ 아이 수준에서는 '질경이, 억새' 등을 꽃과 구별하는 것이 힘들기 때문에

12 다음 대화의 '윤하'에게 해 줄 조언으로 가장 알맞은 것은?

① 상대의 말을 집중해서 들어야 해.
② 상대의 말을 분석할 줄 알아야 해.
③ 상대의 말을 비판적으로 수용해야 해.
④ 상대의 감정이나 상황을 이해하기 위해 노력해야 해.
⑤ 고개를 끄덕이거나 눈을 맞추는 것처럼 상대의 말을 잘 듣고 있다는 표현을 해 주어야 해.

13 <보기>의 밑줄 친 부분과 같은 공감적 듣기의 방법에 대한 설명으로 알맞지 않은 것은?

| 보기 |

민정: 실은……. 옆 반에 도현이 있잖아요.
선생님: 응, 계속 이야기해 봐.
민정: 도현이와 친해지고 싶어서 음료수를 건넸는데, 아무런 말이 없었어요. 무시당한 것 같고, 저를 싫어하는 것 같기도 해서 너무 속상해요.
선생님: 그러니까 네가 용기 내서 마음을 표현했는데, 도현이가 반응이 없어서 속상한가 보구나.
민정: (풀 죽은 목소리로) 네.
선생님: 민정이가 도현이에게 좋은 감정이 있나 보다.
민정: 네. 어젯밤에는 잠도 설쳤어요.

① 상대의 말을 요약정리하고 반영한다.
② 상대가 객관적인 관점에서 문제에 접근할 수 있게 한다.
③ 상대가 스스로 문제를 해결할 수 있도록 도와주는 것이다.
④ 대화 맥락을 조절해 주는 격려하기 기술인 소극적 들어 주기이다.
⑤ 상대의 생각이나 감정을 깊이 있게 이해하는 것을 목적으로 한다.

14 다음 질문에 대한 답변 중, '자주정신'이 드러난 것은?

> 세종 대왕님께서 한글을 만드신 까닭은 무엇입니까?

① 누구나 쉽게 배우고 편히 쓸 수 있는 글자를 만들고 싶었어요.
② 가난한 일반 백성은 온종일 일하느라 한자를 배울 시간이 없었기 때문이에요.
③ 백성 대부분이 글을 읽지 못했고, 그 때문에 억울한 일을 당할 때가 많았기 때문이에요.
④ 나는 모든 백성이 책을 읽으면서 삼강오륜과 같은 유교의 기본적인 도리를 배우고, 지혜로워지길 바랐어요.
⑤ 우리말과 중국어는 말소리와 문장 구조가 달라서, 한자로 우리말을 표기하는 데 근본적으로 한계가 있었기 때문이에요.

15 〈보기〉와 같은 원리로 만들어진 글자끼리 묶인 것은?

| 보기 |

> 한글의 자음자는 소리를 내는 기관의 움직임이나 모양을 본뜨려고 했어요. 그래서 왕자들과 공주들을 불러 소리를 내게 하고, 이를 관찰하고 연구했답니다. 심지어 의원까지 불러 확인했지요. 그 결과, '가락', '곱다'와 같은 말을 할 때 공통적으로 나는 첫소리는 혀뿌리가 목구멍을 막으면서 난다는 것을 알아냈어요. 이 모양을 본떠 어금닛소리 'ㄱ'을 만들었죠. 다른 글자도 이러한 과정을 거쳤어요.

① ㄴ, ㄹ ② ㄴ, ㅁ ③ ㄴ, ㅈ
④ ㄷ, ㅇ ⑤ ㄹ, ㅁ

서술형

16 다음 ㉠과 ㉡에 들어갈 알맞은 말을 쓰시오.

본뜬 모양	기본자	㉡	재출자
하늘의 둥근 모양	·	ㅗ, ㅏ, ㅜ, ㅓ	ㅛ, ㅑ, ㅠ, ㅕ
땅의 평평한 모양	ㅡ		
㉠	ㅣ		

17 Ⓐ와 비교할 때 Ⓑ가 지닌 장점을 〈보기〉에서 골라 바르게 묶은 것은?

> Ⓐ ㄴㅏㄴㅡㄴㅎㅏㄱㄱㅛㅇㅔㅇㅘㅆㄷㅏ.
> Ⓑ 나는 학교에 왔다.

| 보기 |

> ㄱ. 문장을 읽기가 편하다.
> ㄴ. 새로운 단어를 만들 수 있다.
> ㄷ. 다양한 의미를 전달할 수 있다.
> ㄹ. 단어나 문장의 뜻을 빠르게 이해할 수 있다.

① ㄱ, ㄷ ② ㄱ, ㄹ ③ ㄴ, ㄷ
④ ㄴ, ㄹ ⑤ ㄷ, ㄹ

서술형

18 다음을 참고할 때, 한글이 기계 번역이나 음성 인식 등에 유리한 이유를 한 문장으로 쓰시오.

'ㅏ'의 발음	가족[가족], 나비[나비]
'a'의 발음	almond[아몬드], apple[애플]

19 〈보기〉와 같은 방법으로 글자를 분석한 것 중, 잘못된 것은?

| 보기 |

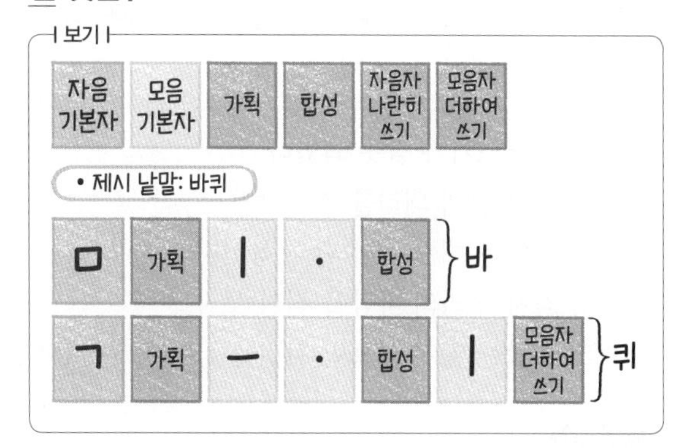

① 소: ㅅ · ㅡ 합성
② 두: ㄷ ㅡ · 합성
③ 굿: ㄱ ㅡ · 합성 ㅅ
④ 너: ㄴ · ㅣ 합성
⑤ 묘: ㅁ · ㅡ 합성 · 합성

• 정답과 해설 39쪽

20 다음 상황을 통해 알 수 있는 표준 발음법의 필요성으로 알맞은 것은?

① 사회적 관계를 넓히는 데 도움이 된다.
② 사용할 수 있는 어휘의 양이 풍부해진다.
③ 생각이나 의미를 바르게 전달할 수 있다.
④ 자신에게 필요한 것을 쉽게 얻을 수 있다.
⑤ 창의적인 생각을 자유롭게 표현할 수 있다.

21 다음 밑줄 친 단어의 발음이 <u>잘못된</u> 것은?

① <u>텃밭</u>[턴빧] 가꾸기가 취미예요.
② 꼬마가 <u>흙</u>[흑]장난을 하고 있어.
③ 오늘은 <u>낮</u>[낟]과 밤의 기온 차가 크네요.
④ 여름이 되었지만 이불을 <u>덮고</u>[덥꼬] 잤다.
⑤ 그는 사랑을 <u>읊조릴</u>[을쪼릴] 줄 아는 청년이다.

22 다음 밑줄 친 말 중, 〈보기〉의 표준 발음법이 적용되지 <u>않는</u> 것은?

| 보기 |
자음을 첫소리로 가지고 있는 음절의 'ㅢ'는 [ㅣ]로 발음해야 한다. 그리고 단어의 첫음절 이외의 '의'는 [ㅣ]로, 조사 '의'는 [ㅔ]로 발음하는 것도 허용한다.

① <u>띄어쓰기</u>가 잘못 되었다.
② 친구 간의 <u>의리</u>를 지켜야지.
③ <u>협의</u>를 해 보아야 할 사항이다.
④ 각자 <u>우리의</u> 바람을 적어 보자.
⑤ <u>희망</u>을 잃지 않으면 시련을 극복할 수 있다.

서술형

23 ㉡이 아니라 ㉠처럼 표기하는 것과 관련된 한글 맞춤법의 원칙을 쓰시오.

㉠	'꽃', '꽃이', '꽃만'
㉡	'꼳', '꼬치', '꼰만'

24 다음 빈칸에 들어갈 말로 알맞은 것은?

나는 친구가 낸 수수께끼의 정답을 ( )

① 마쳤다. ② 맞췄다. ③ 맏췄다.
④ 맞혔다. ⑤ 마혔다.

고난도 서술형

25 〈보기〉의 글쓴이가 잘못 쓴 단어를 찾아 바르게 고치고, 그것을 구별할 수 있는 방법을 쓰시오.

| 보기 |
고마운 친구
나는 덜렁거리는 것을 않 좋아하는데, 그날은 이상했다. 발을 헛디뎌 옆에 있던 선호에게 음식을 쏟아, 선호의 옷이 엉망이 돼 버린 것이다. 나는 얼른 물휴지로 얼룩을 닦아 보았지만, 지워지지 안았다. 무척 난처했다. 그런데 선호가 체육복을 입고 있으면 된다며, 내게 싱긋 웃어 주는 것이 아닌가! 선호에게 정말 미안하고 고마웠다.

26 다음 각 질문에 대한 답변으로 알맞지 <u>않은</u> 것은?

	질문	답변
①	'맑다'는 [막따]로, '맑아'는 [말가]로 발음하는 것이 맞나요?	네. '맑다'는 [막따]로 '맑아'는 [말가]로 발음해요.
②	'무릎이'의 올바른 발음이 [무르피]인지, [무르비]인지 알려 주세요.	'무릎이'는 받침 'ㅍ'을 그대로 뒤 음절 첫소리로 옮겨 [무르피]로 발음해요.
③	'무늬'를 [무늬]로 발음하면 안 되나요?	네, 안 돼요. 자음을 첫소리로 갖는 'ㅢ'는 [ㅣ]로만 발음해야 해요.
④	'어떡해', '어떻해' 어떤 것이 맞는 표기인가요?	'어떡해'는 '어떻게 해'가 줄어든 말이므로 '어떡해'로 표기해야 해요.
⑤	'낳다', '낳아'는 어떻게 발음해야 하나요?	'낳다'는 [낟:따]로, '낳아'는 [나아]로 발음해요.

● 정답과 해설 40쪽

01~06 다음을 읽고, 물음에 답하시오.

| 3(1) 단원 |

(가)

(나)

(다) 젊은 노안?

"노안이요? 나이 들어서 눈이 침침해지는 거 말이에요? 전 겨우 중학생인걸요!"

이 반응처럼 노안은 노화 현상의 하나로, 나이를 먹으면서 가까운 곳의 사물이나 글씨가 잘 보이지 않는 증세를 말한다. 그런데 최근에는 이러한 증상을 겪는 젊은 환자가 늘어나고 있다. 젊은 세대가 상대적으로 스마트폰을 자주, 오래 사용하는 경향이 있어, 이들을 중심으로 '신종 노안'을 겪는 사람이 빠르게 증가한 것이다. 특히 청소년의 '스마트폰 과의존 위험군' 비율이 다른 세대보다 높게 나타나는 것으로 보아, '스마트폰 노안'은 청소년들도 위협하고 있음을 알 수 있다.

(라) 나도 스마트폰 노안일까?

스마트폰 노안은 위험한 질환이므로, 될 수 있는 대로 빨리 자신의 상태를 점검하고 대책을 마련해야 한다. 혹시 나도 스마트폰 노안은 아닌지, 아래 검사 표로 진단해 보자.

- ☐ 스마트폰을 하루 세 시간 이상 사용한다.
- ☐ 저녁이 되면 스마트폰 화면이 잘 보이지 않는다.
- ☐ 어깨가 결리고 목이 뻐근하며 가끔 두통이 있다.
- ☐ 눈을 찌푸려야 스마트폰 화면의 글씨가 겨우 보인다.
- ☐ 먼 곳을 보다가 가까운 곳을 보면 눈이 침침하다.
- ☐ 가까운 곳을 보다가 먼 곳을 보면 초점이 잘 맞지 않는다.
- ☐ 화면에서 눈을 떼면 한동안 초점이 잘 맞지 않는다.

자신이 위 항목 중 세 가지 이상에 해당한다면 스마트폰 노안일 가능성이 크다. 이를 일시적인 증상이라고 가볍게 생각해서는 안 된다. 자신이 스마트폰 노안이라고 생각한다면 적극적으로 치료해야 하고, 스마트폰 노안이 아니라면 예방을 위해 노력해야 한다. 다음 글에서 스마트폰 노안의 치료와 예방법을 자세하게 알아보자.

※ 이번 글에서는 스마트폰 노안의 위험성을 강조했지만, 스마트폰을 잘못 사용하는 습관만 고친다면 스마트폰이 주는 혜택을 얼마든지 건강하게 누릴 수 있다.

01 (가)와 (나)를 비교한 내용으로 적절하지 않은 것은?

① (가), (나)가 말하고자 하는 바는 동일하다.
② (가)보다 (나)의 의도가 더 명확하게 드러난다.
③ (가), (나) 모두 사진만으로 독자의 변화를 이끌어 낼 수 있음을 보여 준다.
④ (나)에서는 비슷한 형태의 두 의문문을 크게 제시하여 깊은 인상을 주고 있다.
⑤ (나)에 비해 (가)는 무분별한 스마트폰 사용 태도에 대한 경고의 의미가 한 번에 전달되지 않는다.

02 (다)를 통해 알 수 있는 내용으로 알맞지 않은 것은?

① 노안의 개념
② 노안의 예방 방법
③ 노안 환자가 증가하는 최근 경향
④ 젊은 세대에 노안이 발생하는 원인
⑤ 스마트폰 과의존 위험군 비율이 높은 세대

서술형

03 (다)에 다음 자료를 추가했을 때의 표현 방법과 의도를 표로 정리할 때, 빈칸에 들어갈 말을 쓰시오.

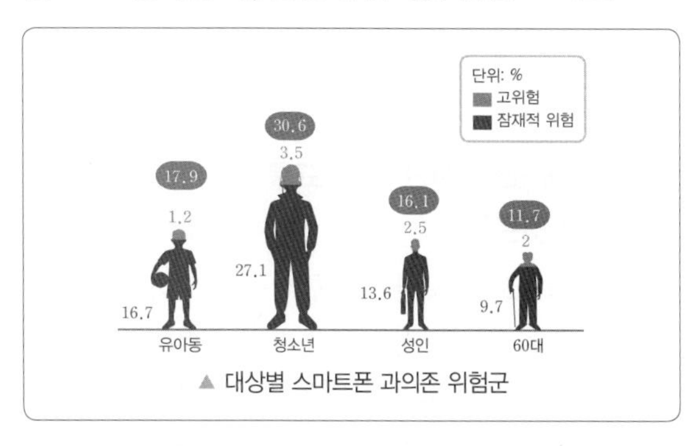

▲ 대상별 스마트폰 과의존 위험군

표현 방법	청소년의 스마트폰 과의존 비율이 높음을 그래프로 보여 준다.
글쓴이의 의도	

04 (다)~(라)와 같은 블로그의 특징으로 알맞지 않은 것은?

① 글을 편하고 자유롭게 연재할 수 있다.
② 청소년이나 젊은 세대가 자주 사용하는 매체이다.
③ 전문적인 연구 결과를 게시하기에 적합한 매체이다.
④ 인터넷 환경만 갖추면 읽는 이가 글을 쉽게 접할 수 있다.
⑤ 문자뿐 아니라 사진이나 그림, 동영상 등 다양한 자료를 활용하여 내용을 전달할 수 있다.

05 (다)~(라)를 읽고 쓴 댓글의 내용으로 알맞지 않은 것은?

① 스마트폰의 장단점을 알기 쉽게 정리한 글이네요. 좋은 정보 감사해요.
② 유익한 내용 고마워요. 저는 스마트폰 노안이 아닌 것 같아서 마음이 놓이네요.
③ 매일 스마트폰을 손에서 놓지 못하는 우리 딸에게 읽어 보라고 링크 걸어 줬어요.
④ 스마트폰이 유용한 점도 많으니, 안 쓰기보다는 올바르게 활용하려는 노력이 필요하겠네요.
⑤ 저는 스마트폰을 너무 좋아하는 중학생이에요. 그래서 스마트폰 노안 예방법이 정말 궁금해요.

06 (라)에 노안 진단 검사 표를 제시한 이유로 가장 적절한 것은?

① 스마트폰 노안의 위험성을 경고하기 위해
② 눈을 건강하게 만드는 방법을 알려 주기 위해
③ 스마트폰 노안이 위험한 질환임을 보여 주기 위해
④ 읽는 이가 자신의 눈 건강을 돌아볼 수 있게 하기 위해
⑤ 스마트폰을 잘못 사용하는 습관이 무엇인지 열거하기 위해

07~08 다음을 읽고, 물음에 답하시오.

3(1) 단원

(가)

키아라의 사례처럼 세계적으로 가상 공간 내 언어폭력, 집단 따돌림 등 '사이버 불링(cyber bullying)'이 문제가 되고 있습니다.

사이버 불링은 가상 공간에서 특정인을 괴롭히는 행위인데요. 우리나라에서도 악의적인 댓글 달기, 신상 털기, 메신저 감옥 등이 매번 문제로 거론되고 있죠.

(나)

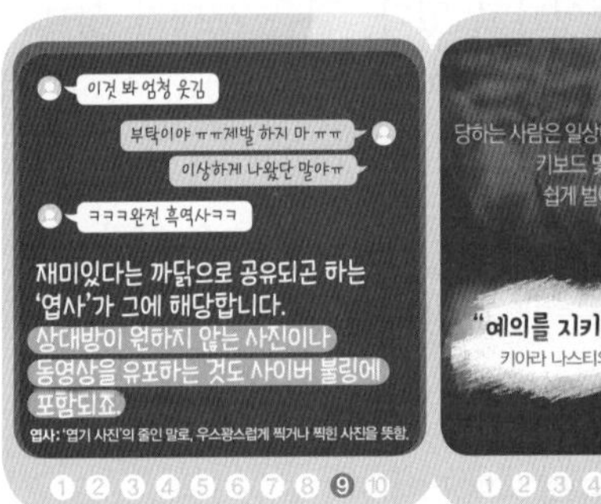

07 이 매체에 대한 설명으로 알맞지 않은 것은?

① 화면을 옆으로 밀어 본다는 특징이 있다.
② 짧은 글을 사진 여러 장에 얹은 형식이다.
③ 읽는 이의 시각과 청각을 동시에 자극한다.
④ 이동 통신 맞춤형 뉴스로 누리 소통망(SNS)에서도 쉽게 볼 수 있다.
⑤ 사진과 그림의 합성, 글자 모양과 굵기의 변화 등을 활용하여 읽는 이에게 강한 인상을 준다.

서술형

08 이 매체의 주제를 다음과 같이 정리할 때, 빈칸에 들어갈 말을 3음절로 쓰시오.

'사이버 불링'의 (　　　　)와/과 예방의 필요성

09~12 다음을 읽고, 물음에 답하시오.

| 3(2) 단원 |

가 행복 중학교 2학년 3반 학생 여러분, 안녕하세요? 저는 오늘 지진을 주제로 강연할 ○○ 소방서에 근무하는 △△△입니다. 본론에 들어가기에 앞서, 중학교에 다니는 제 딸과 함께 며칠 전에 본 영화를 소개하려 합니다. 화면을 볼까요? 「샌 안드레아스」라는 영화의 포스터인데요, 무엇을 다룬 영화일까요? (잠시 후에) 네, 맞습니다. 지진입니다. '샌 안드레아스'라는 단층대가 무너지면서 지진이 발생하자, 주인공이 가족을 구하려고 고군분투하는 이야기예요. 영화를 본 후, 제 딸은 영화 속 상황이 실제로 벌어지면 어떡하냐며 무척 걱정했답니다.

나 그럼 다음 영상을 보면서 지진이 발생하는 원인을 좀 더 자세히 살펴볼까요? (잠시 후에) 이처럼 지진은 대륙의 이동이나 해저의 확장, 산맥의 형성 등에 작용하는 지구 내부의 커다란 힘 때문에 발생합니다. 이 밖에 화산 활동으로 지진이 일어나기도 하죠.

다 (사진을 가리키며) 지진이 발생하면 이 사진 속 모습처럼 땅이 뒤틀리면서 지상 및 지하 구조물이 붕괴되기도 하고, 해일과 산사태가 일어나기도 합니다. 그 과정에서 친구나 이웃, 가족을 잃는 참혹한 일이 생길 수도 있습니다. 수도·가스·통신 등의 사회 기반 시설이 파괴되면서 사회가 혼란스러워지기도 하지요.

<u>㉠혹시 2015년에 네팔에서 일어난 지진을 기억하시나요? 피해가 어마어마해서 세상이 떠들썩했죠.</u>

라 (그림을 가리키며) 이 지역은 '환태평양 조산대'입니다. 태평양을 중심으로 고리 모양을 하고 있다고 하여 '불의 고리[Ring of Fire]'라고 불리기도 하지요. 세계에서 발생하는 지진 대부분은 바로 이곳에서 집중적으로 일어났습니다. 최근에도 이 지역에 있는 일본 구마모토현과 남미 에콰도르 등에서 대형 지진이 발생했습니다.

우리나라는 '불의 고리'에서 살짝 벗어나 있어 지진 안전지대라고 생각하기 쉽습니다. 하지만 우리나라에서도 크고 작은 지진이 계속해서 발생하고 있지요.

마 우리가 서 있는 이 땅에서도 지진이 일어날 수 있습니다. 만약 지금 당장 지진이 발생한다면, 우리는 어떻게 대처해야 할까요? 지진이 발생했을 때 실내에 있다면 일단 책상이나 탁자 밑으로 몸을 피하고 방석, 베개 등으로 머리를 보호합니다. 강한 흔들림이 멈추면 가스와 전기 등을 차단하여 화재를 예방하고, 밖으로 나갑니다. 이동할 때에는 승강기를 타지 말고, 운동장이나 공원 등 넓은 공간으로 대피합니다. 대피한 다음에는 전신주나 자판기 등 넘어질 우려가 있는 사물 근처에 서 있지 않아야 합니다.

09 이와 같은 강연에서 매체 자료를 활용할 때 고려할 사항으로 보기 <u>어려운</u> 것은?

① 청중들이 쉽게 구할 수 없는 자료인가?
② 강연 내용에 도움이 될 만한 자료인가?
③ 출처가 분명하고 신뢰할 만한 자료인가?
④ 매체 자료의 특성이 강연 내용에 어울리는가?
⑤ 강연 장소와 시간, 듣는 이, 강연 목적에 부합하는 자료인가?

10 이 강연에서 다루고 있는 내용이 <u>아닌</u> 것은?

① 지진 피해 사례
② 지진의 발생 원인
③ 지진 피해 복구 방법
④ 지진 발생 시 대처 방법
⑤ 지진이 자주 발생하는 지역

11 (가)~(마)에 사용할 매체 자료로 알맞지 <u>않은</u> 것은?

① (가): 「샌 안드레아스」 제작 후기가 담긴 동영상
② (나): 지진이 어떻게 일어나는지 보여 주는 동영상
③ (다): 지진 피해 사례가 담긴 사진 자료
④ (라): 세계의 지진대를 보여 주는 시각 자료
⑤ (마): 장소에 따른 지진 대처법을 요약정리한 표

서술형

12 ㉠을 제시한 이유를 한 문장으로 쓰시오.

13~18 **다음을 읽고, 물음에 답하시오.**

4(1) 단원

가 이때 어사또 하직하고 간 연후에 운봉이 공형 불러 분부한다. / "야야, 일 났다!"

공방 불러 자리 단속, 병방 불러 역마 단속, 관청색 불러 다과상 단속, 옥사정 불러 죄인 단속, 집사 불러 형벌 기구 단속, 형방 불러 서류 단속, 사령 불러 숙직 단속, 한참 이렇게 요란할 때 눈치 없는 본관 사또, 운봉을 향해 말을 던진다.

"여보 운봉, 어딜 그리 바삐 다니시오."

"소피 보고 들어오오." / 그때 술이 거나하게 취한 변 사또가 술주정을 하느라고 느닷없이 명을 내렸다.

"춘향이 빨리 불러올려라."

나

다 좌수·별감은 넋을 잃고, 이방·호장은 혼을 잃고, 삼색 옷 입은 나졸들은 분주하네. 모든 수령이 도망하는데 그 꼴이 가관이다. 도장 궤 잃고 유밀과 들고, 병부 잃고 송편 들고, 탕건 잃고 용수 쓰고, 갓 잃고 밥상 쓰고, 칼집 쥐고 오줌 누기, 부서지니 거문고요, 깨지나니 북·장고라.

본관 사또 똥을 싸고, 멍석 구멍에 생쥐 눈 뜨듯 하면서 관아 깊숙한 안채로 들어가며 급히 내뱉는 말이,

"어, 추워라, 문 들어온다 바람 닫아라. 물 마르다 목 들여라."

라

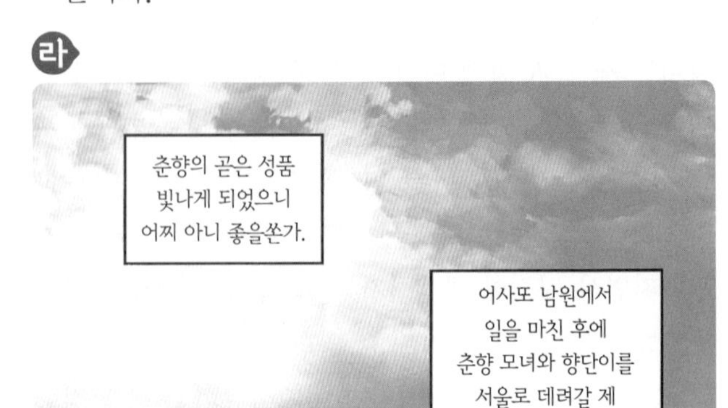

서술형

13 (가)~(다)에 두드러지게 나타나는 이 작품의 주제를 쓰시오.

14 (가)와 (나)를 비교한 내용으로 알맞지 않은 것은?

① (가), (나) 모두 암행어사가 출두할 것임을 예감하는 장면을 그리고 있다.
② (가)에서는 열거법을 통해 상황을 생동감 있게 나타내고 있다.
③ (가)에서는 '운봉'이 수하를 단속하는 장면을 상세히 서술하고 있다.
④ (나)에서는 특정 인물의 말과 행동을 통해 비장한 분위기를 드러내고 있다.
⑤ (나)의 의성어와 의태어는 사람들이 '어사또'의 정체를 직감했음을 나타내고 있다.

15 (가), (다)에 대한 설명으로 알맞지 않은 것은?

① 운문체와 산문체가 함께 나타난다.
② 전지적 작가 시점으로 서술되어 있다.
③ 판소리계 소설로 풍자적 성격을 띤다.
④ 조선 후기의 근대 의식을 반영하고 있다.
⑤ 비현실적이며 초월적인 세계를 다루고 있다.

16 (가)를 만화로 재구성할 때 고려할 사항으로 알맞지 <u>않은</u> 것은?

① 말풍선의 모양 변화를 통해 말의 인상을 달리한다.
② 원작이 지닌 가치보다는 창조적인 내용 구성에 집중한다.
③ 등장인물의 표정과 행동을 그림으로 생동감 있게 표현한다.
④ 말풍선을 통해 등장인물의 생각이나 대화 내용을 보여 준다.
⑤ 칸의 형태와 크기, 위치와 배치를 고려하여 내용과 분위기를 전한다.

고난도 서술형

17 (다)를 다음과 같이 만화로 나타냈을 때, 원작의 어떤 점을 고려하였는지 서술하시오.

조건
① 원작의 해당 부분에 드러나는 인물들의 모습을 포함하여 쓸 것
② '~을/를 ~묘사한다.'의 형식으로 쓸 것

18 (라)에서 글 상자의 역할로 알맞은 것은?

① 소설의 내용을 더욱 구체적으로 묘사한다.
② 새로운 사건을 암시하여 흥미를 이끌어 낸다.
③ 다양한 문학적 표현을 통해 작품성을 높인다.
④ 갈등이 극대화되고 있음을 입체적으로 드러낸다.
⑤ 이어지는 사건의 내용을 요약하여 줄글로 전한다.

19 〈보기〉의 밑줄 친 표현들이 지닌 가치와 효과가 <u>아닌</u> 것은?

보기
하루 종일 놀다가 밤늦게 허겁지겁 숙제를 하려는데 "<u>게으른 놈 짐 많이 진다</u>더니, 쯧쯧……." 하는 핀잔을 들어 본 적 있는가? 또 방학이 거의 다 끝나 가도록 방학 숙제에 손도 안 대서 걱정하고 있는데, 할머니가 등을 툭툭 두드리며 이렇게 말씀하시기도 한다. "인석아, <u>만 리 길도 한 걸음으로 시작된다</u>고 했으니 지금부터 부지런히 하면 돼. <u>시작이 반이라</u>고 하지 않더냐?"

① 내용을 인상적으로 전할 수 있다.
② 우리말의 고유한 표현이 살아 있다.
③ 우리 조상들이 터득해 온 지혜가 담겨 있다.
④ 설명하기 복잡한 상황을 간단히 표현할 수 있다.
⑤ 원래의 뜻과는 다르게 특별한 뜻으로 사용할 수 있다.

20 다음 상황을 표현하기에 알맞은 속담은?

① 등잔 밑이 어둡다
② 우물에 가 숭늉 찾는다
③ 돌다리도 두들겨 보고 건너라
④ 사공이 많으면 배가 산으로 간다
⑤ 벼 이삭은 익을수록 고개를 숙인다

서술형

21 다음 빈칸에 공통으로 들어갈 말을 쓰시오.

• (   )를 굽히다: 굴복하거나 저자세를 보이다.
• (   ) 위에 앉다: 상대방의 생각이나 행동을 꿰뚫다.

● 정답과 해설 40쪽

22~25 다음을 읽고, 물음에 답하시오.

4(2) 단원

가 방학 동안 친구와 수영을 같이 배우기로 했다. 첫날은 둘 다 초보라 기본 동작을 배우는 데에도 애를 먹었다. 다음 날부터 친구는 수업 시간보다 30분 먼저 가서 연습하기 시작했다. 나는 자꾸 늦잠을 자는 바람에 수업 시간에 헐레벌떡 들어가거나 결석하기 일쑤였다. 방학이 끝날 무렵에는 친구의 실력이 나보다 훨씬 앞서가게 되었다. (㉠)다더니, 수영 실력이 몰라보게 발전한 친구가 부러웠다. 나도 친구처럼 열심히 노력해서 수영 실력을 길러야겠다.

나

다 "그래서 '내일 먹어야지.' 하고 다른 걸 먹고 그냥 잤어. 그다음 날도 그다음 날도 그랬어. 그러다 한참이 지난 뒤 토끼가 먹고 싶어서 견딜 수가 없어진 여우가 산속으로 갔어. '이젠 먹어야지.' 하고. 근데 도저히 거기를 찾을 수가 없는 거야. 할 수 없이 집으로 돌아와 다른 걸 먹고 잤어. 다음 날 '꼭 오늘은 찾아야지.' 하고 가서 간신히 찾았는데 토끼가 없네! 썩어서 흙이 된 거야. 그래서 못 먹고 그냥 돌아와서 굶고 잤어. 그게 '(㉡)'야."

우린 ⓑ배꼽을 쥐고 웃었다. 무엇인가를 너무 아끼거나, 남과 나누기를 싫어하고 혼자 욕심껏 그러잡거나, 쓰기를 미룬 나머지 쓸모가 없어지는 경우에 해당하는 속담일 텐데, 그러고 보니 옛날이야기 속에는 자반을 걸어 두고 냄새만으로 찬을 삼는 자린고비도 있고, 된장 독에 앉았다 날아간 파리를 잡아 쪽쪽 빨아 먹는 구두쇠 이야기도 있었다.

22 (가)의 '나'가 앞으로 책상에 붙여 놓을 격언 또는 명언으로 가장 적절한 것은?

① 친구란 두 신체에 깃든 하나의 영혼이다. - 아리스토텔레스

② 스스로의 힘으로 실천하지 않는 것은 자포자기와 같다. - 이황

③ 친구를 얻는 유일한 방법은 스스로 완전한 친구가 되는 것이다. - 에머슨

④ 사랑은 서로를 마주 보는 게 아니라, 서로 같은 방향을 바라보는 것이다. - 생텍쥐페리

⑤ 사랑하는 것이 인생이다. 사람과 사람 사이의 결합이 있는 곳에 기쁨이 있다. - 괴테

23 ㉠과 ㉡에 들어갈 속담을 바르게 연결한 것은?

	㉠	㉡
①	구르는 돌은 이끼가 안 낀다	아끼다 똥 된다
②	구르는 돌은 이끼가 안 낀다	백지장도 맞들면 낫다
③	소 잃고 외양간 고친다	백지장도 맞들면 낫다
④	소 잃고 외양간 고친다	비 온 뒤에 땅이 굳어진다
⑤	바늘로 찔러도 피 한 방울 안 난다	구르는 돌은 이끼가 안 낀다

서술형

24 ⓐ와 〈보기〉의 밑줄 친 말의 뜻을 비교하여 쓰시오.

| 보기 |
딸: 아빠, 할머니 댁에 도착하려면 얼마나 남았어요?
아빠: 아마 한 시간은 더 가야 할 거야.
딸: 아……. 아직 갈 길이 머네요.

25 ⓑ와 같은 표현이 사용되지 않은 것은?

① 발 빠른 반장 되기

② 공부에서 손 떼지 않기

③ 수업 시간에 눈 돌리지 않기

④ 친구들과 두루두루 사이좋게 지내기

⑤ 도움이 필요한 친구에게 먼저 손 내밀기

한·끝·시·리·즈 필수 개념과 시험 대비를 한 권으로 끝! 국어 공부의 진리입니다.

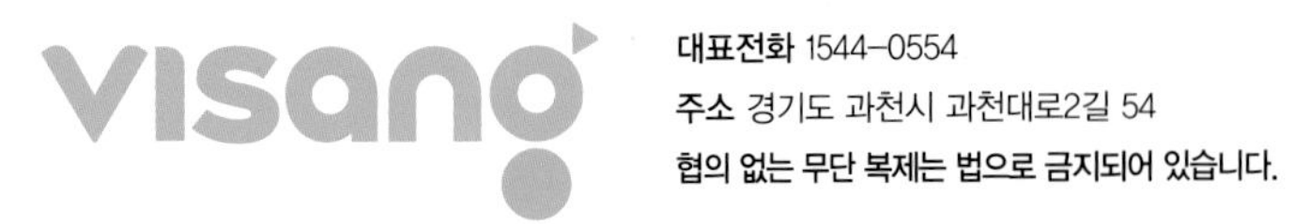

대표전화 1544-0554
주소 경기도 과천시 과천대로2길 54